TRADING BUSINESS
貿易実務ハンドブック

第6版

アドバンスト版

「貿易実務検定®」A級・B級オフィシャルテキスト

日本貿易実務検定協会® [編]

日本能率協会マネジメントセンター

第6版まえがき

　日本貿易実務検定協会® 主催の「貿易実務検定®」は、1998年3月に第1回試験が実施されて22年目を迎えた。現在では毎年1万人以上の方がこの検定試験を受験されている。この検定試験は、知識や経験のレベルが異なる受験者の方の実務経験・能力に合わせ、A級、B級、C級の3つのレベルを設けており、まったくの初心者の方から中堅の実務家の方、さらには管理職や貿易アドバイザーをめざす方々にそれぞれ対応できるよう、しくみを作っている。そして、これらの方々のスキルアップに活用していただいている。

　本書『貿易実務ハンドブック〔アドバンスト版〕』は、2005年の初版刊行以来、「貿易実務検定®」A級、B級の受験テキストとしてのみならず、貿易実務に携わる方々の参考書や貿易書類作成の手引きとしても広く活用されている。

　「貿易実務検定®」の3つの段階のうち、基礎レベルであるC級に対応したテキスト『図解　貿易実務ハンドブック〔ベーシック版〕』（日本能率協会マネジメントセンター刊）は、受験者の方はもとより貿易実務を学ぶ初学者の方々から長く好評をいただいている。そして、本書『アドバンスト版』はその上級編としての性格上、『ベーシック版』の記述との重複を避けて執筆している。そのため、本書の学習を進めるなかで基礎的知識の補強を必要とされる場合は、『ベーシック版』をあわせて読まれることをおすすめしたい。

　貿易、国際ビジネスの世界は刻々と変化をとげている。『アドバンスト版』第6版の改訂に際しては、メガEPA時代を迎え、インコタームズ2020をはじめ最新の法令改正に合わせ解説を行った。

　改訂にあたり、日本貿易実務検定協会®の中川章氏、宍戸雅明氏の大きな協力を得たことに、心から感謝する。

2020年6月吉日

日本貿易実務検定協会®
理事長　片山　立志

目次

第6版まえがき　3

第1編　貿易実務概論

第1章　輸出入取引の概要
輸出実務のしくみ ………………………………………………… 18
輸入実務のしくみ ………………………………………………… 20

第2章　船積書類と船荷証券
第1節　船積書類 ………………………………………………… 24
(1) 主要書類と付属書類 ………………………………………… 24
第2節　船荷証券 ………………………………………………… 25
(1) 船荷証券の性質 ……………………………………………… 25
(2) 船荷証券の記載事項 ………………………………………… 26
(3) 船荷証券に関する国際的統一規則 ………………………… 28
(4) 船荷証券の種類 ……………………………………………… 33
(5) 海上運賃 ……………………………………………………… 37
(6) 船荷証券の荷受人欄と裏書の方法 ………………………… 40
(7) 「船荷証券の危機」における船荷証券 …………………… 42
(8) コンテナによる複合輸送と複合運送証券 ………………… 48
　　◆チェック問題 ……………………………………………… 50

第3章　国際航空運送
(1) IATA航空貨物代理店 ……………………………………… 56
(2) 利用航空運送事業者 ………………………………………… 57
(3) 航空運送状 …………………………………………………… 58
(4) 航空運賃 ……………………………………………………… 61
(5) 航空貨物保険 ………………………………………………… 66
　　◆チェック問題 ……………………………………………… 68

第4章　貨物海上保険と貿易保険

- 第1節　英文貨物保険証券とその担保範囲 ………………………………… 72
  - (1) 保険証券とは ………………………………………………………… 72
  - (2) 貨物海上保険証券の種類 …………………………………………… 74
  - (3) 貨物海上保険証券の形式 …………………………………………… 75
  - (4) 保険契約で担保される範囲 ………………………………………… 77
  - (5) 特約条項 ……………………………………………………………… 79
  - (6) 保険証券の裏書 ……………………………………………………… 80
- 第2節　貨物海上保険の保険期間と協会貨物約款 ………………………… 81
  - (1) 貨物海上保険における保険期間 …………………………………… 81
  - (2) 貿易条件と保険期間について ……………………………………… 82
  - (3) 損害の種類 …………………………………………………………… 85
  - (4) 基本的な保険条件（協会貨物約款、旧ICC） ……………………… 86
  - ◆チェック問題 …………………………………………………………… 90
- 第3節　貿易一般保険（個別保険） ………………………………………… 93
  - (1) 貿易一般保険の概要 ………………………………………………… 94
  - (2) 対象となる輸出契約等 ……………………………………………… 94
  - (3) てん補するリスクと保険申込み …………………………………… 95
  - (4) 主な非常危険および信用危険 ……………………………………… 96
  - (5) 免責事項 ……………………………………………………………… 97
  - (6) 保険金額 ……………………………………………………………… 98
  - (7) 保険責任期間 ………………………………………………………… 98
  - (8) 保険料の算出 ………………………………………………………… 99
- 第4節　輸出手形保険 ………………………………………………………… 100
  - (1) 輸出手形保険の概要 ………………………………………………… 100
  - (2) 買取対象となる荷為替手形 ………………………………………… 100
  - (3) 確認要件 ……………………………………………………………… 101
  - (4) 保険金額 ……………………………………………………………… 102
  - (5) 保険契約の締結と保険責任期間 …………………………………… 103
  - (6) 保険料の計算 ………………………………………………………… 104
  - (7) 民間の取引信用保険 ………………………………………………… 104

◆チェック問題 ……………………………………………………… 106

第5章　貨物の船積み

　⑴　コンテナ船の場合の船積み …………………………………… 110
　⑵　コンテナ船の船積完了と輸出許可書 ………………………… 117
　⑶　ターミナル通関と内陸倉庫通関 ……………………………… 117
　⑷　船荷証券の取得時の留意事項 ………………………………… 118
　⑸　在来船の場合の船積み ………………………………………… 118
　　　◆チェック問題 ……………………………………………………… 122

第6章　輸出者の貨物代金回収

　第1節　荷為替手形の取組み …………………………………………… 126
　第2節　船積書類のチェッキング ……………………………………… 128
　第3節　ディスクレの場合の処理方法 ………………………………… 145
　第4節　フォーフェイティングと国際ファクタリング ……………… 149
　⑴　フォーフェイティング ………………………………………… 149
　⑵　国際ファクタリング …………………………………………… 152
　　　◆チェック問題 ……………………………………………………… 157

第7章　貿易決済と輸入金融

　第1節　貿易代金の決済方法 …………………………………………… 162
　⑴　買取銀行の資金回収の方法 …………………………………… 163
　⑵　貿易決済のしくみと書類、資金の流れ ……………………… 165
　⑶　信用状なし取引による書類と資金の流れ …………………… 168
　　　◆チェック問題 ……………………………………………………… 171
　第2節　貨物の引取準備 ………………………………………………… 173
　⑴　荷物引取保証 …………………………………………………… 173
　⑵　輸入担保荷物貸渡 ……………………………………………… 175
　　　◆チェック問題 ……………………………………………………… 178
　第3節　輸入金融 ………………………………………………………… 180
　⑴　輸入ユーザンス ………………………………………………… 180

（2）　輸入ユーザンスの種類 …………………………………………… 181
　（3）　跳ね返り金融 …………………………………………………… 188
　　◆チェック問題 ……………………………………………………… 189

第8章　通関手続

第1節　わが国における通関制度 …………………………………… 194
　（1）　輸出通関 ………………………………………………………… 194
　　◆チェック問題 ……………………………………………………… 198
　（2）　輸入通関 ………………………………………………………… 199
　　◆チェック問題 ……………………………………………………… 205
第2節　わが国における輸入税制 …………………………………… 208
　（1）　わが国の輸入税制 ……………………………………………… 208
　（2）　関税の課税価格の決定と評価申告 …………………………… 213
　（3）　輸入税の計算 …………………………………………………… 220
　（4）　附帯税 …………………………………………………………… 222
　　◆チェック問題 ……………………………………………………… 224

第9章　貨物の荷卸しと損傷貨物の求償手続

第1節　貨物の荷卸し ………………………………………………… 230
　（1）　コンテナ船の場合 ……………………………………………… 230
　（2）　在来船の場合 …………………………………………………… 235
　（3）　航空貨物の荷受け ……………………………………………… 238
　　◆チェック問題 ……………………………………………………… 241
第2節　運送上のクレーム …………………………………………… 244
　（1）　損害賠償請求権等の所在 ……………………………………… 244
　（2）　輸入港到着後の損害賠償請求の方法 ………………………… 245
第3節　保険会社に対する求償 ……………………………………… 250
　（1）　全損の場合 ……………………………………………………… 250
　（2）　分損の場合 ……………………………………………………… 252
　（3）　貸付金形式支払 ………………………………………………… 259
第4節　売買契約上のクレーム（貿易クレーム）の解決 ………… 260

(1)	輸出者への求償	260
(2)	仲裁条項で決めておくこと	261
(3)	仲裁の利点	262
(4)	仲裁に関する国際条約と仲裁判断	263
	◆チェック問題	265

第10章　外国為替相場と外国為替市場

第1節	外国為替相場と外国為替市場	270
(1)	外国為替相場とは	270
(2)	外国為替市場	271
第2節	直物相場と先物相場	274
(1)	直物取引	274
(2)	先物取引	274
(3)	直物相場と先物相場の開き	275
(4)	スワップ取引とコスト	276
第3節	輸出入取引と適用相場	278
	◆チェック問題	285

第11章　為替変動リスクの回避

第1節	為替先物予約	288
第2節	通貨オプション	291
(1)	通貨オプションとは	291
(2)	ゼロコスト・オプション	292
第3節	その他の為替変動リスク回避の方法	293
	◆チェック問題	296

第12章　UCP600とISBP745

第1節	信用状統一規則の概要	300
(1)	第2条　定義	300
(2)	第3条　解釈	302
(3)	第4条　信用状と契約	305

(4)	第5条	書類と物品、サービスまたは履行	305
(5)	第6条	利用可能性、有効期限および呈示地	306
(6)	第7条	発行銀行の約束	307
(7)	第8条	確認銀行での約束	307
(8)	第9条	信用状および条件変更の通知	308
(9)	第10条	条件変更	308
(10)	第11条	テレトランスミッションによる信用状・条件変更、および予告された信用状・条件変更	309
(11)	第12条	指定	310
(12)	第13条	銀行間補償の取決め	310
(13)	第14条	書類点検の標準	310
(14)	第15条	充足した呈示	313
(15)	第16条	ディスクレパンシーのある書類、権利放棄および通告	313
(16)	第17条	書類の原本およびコピー	316
(17)	第18条	商業送り状	316
(18)	第20条	船荷証券	318
(19)	第21条	流通性のない海上運送状	320
(20)	第22条	傭船契約船荷証券	320
(21)	第23条	航空運送書類	320
(22)	第26条	"On Deck"、"Shipper's Load and Count"、"Said by Shipper to Contain" および運用費に追加された費用	321
(23)	第27条	無故障運送書類	322
(24)	第28条	保険書類および担保範囲	323
(25)	第29条	有効期限または最終呈示日の延長	324
(26)	第30条	信用状金額、数量および単価の許容範囲	325
(27)	第31条	一部使用または一部船積	326
(28)	第32条	所定期間ごとの分割使用または分割船積	327
(29)	第33条	呈示の時間	327
(30)	第34条	書類の有効性に関する銀行の責任排除	327
(31)	第35条	伝達および翻訳に関する銀行の責任排除	327
(32)	第36条	不可抗力	328

(33) 第37条　指図された当事者の行為に関する銀行の責任排除 ………… 328
(34) 第38条　譲渡可能信用状 ……………………………………………… 328
(35) 第39条　代り金の譲渡 ………………………………………………… 329
　　◆チェック問題 …………………………………………………………… 330

第13章　貿易取引の事故事例

(1) 輸出者として認識すべき事故事例 ……………………………………… 336
(2) 輸入者として認識すべき事故事例 ……………………………………… 345
　　◆チェック問題 …………………………………………………………… 352

第14章　マーケティングの知識

第1節　輸出マーケティング戦略 ……………………………………………… 358
(1) 国際協定等 ………………………………………………………………… 358
(2) マーケティング・ミックス ……………………………………………… 359
　　◆チェック問題 …………………………………………………………… 371
第2節　輸入マーケティング戦略 ……………………………………………… 376
(1) 輸入規制法 ………………………………………………………………… 376
(2) 国内流通規制 ……………………………………………………………… 377
　　◆チェック問題 …………………………………………………………… 383
第3節　電子商取引 …………………………………………………………… 387
(1) 電子商取引とは …………………………………………………………… 387
(2) 法規制 ……………………………………………………………………… 388
　　◆チェック問題 …………………………………………………………… 391

第2編　貿易書類

第1部　輸出書類

1　売買契約書 ……………………………………………… 396
2　信用状（Letter of Credit） ……………………………… 398
3　S.W.I.F.T. を利用した信用状 …………………………… 399
4　買為替予約票（Exchange Contract Slip） …………… 403
5　船腹予約書（Space Booking Note） ………………… 405
6　商業送り状（Invoice） ………………………………… 407
7　梱包（包装）明細書（Packing List） ………………… 409
8　船積依頼書（Shipping Instructions） ………………… 411
9　コンテナ内積付表（Container Load Plan） ………… 414
10　貨物海上保険申込書 …………………………………… 416
11　貨物海上保険証券（Insurance Policy） ……………… 419
12　重量容積証明書（Certificate and List of Measurement and/or Weight）
　　………………………………………………………… 422
13　輸出申告書（Export Declaration） …………………… 425
14　NACCS による輸出申告書 …………………………… 428
15　ドック・レシート（Dock Receipt） ………………… 431
16　本船貨物受取書（メイツ・レシート（Mate's Receipt））…… 434
17　補償状（Letter of Indemnity） ………………………… 436
18　船荷証券（Bill of Lading） …………………………… 438
19　航空貨物運送状（Air Waybill=AWB） ……………… 442
20　原産地証明書（Certificate of Origin） ……………… 445
21　荷為替手形（Bill of Exchange）（L／C付）………… 447
22　荷為替手形（Bill of Exchange）（L／Cなし）……… 450
23　保証状（Letter of Guarantee=L／G） ………………… 452
24　荷為替手形の買取依頼書 ……………………………… 454
　　◆輸出書類　チェック問題 …………………………… 456

第2部　輸入書類

1　買付契約書（Purchase Note） ……………………………… 466
2　信用状開設依頼書 ……………………………………………… 468
3　輸入信用状 ……………………………………………………… 472
4　売予約のコントラクト・スリップ（売為替予約票） ……… 474
5　商業送り状（Invoice） ………………………………………… 476
6　予定保険申込書 ………………………………………………… 478
7　輸入船荷証券（Bill of Lading） ……………………………… 481
8　船積通知（Shipping Advice） ………………………………… 484
9　海上運賃請求書 ………………………………………………… 486
10　確定保険申込書 ………………………………………………… 488
11　着船通知書（Arrival Notice） ………………………………… 490
12　保証状（Letter of Guarantee＝L／G） ……………………… 492
13　輸入担保荷物引取保証に対する差入証 ……………………… 495
14　外貨建約束手形（L／G差入証用） ………………………… 497
15　外貨建約束手形（輸入ユーザンス手形） …………………… 499
16　シッパーズ・ユーザンス手形（信用状なし荷為替手形） … 502
17　荷渡指図書（Delivery Order＝D／O） ……………………… 504
18　リリース・オーダー（貨物引渡指図書） …………………… 506
19　デバンニング・レポート（Devanning Report） …………… 508
20　カーゴ・ボート・ノート（Cargo Boat Note） ……………… 510
21　輸入申告書（Import Declaration） …………………………… 512
22　NACCSによる輸入申告書 …………………………………… 514
23　船会社への事故通知（Notice of Damage） ………………… 517
24　本クレーム（Final Claim） …………………………………… 519
25　保険会社への損害求償状 ……………………………………… 521
　　◆輸入書類　チェック問題 …………………………………… 523

和索引／英索引　532
「貿易実務検定®」の概要　548

第1編

貿易実務概論

第1章

輸出入取引の概要

輸出実務のしくみ　　　　P18
輸入実務のしくみ　　　　P20

図表1－1　貿易書類・貨物・資金の流れ

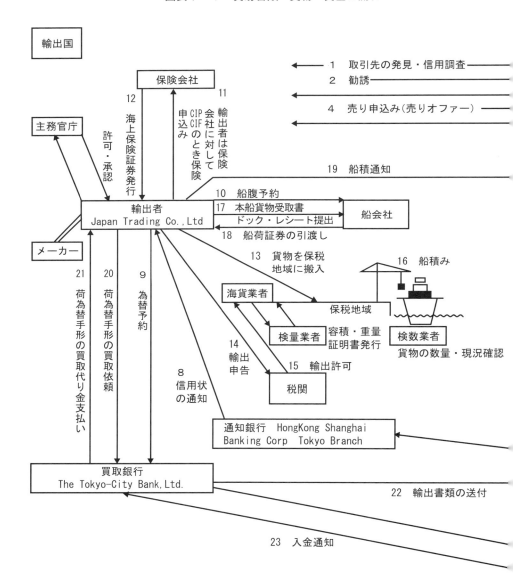

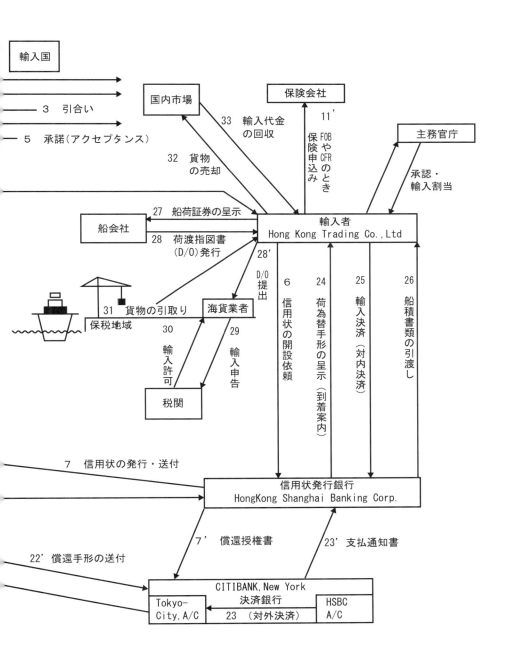

第1章 輸出入取引の概要

初めに、輸出実務および輸入実務の流れを確認しよう。以下の解説には前頁の図表1－1中の該当番号を付したので照合しながら読み進めていただきたい。また、次章以降の学習においても必要に応じて、本章を参照し、取り上げる手続が流れのどの時点での事柄かを把握することをお勧めする。

輸出実務のしくみ

(1) 輸出マーケティング活動（図表の1〜5）

商品を新たに海外に輸出しようとするときには、取引見込先の選定をしなければならない。その方法を挙げると外国の商業会議所への斡旋依頼、商工人名簿（ダイレクトリー）の利用、海外業界紙、専門誌などへの広告掲載、取引銀行を通じての業者の紹介依頼、国際見本市の利用、Ｅメールを活用した有望企業の検索、自社の宣伝などがある。同時にいかに製品のよさをアピールするか、製品の仕様について標準化戦略をとり、自国の仕様で進めるか、あるいは相手国のニーズを把握して相手国の仕様にするのか、国際標準仕様にするのかを検討する。

(2) 信用調査（図表の1）

貿易取引は国内取引と異なり、取引相手先の経営上の信用危険のほか、輸入国における輸入制限・禁止、戦争や内乱による輸入不能などの非常危険がともなうものである。いずれも常に情報収集に努めて、危険回避を図る必要がある。信用危険については、まず実際の取引を開始する前に相手先の信用状態を調べ、確実な相手先とだけ取引をすることが大切である。調査のポイントはCapital（資本力）、Capacity（経営力）、Character（誠実性）であり、"3C's"と呼ばれる。Conditions（企業環境）を加え"4C's"と呼ぶこともある。

(3) 勧誘（Proposal）（図表の2）

その市場で取引をするのに良好と思われる相手先を見つけたら、取引の希望を述べ、相手の興味を引きつける内容で取引の申込みを行い、取引関係を作る。

(4) 契約の成立（図表の3～5）

　相手先から品物を指定して値段や船積時期などの照会（引合い（Inquiry）ともいう）がきたら、国内メーカーなどの供給元に値段その他を問い合せ、それをもとに価格の見積りを行い、値段、数量、納期、決済などの取引条件を相手先に返事をする。これが売申込み（Selling Offer）である。通常はこの売申込みは、**確定申込み（Firm Offer）**の形で行う。また、取引の基礎となる**一般的条件（General Terms and Conditions of Business）**を取り決め、その後に、具体的な取引に入るのが原則ではある。しかし、現在ではこの一般的条件を取り決めないで、具体的な取引に入ることが多い。

　売買契約が成立したら、海外の買主に対しては売買契約書（Sales Note、Contract Note などと呼ばれる）を作成、送付する。このとき相手方に2通送付し、確認のためうち1通に署名のうえ、返送してもらう。また、自社製品でない場合には、商品の供給元（国内メーカー）に対し注文書を送付する。

(5) 主務官庁の輸出の許可、承認等

　契約品が貿易関係法による規制である許可、承認を要する場合には経済産業大臣に、国内関係法にもとづく許可、承認、証明、条件の具備を要する場合には各主務官庁にその許可、承認等を申請する。ただし近年では貿易自由化の進展にともない、輸出の許可、承認等はほとんど必要とされない。

(6) 輸出予約（図表の9）

　外貨建てで売買契約を締結した場合は、将来の為替の変動に備え、取引銀行との間で為替予約を結ぶ。輸出の場合には、**買予約を締結**する。（予約の売予約・買予約は銀行側から見ていう。）

(7) 船腹予約（図表の10）

　売買契約がCIF（Cost, Insurance and Freight）契約やCFR（Cost and Freight、C&F）契約の場合には、輸出者は船積予定日が決定したら、船会社から配船表（Shipping Schedule）を取り寄せて、直ちに**船腹の予約（Space Booking）**を行う。この予約は口頭でもできるが、後日のために文書を作成し予約申込みをする。コンテナ船のFCL貨物（Full Container Load Cargo）の場合

には必要なコンテナ本数をあわせて連絡し、LCL 貨物（Less than Container Load Cargo）や在来船の場合には、容積と重量を船会社に連絡する。

(8) 海上保険契約（図表の11～12）

CIF 条件や CIP（Carriage and Insurance Paid to）条件のように輸出者が保険を付保する貿易条件の場合は、保険会社との間で保険契約を結び保険証券（Insurance Policy）または保険証明書（Certificate of Insurance）を入手する。継続的な取引の場合には、予定保険を締結する。

(9) 貨物の船積みと通関手続（図表の13～18）

輸出者はメーカーあるいは納品業者から梱包明細書を受領し、船積書類を作成する。輸出申告は、保税地域等に貨物を搬入する前でもできるが、搬入後に貨物の検査が行われ、輸出が許可される。搬入後の申告では、海貨業者（乙仲）を通じて貨物を港頭倉庫（Port Warehouse）に運び入れる。海貨業者の港頭倉庫は保税地域（Bonded Area）の許可を受けている場合が多いが、保税地域に搬入後、輸出申告を行う。税関の輸出許可がおりたら、貨物を船に積み込む。

(10) 船積通知（図表の19）

輸出地で貨物の船積みが完了したら、輸出者は輸入者が貨物の受入れ準備にかかれるよう、Eメール、ファクス等で、船名、船積日、商品、数量、金額等を通知する。これを**船積通知**（Shipping Advice）という。

(11) 銀行による荷為替手形の買取（図表の20～21）

輸出者は荷為替手形に、商業送り状、船荷証券、保険証券など信用状が要求する船積書類を添付して、信用状原本とともに買取銀行に買取依頼をする。買取銀行は持ち込まれた船積書類と信用状の一致を確認して、**直物相場**または**予約相場**で荷為替手形を買い取る。

輸入実務のしくみ

輸入は輸出の逆であり、実務の大部分は輸出の実務があてはまる。

(1) 輸入マーケティング活動（図表の1）

　国内市場の動向を調査し、どのようなニーズがあるのかを把握して輸入する商品を選定する。次に外国における供給市場を調査し、その市場で良好と思われる商品を提供する輸出者を見つけ、これらとの取引関係を結ぶ。

(2) 輸出者の信用調査（図表の1）

　輸出者が信用できるかどうかの信用調査を行う。たとえ、輸出者の方から売込みがあったとしても輸出者の信用調査を行う。信用のおけることが確認できたら、輸出者と一般取引条件を取り決める交渉に入る。しかし輸出の項で述べたように、現在ではこの一般的条件を取り決めないで具体的な取引に入ることが多い。

(3) 輸入取引交渉（図表の3～4）

　輸入者が輸出者に引合い（Inquiry）を出すと、輸出者はその内容によって申込み（Offer）を行ってくる。輸入者がこの申込みを無条件で承諾すると売買契約は成立する。

(4) 輸入契約の成立（図表の5）

　売買契約が成立したら、輸出者に対して買契約書を、国内販売先に対しては売契約書を送付する。

(5) 輸入の割当および承認

　非自由化品目の場合は、経済産業省から輸入割当および輸入承認を受ける。したがって、非自由化品目を取り扱う場合は、輸入許可条件（Subject to Import License）で契約を締結したほうがよい。

(6) 信用状の開設依頼（図表の6）

　代金決済方法が信用状による場合は、取引銀行に信用状を開設してもらう。この時に、**輸入L／G**（Letter of Guarantee　保証状）を利用するか、国内の販売状況に応じて**本邦ローン**を利用するか、あるいは**跳ね返り金融**を利用するかどうかを検討して開設依頼する。銀行は、信用状の開設や輸入L／Gの発行等を行うことは**与信行為**となるため、輸入者への債権保全を考え応諾している。

(7) 輸入予約

銀行との間で為替予約を結ぶ。輸入の場合には、**売予約を締結**する。本邦ローンを利用する場合には、本邦ローン満期日に予約実行日を合わせる。

(8) **船腹の手配**（図表の10）、**保険の付保**（図表の11'）

貿易条件がFOB（Free on Board）の場合は、原則として輸入者が**船腹を手配**する。しかし、船腹手配は、実際には輸入者の依頼を受けて輸出者が行うことが多い。またFOB条件、CFR（C&F）条件などの場合は、輸入者が**保険を付保**する。契約が成立すると直ちに保険を付保しなければならないが、保険契約締結の際、船名、貨物の数量、船積金額などは不明であるので、**予定保険**を付け、船積通知が到着してその詳細が確定したら、すぐに確定通知をすることによって、予定保険を**確定保険**に切り替える。**保険料**はこの確定保険に切り替える時点で支払う。

(9) **輸入代金の決済**（図表の24～26）

輸出地で船積みが終わると輸出者から船積通知が送られてくるので、これにより本船の到着予定日を知り、貨物の荷受けと輸入通関の準備にかかる。そのためには船積書類が必要となる。

他方、輸入代金の決済のため、輸出地の買取銀行から信用状発行銀行に船積書類が送られてくるので、信用状発行銀行から手形の呈示を受けたら、**一覧払輸入決済**を行うか、または輸入決済資金がないときは、銀行へ外貨表示の約束手形、荷物貸渡依頼書および輸入担保荷物保管証（Trust Receipt）を差し入れて**輸入ユーザンス（T／R）**を取り組んだうえで、船積書類を受け取る。

(10) **貨物の引取り**（図表の27～31）

一覧払輸入決済または輸入ユーザンス（T／R）を取り組んだ後に、銀行から受けた船積書類を海貨業者に託し**輸入申告**を行うのが一般的である。船荷証券が未着の場合は、**保証状（L／G）**を船会社に差し入れて荷渡指図書（D／O=Delivery Order）の交付を受ける。荷卸しされた貨物は、原則として保税地域に搬入され、税関による書類の審査および貨物の検査を受ける。関税を納付して輸入許可を受ければ、貨物を引き取ることができる。

第2章

船積書類と船荷証券

第1節　船積書類　　　　P24
第2節　船荷証券　　　　P25

第1節　船積書類

> 貿易取引には、大別して荷為替手形による取引と送金による取引とがあるが、いずれの場合も船積書類の添付が必要となる。
> 本節では船積書類にはどのようなものがあるかについて考える。

(1) 主要書類と付属書類

まず、主要な書類と、必ずしも常に要求されるわけではない付属的な書類に分けて、確認しよう。

A．主要書類
① 送り状（Invoice）
② 船荷証券（Bill of Lading ＝ B／L）または海上運送状（Sea Waybill）
③ 航空貨物運送の場合、航空運送状（Air Waybill）または混載航空運送状（House Air Waybill ＝ HAWB）
④ 保険証券（Insurance Policy）または保険証明書（Certificate of Insurance）

B．付属書類
① 包装（梱包）明細書（Packing List）
② 検査証明書（Certificate of Inspection）
③ 重量容積証明書（Certificate and List of Measurement and/or Weight）
④ 原産地証明書（Certificate of Origin）
⑤ 税関送り状（Customs Invoice）

次に、これらの書類の特徴と役割をみていこう。

第2節　船荷証券

　コンテナ船でも在来船でも、貨物が船会社に引き渡されたり、船積みされたりすると船荷証券が発行される。
　船荷証券は前節で述べたように有価証券であるが、この節ではその意義、法的性質および記載事項を理解する。さらに、船荷証券の根幹をなす船荷証券統一条約等の国際規則、並びにコンテナ船の高速化が進むにつれて問題化してきた「船荷証券の危機」に対する対応などにも触れておきたい。

(1) 船荷証券の性質

　船荷証券は、貨物の所有権を表す**有価証券**であり、また貨物の目的地までの運送を約束し、所持人に対して運送貨物の引渡しを確約する受取証でもあり、さらに、裏書によって所有権を譲渡できる**流通証券**でもある。輸入地で輸入者が貨物を引き取るには、この船荷証券が必要になる。以下、船荷証券のこのような性質を詳しくみてみよう。

A．運送契約の証拠

　運送人と荷送人との間の運送契約が締結されたことを明らかにする書類である。すなわち、証拠書類ではあるが、運送契約書そのものではない。船荷証券の表面に記載されている事項、および裏面約款が運送契約の内容を示している。

B．貨物の受取証

　船荷証券に記載されている貨物を、運送人が受け取ったことを（コンテナ貨物の場合）、または船積みしたことを（在来船貨物の場合）証明する書類である。

C．有価証券としての機能

　船荷証券を所持していることは、その証券面に記載された貨物を所有しているのと同じことになるという点で、有価証券としての機能を有している。すなわち、輸入地では船荷証券の所持人のみが貨物の引渡しを請求できる。したが

って、船荷証券と引換えなしに貨物を引き渡した場合に、あとで現れた船荷証券の所持人に対して、船会社は損害賠償の責任がある。

D．流通証券としての機能

船荷証券は、有価証券であり裏書によって所有権を他に譲渡でき、その結果所有権が転々と移転する流通証券でもある。

(2) 船荷証券の記載事項

A．法定記載事項

船荷証券には、商法758条で、一定の事項の記載が要求される。

(a) **運送品の種類**

運送品を個別化できる程度に品目を記載すればよく、商品の詳細な記載は必要ない。

たとえば「生糸」、「絹糸」、「絹布」のように記載する。

(b) **運送品の容積もしくは重量または包もしくは個品の数および運送品の記号**

(c) **外部から認められる運送品の状態（apparent good order and condition）**

船荷証券の冒頭には、はじめから"apparent good order and condition"で船積みした旨の印刷文言があり、タイプ、スタンプまたは手書きでリマーク（Remarks　摘要）がつかない限り、良好な状態で船積みされたことを示している。

(d) **荷送人又は用船者の氏名または名称（Shipper）**

(e) **荷受人の氏名または商号（Consignee）**

荷受人が明記された船荷証券（B／L）を記名式船荷証券（Straight B／L、またはConsigned B／L）という。これに対して荷受人を特定せず荷受人欄に単に"to order"、"to order of shipper"となっているものを指図式船荷証券（Order B／L）という。

なお、"to order"または"to order of shipper"は、全く同じ意味で"to the order"または"to the order of shipper"と記載される場合もある。

(f) **運送人の氏名または名称（Carrier）**

船荷証券表面上部のheadingおよび下部に社名を書き、署名する。

(g) 船舶の名称

　　通常、実務上では記載していない。

(h) 船積港および船積みの年月日

　　Shipped B／L（船積船荷証券）には船積みの年月日欄がない。信用状統一規則第20条では、船荷証券の発行日を船積日とみなすとしている。

　　Received B／L（受取船荷証券）には、発行日のほかに、船積日を記載する欄（On Board Notation　船積証明）が設けられていて、この欄に記載された日付が船積日となる。

(i) 陸揚港（Pcrt of Discharge）

(j) 運送費（Freight）

(k) 数通の船荷証券を作った場合は、その数

　　船荷証券の表面約款 "one of which being accomplished, the others to stand void" により、数通の船荷証券が発行された場合（通常は3通）、そのうち1通が呈示されれば、他の船荷証券は無効となる。

(l) 作成地および作成の年月日

　　受取船荷証券の場合は、(g)、(h)の事項が除かれる。ただし、受取船荷証券と引換えに船積船荷証券の交付の請求があったときは、その受取船荷証券に船積みがあった旨（On Board Notation）を記載し、かつ署名または記名押印して、船積船荷証券の作成に代えることができる。1993年に改訂されたUCP500以降、運送人またはその代理人の署名またはイニシャル署名の規定が削除され、信用状に別段の定めがない限り、積込済みの付記署名は必要ない。

B．任意記載事項

　　上記の法定記載事項のほかに、次の事項などが記載される。

① 本船航海番号
② 着荷通知先
③ 運賃支払地および為替換算率
④ 船荷証券の番号
⑤ 普通約款

　　運送人の権利・義務に関する普通約款で、主として運送人の責任を免除または軽減するための免責約款が記載されている。

⑥　特別約款

なお、⑤と⑥は次のように区別される。

普通約款：船荷証券の表面や裏面にあらかじめ印刷されている約款で、全ての積載貨物に共通に適用される「不変事項」。

特別約款：個々の特別な特殊貨物に生じる損害に対する故障、免責などの船主の免責事項などを規定している約款で、普通約款を変更、補足、排除するために証券の余白にされる「可変事項」。

特別約款と普通約款とが抵触した場合は、特別約款が優先する。また、印刷約款と、手書きまたはタイプライターによる追記補正が抵触した場合は、手書きまたはタイプライターによる追記補正が優先する。

(3) 船荷証券に関する国際的統一規則

荷主と運送人間の運送契約は、船荷証券の表面や裏面に書かれた約款が重要となる。もし約款に国際的に法的な規制がなければ、運送人は自己に都合のよい免責約款を規定し、逆に荷主はそれを阻止しようとして混乱することになる。実際に荷主と運送人の間で免責約款をめぐって紛争が多発した。そこで運送人の責任、権利および免責の範囲を明確にし、国際運送の規範となる国際的法規をつくる動きが起きた。

A．船荷証券統一条約（ヘーグ・ルール）

(a) 船荷証券統一条約（ヘーグ・ルール）の制定

そこで1921年ヘーグにおいて、船荷証券に関する国際法会議が開かれ、貨物の船積み、取扱い、積付け、運送、保管、管理および陸揚げに関する運送人が負うべき最低限の義務および権利、免責を規定した船荷証券の統一に関する国際条約が成立した。これが**船荷証券統一条約（ヘーグ・ルール）**で1931年6月に実施された。世界の主要国のほとんどがこの条約を批准した。わが国においても1957年に批准し、翌年その条約を取り入れ、国内法である**「国際海上物品運送法」**を制定し、商法の特別法とした。

このヘーグ・ルールは、運送人が負うべき最低限の**義務および責任**、並びに運送人が享受できる最大限の**権利**および**免責**を規定している（過失責任主義をとっている）。

また、ヘーグ・ルールは、傭船（傭船契約）には原則として適用されな

い。ただし、傭船契約であっても船荷証券が発行される場合には、このヘーグ・ルールの規定に従うことになっている。

しかし、わが国の「国際海上物品運送法」は、個品運送契約であると傭船契約であるとを問わず、また船荷証券が発行されると否とにかかわらず、この条約が適用されるとしている。(国際海上物品運送法第1条)

> **参考　ヘーグ・ルール第5条後段**
> 「この条約の規定は、傭船契約には適用しない。ただし、傭船契約の場合に船荷証券が発行されるときは、その船荷証券は、この条約に従うものとする」

(b) ヘーグ・ルールの規定する主要点

① 運送人の責任

ⅰ)（船会社が免責される場合）船長、船員若しくは水先案内人その他使用人の怠慢などから成る航行上の過失（たとえば船長の航路の誤り、海図の見誤り、最新の気象通報に気づかず、または信号灯の見過しなど）および船舶取扱上の過失（衝突、座礁、船舶の操縦など）などの**航海過失**（または海技過失）と**船舶の火災によって生じた損害**を免責としている。

その他、天災、戦争、海難、暴動、内乱、ストライキ、公権力による出航停止、航行制限、検疫による遅延損害責任なども免責としている。(ヘーグ・ルール第4条第2項)

ⅱ)（船会社が免責されない場合）しかし、**本船の堪航能力**〔☞用語解説〕**の不足**および運送品の積込み、積付け、運送、保管、管理、荷揚げなどの運送品の取扱いにおける**商業過失**〔☞用語解説〕は免責されない。これに反する特約を船荷証券に記載しても無効であると規定した。(ヘーグ・ルール第3条第8項)

ⅰ　**堪航能力**：船が船体機関、属具を完備し、充分な乗組員と充分な燃料・食料・水などを搭載して航海をする能力を有すること。

ⅱ　**商業過失**：運送人がそれらを適切、慎重に行う注意義務を欠くこと。

② 運送人の責任区間

　ヘーグ・ルールでは、物品を積み込んだ（loaded）時から荷揚げした（discharged）時までとしている（ヘーグ・ルール第１条(e)）。しかし、国内法である「国際海上物品運送法」では、受取り（receiving）から引渡し（delivery）までとして、範囲を拡大している。

　だが実際には、わが国の船会社の発行する船荷証券では、船会社の責任区間についてヘーグ・ルールと同じく規定し、次のように定めている。

　ⅰ）「在来船」の場合には、積み込んだ（loaded）時から荷揚げした（discharged）時まで。すなわち"from tackle to tackle"（テークルからテークルまで）として、運送人の責任は、積込みは貨物が本船索具（テークル）にかかった時に始まり、荷揚げは索具を離れた時に終わるとしている。

　ⅱ）コンテナ船では「**受取りから引渡しまで**」。

　ヘーグ・ルールが制定施行された後、その内容を改定しようという国際的な動きが起こり、やがてヘーグ・ヴィスビー・ルールとハンブルグ・ルール（国際連合海上物品運送条約）という２つのルールに結実する。

B．ヘーグ・ヴィスビー・ルール

　ヘーグ・ルールが施行された後、インフレなどによる貨幣価値の変動による運送人の責任限度の単位を変更する必要が生じた。また、コンテナ輸送の出現・発展によりヘーグ・ルールの内容が時の経過とともに実情に合わなくなった。

　そこで、1968年万国海法会により条約改定のために議定書が作成された。この議定書は、ヘーグ・ルールの基礎となる航海過失免責、遅延損害免責の考え方を受け継ぐものであった。これが**ヘーグ・ヴィスビー・ルール**と呼ばれ、ヘーグ・ルールを部分的に加除修正したものであり、発展途上国の反対にあいながらも1977年に発効した。

　わが国はヘーグ・ルールを放棄し、1992年にヘーグ・ヴィスビー・ルールを批准した。またこれを国内法化し、「**改正国際海上物品運送法**」として1993年６月から施行している。

C．ハンブルグ・ルール（国際連合海上物品運送条約）

　発展途上国が国際的発言力を増してくると、ヘーグ・ルールは先進国が策定したもので国際法や慣行が先進国に有利になっており、発展途上国の利益が反映されていないとの批判が発展途上国で高まった。国連貿易開発会議（UNCTAD）で発展途上国の意向を取り入れ、船荷証券、傭船契約や貨物海上保険の約款を見直したハンブルグ・ルール（国際連合海上物品運送条約）が1978年採択された。これはヘーグ・ルールを根本的に見直し、新たなルールをつくろうとしたものである。

　この条約は、それまで長年にわたって運送人が享受してきた**航海過失免責、船舶の取扱上の過失免責や船舶における火災の免責**を認めないなど、運送人側に厳しい内容となっている。そのため先進諸国では批准に消極的で、途上国など20ヵ国が批准したにとどまり、1992年に発効したが日本は批准していない。

D．国連国際物品複合運送条約（未発効）

　1960年代からのコンテナ運送の出現により、いわゆる"Door to Door"の国際的な複合輸送が盛んになった。ヘーグ・ルール（同様にヘーグ・ヴィスビー・ルール）では、"**テークルからテークルまで（from tackle to tackle）**"の海上運送部分のみを規定し、陸上運送部分をカバーしておらず、ハンブルグ・ルールでは"from tackle to tackle"から一歩進んで"**from Port to Port**"と港頭地域を適用範囲に含めたものの、なお内陸部の地点を含む複合運送全体をカバーしていない。

　そこで国際複合運送人の免責・義務・権利について規定する国際的な規則が必要になった。しかし、先進国と発展途上国との意見の対立があり、条約の成立から20年以上経過しているが、いまだ発効に至っていない。

　この国連国際物品複合運送条約では、複合運送における運送人の責任として、運送品の事故発生区間のいかんを問わず、全運送区間にわたって責任限度は一定という**ユニフォーム・ライアビリテイ・システム（Uniform Liability System　同一（単一）責任原則）**を適用することになっている。

　本来、複合運送における運送人の責任には、異種責任組合せ型（Network Liability System）と同一責任原則型（Uniform Liability System）の2つの型がある。

国連国際物品複合運送条約はいまだ採択されていないので、わが国では国際複合輸送において何らかの事故が起こった場合には、複合運送証券で、全運送区間に対する複合運送人の一貫責任を約定しており、運送人の責任原則についてはネットワーク・ライアビリティ・システム（Network Liability System 異種責任組合せ型）を適用している。ネットワーク・ライアビリティとは、複合運送人は、荷主に対しては貨物の運送については全運送区間にわたって一貫責任を負うが、その滅失・損傷の責任については損害が発生した区間に適用される法体系によって決定されるというものである。
　すなわち、事故の発生区間が明らかな場合、その発生区間において適用される国際運送条約や運送に関するその国の国内法令を適用して、運送人の責任が定まることになる。

〈例〉損害発生区間および原因が明確な場合には、次のような法令の適用
　　が考えられる。
　・海上区間はヘーグ・ルール
　・航空区間はワルソー条約とモントリオール第四議定書（第3章(3)参照）
　・鉄道区間はCIM条約（国際鉄道物品運送条約）
　・トラック区間はCMR条約（国際道路物品運送条約）や国内陸送の場
　　合には一般貨物自動車運送約款・鉄道運送約款

　ただし、発生区間不明の損害（concealed damage）については、**海上運送区間中**に発生したものとして扱い、**ヘーグ・ルール（もしくはヘーグ・ヴィスビー・ルール）の責任原則を適用**することになっている。

図表２－１　各条約の運送人の責任と出訴期間比較

条約名	責任原則	出訴期間
ヘーグ・ルール	過失責任 （ただし、航海過失・火災免責および天災、戦争、海難、暴動、内乱、ストライキなどは免責）	運送品の引渡し後、引き渡されるべき日から１年
ヘーグ・ヴィスビー・ルール	同前	同前
ハンブルグ・ルール	過失責任 運送人の航海過失および船舶取扱上の免責廃止ならびに火災免責適用の制限	運送品の引渡し後、引き渡されるべき日から２年
国連国際物品複合運送条約	過失責任 法定免責事由を列挙しない 無過失の挙証責任は複合運送人が負う	運送品の引き渡された日の翌日または引き渡されるべきであった日の翌日から２年

(4) 船荷証券の種類

　船荷証券は、積込み方法、故障摘要（リマーク）の有無、貨物の輸送方法別に分類される。

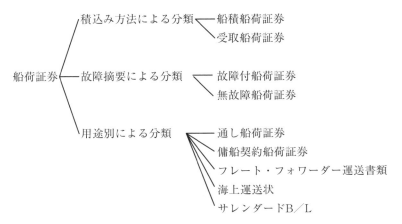

A．積込み方法による分類

(a) 船積船荷証券（Shipped B／L）

　　船積船荷証券とは、特定の船舶に貨物が実際に船積みされたことを、船会社が確認しているときに発行される船荷証券で、在来船の場合に発行される。

次のように証券面に"Shipped …"と記載される。
〈記載例〉
- "Shipped in apparent good order and condition by the shipper on board the ship …"
- "Shipped on board the vessel, the goods in apparent good order and condition …"

この記載は、貨物が現実に特定の船舶に積み込まれたことを表しており、Shipped B／L または On board B／L ともいう。

(b) 受取船荷証券（Received B／L）
① 受取船荷証券の性質
受取船荷証券とは、貨物がコンテナ・ヤード、艀、船会社の指定倉庫に搬入され運送人や船会社が貨物を受け取ったことを示している船荷証券で、コンテナ船の場合に発行される。証券面に"Received …"と記載される。
〈記載例〉
- "Received from shipper the goods or packages said to contain good… in apparent good order and condition …"
- "Received in Apparent good order and condition from shipper for shipment on the steamer …"
- "Received by the Carrier …"

受取船荷証券はあくまで受け取ったことを証明するものであって、船積みされたことを表すものではない。

② 受取船荷証券の船積証明（On Board Notation）の仕方
信用状は、"Full set of clean on board ocean Bill of Lading made out to order of shipper and blank endorsed marked Freight Prepaid notify …" と**船積船荷証券（Shipped B／L）**を原則にしているため、買取銀行は on board の表示のない受取船荷証券の買取を拒否する。

そこで、この受取船荷証券の場合、実際に貨物が本船に積み込まれた時に、船会社がこの受取船荷証券面に、船積みの年月日を追記、署名をして船積みをしたことを記載する。

これを**船積証明（On Board Notation）**といい、これにより受取船荷証

券は船積船荷証券と同一に扱われる。信用状統一規則第20条a項ii（海上船荷証券）

> **参考　信用状統一規則第20条a項ii**
> 「物品が、信用状に記載された船積港で記載船舶に船積されたことを次の方法により示していること。事前印刷文言により、または物品が船積された日付を示している積込済の付記（on board notation）により。
> 　船荷証券の発行日は、船積日と見なされる。ただし、船荷証券が船積日を示している積込済の付記を含んでいる場合を除くものとし、この場合は、その積込済の付記に記載された日が、船積日と見なされる。」

B．故障摘要の有無による分類
(a)　故障付船荷証券（Foul B／L）
　船積みされた貨物に、また荷造・数量その他について瑕疵があり、**故障摘要（Remarks）** がB／L上に記載されたものを故障付船荷証券（Foul B／L）という。しかし、船荷証券上には、既に"in apparent good order and condition"『外観上良好な状態で』積み込まれたと印刷されているので、そのままでは無故障船荷証券となってしまう。そこで故障がある場合には、船会社はタイプやゴム印で船荷証券上に　故障摘要（リマーク）を記載する。そのリマークが余白になされたものが故障付船荷証券である。

〈故障摘要の記載例〉
・5 cases damaged, contents exposed.（5ケース損傷、中身露出）
・8 cartons partly band off.（8カートン一部梱包ズレ）
・5 cases broken, contents OK.（5ケース破損、中身異常なし）
・10 pieces short（over）in dispute.（10個不足（過剰））

　信用状統一規則第27条により、買取銀行は、その故障付船荷証券の買取を拒否する。輸出者が持ち込んだ貨物に瑕疵がある場合、在来船の場合には**本船受取書（Mate's Receipt）** に、コンテナ船の場合にはドック・レシート（Dock Receipt）にリマークがされると、船荷証券にも同一のリマークが記載され**故障付船荷証券（Foul B／L）** となる。船会社に**補償状（Letter of Indemnity）** を差し入れて、リマークを削除してもらい、リマークの記載の

第2章　船積書類と船荷証券　35

ない**無故障船荷証券**（Clean B／L）を発行してもらう。

> **参考　信用状統一規則第27条**
> 「銀行は、無故障運送書類のみを受理する。無故障運送書類とは、物品または物品の包装の瑕疵ある現況を明示的に宣言した条項または付記を表示していない運送書類を意味する。たとえ信用状が、運送書類は『無故障での積込』であるべきことを要件としている場合であっても、『無故障』という語が運送書類上に現れる必要はない。」

(b)　**無故障船荷証券**（Clean B／L）
　　証券面にリマークがないものが Clean B／L である。

C．用途別による分類
　(a)　**通し船荷証券**（Through B／L）
　　　荷主と契約を結んだ最初の運送人が全運送区間の運送につき発行する船荷証券であり、信用状に定める一定の要件を備えていれば、銀行は受理する。
　(b)　**傭船契約船荷証券**（Charter Party B／L）
　　　一般的に契約に際し、契約条項を記載した「傭船契約書」が作成され、その傭船契約にもとづき発行される船荷証券を **Charter Party B／L** という。普通、この傭船契約用の船荷証券の記載事項は簡潔で、船荷証券の裏面約款(注)がほとんどない。傭船契約の条項と船荷証券とが矛盾する場合は、原則として傭船契約の条項が優先する。この点を明らかにするために通常船荷証券面上は"All terms and other conditions as per charter party（貿易条件その他は全て傭船契約による）"などの文言が記載され、傭船契約の記載事項が船荷証券の所持人を拘束する。しかし、荷為替手形の買取時には傭船契約の詳細も不明であることから信用状統一規則第20条、第21条により銀行は傭船契約に従うことを表示した船荷証券による買取を行わない。また、第22条b項では信用状条件により傭船契約の提示が要求されている場合であっても、傭船契約を点検しないとしている。
　　(注) 運送約款を省略したものを**略式船荷証券**（Short Form B／L）という。これに対して、船荷証券の裏面に全ての約款が印刷されているものを、**全裏面約款印刷船荷証券**（Long Form B／L）という。

(c) フレート・フォワーダー運送書類（Forwarder's B／L）

　フレート・フォワーダー〔☞用語解説〕（混載業者）が一貫輸送のためにLCL貨物を他の貨物と混載してFCL貨物に仕立てる。このとき、フレート・フォワーダーは荷主に運送書類である**Forwarder's B／L**（House B／L）を交付するとともに、自らは船荷証券上の荷送人となり、船会社から正式の船荷証券（Master B／L）の交付を受ける。

　フレート・フォワーダーが発行する運送書類（Forwarder's B／L）は、UCP500の信用状統一規則第30条に規定されていたが、UCP600では削除された。フレート・フォワーダーが、船会社の代理人として船荷証券を発行する場合には第20条を適用し、複合運送人として発行する場合には第19条を適用すればよい。

　フレート・フォワーダー：自らは船会社や航空会社のように船舶・航空機を持たないが、貨物の仲立ち、荷役等を業として国際輸送に携わるものをいう。

(5) 海上運賃

A．定期船運賃

　運賃の支払いには、前払いと後払いがある。貿易取引条件がCIFやCFR（C&F）の場合には、**運賃前払い（Freight Prepaid）**で積地での前払いとなり、FOB契約では、**運賃後払い（Freight Collect）**で揚地での後払いとなる。しかし、仕向地によって、運賃収受に問題があったり不安定な現地通貨での収受を良しとしないときは、船会社や海運同盟は運賃後払いを認めない場合もある。逆に、韓国向けのように運賃後払い（Freight Collect）が一般的である場合もあり、売買契約時に注意を要する。

　船荷証券に表示する運賃と支払通貨については、米ドルを基本としている。しかし、実際の船会社にする支払いは、自国通貨によって行われる。日本からの輸出で前払いの場合には、表示された米ドル建て運賃を円貨に換算して支払うことになる。一方、運賃後払いの場合には、揚地に本船が入港する前日の換算率により、現地通貨で支払われることになる。

　米ドル建てであることによる換算レートの変動や、燃料費の急騰などの変動に対応するために、調整運賃が用いられる。通貨変動による為替差損（益）を基本運賃の何％として調整する運賃を**CAF（Currency Adjustment Factor）**

またはカレンシー・サーチャージ（Currency Surcharge）という。また、燃料費の急騰などの変動に対応するため基本運賃の何％、または1フレート・トン当たり何ドルと表示する調整運賃を、BAF（Bunker Adjustment Factor）またはバンカー・サーチャージ（Bunker Surcharge）という。

東南アジア航路では、CAFをYAS（Yen Appreciation Surcharge）、BAFをFAF（Fuel Adjustment Factor）に換えて導入している。

ほかにも、コンテナ・フレート・ステーションでのコンテナへの貨物の混載作業や、コンテナからの取出し作業、CFSからCYへの運搬に対する費用であるCFSチャージ（CFS Receiving Charge）、輸入地で支払われるDelivery Chargeがある。

図表2－2　船荷証券の運賃表示の例

Freight and Charge	Revenue tons	Rate	per	Prepaid	Collect
Ocean Freight	5.350㎥	@US$120.00	㎥	US$642.00	
Currency Surcharge		30％		US$192.60	
Bunker Surcharge		@US$ 5.00	㎥	US$ 26.75	
				US$861.35	
CFS Receiving Charge		@¥4,000.00	㎥	¥21,400	
Delivery Charge		@US$20.00	㎥		US$107.00

B．コンテナ船の運賃の建値

ボックスレート（Box Rate）とは、FCL貨物に対して用いられる運賃である。コンテナの中に詰められる貨物の量には関係がなく、標準サイズの20フィート・コンテナまたは40フィート・コンテナ1個当たりいくらとして決められる。ボックスレートには、①現在の「海運同盟のタリフ・レート」に準拠した品目別運賃（Commodity Box Rate=CBR）、②商品の種類に無関係とする品目無差別運賃（FAK（Freight All Kinds）Box Rate）がある。

① 品目別運賃（Commodity Box Rate=CBR）

貨物の個々の特性（運送コスト、荷姿、材質など）に応じて品目別にコンテナ1個当たりいくらと設定される運賃。個品運送の場合の海運同盟のタリフ・レートは全てこの品目別運賃体系をとっている。

② 品目無差別運賃（FAK（Freight All Kinds）Box Rate）
　現在、コンテナの使用によって、貨物の性状による積付け上の問題や貨物の損傷の問題がほとんどなくなり、品目別に運賃を設定する必要性が薄くなった。コンテナの中に詰められる貨物の品目、容積、量、価格には関係がなく、コンテナ1個当たりいくらと定められる運賃。

C．海運同盟

　海運同盟は、同盟に加入していない**盟外船**（Outsider）による海運市場の撹乱を防ぎ、荷主との継続的運送契約により経営の安定を図るため、同盟船への利用を促進させるような運賃体系を設けている。荷主拘束の方法として、①契約運賃制（二重運賃制ともいう）、②運賃割戻し制（忠実割戻し制）、③運賃延戻し制をとっている。ただ、運賃延戻し制は荷主に対する拘束力が非常に強く盟外船の進出を非常に困難にしているので、契約運賃制と併用するか、荷主にそのいずれかを選択する自由を与えない場合は、運賃延戻し制の実施は認められていない。

① 契約運賃制（二重運賃制ともいう）（Contract Rate System）
　同盟船にのみ船積みすることを契約した荷主に対しては、一般よりも安い運賃率を適用することをいい、契約荷主が、契約に違反し盟外船に船積みしたときは、違約金その他の制裁が課せられる。
　ただし、この場合でも「盟外船積の特認」という方法が残されている。FOB契約の場合は、船舶の指定権は輸入者にあり、輸入者が盟外船を指定したときには、その事実を証明する信用状や電信等によるやり取り書類の写しを添付した「盟外船積の特認」の申請を同盟に出し、承認を受ければ契約違反とはならないことをいう。

② 運賃割戻し制（忠実割戻し制ともいう）（Fidelity Rebate System）
　あらかじめ同盟が定めた期間（通常は4ヵ月）に、同盟船のみに船積みし盟外船をいっさい使用しなかった場合に、荷主の請求にもとづき、留保期間を置かずに、期間経過後に割戻金の全額を払い戻すことをいう。これは契約運賃制のように荷主との契約によってなされるものではない。同盟側の一方的な宣言により実施される。

③ 運賃延戻し制（Deferred Rebate System）
　これは運賃割戻し制（忠実割戻し制）をさらに強化したものである。ある一定期間（通常4ヵ月）同盟船にのみ積んだ荷主に対して、その後の一定期間（留保期間）も同盟船に積むことを条件に前の一定期間に支払った運賃の一部（わが国では公正取引委員会の見解により通常9.5％以内）を戻すことをいう。荷主の請求により2つの期間経過後に払い戻す制度である。したがって、8ヵ月拘束されることになる。

(6) 船荷証券の荷受人欄と裏書の方法

　船荷証券が流通性を持つには、船荷証券上の荷受人（Consignee）が、指図式（to order）または荷送人の指図式（to order of shipper）となっていることが必要である。もし、記名式になっていると、記名された者にのみ貨物の処分権があり、流通性がなくなるので、荷為替手形の担保とはならず、銀行での買取が行われない。

　また記名式で、貨物をA社からB社に譲渡する場合に、わが国では船荷証券上に譲渡禁止の記載がない限り、船荷証券にA社の裏書があれば譲渡は可能である。しかし欧米では記名式の船荷証券の裏書譲渡は不能とされ、さらに受戻証券性が否定されており、船会社は船荷証券と引換えでなくとも、船荷証券の荷受人欄に荷受人として記載された者に貨物を引き渡すことで免責になる。したがって、輸入者を荷受人とする記名式船荷証券の場合には、信用状なし輸出手形の買取りで決済条件がD／Pであっても、輸入者は手形の決済を行なわず船荷証券を入手しなくても貨物が引取れることになる。

A．指図式船荷証券の場合の裏書
　(a) 単純指図式：指図式（to order）または荷送人の指図式（to order of shipper）
　　この場合の裏書は、荷送人（輸出者）の白地裏書（白地式）とする。次の権利者名の欄をブランクにしたもの。引渡し文言および被裏書人については何も記載しないで、荷送人が署名するだけである。白地裏書をすると、以降の船荷証券の引渡しによって所有権が移転することになる。
　　実質的には、無記名での発行と同じで、裏書の連続の問題が起こらない。
　　船荷証券の裏書の方法は、船荷証券の裏面約款が印刷されているところ

に、印刷約款が判読できるように、社名の入ったゴム印を斜めに押して責任者が署名する。

信用状に記載される船荷証券に関する条件
"made out to order (of shipper) and blank endorsed"

```
   ○ ○ ○ ○  ◀──────── 被裏書人名を記入しない。
   Japan Trading Co. Ltd.
   _____(signed)_____
   Manager
```

(b) 記名指図式 (to order of ○○)

通常下記の○○には、信用状発行銀行などの輸入地の銀行名が入ることが多い。

その場合、原則輸出者の裏書は不要で、信用状発行銀行から裏書を開始する。最終的には、輸入者の決済または引受後に信用状発行銀行が輸入者に特定した「指図式裏書」をして輸入者に譲渡される。(「C．輸入地の銀行の裏書」参照)

信用状に記載される船荷証券に関する条件
"made out to order of ○○ Bank"

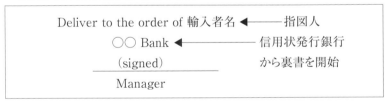

B．記名式船荷証券 (Straight B／L)

荷受人欄に特定人名が記載された船荷証券で、その特定人しか貨物の引渡しを請求できない。流通性がないので銀行での買取は行われない。このB／Lは荷送人(輸出者)から特定人に直送されるのでStraight B／Lという。これは荷為替手形を取り組む必要のないもの、たとえば無償の商品見本や、前払

い送金で決済済みの場合などに用いられる。

C．輸入地の銀行の裏書

　輸入地の銀行は輸入者が貨物代金を決済するか引受け（期限付手形の満期日に支払うことを約束すること）を行うと、船荷証券を輸入者に引き渡す。その場合には、次の権利者を輸入者に特定した「指図式裏書」とする。船会社から貨物を引き取るためには、最終的に輸入者の裏書がないと、裏書が連続していないことになり、貨物の引取りができないので、B／Lの紛失や盗難の場合など、第三者への貨物の引渡しの危険を回避できる。

　具体的な裏書の方法

```
Deliver to the order of Hong Kong Trading Co., Ltd. ←──輸入者名
Hongkong and Shanghai Banking Corp, Hong Kong ←──輸入地の銀行
            (signed)
            Manager
```

(7)「船荷証券の危機」における船荷証券

　コンテナ船の高速化が進むにつれて、航海時間が著しく短縮され、本船が目的地に到着しても、船積書類は銀行経由で来るため船荷証券が届かず、荷受人が貨物を引き取れない事態がしばしば起こるようになった。こうしたことを「**船荷証券の危機**」と呼ぶ。

　こうした状況に対応すべく、実務上では積地側の処理として、有価証券である船荷証券の代わりに、非有価証券である**海上運送状**（Sea Waybill）を発行したり、または船荷証券の発行地で荷主が船荷証券に裏書をし、船会社がその船荷証券全てを回収するという**サレンダードB／L**（Surrendered B／L）（元地／積地回収）の扱いが行われることが多い。また、揚地側ではL／G（Letter of Guarantee 保証状）を船会社に差し入れて船荷証券がなくても貨物を引き取れ

る対応をとっている。
このような対応について詳しくみていこう。

A．海上運送状（Sea Waybill）

海上運送状は、欧米を中心に普及してきた。経済のグローバル化により貿易取引が企業グループ内取引（海外の子会社等の間で）として行われるようになると、裏書で転々と流通する有価証券としての船荷証券を用いる必要がなく、単に貨物の受取証、運送契約の証拠としての機能があればよいことになる。

しかし、ヘーグ・ルールおよびヘーグ・ヴィスビー・ルールは、船荷証券または船荷証券類似の「権利（権原）証券（documents of title）」〔☞用語解説〕による運送契約に適用されるとしていたため、権利（権原）証券ではない海上運送状には適用がなく、船会社の発行する船荷証券は、船積船荷証券または受取船荷証券でなければならないとされた。そうした中、1980年代になると海上運送状の使用される機会が増えたので、万国海法会（Comite Maritime International ＝ CMI）は、1990年に「海上運送状に関するCMI統一規則」を採択し、貿易取引で流通性のある権利（権原）証券を発行する必要のない場合には、海上運送状で充分であるとした。海上運送状の利用は、このCMI統一規則採択により飛躍的に増加した。

(a) 海上運送状と船荷証券との相違

① 船荷証券が有価証券で裏書譲渡により貨物の所有権が移転していくのに対し、海上運送状は有価証券ではなく、権利（権原）証券ではないため、流通性がなく（non-negotiable document）、裏書譲渡はできない。

② そのため、海上運送状では荷受人（Consignee）を特定しなければならない。荷受けの時には、荷受人が海上運送状に記載された荷受人であることを証明しなければならないが、海上運送状自体を船会社へ提示することは不要である。すなわち引換証としての機能がないため受戻証券〔☞用語解説〕ではない。同様に船会社は、貨物の引渡しのときに、海上運送状の回収を要しない。

荷受人の確認は次のようにする。

ⅰ）荷受人は、船会社から発行された着船通知書（Arrival Notice）上に、既に船会社に届けてある署名と同一の署名をして、船会社に提出する。

ⅱ）船会社は署名を確認して、荷渡指図書（Delivery Order）を発行するが、その際荷渡指図書の受取り時の署名も同一署名かどうかによって、引渡しを請求している荷受人が海上運送状上の荷受人と同一かどうかの確認を行う。船会社はこの同一署名と引換えに荷渡指図書を発行する。

したがって、海上運送状を紛失しても貨物を取得する権利を失わず、除権決定を受ける必要がない。船積書類の到着が遅れた際にL／G（保証状）を差し入れて貨物を引き取る「保証状荷渡し」の方法をとる必要もない。
（「C．保証状による荷渡しについて」参照）

　ⅰ　**権利（権原）証券**：船荷証券を引き渡すことによりその証券に記載された貨物に対する支配権能（title）が移転する「有価証券」である。
　ⅱ　**受戻証券**：証券（船荷証券）と引換えでなければ債務者（船会社）が証券上の債務（貨物の引渡し）を支払う必要のない証券で、引換証券ともいう。

(b) **海上運送状による荷受けのメリットとデメリット**
〈メリット〉
① 海上運送状の提示なく貨物の引取りができるので、L／Gの必要がない。
② 海上運送状を紛失した場合、再発行の手続が不要で、L／Gの必要がない。

〈デメリット〉
① 航海中に海上運送状に裏書をして、譲渡・移転することができない。貨物を転売できない（洋上売買ができない）。
② 荷送人が運送品の処分権を有するので、運送人に通知することによって、荷受人が貨物の引渡し請求をするまでは、荷受人を簡単に変更できる。
③ 船荷証券では、証券面記載の運賃に関係なく、1通に200円の印紙を貼付すればよかったが、海上運送状では、発行通数全てについて、記載運賃額に応じて印紙を貼付しなければならない。なお海上運送状は通常1通の発行であるが、荷送人の要求があれば複数通発行する。

したがって貿易決済の点で考えると、海上運送状は、荷為替手形の担保とならないため、船荷証券（B／L）を担保としない取引に向いている。そのため銀行の与信に関係のない取引、すなわち送金決済や信用状なし取引に利用される。具体的には、長年にわたる取引先や関連会社間、現地法

人等での取引に利用されている。

B．サレンダードＢ／Ｌ（Surrendered B／L）

　輸入者が早期に貨物を引き取りたい場合に、積地の船会社が輸出者の白地裏書を受けたＢ／Ｌ全通を回収した旨と、輸入者への引渡しを輸入地の代理店に連絡し、ニーズに応える方法がある。この場合の回収された船荷証券をサレンダードＢ／Ｌという。送金ベースによる貨物代金決済で利用されることがほとんどだが、輸出者は代金回収のリスクを負い、また貨物の担保権が銀行にないことから原則として銀行は荷為替手形の買取をしない。信用状統一規則でもその取扱方法は定められていない。

　しかし、時として信用状に運送書類として"surrendered non-negotiable copy of B／L"などと規定して要求してきた場合には、信用状取引でも取り扱われる。買取銀行にとってはサレンダードＢ／Ｌ（買取時に銀行に提示されるNon-Negctiable Copy）そのものに担保権としての効力がないので、荷為替手形の担保とはならない。信用状発行銀行でも、輸入者が開設依頼をするときには、直送Ｂ／Ｌ（「Ｄ．直送Ｂ／Ｌ扱い」参照）と同様に実質的に無担保の与信扱いとして対応している。したがって別途、債権担保、不動産担保を徴求して信用状を開設している。（第７章「貿易決済と輸入金融」第１節⑵参照）

図表２－３　サレンダードＢ／Ｌによる貨物代金決済

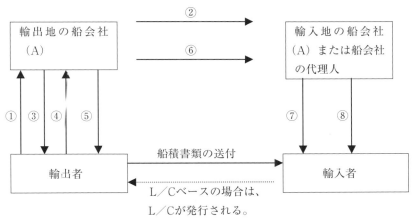

① 船会社は荷送人（輸出者）から貨物を受け取る。
② 船会社は輸入地へ貨物を輸送する。
③ 通常の船荷証券全通（通常3通）を発行し、輸出者へ渡す。
④ 船会社は、輸出者の依頼により、輸出者の白地裏書された船荷証券全通を輸出者から回収し、保管する。
⑤ 船荷証券原本の代わりに輸出者へ船荷証券のNon-Negotiable Copyを渡す。
⑥ 輸出地の船会社は、輸入地の自社の船会社またはその船会社の代理人にEメール等で、荷受人（輸入者）への貨物の引渡し指図を行う。
⑦ 輸入地の船会社または船会社の代理人は、輸出地の船会社から受けた内容と貨物とを照合確認のうえ、荷受人（輸入者）に連絡をする。
⑧ 輸入地の船会社または船会社の代理人は、荷受人（輸入者）に貨物の引渡しを行う。

C．保証状による荷渡しについて（L／G　輸入荷物引取保証）

　　近距離からの輸入の場合は、船荷証券が銀行に到着する前に貨物が先に到着していることが考えられる。しかし、海上貨物が船荷証券（B／L）と引換えでなければ引き渡されないとなると、輸入者は商機を失ってしまう。そこで船荷証券なしで貨物を引き取る必要がでてくる。この場合、まず輸入者は船会社からL／G（保証状）の用紙を取得し、その保証状を作成、署名し、さらにその保証状に連帯保証する旨の署名を銀行にしてもらう。この保証状を船会社に差し入れる。船会社からその保証状と引換えに荷渡指図書（Delivery Order＝D／O）が交付される。この荷渡指図書と引換えに貨物の引取りを行う。

　　このように、船荷証券なくしてL／G（保証状）で貨物を引き取ることを「保証状荷渡し」という。（第7章「貿易決済と輸入金融」参照）

D．直送B／L扱い

　　船荷証券の1通を輸出者から輸入者に直接送付させ、その船荷証券で貨物を引き取る扱いを**直送B／L扱い**という。

　　船荷証券を直接輸入者に送付させる方法（直送B／L）は、信用状発行銀行の担保権が侵害されるため、信用状ベースでは信用状発行銀行が認めない限り、信用状は開設されない。

特に、船荷証券は貨物の所有権を譲渡できる有価証券であり、船荷証券を直接輸入者に送付させては、船荷証券が輸入者の手元に届いた時点で、輸入者が輸入代金の決済をしないでも貨物の処分権（所有権）が輸入者に移り、輸出者、買取銀行、信用状発行銀行は貨物の担保権を確保できず、問題である。

したがって、この直送Ｂ／Ｌ扱いによる取扱いは、輸出者と輸入者とが同一企業グループ内取引（海外子会社等の間の取引）である場合や、輸出者と輸入者とが長年の取引先でありなんら問題のない場合に行われる。または信用状取引では、輸入者が信用状発行銀行に信頼がある場合以外は、原則として直送Ｂ／Ｌ扱いはない。（参照：P339　事故事例４）

Ｅ．電子船荷証券

現在の貿易取引の決済は、ペーパー（紙）船荷証券を担保にした荷為替手形により行われている。しかし、船舶の高速化、荷役作業の迅速化、近隣諸国からの輸入の増加などにより、海上貨物の輸送スピードに船積書類の流れが追いついていけない状況が頻繁に発生し、従来のペーパー船荷証券では、貿易運送と決済との間に問題があることが露呈した。そこで、この新しい物流の変化に対応できるシステムとして、船荷証券と同等の電子データ交換（Electronic Data Interchange = EDI）の形式で授受できる電子船荷証券が開発されている。この電子船荷証券が広く採用されるかどうかは、従来の船荷証券が果たしてきた役割・機能・経済的便益が電子船荷証券によっても得られるかどうかにかかっている。

現在、船会社・荷主・商社などが、会員組織（Bolero Association Ltd = BAL）との間に契約を結ぶ形の**Bolero**（ボレロ）と、会員組織制はとらず二者間で直接 TEDI Interchange Agreement を締結し、電子船荷証券のシステム（TEDI）のサービスを利用して船荷証券情報を電子データ交換する**TEDI**（Trade Electronic Data Interchange）がある。

しかし、電子船荷証券の役割や機能、またそこから生じる法律関係を包括的に規定する条約、法令は存在しない。万国海法会（CMI）は、「電子式船荷証券のためのCMI規則」を採択したが、この規則は条約ではなく、契約当事者が規則に従って取引をする旨の合意にすぎない。

⑻　コンテナによる複合輸送と複合運送証券

　コンテナ輸送の発展にともない、輸出者が工場・倉庫などでコンテナに積み込んだ貨物をそのままの状態で、2つ以上の運送手段（モード）により荷受人の倉庫（最終目的地）まで一貫して（ドアからドアまで）輸送することが盛んになった。コンテナによる複合運送で発行される運送書類が**複合運送証券**（Combined Transport Bill of Lading=CT B／L）であり、**複合運送人**（Combined Transport Operator=CTO または Intermodal Carrier）によって発行される。この複合運送人は、貨物の受取りから引渡しまでの全区間の運送を自ら若しくは下請けの運送人を使用して運送する。また運送期間に生じた貨物の損害についても一元的に責任を負う。

　この複合運送には、船会社が運送主体者になる場合と、自らは全く運送手段を持たないフレート・フォワーダーが自己の料金表にもとづいて運送を引き受け、船会社を下請け人として利用運送する**国際複合運送一貫事業者（利用運送事業者）**（Non-Vessel Operating Common Carrier=NVOCC）がある。

　ここでは、船会社と NVOCC がどのようなルートでヨーロッパや北米に向けて運送しているかをみてみよう。

A．欧州向けルート

　　わが国から欧州へ向けたルートのうち、国際複合運送一貫事業者が行う代表的なものは、シベリア鉄道を利用してヨーロッパあるいは中近東向けの輸送を行うシベリア・ランドブリッジ（Siberian Land Bridge=SLB）である。

　① シベリア・ランドブリッジ（Siberian Land Bridge=SLB または Trans-Siberian Container Service=TSCS）（運送の主体：NVOCC）

　　　コンテナ船で日本からボストチヌイ、ナホトカなどロシア東部の国際港へ輸送し、次にシベリア鉄道でロシア・CIS（旧ソ連邦諸国）・東欧国境まで運び、それ以遠を欧州鉄道・トラックなどで輸送する。

　② アメリカン・ランドブリッジ（American Land Bridge=ALB）（運送の主体：船会社）

　　　日本からアメリカ大陸を経由して、東海岸から再び海上輸送し、ヨーロッパに輸送する形態である。日本から北米西岸のロサンゼルス、オークランドなどまで海上輸送して、鉄道輸送でガルベストン、ニューオーリンズなどの

ガルフの港、または東海岸に輸送され、そこで第2船に船積みされヨーロッパの内陸地点まで一貫輸送する。

③　カナダ・ランドブリッジ（Canadian Land Bridge=CLB）（運送の主体：船会社、NVOCC）

　アメリカン・ランドブリッジとほぼ同じ輸送方法である。日本からバンクーバー、シアトルまで海上輸送して、カナダ太平洋鉄道、カナダ国有鉄道でモントリオールまで運び、欧州のロッテルダム、ハンブルクなどに海上輸送する。

④　欧州向け Sea & Air

　その他欧州向け複合輸送には、海上輸送と航空運送を組み合せた「欧州向け Sea & Air」と呼ぶもので、海上輸送よりも短いが、航空運送よりも長いといった中間的なものがある。利点は、海上輸送よりも所要日数が少なくて済み、また航空運送よりも運賃負担が軽いという点である。

B．北米向けルート（運送の主体：船会社）

①　ミニ・ランドブリッジ（Mini-Land Bridge=MLB）

　日本から北米西岸の港を経由して、鉄道でカナダ東部およびアメリカ東海岸、メキシコ湾岸地域の港から港（port to port）の輸送に限定している国際複合一貫輸送方法である。

②　インテリア・ポイント・インターモーダル（Interior Point Intermodal=IPI）

　日本から北米西岸の港を経由して、セントルイス、シカゴ、ダラスなどアメリカ内陸部の貨物の運送拠点まで鉄道やトレーラーにより輸送し、さらに荷受人の戸口まで輸送する方法である。

③　リバースド・インテリア・ポイント・インターモーダル（Reversed Interior Point Intermodal=RIPI）

　日本からパナマ運河を経由してアメリカ東海岸諸港まで海上輸送して、そこで鉄道やトレーラーに積み替えてアメリカ内陸部の貨物の運送拠点まで輸送する方法で、インテリア・ポイント・インターモーダルと異なり、東岸から逆回りで輸送するので「リバースド」の名がついた。

チェック問題

1. 次の各文章について、正しいものには○を、誤っているものには×をつけなさい。

① 船荷証券には、商法および国際海上物品運送法で、一定の事項の記載が要求されているが、商法がまず適用され、それが適用されないときには国際海上物品運送法の規定が適用される。

② 船荷証券の表面約款"one of which being accomplished, the others to stand void"により、数通の船荷証券が発行された場合、そのうち1通が提示されれば、他の船荷証券は無効となる。

③ ヘーグ・ルールの規定によれば、衝突、座礁、船舶の操縦など航海過失、本船の堪航能力および運送品の積込み、積付け、運送、保管、管理、荷揚げなどの運送品の取扱いにおける商業過失も船会社の免責になる。

④ 同盟船にのみに船積みすることを契約した荷主に対して、一般よりも安い運賃率を適用することを「運賃延戻し制」といい、契約荷主が、契約に違反し盟外船に船積みしたときは、違約金その他の制裁が課せられる。

⑤ 海上運送状（Sea Waybill）において、荷送人は運送品処分権を有するため、輸入地において荷受人から貨物引渡請求があるまで、荷受人を変更することが可能である。

⑥ サレンダードB／L（Surrendered B／L）とは、輸出地の船会社が発行したB／L全通を回収し、ファクス書面等で輸入者に貨物を引き取らせるもので、主に送金ベースによる貨物代金決済で利用されるが、信用状統一規則にはその取扱い方法について定められていない。

⑦ 通し船荷証券（Through B／L）とは、荷主と契約を結んだ最初の運送人が全運送区間の運送につき発行する船荷証券であり、信用状に定める一定の要件を備えていれば、銀行は買取に応じる。

⑧ 国際複合輸送において何らかの事故が起こった場合には、その損害は全て海上運送中に発生したものとして取り扱い、ヘーグ・ルール（若しくはヘーグ・ヴィスビー・ルール）の運送人責任原則が適用される。

⑨ 海上運送状（Sea Waybill）は、有価証券でなく権利（権原）証券ではないため、航海中にSea Waybillに裏書をすることによって、物品を洋上転売（物品の引取請求権の譲渡移転）することはできない。

⑩　船会社が主導する方式としては、北米西海岸まで海上輸送し、港で鉄道に積み替えてカナダ東部およびアメリカ東海岸、メキシコ湾岸地域へ輸送する国際複合一貫輸送方法であるALB（American Land Bridge）と、東海岸から再び海上輸送しヨーロッパに輸送するMLB（Mini-Land Bridge）がある。

2．次の記述は船荷証券、航空貨物運送状の荷受人欄と裏書に関するものであるが、誤っているものはどれか。
　A　記名式船荷証券（Straight B／L）は、荷受人欄に特定人名が記載された船荷証券で、その特定人しか貨物の引渡しを請求できないので、流通性がなく銀行での買取りは行なわれない。
　B　船荷証券上の荷受人について、信用状に"to the order of 信用状発行銀行"と記載がある場合には、輸出者の裏書は不要で、信用状発行銀行から裏書が開始し、最終的には、輸入者の決済または引受後に信用状発行銀行が船荷証券の裏面に次の権利者である輸入者のために「白地裏書」をする。
　C　指図式（to order）、荷送人の指図式（to order of shipper）の船荷証券の場合は、荷送人が署名するだけの白地裏書をすると、以降の船荷証券の引渡しによって所有権が移転することになる。
　D　記名式で、貨物をA社からB社に譲渡する場合に、わが国では船荷証券上に譲渡禁止の記載がない限り、船荷証券にA社の裏書があれば譲渡は可能である。しかし欧米では記名式の船荷証券の譲渡は禁止されている。

●解答と解説●

1．①－×　　②－○　　③－×　　④－×　　⑤－○
　　⑥－○　　⑦－○　　⑧－×　　⑨－○　　⑩－×

①　×　船荷証券には、商法で一定の事項の記載が要求されている。
②　○
③　×　船舶取扱上の過失（衝突、座礁、船舶の操縦など）などの航海過失と船舶の火災によって生じた損害、また天災、戦争、海難、暴動、内乱、ストライキ、公権力による出航停止、航行制限、検疫による遅延損害責任などは、船会社は免責となる。
　一方、本船の堪航能力および運送品の積込み、積付け、運送、保管、管理、

荷揚げなどの運送品の取扱いにおける商業過失については、船会社は免責とならない。

④　×　ある一定期間（通常4ヵ月）同盟船にのみ積んだ荷主に対して、その後の一定期間も同盟船に積むことを条件に前の一定期間に支払った運賃の一部を戻すことを「運賃延戻し制」という。

　一方、「契約運賃制（二重運賃制）」とは、同盟船にのみに船積みすることを契約した荷主に対して、一般よりも安い運賃率を適用することである。契約荷主が、契約に違反し盟外船に船積みしたときは、違約金その他の制裁が課せられる。

⑤　○
⑥　○
⑦　○
⑧　×　国際複合輸送においてわが国の業者が発行する複合運送証券では、全運送区間に対する複合運送人の一貫責任を約定しており、運送人の責任原則については「ネットワーク・ライアビリティ（Network Liability　異種責任組合せ型）」を採択している。

　したがって、事故の発生区間が明らかな場合、その発生区間において適用される国際運送条約や運送に関するその国の国内の強行規定に準拠して、運送人の責任が定まることになる。発生区間不明の損害については、海上運送中に発生したものとして扱い、ヘーグ・ルール（もしくはヘーグ・ヴィスビー・ルール）の責任原則を適用することになっている。

⑨　○
⑩　×　船会社が複合運送人となる国際複合一貫輸送のルートの例として代表的なものには、北米西海岸まで海上輸送し、港で鉄道に積み替えてアメリカ東海岸、メキシコ湾岸地域へ輸送する国際複合一貫輸送方法であるMLB（Mini-Land Bridge）と、東海岸から再び海上輸送し、ヨーロッパに輸送するALB（American Land Bridge）がある。

2．B
　船荷証券上の荷受人について、信用状に"to the order of 信用状発行銀行"と記載がある場合には、輸出者の裏書は不要で、信用状発行銀行から裏書が開始し、最終的には、輸入者の決済または引受後に信用状発行銀行が船荷証券の裏面

に次の権利者である輸入者に特定した「指図式裏書」をする。

第3章

国際航空運送

(1) IATA 航空貨物代理店　　P56
(2) 利用航空運送事業者　　　P57
(3) 航空運送状　　　　　　　P58
(4) 航空運賃　　　　　　　　P61
(5) 航空貨物保険　　　　　　P66

第3章　国際航空運送

航空貨物運送を担っているのは、主に航空貨物代理店と利用航空運送事業者であるが、現在ではどのような役割を求められているのかを理解する。また、航空運送状は運送契約締結の証拠書類であり、譲渡性、流通性がなく有価証券ではないことを理解したい。さらに航空運賃、航空貨物保険等についても学習する。

(1) IATA航空貨物代理店

　IATA（国際航空運送協会）とは、1945年、キューバのハバナで結成された民間航空会社の団体で、安全航行の確保、経済的な航空運送を発展させるための運送規則、運賃協定などの諸課題に取り組んでいる。本部はカナダのモントリオールにあり、国際線を運航している世界の主要航空会社は、ほとんど全てがIATAに加盟している。

　IATA航空貨物代理店とは、代理店として承認を受け、IATAと代理店契約を締結することによって、IATA加盟の各航空会社と代理店関係に入り、さらに個別に指定を受けることで航空会社の代理店となる運送業者をいう。この場合、IATA航空貨物代理店は特定の航空会社だけでなく、複数のIATA加盟の航空会社から代理店の指定を受けることができる。

　わが国では長い間、航空会社による貨物の集配運送が運輸政策上規制されていたので、集荷セールス能力が充分でなかった。そこで、全国にネットワークを持ち、集荷セールス能力のある企業を代理店として活用することが求められた。このような背景からIATA航空貨物代理店制度が公的に認知された。当初IATA航空貨物代理店の承認を受けたのは大手の陸上運送、船会社、倉庫会社、私鉄あるいはその系列企業であったが、新規代理店資格の取得制限が緩和され、2005年からは手続の簡素化が図られた。現在では100社以上がIATA航空貨物代理店として活動している。

　承認の基準は、"Ready for Carriage"とされている。"Ready for Carriage"とは「発送可能な状態まで貨物の準備を全て完了させてから航空会社に持ち込み、航空会社が貨物を受託してそのままの状態で発送できる」という意味である。代理店は、貨物運送の営業活動、貨物の集荷、梱包やラベリングなど全てを

行い、"Ready for Carriage"の状態で航空会社に引き渡す。その業務に対して、運賃および従価料金を合わせた額の5％がエージェンシー・コミッション（Agency Commission）として航空会社からIATA航空貨物代理店に支払われる。

> 参考　Ready for Carriage の具体的な事項
> ①　Air Waybill － 航空貨物運送状の発行
> ②　Documentation － 必要書類の具備
> ③　Marking of Package － 梱包への荷受人の住所、氏名の記載
> ④　Packing － 航空運送に耐え得る梱包。運送制限品目は該当する規則に従う。
> ⑤　Labeling of Package － AWBラベル、特殊貨物ラベルの貼付
> ⑥　Shipper's Certificate for Dangerous Goods － 危険物申告書の作成

(2) 利用航空運送事業者（フォワーダー）

　利用航空運送事業者（フォワーダー）は、複数の荷主の貨物をまとめて航空会社に運送を委託するので「混載業者」とも呼ばれている。自分では航空機を保有、運航せず、航空会社の貨物スペースを利用するという意味で利用航空運送事業者という。

　「利用運送」は、"Airport to Airport"の区間でしか利用運送しない「第1種利用運送事業」と、"Door to Door"で運送する「第2種利用運送事業」に分けられる。一般に利用航空運送事業者といえばドア・ツー・ドアで運送するので、ほとんどが第2種利用運送事業である。貨物を航空運送するとき、複数の真の荷主から集めた貨物を一つにまとめ、自分の名前で航空会社に運送を委託し、仕向地（着地）で貨物を受け取り、荷受人ごとに仕分けし、それぞれの荷受人に配達する業務を行う。すなわち、航空会社が空港から空港までの運送を担当しているのに対して、利用航空運送事業者はドアから空港、空港からドアまでの一貫運送をするだけでなく、航空会社の運送区間も航空会社の貨物スペースを利用して運送している。現在ではドア・ツー・ドアの輸送だけでなく、自社の倉庫施設を持ち、通関業務、貨物の保管・仕分け、配送業務を行い、サプライチェーン・マネジメント（SCM）やサードパーティ・ロジスティクス（3PL）、ベンダー・マネージド・インベントリー（VMI）〔☞用語解説〕などの役割を果たし、多様化して

いる。航空会社と異なりさまざまな業務が求められるようになり、ロジスティクス・プロバイダとも呼ばれている。

　　　i　サプライチェーン・マネジメント（SCM）：貨物がマーケットに供給されるまでの全ての業務プロセスを一元的に管理し、最適化すること。すなわち、部材の調達、製造、販売流通という各業務を接続し一連のチェーンとみなし、一つのチェーン・トータルで最適化を図ること。
　　　ii　サードパーティ・ロジスティクス（3PL）：荷主が物流（ロジスティクス）に関わる業務の一部あるいは全てを第三者（フォワーダー、倉庫業者など）に委託（アウトソーシング）し、これにより物流にかかるコストを削減すること。
　　　iii　ベンダー・マネージド・インベントリー（VMI）：従来はユーザー（本邦のメーカー）が原材料の在庫管理を行っていたが、近年ではサプライヤー（海外ベンダー）がユーザーに供給する際に、物流センターや倉庫を活用して在庫管理を行い、必要な時に必要なだけ製造拠点（本邦のメーカー）に原材料を供給して、生産の効率化を図っている。このシステムをベンダー・マネージド・インベントリーという。たとえば、輸入貨物の場合、海外から航空機で輸入された原材料等を国内の保税蔵置場にストックし、海外ベンダーが在庫管理を行ったうえで必要数量をユーザーに供給する。

(3)　航空運送状

A．航空運送状に記載される運送人の責任

　航空会社の責任は、Air　Waybill（航空運送状）裏面約款で、ワルソー条約に定められた責任に関する規定に従うと定められている。この条約は、ヘーグ議定書、モントリオール第四議定書による改定を受けて現在に至っている。

(a)　ワルソー条約

　1929年ポーランドのワルソーで運送証券および航空会社の責任を統一的に規制することを目的に締結された条約である。運送証券の記載事項のほか荷主や航空会社の責任範囲、権利・義務について定め、航空運送の諸規則の要になっている。わが国は1953年に批准した。

(b) ヘーグ議定書（改正ワルソー条約とも呼ばれる）

　1955年、ワルソー条約の規定が締結以降の国際航空運送の飛躍的発達により、実情にそぐわなくなったため採択された。航空過失免責規定を削除し、責任限度の引上げなどを取り決めた。わが国は、1955年これを批准している。特に、貨物の運送人の責任限度額を決める重量について、ワルソー条約では、ネット重量なのか、グロス重量なのかはっきりしていなかったが、ヘーグ議定書ではグロス重量を採用した。

(c) モントリオール第四議定書

　ヘーグ議定書の貨物運送に関する部分を改定するため、1975年に採択され、1998年発効した。わが国は、2000年5月に批准している。わが国から発着する航空貨物運送については、このモントリオール第四議定書によってヘーグ議定書が適用され、航空会社の責任が明確にされる。

　ヘーグ議定書には特定の免責事由は規定されていなかったが、モントリオール第四議定書によって責任の厳格化と同時に免責事由が明記された。

　免責事由は次の4点である。

① 貨物固有の瑕疵、性質に起因する損害
② 航空会社以外の者によって行われた梱包の欠陥に起因する損害
③ 戦争行為または武力紛争に起因する損害
④ 貨物の輸出入、通過（中継・積替えなど）に関連して取られた公的機関による貨物の処分

B．**航空運送状の性質**（〈　〉内は船荷証券の性質である。相違点に注意しよう。）

① 航空運送状は、**譲渡性、流通性がなく**（**Non-negotiable**）、**有価証券ではない**。〈船荷証券は、譲渡性、流通性あり、有価証券である。〉

② 航空運送状は、**受取式**（Received）で発行される。〈船荷証券は、船積式（On Board）で発行される。コンテナ船の場合には受取式（Received）で発行されるが、最終的にはOn Board Notationの表記により、船積式（On Board）と同じになる。〉

③ 航空運送状の荷受人は、常に**記名式**。〈船荷証券の荷受人は、一般的には指図式で発行され、白地裏書をする。〉したがって、航空運送状が"to order"または"to order of …"で発行されることはない。荷受人を記名式にしておくことは、荷受人を確定しておき貨物を迅速に引き渡すためで

ある。

④　信用状付取引の場合には、原則として、**"銀行を荷受人"**として発行される。これは、貨物は銀行の担保である必要があるが、航空運送状は有価証券でないので銀行は貨物に対する担保権を主張できないためである。一方、本来の荷受人を航空運送状の中段のHandling information欄に、荷受人以外の通知先として"Also Notify Party（本来の荷受人の名）"と記入する。

C．航空運送状の作成、交付
　(a)　ワルソー条約の規定
　　　航空運送状の作成や交付の方法は、ワルソー条約第5条から11条に規定されており、今日でも国際的なルールとして定着している。主な条文は以下のようである。
　第5条(1)：荷送人が航空運送状を作成し、運送人に交付することになっている。（実務では、航空貨物代理店が作成している。ただあくまでも荷送人の代行として発行している。）
　第6条(1)：荷送人が原本を3通作成し、貨物とともに交付しなければならない。
　第6条(2)：原本1は「運送人用」で荷送人が署名する。原本2は「荷受人用」で、荷送人と運送人が署名する。原本2は貨物とともに送付される。原本3は運送人が署名して、荷送人に交付される。この3通目には国際航空貨物約款の一部が印刷されている。
　第6条(5)：運送人が荷送人の請求により航空運送状を作成したときは、荷送人に代わって作成したとみなし、航空運送状に記載された貨物の内容についても荷送人に責任があるとしている。

　(b)　航空運送状の種類
　　　航空運送状には、**マスター・エア・ウェイビル**（MAWB ＝ Master Air Waybill）と**ハウス・エア・ウェイビル**（HAWB ＝ House Air Waybill）がある。航空会社が利用航空運送事業者（フォワーダー）に対して発行するのが、マスター・エア・ウェイビル（MAWB）であるが、実際には航空貨物代理店が発行している。運送貨物が混載貨物である場合に、利用航空運送事

業者が真の荷主に対して発行するのが、ハウス・エア・ウェイビル（HAWB）である。

また、航空運送状をフォームの制作者で分類すると、①航空会社がIATA様式による従来のフォームである航空運送状を作成し、航空貨物代理店に預け、荷送人の輸送依頼により発行する**通常の航空運送状**と、②その国のIATA機関（CASS ＝ Cargo Accounts Settlement System 事務局）が、IATAメンバーである航空会社のために印刷し配布する**ニュートラル・エア・ウェイビル**がある。

このニュートラル・エア・ウェイビルは、航空会社名、ロゴ、マークやAWB番号は前もって印刷されておらず、貨物明細を記入する際に、コンピュータにより航空会社名、ロゴ、マーク、AWB番号が印字される。ニュートラル・エア・ウェイビルの導入は、エア・ウェイビルの電子データ交換化（EDI）の第一歩であり、多くの航空会社、利用航空運送事業者に導入され、普及することが望まれている。

D．航空運送状の役割

航空運送状の役割は、①運送契約締結の証拠書類、②貨物の受領書、③運賃・料金の請求書、④航空会社に対する貨物の取扱いの指図書、⑤発送および引渡しの荷送人の指図書、などである。

(4) 航空運賃

設立当時からIATAの目的は、運賃調整を行うことであった。そのため、IATAは世界を3つの区域に分けて、**TC（Traffic Conference　運送会議）** 1は南北アメリカ、**TC2**はヨーロッパ、中近東およびアフリカ、**TC3**はアジアおよびオセアニアとして、各地域内および地域相互間の運賃調整を行う制度を設けた。同一地域であれば、どこの国から出発しても**同一運賃**が適用されるというものである。しかし実際には、運賃はIATAが決めるが、関係国双方が認可しないと発効しない。たとえば、東京とソウル間では、日本、韓国両政府が認可しないと発効しない。これを**ダブル・アプルーブ制**という。

IATAの運賃制度は、1960年代まではかろうじて機能していた。だが、その後のジャンボ機の出現により貨物スペースが恒常的に過剰になり、セールス能力の高い大手の利用航空運送事業者（フォワーダー）が運賃決定権を持つようになっ

た。また、アメリカ政府がIATAの規制運賃に対し独占禁止法の適用を示唆したため、IATAは加盟航空会社を単なる同業組合メンバーと運賃会議メンバーを兼ねるものに分け、単なる同業組合メンバーにはIATAの運賃を適用しないと決めた。こうして、主要路線でのIATAの運賃はますます形骸化が進んだ。現在、航空貨物の大半は混載貨物だが、その運賃は利用航空運送事業者が個別に定めている。

　航空会社が利用航空運送事業者に提示する運賃は、基本的には重量逓減制であるが、供給が需要を上回るため安い実勢運賃が生まれる。また利用航空運送事業者が荷主に提示する運賃も、大口の荷主には安い実勢混載運賃を提示するため、非常に複雑である。ここでは、運賃の基本であるIATAの運賃体系をみていく。

A．IATAの運賃

　航空運賃は、IATAが運賃調整会議の決定にもとづき、関係各国政府に申請し、その認可を受けて発効する。運賃は原則として、**出発地の通貨で表示**される。ただし、国によっては通貨が不安定であるという理由で、米ドル表示になっている。また、出発地の空港から到着地の空港までの運賃で構成され、集荷、梱包、保管、通関、配送、その他類似のサービスなどは含まれていない。これを"**空港から空港への原則（Airport to Airport）**"という。

B．運賃の種類

　IATAの運賃は、各地域内および地域相互間ごとに異なるが、次のような種類がある。

(a) 一般貨物賃率（General Cargo Rates=GCR）

　貨物の品目に関係なく適用される基本運賃の賃率。

　荷送人がULD（Unit Load Device）〔☞用語解説〕に自ら搭載した貨物はコンテナ利用賃率が適用になるので、一般貨物賃率はバラ貨物に対して適用になる賃率である。

　航空貨物運賃体系の基本は、**重量逓減制**で、運送貨物の重量が重くなればなるほど、1kg当たりの単位運賃は低くなる。利用航空運送事業者は多くの荷主から小口貨物を仕向地ごとにまとめ、自ら荷送人であると同時に荷受人となって、航空会社と運送契約を結んで貨物を航空機に搭載する。つま

り、軽量貨物を高い運賃で集荷し、大口貨物にまとめて安い航空会社の大口割引運賃の適用を受ける。その差額が混載差益と呼ばれ、利用航空運送事業者の収益となる。

　　ULD（Unit Load Device）：本来はパレットやコンテナのような単一化された搭載用具（輸送補助機材）そのものをさす語であるが、今日では、貨物が中に詰められた状態のコンテナや、貨物をパレットに載せてロープで固定し、ひとかたまりにした状態もULDという。

　　また、空港に到着した輸入貨物のULDを、解体せずにそのまま空港外のフォワーダーの貨物施設まで輸送することを**インタクト輸送**という。空港でULDを解体し貨物を仕分けする方法に比べて、時間を節約でき、フォワーダーはULDの着後直ちに、貨物を自社のコントロール下に置くことができる。

(b)　**特定品目賃率**（Specific Commodity Rate=SCR）

　特定の区間を運送される特定の品目に適用され、品目別に設定された割安の運賃で、適用に必要な最低の重量が定められている。特定の生産地・消費市場間の商品の流通を推奨し、航空貨物の増加を意図する貿易推奨賃率である。たとえば、東京発ヨーロッパ線では、光学機器、繊維製品、自動車部品、電気製品など、アメリカ西海岸発日本線では、果物、魚類などにこの賃率が適用されている。

(c)　**品目分類賃率**（Commodity Classification Rate=CCR）

　一定の地域について、特定の品目に対して、一般貨物賃率を基礎として割引または割増賃率をパーセントで示した賃率である。

　割引品目には、新聞、雑誌、定期刊行物、書籍、カタログ、点字本、別送手荷物などがあり、割増品目には、動物、貴重品、遺骨、遺体などが挙げられる。

(d)　**コンテナ利用賃率**（Charges for Unitized Consignments）

　荷送人が貨物を航空会社のパレットやコンテナ（ULD）に自ら積載し、パレットやコンテナ単位で航空会社に引き渡し、そのままパレットやコンテナ単位で荷受人に引き渡される貨物に適用するコンテナ割引賃率。ただし特定の区間に限って設定されている。たとえば、アメリカ発東京・大阪・名古屋・沖縄行き、日本発アメリカ行きなどの路線で適用になる。

(e) 国際貨物優先搭載制度（International Priority Service）
　割増運賃を支払うことにより指定便に優先的に搭載される制度。
　ただし、特定路線に限られている。たとえば、日本・韓国とTC１（南北アメリカ）間の路線などが該当する。

(f) 最低料金（Minimum Charge）
　貨物の重量が少なく、重量に賃率を乗じても貨物１件の運賃が一定の額に満たない場合の下限額。

(g) 従価料金（Valuation Charge）
　高価な貨物を運送する場合、貨物の価格を航空運送状の申告価格（Declared Value for Carriage）欄で申告するが、この価格が１kg当たりSDR22.00相当額を超える場合には、従価料金を支払わなければならない。原則として、超過額の0.75％である。航空運送状の「Declared Value for Carriage」の欄に、「N.V.D.」（No Value Declared　無申告）と記載して申告した場合には、従価料金を支払わなくてもよい。ただし、その場合航空会社の貨物に対する責任限度額は、事故が発生しても１kg当たりSDR22.00となる。

　　（例）申告価格がJPY875,000、実重量89.8kgsの貨物の従価料金の求め方。
　　　　　運送人の責任限度　　SDR22 ＝ JPY4,048円（1SDRを仮に184円として計算）
　　　　　通常の運送責任限度　89.8kgs × JPY4,048円＝363,510.4　　　①
　　　　　通常申告価格　　　　JPY875,000　　　②
　この貨物は1kg当たりSDR22.00を超えているので、超過額の従価料金0.75％が掛かる。
　　　　　超過分　②－①＝ JPY511,489.6
　　　　　従価料金　JPY511,489.6×0.75％ ＝ JPY3,836.172⇨ JPY3,900
　　　　　（四捨五入の単位JPY100円）
　※ Declared Value for Customs（税関への申告価格＝FOB円貨価格）は、443頁⑰参照のこと。

C．運賃適用の原則

　運賃は、賃率に重量を乗じて算出する。一般貨物賃率（GCR）、特定品目賃率（SCR）などは、１kg当たりの賃率が定められている。ただし、貨物の容積が、貨物の重量１kg当たり容積6,000立方センチメートルを超える場合に

は、貨物の実際の重量（実重量）の代わりに、貨物の容積6,000立方センチメートルを1kgとして換算して、容積重量を用いて計算する。これをWeight or Measurement方式という。**賃率の適用順位**は、①特定品目賃率（SCR）、②品目分類賃率（CCR）、③一般貨物賃率（GCR）の順である。

（例）実重量55.3kgs、容積355,688cm³の貨物の賃率用重量の求め方。

355,688cm³ ÷ 6,000cm³ = 59.28133kgs ≒ 59.5kgs（0.5kgまでの端数は0.5kgに、0.5kgを超える端数は次の1kgに切り上げる。）

実重量55.3kgsであるが、この場合、貨物の賃率用重量は、容積重量の59.5kgsとなる。

D．"As"取り

航空貨物の一般貨物賃率は重量逓減制となっているが、より高い重量段階の運賃率を適用することにより運賃負担が軽くなる場合、運賃計算重量（Chargeable Weight）を実際の重量よりも大きい重量に置き換えることが可能である。この場合に適用される重量割引（Quantity Discount）を、通称"As"取りと呼ぶ。

（例）実重量10kgs、容積0.180m³の貨物の"As"取りによる運賃計算例。

ⅰ）容積重量は、0.180m³（180,000cm³）÷ 6,000cm³ = 30kgsとなる。Weight or Measurement方式により実重量10kgでなく容積重量の30kgsで運賃計算する。

ⅱ）運賃率をM（Minimum）が15,000円、N（Normal）（45kgs未満）が900円／kg、45kgs以上が500円／kg、100kgs以上が400円／kgとすると、容積重量では、30kgs × 900円 = 27,000円となる。次に"As"取りが可能かどうかを考える。ワンランク上の容積重量45kgsあると仮定すると、45kgs × 500円 = 22,500円となり、容積重量45kgsのほうが運賃が安くなる。

ⅲ）したがって、45kgsの重量のほうが運賃が安くなるため、実際の容積重量は30kgsであるが、"As"取りを適用して運賃計算重量は45kgsとして計算する。

E．混載運賃（利用航空運送事業者の運賃）

混載運賃は国土交通大臣に対する届出制とされている。利用航空運送事業者は、多くの荷主から小口貨物を仕向地ごとにまとめ、自ら荷送人または荷受人となって、航空会社と運送契約を結んで貨物を航空機に搭載する。つまり、軽

量貨物を高い運賃で集荷し、大口貨物にまとめて航空会社の安い大口割引運賃の適用を受ける。

しかし、IATAの航空運賃と同じように、混載運賃も形骸化している。重量逓減制運賃による混載差益というよりも、航空会社から期間を決めて安い運賃で大量のスペースを仕入れて、その上に運営コストやマージンを乗せて荷主に提示しているのが実態である。このように正規の運賃でないものを「実勢レート」「マーケットレート」と呼んでいる。

(5) 航空貨物保険

A．航空貨物保険の特徴

現在、航空貨物に対して、貨物海上保険証券を用いた協会航空貨物約款による保険が利用されている。この保険では、貿易条件がCIF、CIPの場合には、輸出者が保険証券に白地裏書をし、保険金の請求権を輸入者に譲渡することにより輸入者の危険が担保される。一方、FOB、CFR（C＆F）、FCA、CPT条件の場合には、輸入者が輸入地で保険契約をすることになる。また、航空貨物の場合には、保険条件はオールリスク担保（All Risks）のみであり、貨物の全ての滅失、損傷の危険を担保する。

なお、航空運送状による荷主保険の取扱いは、航空運送状裏面約款（IATA Resolution 600b）の改訂にともない、2008年3月17日から廃止された（435頁の⑳ Amount of Insurance の欄）。

B．保険期間

保険期間の始まりは保険証券に記載された保管倉庫などから搬出する時であり、保険期間の終りは仕向地において輸入者に引き渡されるか、最終保管場所に搬入された時である。ただし、輸入者の最終保管場所以前であっても、①運送経路以外の保管地（倉庫など）に引き渡されたり、流通（売却など）のために運送経路以外の保管地へ引き渡された時、または②航空機から荷卸しされた後30日を経過した時は、保険期間は終了する。

戦争危険については、航空貨物専用の協会約款により、貨物を航空機に積載して輸送する間のみ担保される。保険期間の始まりは航空機への積込みの完了時点であり、保険期間の終りは①最終仕向地で航空機から荷卸しされた時、②航空機が最終荷卸地に到着後、貨物を積載したまま15日経過した時の、いずれ

か早い時に終了する。

C．運送人の賠償責任の消滅

　ワルソー条約、ヘーグ議定書、モントリオール第四議定書規定第29条は、「責任に関する訴えは、到着日・到着すべきであった日または運送中止の日から２年以内に提訴しなければならず、期間経過後は提訴できない」と規定している。

　これに対して、海上運送の場合は、運送品が引き渡された日（全部滅失の場合は、引き渡されるべき日）から１年以内に提訴しないと損害賠償請求権が消滅する（船荷証券統一条約（ヘーグ・ルール）第３条第６項）。ただし、損害発生後の当事者間（船会社と荷受人）の合意で延長は可能である。

チェック問題

1．次の各文章について、正しいものには○を、誤っているものには×をつけなさい。

① 航空輸送において、航空会社の責任を統一的に規制することを目的に締結された国際条約を、ハンブルグ・ルールという。

② 航空運賃は、原則として、ドル建て表示され、出発地の空港から到着地の空港までの運賃で構成されている。

③ IATAの航空運賃率のうち、定期刊行物などに適用される品目分類賃率とは、一般貨物賃率に対して割引率が示され適用されるものである。

④ 賃率の適用順位は、一般貨物賃率（GCR）、特定品目賃率（SCR）、品目分類賃率（CCR）の順である。

⑤ 航空貨物保険の保険期間の始まりは保管倉庫などから搬出する時であり、保険期間の終りは仕向地において輸入者に引き渡されるか、最終保管場所に搬入された時であるが、航空機から荷卸しされた後30日を経過した時には、保険期間は終了する。

⑥ 航空貨物保険では、戦争危険は、航空貨物専用の協会約款により貨物を航空機に積載して輸送する間のみ担保される。

⑦ 航空運送状には貨物保険の付保機能があり、航空運送状の"Amount of Insurance"欄に貨物の金額を記載すれば、自動的に荷送人と保険会社間に荷主保険の保険契約が成立する。

⑧ 航空貨物の一般貨物賃率は重量逓減制となっているが、より高い重量段階の運賃率を適用することにより運賃負担が軽くなる場合、運賃計算重量を実際よりも大きい重量に置き換えることが可能である。このため通称"As"取りといわれる重量割引が適用される。

⑨ 航空貨物の運賃計算は、Weight or Measurement方式で計算され、容積重量は5,000cm³を1kgとして換算する。

⑩ 航空貨物保険の運送人への賠償責任請求権は、到着日・到着すべきであった日または運送中止の日から2年以内に請求しないと消滅する。

2．航空運賃率並びに航空貨物運送状についての記述のうち誤っているものはどれか。

A 航空運送状上の「Declared Value for Customs」欄に記載された金額が1kg当たりSDR22.00を超えると、運賃のほかにValuation Charge（従価追加料金）が課せられる。

B 信用状取引において、航空輸送の場合、信用状でオリジナルの航空運送状の全通を提示することが要求されていても、荷送人用のオリジナルは1通しか発行されないため、1通のみ提出すればよく、その場合はディスクレにはならない。

C 航空運送状上の「Declared Value for Customs」欄には、FOB価格を記載する。

D 航空運送状は有価証券ではないため、信用状発行銀行は貨物に対する担保権を確保するために、荷受人を自行として発行する。

●解答と解説●

1. ①－×　②－×　③－×　④－×　⑤－○
　　⑥－○　⑦－×　⑧－○　⑨－×　⑩－○

① × 航空輸送において、航空会社の責任を統一的に規制することを目的に締結された国際条約を、ワルソー条約という。運送証券の記載事項のほか、荷主や航空会社の責任範囲、権利・義務について定め、航空運送の諸規則の要となっている。ハンブルグ・ルール（国際連合海上物品運送条約）とは、運送人側に有利な内容のヘーグ・ルール（船荷証券統一条約）を根本的に見直した新たなルールであり、航海過失免責、船舶の取扱上の過失免責や船舶における火災の免責を認めない等、運送人側に厳しい内容となっている。1992年に発効したが、日本は批准していない。

② × 航空運賃は、原則として出発地の通貨で表示され、出発地の空港から到着地の空港までの運賃で構成され、集荷、梱包、保管、通関、配送、その他類似のサービスなどは含まれていない。これを"空港から空港への原則（Airport to Airport）"という。

③ × IATAの航空運賃率のうち、品目分類賃率とは、特定品目に適用される運賃率で、一般貨物賃率に対して割引率と割増率とが％で示されている。

④ × 賃率の適用順位は、特定品目賃率（SCR）、品目分類賃率（CCR）、一般貨物賃率（GCR）の順である。

第3章　国際航空運送　69

⑤　○　保険期間の終りは、仕向地において輸入者に引き渡されるか、最終保管場所に搬入された時である。ただし、輸入者の最終保管場所以前であっても、①運送経路以外の保管地（倉庫など）に引き渡されたり、流通のために運送経路以外の保管地へ引き渡された時、または②航空機から荷卸しされた後30日を経過した時には、保険期間は終了する。

⑥　○　戦争危険は、航空貨物専用の協会約款により、航空機に積載して輸送する間のみ担保され、①最終仕向地で航空機から荷卸しされた時、②航空機が最終荷卸地に到着後、貨物を積載したまま15日を経過した時の、いずれか早い時に終了する。

⑦　×　従来は、航空運送状には貨物保険の付保機能があり、航空運送状の"Amount of Insurance"欄に貨物の金額を記載すれば、自動的に荷送人と保険会社間に荷主保険の保険契約が成立したが、2008年3月から荷主保険の取扱いは、廃止された。

⑧　○

⑨　×　航空貨物の運賃計算は、Weight or Measurement方式で計算され、容積重量は6,000cm³を1kgとして換算する。

⑩　○

2．A

航空運送状上の「Declared Value for Carriage」欄に、荷送人が1kg当たり運送人の責任限度額（SDR22.00）以上の金額を記載した場合、運賃のほかにValuation Charge（従価追加料金）が課せられる。この従価追加料金を支払った場合には、運送人の責任限度は申告価格を限度とする。申告をしない場合には、「N.V.D.」（無申告）となり、1kg当たりSDR22.00が運送人の責任限度額となる。

第4章

貨物海上保険と貿易保険

第1節　英文貨物保険証券と
　　　　その担保範囲　　　　P 72
第2節　貨物海上保険の保険期間と
　　　　協会貨物約款　　　　P 81
第3節　貿易一般保険
　　　　（個別保険）　　　　P 93
第4節　輸出手形保険　　　　P100

第4章　貨物海上保険と貿易保険

貿易取引に係る貨物が船舶、航空機等で運送されている間に、海難および航行に関する事故によって生じる損害をてん補する「貨物海上保険」について学ぶ。具体的には、貨物海上保険の法的性質、形式、てん補される範囲、保険期間などを取り上げる。さらに、取引相手先の破産などの信用危険、取引当事者に責任のない戦争、為替取引の制限または禁止などによる非常危険による損失をてん補する「貿易一般保険」、「輸出手形保険」を理解する。

第1節　英文貨物保険証券とその担保範囲

(1) 保険証券（I／P=Insurance Policy）とは

(a) 海上保険証券の法的性質

貨物海上保険証券とは、貨物に将来発生するかもしれない損害に対して、てん補を約束した損害保険契約の一種で、保険契約の成立および内容を保証する証拠証券であって保険金請求権を表す**有価証券ではない**。しかし、貨物海上保険証券に裏書をすることによって保険金請求権（被保険者）の移転ができる。貨物海上保険は、両当事者の意思の合致のみで契約が成立する**諾成契約**である。

輸出者と輸入者どちらが保険を付保するかは、売買条件で決まる。貨物海上保険は、海上輸送中や航空輸送中のみならず、その輸送前後の陸上輸送中で起こる滅失・損傷事故も対象となっている。また、てん補される内容は、保険証券面によって表示されるが、保険証券がなければ契約が成立しないものではない。

保険の申込みから保険料の支払いについては、**契約締結地準拠主義**のため、保険契約を締結した地の法律、慣習に従う。しかし、クレームについては、保険証券の本文の約款規定に法律、慣習の確立しているイギリスの海上保険法および判例に準拠することが規定されている。

(b) 海上保険の付保者

貿易条件がCIF、CIP等のときは、輸出者が保険を付保し、FOB、CFR

(C&F)、FCA、CPT、EXW、FAS の条件のときは、輸入者が保険を付保する。

(c) **海上保険証券の当事者**

海上保険証券の当事者は、保険者（保険会社）、保険契約者（保険料を支払う義務を負う者）、被保険者（Assured、Insured）（損害が発生したとき保険会社からてん補を受ける者）からなる。

通常、保険契約者は被保険者であるが、他人を被保険者として保険を付ける場合もある。英国法では、保険契約者という概念がなく、保険契約者が被保険者の委任なしに契約した保険契約を、後日被保険者が追認すれば、事前に委任したと同じになる追認規定がある。わが国でいう保険契約者は被保険者の代理人と考えられている。

(d) **予定保険契約について**

保険契約をする段階で、貨物の数量、保険金額、積載船名などが不明のときは、数量、金額については概算で、船名未詳のままで予定保険（Provisional Insurance）を締結しておくことが必要である。

特に、輸入でFOB条件またはCFR（C&F）条件の場合、輸入者は、輸出者から船積通知が到着しない限り船積内容の詳細はわからないので、予定保険をかけておかなければ無保険状態にさらされることになる。

予定保険契約をした後、貨物や積載船舶の内容が確定した場合は、貨物保険申込書で必ず確定通知を保険会社にしなければならない。確定通知に対して保険会社は、（確定）保険証券（Insurance Policy）または保険証明書（Certificate of Insurance）を発行する。

長期にわたって継続的に積み出される貨物については、1船積みまたは1輸送ごとに保険契約する手数を省くために、全てを包含する包括予定保険契約（Open Policy）を締結しておく。

(2) 貨物海上保険証券の種類

英文の貨物海上保険証券は、次の２つのフォームに分かれる。
① **S.G. フォーム**：旧フォーム（従来の保険証券）。英国ロイズ社が古くから使用している Lloyd's S.G.Policy に準じたもの
② **M.A.R フォーム**：1982年１月にロンドンで制定された新しいフォーム

旧フォーム（S.G. フォーム）の保険証券の本文は、英国ロイズ社が使用している Lloyd's S.G.Policy に準じたフォームで、証券本文（表面）そのものに担保危険などの保険条件が列挙して表示されている。この証券は英国の古い様式をそのまま踏襲しているため、非常に難解な文章であるうえ、過去からの判例の積上げで構成されており現状に充分適合しているとはいえない。そこで、証券の表面末尾、左側、裏面に補足・改訂が行われてきた。

このように S.G. フォームの証券は、追加・補足がされているため、抵触する部分が生じた場合には、次の１から６までのように優先順位を定めている。

1　ゴム印・タイプなどで記された個々の契約規定
2　添付約款
3　〔証券裏面〕協会戦争危険担保約款（Institute War Clauses《Cargo》）と協会ストライキ・暴動・騒乱担保約款（Institute Strikes, Riots, and Civil Commotions Clauses）（下記５のイタリック書体約款で免責にされた危険を復活させている）
　　ただし、戦争危険は貨物が本船上にある間のみ担保する。
4　〔証券裏面〕協会貨物約款（ICC）（Institute Cargo Clauses）
　証券本文の担保危険、保険期間を補足・訂正している。
5　イタリック書体約款および欄外約款
　　証券本文で協会戦争危険約款と協会ストライキ・暴動・騒乱約款を担保しているため、このイタリック書体約款で免責にしている。
6　証券本文

旧フォームの証券文面は複雑であるため、契約内容の理解が容易になるように、新保険証券である M.A.R フォームの保険証券が新しく制定された。これは1982年ロンドンで制定された新しいフォームで、担保危険などの保険条件は裏面の約款に規定されている。しかし、日本では、M.A.R フォーム（新保険証券）

および新ICCは、徐々に利用はされてきているが信用状等で特別に要求している場合を除き、従来のS.G. フォームが使用されている場合が多い。（以下、S.G. フォームでみていく。）

(3) 貨物海上保険証券の形式

保険証券の記載事項は、次のとおりである。
① **被保険者または保険契約者**
　　保険契約者は、保険契約を締結し、保険料を支払う義務を負う人をいう。被保険者は、保険の受益者であり、貨物等が海上危険によって滅失したり損傷を受けたりした場合に経済的な損失を被る立場にある人（被保険利益〔☞用語解説〕を有する人）をいう。
② **保険証券番号**
③ **商業送り状番号**
　　商業送り状番号を記載した場合には、貨物の荷印（case marks）と番号（case numbers）の記載は省略される。
④ **保険金額**
　　通常は、CIF、CIP 金額に輸入者の**希望利益**（Imaginary Profit）として10％をプラスした金額である。保険証券上の表示通貨は、信用状に明示がない限り、信用状と同一通貨でなければならない。（信用状統一規則第28条 f ⅰ、ⅱ項）
⑤ **保険条件**
　　主な条件は次の３種である。
　ⅰ) 分損不担保（FPA = Free from Particular Average）
　ⅱ) 分損担保（WA = with Average）
　ⅲ) オールリスク担保（All Risks = A／R）
　　さらに、次の約款(注)を付加することも一般的である。
　ⅰ) 特別約款として協会戦争危険担保約款
　ⅱ) 協会ストライキ・暴動・騒乱危険担保約款
　ⅲ) 盗難、抜荷、不着担保約款（T.P.N.D.）など
　(注) 保険証券には種々の特別約款が付加されるが、各約款抵触の場合の優先順位は、1 手記約款、2 タイプ約款、3 ゴム印約款、4 印刷約款の順とされている。

⑥　保険金支払地

　　保険金支払地は、輸入地となる。したがって、保険の申込みでは、輸出貨物の場合は、通常仕向地払い（at destination）と記載し、輸入貨物の場合は、日本で保険金の請求が行われるので、Japan と記入すればよい。
⑦　損害事故通知先
⑧　船名
⑨　仕向地、積出地
⑩　出港予定日
⑪　貨物の名称、数量、荷姿、荷印および荷番号

　　貨物の荷姿（カートン、ケースなど）と数量（個数、重量、容積など）を必ず併記する。"100 cartons of DVD Recorder in container" のように表記する。また、通常 "in container(s) under and/or on deck" を表示して、船倉積みおよび甲板積みとも同一条件とする旨を明示する。
⑫　保険証券の作成地、作成の年月日
⑬　保険証券の作成枚数
⑭　保険者のサイン

　　被保険利益（Insurable Interest）：保険の目的物の滅失または損傷によって経済的損失を受ける人と、保険の目的物との間に存在する関係をいう。保険の目的物は貨物であり、荷主はその貨物に被保険利益を有している。

　　また、主な**被保険利益の種類**を挙げると、次のようになる。
①　**希望利益（Imaginary Profit）**…貨物が無事に目的地に到着し、輸入者が到着貨物売却により得べかりし利潤（取得できたであろう利益）をいい、通常、インボイス（送り状）価格（CIF、CIP）の10％相当額とされている。
②　**増値**…航海中にその貨物の市価が騰貴した場合に、当初の市価を保険価額として保険金額を設定していれば、保険価額は貨物の市価を下回ることになり、万一損害が生じた際には、充分なてん補が受けられないことになる。そこで、その差額を増値分（increased value）といい、また増値分について、最初に契約された貨物の保険とは別個の保険契約を締結することを増値保険という。

③ **輸入税**…輸入税（関税）は輸入地での荷揚げ後に課せられるが、貨物が航海途中で減失した場合には減失後の価格で申告すればよい。しかし、損傷を被って到着した場合には、従量税であれば全く減税されない場合もある。従価税でも損傷の場合は、損傷額程度までの減税は認められない。そこで、輸入税の高い貨物については、貨物の損傷による輸入税支払いにともなう損失を付保する必要がある。

④ **着払い運賃**…運賃前払いの場合には、インボイス価格に運賃は含まれているが、着払いのときは、貨物が損傷を受けて到着しても船荷証券と交換に荷渡指図書を受ける時に、運送人に支払わなければならない。その場合に備えて、運賃保険（freight contingency insurance）を付保する。

(4) 保険契約で担保される範囲

運送の途中で貨物が減失したり、損傷を受けた場合にあらかじめ約定した範囲に従って保険金の支払いを受けることになる。このてん補の範囲（一般に担保危険という）を証券本文に記載（列挙）したものが危険約款である。FPA条件、WA条件はこの列挙主義をとっている。わが国の商法は包括責任主義をとっているが、貿易取引では通常、英文貨物海上保険証券が用いられているため、FPA条件、WA条件の担保危険には列挙主義が適用される。その他、損害防止費用、特別費用（貨物の安全を期するために被保険者や第三者が支出する費用＝中間港での陸揚げ費用、保管費用、再積込み費用など）、救助費用（第三者の任意による救助行為に対して支払う報酬）、付帯費用（サーベイ費用など）も担保される。

A．危険約款（証券本文 Policy Body）の担保危険

保険証券に列挙されている危険約款で下記のとおり①～⑧が担保され、これにより起きた事故、損害のみがてん補の対象となる。

① 海固有の危険では、（海上で起きる全ての危険を包含するのではなく）暴風雨、濃霧、流氷、暗礁などによる沈没、座礁、触礁、追突、浸水、荷崩れ、貨物の波さらい、など。

② 火災、焼失、焦げ、いぶり、加熱による変質、消火にともなう破損、濡れなど。

③ 戦争の危険

④ 海賊
⑤ 強盗
　暴力または威嚇による強奪を意味し、盗難（Theft）、抜荷（Pilferage）、船員や乗客による盗難は含まない。
⑥ 投荷(なげに)
　船舶の危険を救うために、積荷の一部を船外に投棄すること。船舶の遭難時に船足を軽くし危険水域から脱出するなど、故意に一部の積荷を犠牲にすることであり、いわゆる共同海損行為の一種である。
⑦ 船長、船員の悪行
　船員による船舶の遺棄、放火、乗逃げなど。
⑧ 拘束・抑留
　船員が密輸を企んだため船舶を没収または差し押えられた場合など。

B．免責項目

　A．の危険約款で列挙された項目を見ると、保険会社は相当な範囲の損害をてん補するように見えるが、イタリック書体約款での免責のほかに、法律、特約により多くが免責事項とされている。

(a) イタリック書体約款による免責

　イタリック書体で記載されている捕獲だ捕不担保約款により③戦争の危険、④海賊、⑧拘束・抑留と、本文約款には列挙されていないがストライキ・暴動・騒乱不担保約款によりストライキ・暴動・騒乱を免責にしており、たとえ、火災・強盗などの危険でもストライキ・暴動・騒乱などの加担者によるものであれば、同じく免責されてしまう。このように、保険会社がてん補する危険の範囲は縮小されている。

(b) 法律による免責

　わが国の商法と英国海上保険法により免責とされる損害がある。

① 商法第640条：保険者の法定免責事由

Ⅰ　戦争その他の変乱による損害

〈条文〉　第640条「戦争その他の変乱に因りて生じたる損害は特約あるに非ざれば保険者これを填補する責に任ぜず」

② 商法第829条：保険者の法定免責事由
Ⅱ 被保険者の悪意もしくは重大な過失による損害
Ⅲ 積荷固有の性質もしくは瑕疵(かし)による損害、貨物自体の自然発火、黴(かび)、変色、変質など

> 〈条文〉 第829条第1号「保険の目的の性質もしくは瑕疵、その自然の消耗または保険契約者もしくは被保険者の悪意もしくは重大なる過失に因りて生じたる損害」〔は填補する責に任ぜず〕

(c) 英国海上保険法による免責
Ⅳ 延着による損害
Ⅴ 鼠喰（rats）、虫喰（vermin）

したがって、以上Ⅰ～Ⅴの危険は免責になっており、それらを担保するには、別途特約でカバーしなければならない。

(d) その他保険証券面の特別の規定により免責になるもの

代表的な規定は、メモランダム条項（Memorandum or Franchise Clause　免責歩合条項）である。メモランダムとは、免責歩合約款のことをいう。船舶が座礁、沈没、炎上した場合を除き、一定歩合未満の単独海損について、保険者を免責とする規定である。旧ICCのWA約款が制定される以前から、保険証券に注意または覚書として挿入されていたため、この名称がある。

結論として、保険証券本文の担保危険条項では、A．危険約款の中で先に述べた①～⑧が担保されるとしているが、**イタリック書体で記載されている捕獲だ捕不担保約款**で③戦争の危険、④海賊、⑧拘束・抑留が、ストライキ・暴動・騒乱不担保約款によりストライキ・暴動・騒乱の危険が免責とされており、また、**法律の規定**によりⅠ～Ⅴが免責になり、結局のところ最終的に担保されるのは、「**海固有の危険、火災、強盗、投荷、船長、船員の悪行**」のみの、通常の航海にともなう普通危険のみとなる。

したがって、その他の危険を担保するには、特約でカバーしなければならない。

(5) 特約条項

免責となっている種々の危険については特約で割増保険料を支払って担保する

ことができる。海上保険証券本文に列挙されている以外の、下記の特殊危険を**付加危険（Extraneous Risks）**という。
① 戦争約款（War Clause）
② ストライキ・暴動・騒乱危険担保約款（Strikes, Riots and Civil Commotions Clauses）

以上の①、②は保険証券の本文および協会貨物約款で除外されたものを、改めて担保するものである。

特に、FPA条件、WA条件は列挙責任主義をとるので、保険証券本文に列挙された危険によって生じた損害でない限りてん補されない。下記の損害を担保させるためには、付加危険を担保する特約を付加する必要がある。
③盗難、抜荷、不着（Theft, Pilferage and Non-Delivery）
④雨・淡水濡れ（Rain and Fresh Water Damage）
⑤不足または漏損（Shortage or Leakage）
⑥破損、曲がり、へこみ（Breakage, Bending &/or Denting）
⑦油じみ、脂じみ、他の貨物との接触による損害（Oil, Grease, Contact with Other Cargo）
⑧汗、むれ（Sweat & Heating）
⑨自然発火（Spontaneous Combustion）
⑩汚染（Contamination）　など

一方、オールリスク担保条件は、担保危険について包括責任主義をとるため、特約によって種々の危険を保険手配する必要がない。すなわち、オールリスク担保では当然には①戦争危険、②ストライキ・暴動・騒乱危険はてん補されないが、③〜⑩はてん補される。（ただし、オールリスク担保条件でもてん補されないものに注意。第2節(4)「C. オールリスク担保」参照）

(6)　保険証券の裏書

裏書は、信用状の指示に従う。指示がなければ、インコタームズでは、CIFまたはCIP条件の場合、輸出者は、輸入者または被保険利益を有する者が保険会社に直接求償できる条件で保険を付保し、保険証券等を提供する必要があると規定している。したがって、通常は輸出者自身を被保険者として記名式で発行し、保険証券上での保険金の支払地を輸入地として、保険証券に輸出者が白地裏書をし、輸出者は保険金の請求権を輸入者に譲渡する。

第2節　貨物海上保険の保険期間と協会貨物約款

(1) 貨物海上保険における保険期間

A．海上危険とストライキ等危険の保険期間（CIF、CIPでの付保の場合）

　　保険期間とは、保険者の危険負担責任の存続期間、つまり保険者の責任の開始から終了までの期間をいう。保険期間について、かつてはS.G.フォームの英文保険証券本文前半では、「船積港において本船に船積みされた時から、通常の経路を経て、仕向港で安全に陸揚げされる時まで」と限定されていた。このことはしかし、普通約款だけでは、積込港、荷卸港における艀での輸送中や、貨車やトラックによる陸上輸送、港頭倉庫やコンテナ・ターミナルにおける輸送に付随して起きる損害に対して担保されないことを意味する。そこで、保険証券裏面の貨物約款ICC第1条の輸送約款—倉庫間約款統合、"Warehouse to Warehouse"（倉庫から倉庫まで）という特別約款により、積込港、荷揚港における本船上の危険担保に加えて、仕出地の「倉庫から本船船積みまでの期間」および「本船陸揚げ後、指定倉庫までの期間」が担保されるよう保険期間の延長が図られた。このため実際には、保険期間は原則として、保険証券に記載された仕出地の倉庫等を搬出した時に始まり、仕向地の最終倉庫等に搬入されるまでの全輸送期間であり、その間の担保危険に保険金が支払われる。ただし、次の場合は、①と②のいずれか早い時に保険期間が終了する。
① 　被保険者が輸送の通常の運送経路によって運送しない場合、すなわち、
　（ⅰ）運送途中で通常の船待ちやトラック、貨車など次の運送手段待ち以外の**一時保管でない保管**のため、
　（ⅱ）**区分け、分配**のため、その他の倉庫、または保管場所を使用する場合、もしくは
　（ⅲ）証券記載の**仕向地以外に配送**のために、輸送が開始された時点で
　保険期間は終了する。
② 　貨物が通常の輸送過程の途上にあり、仕向地の最終倉庫に搬入されなくても、仕向港で本船から荷卸しを完了してから60日を経過すると、保険期間は終了する。（航空貨物については、特に迅速性が要求されるので、貨物が機

体から荷卸しされてから30日となっている。）

B．戦争危険の保険期間

　海上危険とストライキ等危険の保険期間は、貨物が仕出地の倉庫等から搬出されてから、仕向地の最終倉庫等に搬入されるまでの全輸送期間であり、海陸を通じて保険期間とされるのに対して、戦争危険は、船積みから船卸しまでの貨物が本船上にある期間のみ担保し、陸上での戦争危険については担保しない。ただし、積替えのために貨物が荷卸しされたときは15日間だけは陸上でも担保が続き、水雷、機雷のリスクは貨物が本船でなく艀にある間も担保される。

　また、最終荷卸港到着後、保険の目的貨物を積載したまま15日を経過した時にも終了する。

　さらに、戦争危険による損害は、砲撃、撃沈などの戦闘行為をいい、原子核分裂・核融合等を利用した、いわゆる原子力兵器の使用による損害を担保しない。

(2) 貿易条件と保険期間について（インコタームズの解説はベーシック版を参照すること）

　「第1節(1)(b)海上保険の付保者」で、契約がCIF、CIP等の条件のときは、輸出者が保険を付保し、FOB、FCA、CPT等の条件のときは、輸入者が保険を付保することに触れたが、ここではさらに保険期間がどのようになるかをみてみよう。

A．FOB、CFR（C&F）、FCA、CPT条件の場合

　FOB、CFR条件の貨物の危険負担は、貨物を本船に積み込んだ時に、FCA、CPT条件の場合は貨物を運送人に引き渡した時点で、輸出者から輸入者へと移転する。輸入者に危険負担が移転した後に保険を付保するかどうかは輸入者の任意である。

　この4条件の場合には、次の2つの点にも留意する必要がある。

(a) **輸入者の保険**

　　貨物が輸出者（仕出地）の倉庫を出てから本船に積み込まれるまでの期間は輸入者側に被保険利益がなく、通常輸入者はこの期間の保険については必要ない。そこで日本の保険会社がこれらの条件で輸入される貨物の保険を引

き受ける場合には、この期間を担保しない条件で通常「**FOB (or Free Carrier) Attachment Clause**」（買手の危険負担の開始時点（船積後）から保険者の責任が始まる）という特別約款を付けて引き受けている。

(b) **輸出者の保険**

輸入者の保険でみてきたように、FOB、CFR条件の場合には貨物が輸出者の倉庫を出てから輸出港の本船上で引き渡されるまで、FCA、CPT条件の場合にはコンテナ・ターミナル等で運送人に引き渡されるまでの間は、貨物の危険負担は輸出者にある。輸入者側には被保険利益がなく、輸入者はその間の保険を付保していないので、通常輸出者は自分の危険負担部分をカバーするために、国内の損害保険である**輸出FOB保険**を付保することになる。

B．FAS条件の場合

輸入者は、自ら手配した船舶の船側で輸出者から貨物の引渡しを受け、それ以降の費用と危険を負担するので、船側で貨物を受け取った時点以降の危険について保険を付保する。このリスク・アタッチの時点を明確にするため、"**FAS Attachment Clause**"を適用して付保する。

C．EXW条件の場合

輸入者は、輸出者の工場（売主の施設または指定場所）から貨物が搬出された以降の費用と危険を負担する。搬出場所の種類（工場、倉庫、店頭など）が異なっても、それらの場所は、保険証券裏面の貨物約款ICC第1条の輸送約款の「仕出地の倉庫または保管場所」に該当し、"Warehouse to Warehouse"（倉庫から倉庫まで）となり、保険期間は船積港から荷卸港までの運送期間に加えて、仕出地における「倉庫搬出から本船船積みまでの期間」および仕向地における「本船陸揚げ後、指定倉庫まで運送する期間」となる。

D．CIF、CIP条件等の場合

貨物の危険負担の移転時期は、CIF条件の場合にはFOBと同様に本船に積み込んだ時（CIP条件の場合には運送人に引き渡された時）になるが、保険料は輸出者が負担する条件である。「輸出者の倉庫搬出から本船船積み（運送人への引渡し）までの期間」から「本船陸揚げ後、輸入者の指定倉庫までの期

間」を輸出者が付保する必要がある。これは、貨物約款ICC第1条の輸送約款により、"Warehouse to Warehouse"（倉庫から倉庫まで）で担保可能である。

(a) CIF、CIP条件の場合

インコタームズ2020において、輸出者が付保しなければならない保険条件は、CIPの場合の保険のてん補範囲は新ICC（A）もしくは同種の約款（All Risks）で、買主の要求により戦争危険及びストライキ危険もしくは同種の約款を買主の費用で付保する。CIFの場合には、保険のてん補範囲は新ICC（C）若しくは同種の約款（FPA）とされている。また、戦争危険、ストライキ危険についても、売買契約書または信用状などに特に取決めがない限り、輸出者は付保する義務はない。最低保険金額は110％、契約の通貨で付保する。

また、CIF契約に類似しているが、運賃は輸入者が負担する、すなわち仕向地で支払われる**C＆I条件**がある。これは、運賃が仕向地払いのためインボイス価格から運賃額が控除されている売買条件で、本来的にはCIF条件と同じであるので、保険付保は輸出者の義務である。

(b) DAP、DPU、DDP条件の場合

インコタームズ2020では、輸出者が付保しなければならないものはCIF、CIPである。しかし、DAPでは、輸出者が貨物を指定仕向地において、荷卸しの準備ができている到着した輸送手段の上で買主に引き渡したとき、DPUでは、指定仕向地において、物品を荷卸しされてから買主の処分に委ねられたとき、DDPでは、指定仕向地において、荷卸しの準備ができている到着した輸送手段の上で輸入通関手続きを済ませ、買主に引き渡すとき、までの費用と危険を輸出者が負担するので、揚げ地契約ともいい、輸出者が保険を付保する。

E．信用状なしFOB、FCAまたはCFR、CPTの場合の未必利益保険（Contingency Insurance）

信用状ベースの場合には荷為替手形が不渡りになることはまずないが、FOB、CFR（C&F）など輸入者が付保する売買契約で信用状なしD／P・D／A手形の場合に、売買契約が解除されたときには、輸入者の付保した保険は利用できない。したがって、輸入者が荷為替手形の支払拒絶、契約の破棄をし

てきたときには貨物は無保険状態になり、運送途中で発生した損害に対して全くてん補する方法がなくなる。そこで、それに備えるために、輸出者は別途割増保険料を支払い、**未必利益保険**（Contingency Insurance）をかけておく必要がある。

この保険を付保しておけば、出荷地から仕向地までの運送危険のみでなく、その他の場所に転送する場合の危険までも担保される。

(3) 損害の種類

A．全損（Total Loss）

運送契約をした貨物の全部が、滅失若しくは滅失に近い損害を受けた場合、または船舶が行方不明で全損と推定できる場合（**現実全損**）、あるいは損害の回復に要する費用がその貨物の価値以上にかかる場合（**推定全損**）に、法律上これを全損とみなして被保険者がその被保険貨物について有するいっさいの権利を保険者に**委付**（Abandonment）をし、その代わりに保険会社から保険金の支払いを受ける。

委付とは、保険の目的物（貨物）に対する権利を保険者（保険会社）に移転し保険金の請求権を取得する行為であり、商法第839条（委付の効力）には次の規定がある。

〈条文〉　第839条第1項：保険者は委付に因り被保険者が保険の目的に付き有せる一切の権利を取得す

〈参考〉　判例　大判昭2・7・7
『保険委付とは、委付された物に関し、保険者を被保険者と同一の地位に立たしめようとするものであって、被保険者の有するすべての権利を保険者に移転せしめようとするものであるから、損害が第三者の行為によって生じた場合にも、第三者に対して被保険者の有する損害賠償請求権は、委付により当然保険者に移転する』

B．分損（Partial Loss）

貨物の一部が滅失または毀損した場合で、その損害またはその結果として生じた費用について単独で負担するか、共同で負担するかによって、単独海損と共同海損に分かれる。

① 単独海損（Particular Average）

その損害を被った者が単独で負担をする損害
② 共同海損（General Average）
船舶・積荷が、火災、暴風雨などにより危険に遭遇したとき、共同の危険を免れるため、投荷（第1節(4)「A．危険約款の担保危険」⑥参照）を行うことによる損害および費用。このような共同海損による損失は、損害を被った荷主だけでなく、そのために無事に自己の貨物の安全を得た荷主、その他利害関係人各人が、その利益の残存価格に応じて負担することになる。

(4) 基本的な保険条件（協会貨物約款、旧ICC）

これまで"いつからいつまでの間に発生した事故による損害に対しててん補されるか（保険期間）"と、保険会社のてん補責任を発生させる事柄（担保危険）を学んできたが、ここではどのような危険（担保危険）に対して保険会社が責任を持ち、どの範囲まで保険金を支払ってくれるかの条件（保険条件）についてみてみよう。

A．FPA条件（分損不担保）（Free From Particular Average）

単独海損不担保ともいわれる。具体的に担保するのは次の①～④のみであり、それ以外の分損は不担保である。新ICCの（C）に相当する。
① 全損
② 共同海損
③ 特定分損（船舶または艀の、座礁（Stranding）、沈没（Sinking）または大火災（Burning）のいわゆる三大事故の特定分損、並びに火災、爆発、衝突（Collision）、他との接触、遭難、港での荷卸しなどに起因する特定分損）。なお、4つの事故の頭文字をつなげてS.S.B.C.と略記する。
④ 救助料、単独費用（損害防止費用や損傷貨物の遭難港での陸揚げ、倉入、転送費用）、付随費用（損害の調査、証明のための費用で鑑定人などの費用）
このうち、①全損では、積込み、積替え、または荷卸し中の全損、たとえば、ガントリークレーンなどの荷役装置からの落下による全損は、証券本文の危険約款で担保していなくてもてん補されること、また、③特定分損では座礁、沈没または大火災の場合には、損害とそれらの事故との間に因果関係がなくても、事故発生時にその本船に貨物が積載されていれば、てん補されることに注意しよう。

B．WA 条件（分損担保）（With Average）

　単独海損担保ともいわれる。新 ICC の（B）に相当する。FPA 条件で担保される全損、共同海損、特定分損、救助料、単独費用、付随費用は同じく担保され、それ以外の海固有の危険である分損(注)も、一定の損害割合以上の場合に（すなわち免責歩合に達すれば）てん補する。

　保険証券の約款によれば、船舶が座礁、沈没、炎上、衝突した場合を除いて、穀物、魚粢、果実、穀粉、毛皮、皮革等については5％未満の分損、その他全ての貨物については3％未満の分損は担保されない。保険価格の5％、3％などの小損害は、それが海難に直接起因したものか貨物の性質によるものかの判別が困難であり、またその損害額を費用と労力をかけて査定するのも無意味であることから、WA 条件においては、免責（担保しない）としているものである。これを通常**フランチャイズ（Franchise　免責歩合）方式**という。

　WA（分損担保）条件では、保険条件を単に「WA」として契約すると、保険証券本文のメモランダム条項が生きてきて、一部の貨物にはフランチャイズが適用されることになってしまう。そこで、通常は証券上に"WA（I.O.P. ＝ Irrespective of Percentage　免責歩合にかかわらず）"または"Average payable Irrespective of Percentage"と表示して、メモランダム条項を適用しないようにしている。オールリスク担保条件では、フランチャイズ方式は適用されない。

　また、WA 条件には「**エクセス (Excess) 方式**」もあり、フランチャイズ方式との相違に注意したい。（なお、ICC（B）ではWA条件と異なり、全損、分損を問わずてん補され、小額免責歩合の適用がない。）

　フランチャイズ方式は、損害額が、あらかじめ協定された一定歩合に達すれば（つまり現実の損害が免責歩合を超えれば）、その損害額の全部がてん補されるというものである。逆にその歩合未満であれば全くてん補されない。

　エクセス（Excess）方式は、損害の一定割合は取引に常にともなうものとして、その一定割合を超える損害部分のみがてん補されるというものであり、実際の損害からあらかじめ協定された一定歩合が無条件に控除され、残額だけがてん補される（免責歩合を差し引いた残りをてん補してもらえる）というもの。主として破損、不足、漏れ損等の付加危険を含む場合に用いられる。

(注)　その他の分損とは、潮濡れ、高潮・津波、洪水による濡れ損、流失損、その他荒天による分損をいい、S. S. B. C. 以外の分損をさす。たとえば本船または艀が海固有の危険で

ある荒天に遭遇したため、座礁または沈没事故は発生しなかったが、船倉内に海水が浸入し、貨物の一部が潮濡れ損害を被った場合が該当する。

C．オールリスク担保（All Risks=A／R）

オールリスク担保は、FPA、WAでカバーする危険以外に、貨物の運送に付随して外部的原因（external accident）によって生じる、あらゆる偶発的な事故（fortuitous accident）による損害をてん補する。新ICCの（A）に相当する。

オールリスク担保でもてん補されないものは、具体的には以下の危険および損害である。

① **戦争危険**（保険証券の左下部にイタリック書体で記載されている捕獲だ捕不担保約款で除外されている。）
② **ストライキ・暴動・騒乱危険**（同じく、イタリック書体の不担保約款で除外されている。）
③ **貨物の固有の欠陥、性質による損害、費用**
④ **自然の消耗**
⑤ **航海の遅延による損害**
⑥ **被害者の故意（違法行為）による損害**
⑦ **放射能汚染**

したがって①の戦争危険、②のストライキなどのS.R.C.C.（Strikes, Riots and Civil Commotions）危険をてん補する必要がある場合には、別途追加危険担保として、War ClausesやS.R.C.C. Clausesを追加付保することになる。③〜⑦は追加付保不能である。

なお、旧ICCでは海賊行為は戦争危険の範囲に含まれ、オールリスク担保ではてん補されない。しかし、新ICC（A）では海賊危険については海上危険として扱われるので、てん補される。

参考　地震損害の担保

　輸出者がコンテナ・ターミナル内で生じる地震の災害に対処するためには、貿易条件をFOB、CFRからFCA、CPTに変更すれば、運送人（コンテナ船社）に引き渡した後の危険負担は買主に移ることになる。しかし買主のことも考えた場合には、CIP、CIF、C&I(注1)に変える必要がある。これらの貿易条件の保険期間はWarehouse to Warehouseであり、輸出者の倉庫から輸入地の輸入者の倉庫まで担保されるからである。

　保険条件についても地震損害を担保する旧ICCのオールリスク担保または新ICC（A）もしくは（B）(注2)を選択すれば、輸入貨物の地震損害にも対処できる。

　輸入者の要望でFOB、CFRを採用せざるを得ない場合は、輸出FOB保険（国内の損害保険）に地震特約を追加して付保しなければならないが、保険会社は原則、地震特約を引き受けない。

　したがって最善の方法は、貿易条件をCIP、CIF、C&Iに変更し、旧ICCのオールリスク担保または新ICC（A）もしくは（B）を保険条件とすることである。

(注1) C&Iとは、保険料込本船渡条件をいい、FOB価格に海上保険料を加えたFOB&Iの条件のことである。（(2)D.(a)参照）また、よく用いられる貿易条件の一つであるCIF&Cとは、運賃・保険料および手数料込条件のことで、代理店や仲介業者に支払われる売上げの一定割合の手数料を、CIF価格に加えた条件をいう。あわせて注意しておきたい。

(注2) 新ICC（B）では地震損害が担保されるが、WA条件では担保されない。

参考

　パラマウントクローズ（至上約款）とは、原子力危険、化学兵器・生物兵器・生物化学兵器、および電磁気兵器に関連する損害は、免責とする約款のことで、追加保険料を支払っても付保できず、マリン・リスク、戦争危険を問わず保険会社は免責になる。

チェック問題

1．次の各文章について、正しいものには○を、誤っているものには×をつけなさい。

① 貿易条件がCIFの場合、インコタームズにおいて輸出者に付保が義務づけられている保険条件はFPAまたは新ICC（C）である。

② FPAにおける特定分損には、積載船舶の座礁、沈没または大火災の三大事故と衝突のいわゆるS.S.B.C.による分損が含まれるが、損害がそれらの事故との間に因果関係がある場合にてん補される。

③ 航海中にその貨物の市価が騰貴した場合、保険価額は貨物の市価を下回ることになるが、その差額を増値分（increased value）といい、最初に契約された貨物の保険とは別個の保険契約を締結することを増値保険という。

④ 協会戦争危険担保約款を付保した場合、原則として貨物が海上にあるときのみを担保し、陸上での戦争危険については担保しない。

⑤ メモランダム条項での免責歩合は、通常エクセス（Excess）方式といわれる。これは現実の損害が免責歩合を超えれば、その損害の全部がてん補されるというものである。

⑥ EXW条件の場合、保険期間は、船積港から荷卸港までの運送期間に加えて、仕出地における「倉庫搬出から本船船積みまでの期間」および仕向地における「本船陸揚げ後、指定倉庫まで運送する期間」となる。

⑦ FCA条件の場合、買主は、自ら手配した船舶の船側で売主から貨物の引渡しを受け、それ以降の費用と危険を負担するので、船側で貨物を受け取った時点以降からの危険について保険を付保する。このリスク・アタッチの時点を明確にするため、"FCA Attachment Clause"を適用して付保する。

⑧ CIF条件で、売買契約上保険条件について特に取決めがない場合、インコタームズ上での売主の付保義務は協会貨物約款の（C）または同種の約款（FPA条件）でよいが、戦争危険やストライキ危険については付保する必要がある。

⑨ オールリスク担保は、貨物固有の瑕疵や性質、航海の遅延、被保険者の故意（不法行為）も担保される。

⑩ CIFまたはCIP条件の場合、通常は輸入者自身を被保険者として記名式で発行し、保険金の支払地を輸入地として、保険証券に輸出者の白地裏書を

する。

2．貨物海上保険について、次の記述のうち誤っているものはどれか。
　A　貨物海上保険でカバーされるリスクは、貨物の物的損害のみである。
　B　CIF条件の場合、現実に売主が手配する保険の期間は、通常、"Warehouse to Warehouse"（倉庫から倉庫まで）となり、貨物が買主の倉庫に入るまでである。
　C　本船から荷卸しを完了した日から起算して60日を経過すれば、まだ最終倉庫その他の保管場所に搬入されていなくても、その時に保険の期間は終了する。
　D　保険条件を単にWAとして契約すると、保険証券本文のメモランダム条項が適用され、一部の貨物にフランチャイズが適用されることになるので、通常保険証券上に「WA（I.O.P.）」と表示してメモランダム条項を適用しないようにしている。

●解答と解説●
1．①−○　　②−×　　③−○　　④−○　　⑤−×
　　⑥−○　　⑦−×　　⑧−×　　⑨−×　　⑩−×
①　○
②　×　FPAにおける特定分損には、積載船舶の座礁、沈没または大火災の三大事故と衝突のいわゆるS.S.B.C.による分損が含まれる。座礁、沈没、大火災の三大事故による貨物の損害の場合は、それらの事故との間に因果関係がなくても事故発生時に、その本船に貨物が積載されていれば、てん補されるが、本船の衝突による損害がてん補されるためには、事故と損害との間に因果関係があることが必要である。
③　○
④　○
⑤　×　メモランダム条項での免責歩合は、通常フランチャイズ方式といわれる。これは現実の損害が免責歩合を超えれば、その損害の全部がてん補されるというものである。エクセス方式とは、損害の一定割合は取引に常にともなうものとして、その一定割合を超える損害部分のみをてん補されるというもの

（免責歩合を差し引いた残りがてん補されるというもの）である。主として、破損、不足、漏れ損等の付加危険を含む場合に用いられる。
⑥　○
⑦　×　FAS条件の場合には、輸入者は、自ら手配した船舶の船側で輸出者から貨物の引渡しを受け、それ以降の費用と危険を負担するので、船側で貨物を受け取った時点以降からの危険について保険を付保する。このリスク・アタッチの時点を明確にするため、"FAS Attachment Clause"を適用して付保する。
⑧　×　インコタームズのCIF規則では、輸出者が付保しなければならない保険条件は、ICCまたは同様の保険約款での最小限の保険条件でよいと規定されているので、旧ICCの場合にはFPA条件、新ICCの場合には（C）でよいことになっている。また、戦争危険、ストライキ危険については、売買契約書または信用状などに特に取決めがない限り、輸出者は付保する義務はない。ただし、2020年のインコタームズの改訂により、CIP規則では協会貨物約款（A）または同種の約款（all Risks）で付保しなければならない。
⑨　×　オールリスク担保は、貨物固有の瑕疵や性質、航海の遅延、被保険者の故意（不法行為）、戦争危険、ストライキによる危険は免責されるが、その他いっさいの危険が担保されるものである。
⑩　×　通常は輸出者自身を被保険者として記名式で発行し、保険証券上での保険金の支払地を輸入地として、保険証券に輸出者の白地裏書をする。

２．A
A　貨物海上保険でカバーされるリスクは、貨物の物的損害だけでなく、救助料や共同海損費用などの各種費用損害も含まれる。

第3節　貿易一般保険（個別保険）

> 　貿易取引には、これまでみてきた貨物事故による損害をてん補する貨物海上保険のほか、輸出、輸入、仲介貿易、海外投資の取引において生じる非常危険（戦争、為替取引の制限または禁止など）、または信用危険（相手方の破産、倒産、支払遅延等）による損失をてん補する「貿易保険」がある。
> 　本節では、貿易保険の一つである「貿易一般保険」について取り上げ、次節では「輸出手形保険」をみていこう。

現在、貿易保険には海外取引の形態に応じて、次のような保険種目が用意されている。

① 輸出・仲介貿易に係るリスクを担保する保険…**貿易一般保険、企業総合保険、限度額設定型貿易保険、中小企業輸出代金保険**
② 技術提供に係るリスクを担保する保険…**貿易一般保険、知的財産等ライセンス保険**
③ 輸出代金貸付、仲介貿易代金貸付、技術提供契約にもとづく支払代金貸付に係るリスクを担保する保険…**貿易代金貸付保険**
④ 船積後の荷為替手形不渡りによる銀行等の損失をてん補する保険…**輸出手形保険**
⑤ 輸出保証に係るリスクを担保する保険…**輸出保証保険**
⑥ 前払輸入に係るリスクを担保する保険…**前払輸入保険**
⑦ 海外投資に係るリスクを担保する保険…**海外投資保険**
⑧ 海外事業資金貸付に係るリスクを担保する保険…**海外事業資金貸付保険**

このうち、一般的に利用されているものが、①・②の「**貿易一般保険**」と、④の「**輸出手形保険**」である。これらを比較すると、従来は輸出手形保険が主流であったが、近年では貿易一般保険（個別保険）の利用が増えている。これは、企業内貿易の拡大やコストの見直し等により、荷為替手形決済が減少するとともに送金決済が増加し、そのリスク回避にあわせて貨物の船積前危険も回避しようという考えからである。

(1) 貿易一般保険の概要

　貿易一般保険は、普通輸出保険、輸出代金保険、仲介貿易保険の3種類の保険を一つの保険約款で扱ったものであり、一保険契約によって、輸出契約や仲介貿易契約等に係る貨物の生産から、集荷、船積み、代金の決済に至るまでの過程で、発生する損失をてん補する。

　具体的には、①**貨物の船積不能**、②**代金の回収不能**、③**運賃または海上保険料の費用の増加**（付保は任意）であり、海上保険のてん補の対象となるような物損についてはてん補しない。

　保険契約方法には、次の2種類がある。
① 個別の輸出契約等ごとに輸出者等が任意に保険契約をする**個別保険**
② あらかじめ株式会社日本貿易保険と特約を結び、輸出者等が自身で、あるいは輸出組合等を通じて、一定の期間（通常は1年）に一定の条件を満たした全ての輸出契約等について保険契約を締結する**包括保険**

　以下、①のうち、支払猶予期限（ユーザンス）2年未満の個別保険について、解説する。

(2) 対象となる輸出契約等

A．保険契約者

　貿易一般保険を申し込むことのできる者は、本邦人または本邦法人（本邦内に居住する外国人および本邦内に所在する外国法人の支店、支社その他の営業拠点を含む）であり、かつ、輸出契約等の当事者であって、輸出契約等の締結に関与し、自己の危険負担において当該契約上の義務を履行する者である。

B．対象となる輸出契約等

　輸出契約、仲介貿易契約、技術提供契約のいずれも対象となる。保険の申込みは契約ごとに個別に行う。

　ただし、一契約中に輸出・仲介・技術提供など複数の事項が定められている場合には、たとえば、契約金額に占める輸出貨物の代金が、同じ契約に含まれる仲介貨物の代金や技術等の提供の対価に比較して最も大きければ、輸出契約を対象とする貿易一般保険として申し込む。

　（例）輸出貨物の代金400万円、技術等提供の対価350万円、仲介貿易貨物の

代金250万円の場合に、対象となる契約および保険対象金額。

輸出貨物の代金400万円（契約金額に占める割合が40％）＞技術等提供の対価350万円（同35％）＞仲介貿易貨物の代金250万円（同25％）

であるため、契約金額に占める割合が最大である「輸出契約」を対象とした貿易一般保険として申し込む。その際の保険対象は、契約金額1,000万円全てである。

(3) てん補するリスクと保険申込み

貿易一般保険がてん補するリスクは、契約当事者に責任のない不可抗力のリスクである**非常危険**と、契約の相手方の責任により発生するリスクである**信用危険**に分類され、さらにそれぞれが、①輸出不能リスク（船積前危険）と②輸出代金回収不能リスク（貨物の船積後危険）に分けられる。保険の申込みにあたっては、それら分類されたリスク（図表4－1のA～D）を組み合せて付保メニューをつくる。

図表4－1　てん補するリスクの分類（上）と付保メニュー（下）

	貨物の船積前危険 （輸出不能リスク）	貨物の船積後危険 （代金回収不能リスク）
非常危険	**A** （例）輸出先国の突然の禁輸措置により商品が輸出不能となった。	**B** （例）輸出先国の為替規制により輸出代金の送金ができなくなった。
信用危険	**C** （例）受注後船積みまでの間に契約相手（バイヤー）が破産して輸出不能となった。	**D** （例）バイヤーの資金繰りが悪化し支払いが遅延、またはバイヤーが破産した。

メニュー	てん補するリスク
1（基本の組合せ）	A+B
2	A+B+C
3	A+B+C+D

（注）船積前のみ（A＋C）、船積後のみ（B＋D）または信用危険のみ（C＋D）の選択はできない。ただし、100％前払いの契約の場合は船積前のみ（AのみまたはA＋C）の申込み

となる。

また、取消不能信用状による決済の場合を除き、輸出契約等の相手方(バイヤー)の格付けにより貿易一般保険が引受けされる点にも、注意すべきである。特に、「海外商社名簿」において、EE、EA、EM格またはEF格に格付けされているバイヤーについて、船積後の信用危険の付保を申し込む場合には、保険申込み時に申込金額(契約金額)が、株式会社日本貿易保険が個別バイヤーごとに定めた個別保証枠の残額の範囲内である旨の確認を、日本貿易保険の本店業務管理グループまたは大阪支店管理・業務グループで受ける必要がある。

(4) 主な非常危険および信用危険

A．非常危険

① 外国において実施される為替取引(外貨交換、外貨送金を含む)の制限または禁止
② 仕向国において実施される輸入の制限または禁止
③ 政府間合意にもとづく債務繰延べ協定または支払国に起因する外貨送金遅延
④ 本邦以外において生じた次のいずれかに該当する事由
　ア　戦争、革命、テロ行為その他の内乱、暴動、騒擾、ゼネラルストライキ
　イ　暴風、豪雨、洪水、高潮、落雷、地震、噴火、津波、人為的でない火災、その他の自然現象による災害
　ウ　原子力事故
　エ　輸送の途絶

B．信用危険

① 輸出契約等の相手方が外国の政府、地方公共団体またはこれらに準ずる者である場合に、当該相手方が当該輸出契約等を一方的に破棄したこと、または次に掲げるいずれかの事由により、輸出者等が当該輸出契約等を解除したこと(輸出者等の責めに帰することができない場合に限る)
　ア　相手方から輸出契約等で定めた条件につき変更の申込みがあった(当該変更にともなう輸出者等の支出増加が利益を超えると認められるものに限る)。
　イ　相手方から輸出契約等で定めた決済期限または船積期日につき1年以上

の期間の繰延べの申込みがあった。
　　ウ　輸出契約等にもとづき貨物の船積前に決済されるべき金額の１年以上の
　　　支払遅延があった。
　②　輸出契約の相手方の破産または破産に準ずる事由
　③　輸出契約の相手方の３ヵ月以上の債務の履行遅滞

　なお、仲介貿易契約（日本以外の国から貨物を調達し、仕向国に貨物を販売する契約）を締結した場合も、非常危険、信用危険とも同様にてん補される。ただし、調達国（船積国）において生じた損失はてん補されない。

(5) 免責事項

保険事故が発生しても、保険者である株式会社日本貿易保険が免責となり、保険金は支払われない場合がある。主なものをみてみよう。
　①　貨物の船積不能の場合にあっては、輸出者等または輸出契約等の相手方の故意または重大な過失により生じた損失
　②　代金の回収不能の場合にあっては、輸出者等の故意または重大な過失により生じた損失
　③　貨物の滅失、き損、だ捕、その他貨物について生じた損失（共同海損、救助料その他海上保険によって通常てん補される損失を含む）
　④　輸出者等が法令（外国の法令を含む）違反によって取得した輸出契約等に係る債権について生じた損失
　⑤　輸出契約等の相手方（代金の支払人が異なる場合はいずれかの者）が、次のいずれかに該当する場合における信用危険に対する損失
　　ア　輸出者等の本店または支店(輸出者等が支店の場合は、他の支店を含む)
　　イ　輸出者等と特定の資本関係がある輸出契約等の相手方
　　ウ　輸出者等と特定の人的関係がある輸出契約等の相手方
　⑥　仲介貿易契約において、仲介貿易契約の相手方と買契約（仲介貿易契約にもとづいて販売若しくは賃貸するために、仕向国以外の外国において生産、加工、または集荷された貨物を購入する契約をいう）の相手方が次のいずれかに該当する場合における信用危険に対する損失
　　ア　仲介貿易契約の相手方と買契約の相手方が本支店関係にある場合
　　イ　仲介貿易契約の相手方と買契約の相手方が特定の資本関係にある場合

(6) 保険金額

保険契約でカバーされているリスクによって損失を受けた場合に、支払われる最高限度額を保険金額という。保険金額は、貨物のFOB価格または契約上の代金額（以下保険価額という）に一定の比率（以下付保率という）を乗じて算出する。また、保険価額は、保険料を算出するときのベースにもなる。

図表4－2　保険金額の計算式（左欄A～Dは、図表4－1の記号に対応している）

てん補する リスク		（保険価額）	（付保率）	（保険金額）
A	船積前	非常危険	貨物のFOB価格	×60～95％（選択[※1]）	＝リスクAの保険金額
C		信用危険	貨物のFOB価格	×60～80％（選択[※1]）	＝リスクCの保険金額
B	船積後	非常危険	契約上の代金額[※2]	×97.5％	＝リスクBの保険金額
D		信用危険	契約上の代金額[※2]	×　90％	＝リスクDの保険金額

※1　Aの付保率≧Cの付保率となるように選択する。
※2　船積前に決済された額を除く。

(7) 保険責任期間

保険契約の締結日の翌日から起算して5日を経過した日から、代金の決済期限までの期間（以下保険責任期間という）に発生した損失が、てん補される。

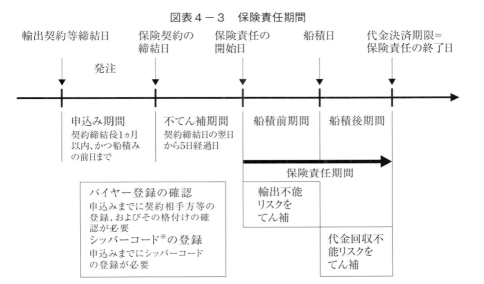

図表4－3　保険責任期間

※　シッパーコードとは、貿易一般保険を新規に利用する場合、保険申込みに先立って株式会社日本貿易保険に対して、所定の様式で登録する「貿易保険利用者コード」をいう。

(8) 保険料の算出

　保険料は、船積前、船積後の各保険価額に保険期間の長さ等に応じて設定された保険料率（船積前非常料率、船積前信用料率、船積後非常料率、船積後信用料率がある）を乗じて算出する。さらに輸出契約等の相手方の属する国・地域の危険度も勘案するため、複雑である。そこで実務上は、株式会社日本貿易保険のホームページ（http://nexi.go.jp/）で保険料を試算するのが便利である。

第4節　輸出手形保険

(1) 輸出手形保険の概要

　輸出手形保険とは、荷為替手形の買取銀行が荷為替手形の満期日において支払いを受けることができなかった金額をてん補するものである。また買取銀行が荷為替手形の再買取の依頼をする銀行を「再割銀行」というが、買取銀行が再割銀行から遡求を受けて支払った金額をてん補するものでもある。

　すなわち、この保険は、主に信用状をともなわないＤ／Ｐ、Ｄ／Ａ条件の荷為替手形の買取上の不安を解消し、手形が不払いになった場合に、その責任が輸出者にない限り、その受領した保険金の範囲内において買取銀行は輸出者に遡求してはならないとして、買取銀行と輸出者をともに保護することを目的としている。

　輸出手形保険では、銀行が、輸出者から輸出貨物代金の回収のために振り出された荷為替手形を輸出者から買い取ったことを株式会社日本貿易保険に通知することによって、保険関係が成立する。

　そのほか、輸出手形保険は次のような特徴を持っている。
① 保険の対象は、輸出代金回収のために振り出された荷為替手形に限定している。
② 輸出貨物の種類は原則として制限はない。
③ 保険契約者および被保険者は、輸出者でなく、輸出者から荷為替手形を買い取った買取銀行である。
④ てん補事由に制限がなく、非常危険、信用危険の両方をてん補する。

(2) 買取対象となる荷為替手形

輸出手形保険の対象となる手形は、次のⅠ～Ⅳの全てを満たす手形に限られる。
Ⅰ　輸出貨物代金の回収のために振り出された荷為替手形であって、船荷証券、航空運送状、郵便小包受取証等によって手形上の権利が担保されていること。
Ⅱ　銀行が振出人から直接買い取った手形であること。
Ⅲ　荷為替手形の担保となる貨物は本邦内で生産され、加工され、または集荷されたものであること。
Ⅳ　株式会社日本貿易保険の定める次の要件を備えること。

① 船積日の翌日から起算して3週間以内に手形が買い取られていること。
② 手形の支払人が、海外商社名簿においてGグループ、またはSAに格付けされていなければならない（注）。なお、EE、EA、EFまたはEMに格付けされている場合は、手形を買い取る前に株式会社日本貿易保険本店または大阪支店により個別保証枠の範囲内であることの確認を受けること。
　（注）輸出手形保険の付保にあたり、保険契約の対象となる海外の取引先が「海外商社名簿」に記載されていない場合には、当該取引先の登録申請を行う。
③ 手形の支払国が、株式会社日本貿易保険が定める国または地域（特定国）以外であること。（特定国と承認基準については、日本貿易保険のホームページ参照）

(3) 確認要件

銀行は、荷為替手形の買取に際して、次の事項を確認しなければならない。銀行が確認を怠ったことにより保険事故が発生した場合には、保険金が支払われないので、「免責要件」ともいう。

A．信用状なし荷為替手形買取（D／P、D／A）の場合

(a) 手形金額が送り状（インボイス）金額の範囲内で取り組まれていること。
(b) 船荷証券、航空運送状、複合運送証券、海上運送状等または郵便事業株式会社が発行する郵便小包受取証が添付されていること。さらに各運送状が次の要件を備えていること。
　① **船荷証券**、または証券と引換えに当該貨物を引き渡すことが明記されている**複合運送証券**の場合には、発行された**全通が揃っている**こと。
　② **航空運送状、海上運送状等**の場合には、運送書類の付属貨物の**荷受人**が当該手形の**取立銀行**であること。
　③ 運送書類は、積出地から仕向地まで運送することを確約するものであること。
(c) 海上保険その他運送に関わる損害保険を付保することを条件とする輸出契約にあっては、次の要件を満たす保険証券が添付されていること。
　① 信用ある保険業者の発行したものであること。
　② 送り状金額の全部が担保されており、かつ、表示通貨は手形上の**表示通貨と同一**であること。

③ 保険の目的たる貨物の種類および数量が船荷証券および送り状の記載と一致していること。
④ 積込船名および積込み、積替え並びに陸揚げ地の記載が船荷証券の記載と一致していること。
⑤ 商品の種類により慣行上必要かつ十分な条件で担保されており、かつ、**戦争保険約款およびストライキ・暴動・騒乱約款**の付保があること。
⑥ 保険証券に**手形振出人の白地裏書**があり、複本を含め**全通**が揃っていること。

B．信用状付荷為替手形買取の場合

信用状付荷為替手形でも付保は可能であり、確認すべき事項は次の3点である。
① 手形金額が、送り状の金額の範囲内であること。
② 信用状は、取消不能信用状であって、信用状統一規則にもとづく支払確約または同等の支払確約がなされていること。
③ 信用状にもとづき振り出される手形の名宛人は、次のいずれかに該当していること。
　a．信用状発行銀行
　b．信用状確認銀行
　c．補償銀行

C．その他、保険金支払いの全部が免責となる場合
① 銀行の故意または重大な過失により生じた保険事故
② 荷為替手形が、引受渡条件（D／A）である場合においては引受け前に、支払渡条件（D／P）である場合においては支払い前に、貨物の引渡しがなされたことにより生じた損失
③ 輸出契約等の相手方を実質的に支配している場合で、当事者の責めに帰すべき事由があるとき

(4) 保険金額

保険契約上、銀行が買い取った荷為替手形の券面に記載された手形金額を**保険価額**という。保険価額に一定の比率（付保率という）を乗じて算出したものを**保**

険金額という。

　保険金額は、保険事故が発生し損失を受けた場合に、買取銀行に支払われる保険金の最高限度のことである。保険でてん補される金額は、非常危険、信用危険とも95％である。

〈付保率95％の場合の計算式〉

てん補リスク	保険価額	付保率	保険金額
非常危険、信用危険とも	手形金額　×	95％　=	非常危険、信用危険の保険金額

(5) 保険契約の締結と保険責任期間

　保険契約は、株式会社日本貿易保険と買取銀行との間で締結する。株式会社日本貿易保険と保険契約した買取銀行が、荷為替手形の**買取日から5営業日以内**に買取した旨を株式会社日本貿易保険に通知すれば、**買取日にさかのぼって**保険関係が成立する。

　輸出手形保険の保険責任期間は、銀行の買取日（保険関係が成立した日）から荷為替手形の満期までの期間である。

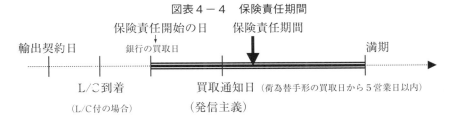

図表4-4　保険責任期間

ただし銀行の買取日までに、
①契約相手（バイヤー）の登録、およびその格付けの確認
③バイヤーがEE・EA・EM・EF格の場合、個別保証枠の事前確認
③シッパーコードの登録
が必要である。

　輸出手形保険の主たるてん補リスクは満期の不払いであり、「満期」は保険事故を確定する際の重要な事項である。では、「満期」とはどの時点であるのか確

認しよう。
(a) 一覧払荷為替手形の場合の満期とは、呈示の日
・貨物到着時払条件の場合の満期は、貨物到着後の呈示の日
・明らかでない場合は、取立銀行からの未払い通知の発信日
(b) 一覧後定期払の荷為替手形の場合
・引受け後の確定満期
(c) 確定日払または日付後定期払の荷為替手形の場合
・当該手形にもとづく満期日

(6) 保険料の計算

保険料は、てん補リスクごとに計算された保険金額に保険責任期間の長さに応じて設定された保険料率（非常危険料率と信用危険料率）を乗じて算出する。

〈基本的な計算式〉

てん補リスク	保険金額	保険料率	保険料
非常危険	非常保険金額×非常危険料率[※1]（基本保険料×国倍率）		＝ 非常危険の保険料
信用危険	信用保険金額×信用危険料率[※2]		＝ 信用危険の保険料

※1 非常危険料率は、手形の支払国または地域のリスクによって8段階に区分されている。
※2 信用危険料率は、手形の引渡し条件の違いによりD／A料率とD／P料率の2種類がある。信用状付荷為替手形は全てにD／P料率が適用される。

日本貿易保険に支払う保険料は、てん補リスクごとに算出された保険料の合計となる。

納付保険料＝非常危険の保険料＋信用危険の保険料

(7) 民間の取引信用保険

2005年4月から「民間でできることは民間で」という原則により、民間保険会社の貿易保険に対する参入が始まった。この保険は、輸出に係る信用危険および非常危険を担保する保険であり、取引信用保険（輸出取引用）と呼ばれる。

参考　PL法とPL保険

　本章では「貨物海上保険」と「貿易保険」について学んできたが、輸出入取引においては「PL保険（生産物賠償責任保険）」も広く利用されている（382頁参照）。ここでは、「PL法（製造物責任法）」に規定する「損害賠償請求権の時効消滅」と、「PL保険」の重要事項を確認しよう。

1　PL法に規定する損害賠償請求権の行使期間は、製造者が当該製造物を引き渡してから10年間、または被害者が損害及び賠償義務者を知った時から3年間である。期間中に請求権を行使しないときは、時効により請求権は消滅する（時効消滅）。

2　国内PL保険は原則として、保険期間が1年であり、保険者のてん補責任は事故発生ベース（保険契約が継続更改され、事故が発生したときに保険期間が継続していればてん補される）である。したがって輸入品の販売時期には関係がない。

3　国内PL保険のてん補範囲には、

① 治療費、入院費、慰謝料、休業補償など被害者に対して支払う損害賠償金

② 訴訟、仲裁、和解または調停について保険会社の承認を得て支出する費用

③ 応急手当などの緊急措置や、損害の防止・軽減に必要な費用が含まれる。ただし、事故の発生を防止するための製品の回収、検査、修理、交換等の費用は含まれない。

4　輸出PL保険は原則として、保険期間が1年であり、てん補責任は損害賠償請求ベース（事故の発生後も保険が継続更改され、損害賠償請求の段階で保険期間が継続していればてん補される）である。事故が発生した場合には、保険会社は事実関係を調査して原因を究明する。また、訴訟に発展した場合には、保険会社と提携している当該国の防御弁護士を選任して対応するなど、企業の立場に立って積極的に防御活動を行う。

5　輸出PL保険のてん補範囲には、訴訟費用、弁護士費用、身体障害事故発生の際の応急手当費用が含まれるが、米国における懲罰的損害賠償金は含まれない。

チェック問題

1. 次の各文章について、正しいものには○を、誤っているものには×をつけなさい。

　① 貿易一般保険は、普通輸出保険、輸出代金保険、仲介貿易保険の3種類の保険を一つの保険約款で扱ったものであり、一保険契約によって、輸出契約や仲介貿易契約等に係る貨物の生産から、集荷、船積み、代金の決済に至るまでの過程で、発生する損失をてん補する。

　② 貿易一般保険がてん補する信用危険は、貨物の船積後にバイヤーの資金繰りが悪化し支払いが遅延した場合や、バイヤーが破産した場合などの代金回収不能リスクであり、受注後船積みまでの間にバイヤーが破産し輸出不能となったことによる損失は、てん補しない。

　③ 仲介貿易契約の相手方と買契約の相手方が本支店関係にある場合には、貿易一般保険の事故が発生しても、保険者である株式会社日本貿易保険は免責となる。

　④ 貿易一般保険の契約でカバーされているリスクによって損失を受けた場合に、支払われる最高限度額を保険金額というが、その保険金額は、貨物のCIF価格または契約上の代金額に一定の比率を乗じて算出する。

　⑤ 貿易一般保険の保険責任期間は、保険契約の締結日の翌日から起算して3日を経過した日から代金の決済期限までである。

　⑥ 輸出手形保険とは、荷為替手形の振出人である輸出者が荷為替手形の満期日において支払いを受けることができなかった金額をてん補するものである。

　⑦ 輸出手形保険がてん補する信用危険には、貨物の船積後に買手の資金繰りが悪化し、支払いが遅延した場合や、買手が破産した場合などの代金回収不能リスクが含まれるが、受注後船積前に買手が破産した場合などの輸出不能リスクは含まれない。

　⑧ 買取対象となる手形は、輸出貨物代金の回収のために振り出された荷為替手形であって、船荷証券、航空運送状、郵便小包受取証等によって手形上の権利が担保されていることが必要である。

　⑨ 手形の支払人は、海外商社名簿においてGグループ、またはSAに格付けされていなければならない。EE、EA、EFまたはEMに格付けされている

場合は、手形を買い取る前に個別保証枠の確認を受ける必要がある。
⑩ 保険事故が発生した場合には、荷為替手形の買取時に航空運送状、海上運送状等の貨物の荷受人が当該手形の取立銀行でなかった場合でも保険金は支払われる。
⑪ 買取銀行が、荷為替手形の買取日から3営業日以内に買取した旨を株式会社日本貿易保険に通知すれば、買取日にさかのぼって保険関係が成立する。
⑫ 輸出手形保険の保険責任期間は、銀行の買取日（保険関係が成立した日）から荷為替手形の満期までの期間である。

2．輸出手形保険について、次の記述のうち正しいものはどれか。
A 買取対象となる荷為替手形は、船積日の翌日から起算して2週間以内に買い取られていなければならない。
B 信用状にもとづき振り出される手形の名宛人は、輸入者でなければならない。
C 荷為替手形が引受渡条件（D／A）である場合、引受け前に貨物の引渡しがなされたことにより生じた損失であっても、てん補される。
D 海上保険を付保する輸出契約の場合、送り状金額の全部が担保されており、かつ、表示通貨は手形上の表示通貨と同一である保険証券が添付されていること。

●解答と解説●

1　

① ○
② ×　貿易一般保険がてん補する信用危険には、貨物の船積後にバイヤーの資金繰りが悪化し支払いが遅延した場合や、バイヤーが破産した場合などの代金回収不能リスクだけでなく、受注後船積みまでの間にバイヤーが破産した場合などの輸出不能リスクも該当する。
③ ○
④ ×　貿易一般保険の保険金額は、貨物のFOB価格または契約上の代金額

（保険価額）に一定の比率（付保率）を乗じて算出する。
⑤　×　貿易一般保険の保険責任期間は、保険契約の締結日の翌日から起算して5日を経過した日から代金の決済期限までである。
⑥　×　輸出手形保険とは、荷為替手形の買取銀行が荷為替手形の満期日において支払いを受けることができなかった金額をてん補するものである。
⑦　○
⑧　○
⑨　○
⑩　×　航空運送状、海上運送状等の場合には、貨物の荷受人が当該手形の取立銀行でないと免責になる。
⑪　×　買取銀行は、荷為替手形の買取日から5営業日以内に買取した旨を株式会社日本貿易保険に通知すれば、買取日にさかのぼって保険関係が成立する。
⑫　○

2．D
A　買取対象となる荷為替手形は、船積日の翌日から起算して3週間以内に買い取られていることが要件である。
B　信用状にもとづき振り出される手形の名宛人が、信用状発行銀行、信用状確認銀行、補償銀行のいずれかに該当していることが要件となる。
C　荷為替手形が、引受渡条件（D／A）である場合においては引受け前に、支払渡条件（D／P）である場合においては支払い前に、貨物の引渡しがなされたことにより生じた損失には保険金が支払われない。

第5章

貨物の船積み

(1) コンテナ船の場合の船積み　P110
(2) コンテナ船の船積完了と
　　輸出許可書　　　　　　　P117
(3) ターミナル通関と
　　内陸倉庫通関　　　　　　P117
(4) 船荷証券の取得時の
　　留意事項　　　　　　　　P118
(5) 在来船の場合の船積み　　P118

第5章　貨物の船積み

本章では、FCL貨物・LCL貨物のコンテナ船への船積みと、在来船への船積みの流れをみていく。さらに、シッパーズ・パック、キャリヤーズ・パックにおける上屋通関とヤード通関の差異、並びにコンテナー扱いなどについても学習する。

(1) コンテナ船の場合の船積み

輸出者から依頼を受けた海運貨物取扱業者[注]は、税関に輸出通関手続をして、書類の審査と貨物の検査を受ける。輸出許可を受け外国貨物となった貨物を保税地域から搬出する際には税関に「搬出届」を提出し、外国貿易船まで運送して船積みの準備をする。

現在では、貨物を一定規格のコンテナに詰め、貨物が一つの輸送単位（unit）としてユニット化、定型化されたことによって、完全な機械化荷役および全天候荷役が可能となった。ガントリークレーン（Gantry Crane）1基で毎時間20個から30個のコンテナを取り扱うことができ、本船の停泊日数が短縮された結果、個品運送契約貨物のほとんどがコンテナ化されて、コンテナ輸送が行われている。

(注1) 海運貨物取扱業者は、海貨業者、乙仲とも呼ばれる。荷主の委託を受けて、個品運送貨物の船舶への受渡しに合せて、艀運送、沿岸荷役などの作業を一貫して行う運送業者である。また、新海貨業者は、荷主の委託のほか、船会社からの委託も受けて、コンテナ・フレート・ステーション（CFS）での業務であるLCL貨物の受渡し、荷捌き、コンテナ詰めなども行う。

　一般に海貨業者、新海貨業者とも倉庫を保有しており、倉庫業、通関業などを兼務している。

(注2) 輸出申告は、輸入申告と異なり、貨物を保税地域等に搬入した後にしなければならないとする制限がないので、保税地域等に搬入する前でもすることができるし、保税地域等に搬入においてもすることができる（関税法67条の2第2項）。

A．FCL貨物（Full Container Load Cargo）の場合

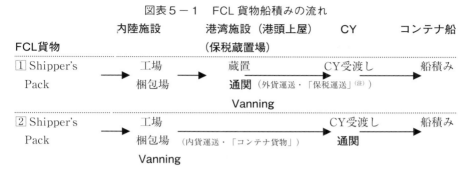

図表5－1　FCL貨物船積みの流れ

(注) 保税運送とは、税関長の承認を受けて、開港、税関空港、保税地域、他所蔵置許可場所、税関官署の相互間に限り、外国貨物のまま運送すること。運送方法により、OLT（陸路運送）、ICT（海路運送）、OAT（空路運送）に分けられる。

(a) Shipper's Pack：上屋通関（港頭保税地域通関）・船積み（図表5－1 ①）

① 出荷指図

委託した海貨業者の港湾施設、荷受場所と受入れ予定日が決定し次第、荷主（輸出者）はサプライヤー（生産者：メーカーなど）に対して、出荷指図を行う。

② 貨物の搬入

荷主やサプライヤーは、工場や内陸荷捌き施設（梱包場所）から貨物をトラックにより運送し、海貨業者等の港頭保税地域（海貨上屋。海貨業者の上屋は通常保税蔵置場になっている。また港頭保税地域である上屋を港頭上屋ともいう）に搬入する。

③ 通関

海貨上屋、保税蔵置場で海貨業者等により荷受けされる。海貨業者は、輸出者が作成したシッピング・インストラクションズ、インボイス、パッキング・リストなどにもとづいて、税関への輸出申告書を作成する。

④ コンテナへの詰め

海貨業者は、船積書類を作成し、検量人（貨物の容積、重量を計算・証明する者）の検量を受ける。次にコンテナ・ヤード・オペレーター（Container Yard Operator）に**機器受渡証（搬出）（Equipment Receipt** (out))〔☞用語解説〕を提出し、所定のコンテナシールを受領し、空のコンテナを借り受け、コンテナへの詰め（Vanning、Stuffing）をする。Forwarder's Pack ともいう。

⑤　コンテナ引渡し

　海貨業者は、**コンテナ貨物搬入票、コンテナ内積付表**（Container Load Plan=CLP）、**ドック・レシート**（Dock Receipt=D／R）〔☞用語解説〕を作成し、重量容積証明書、輸出許可書等の書類とともにコンテナを直接コンテナ・ヤード（CY）に持ち込む。ゲート・クラーク（Gate Clerk）は、搬入の際ターミナルのゲートでトラックスケール（Truck Scale　台貫／重量計量器）による重量の計量を行う。次にゲート・クラークは、コンテナとコンテナ貨物搬入票により、コンテナのコンテナ番号、シール番号を、また機器受渡証（搬出）をもとにコンテナなどの機器の状態を、確認する。それらの書類やコンテナの外観に問題がなければ CY オペレーターは、ドック・レシート全部に署名し、貨物の受取証として1通を海貨業者に返却し、CY への搬入を認める。

⑥　CY オペレーターは、荷受けされた実入りコンテナを船積準備のため一時 CY に集積・蔵置する。次にマーシャリング・ヤード（Marshalling Yard）に移送し、ハッチ別、積込み順に整理・配列（Marshalling）する。

⑦　CY オペレーターは、コンテナ船への積込みのため、積付けプラン（Stowage Plan）で決められた積荷順序に従って、マーシャリング・ヤードからキャリヤー（またはトラクター・シャシ）によりコンテナをエプロン〔☞用語解説〕に移送し、ガントリークレーンの下に持ち込む。その後コンテナはガントリークレーンによりコンテナ船へ積込みされる。

i　**機器受渡証**：コンテナ機器の受渡しを証明する書類で、CY オペレーターによって作成され、コンテナの CY 搬出・搬入の際に荷主側との間で署名のうえ取り交わす。コンテナに損傷があれば、CY オペレーターによって Remarks（摘要）欄に記載される。

ii　**コンテナ貨物搬入票**：輸出実入りコンテナを CY に搬入する際に提出する。取扱船会社名、本船名、コンテナ番号、荷卸港、総重量、荷卸港でのサービス（CY 扱いか、Door 扱いか、あるいは CFS 扱いにするのか）、通関（済みか、未済か）、海貨業者などを記載した搬入票。

iii　**コンテナ内積付表**：コンテナの中に何が詰めてあるのかを示した貨

物の明細書。

iv **ドック・レシート**：ドック・レシート（8枚程度の複写書類）は海貨業者が作成する。貨物をCY、CFSに搬入する場合には、ドック・レシートの全通をCYオペレーター、CFSオペレーターに引き渡す。これには荷送人、荷受人、貨物の仕向地、荷印、容積・数量など貨物の内容が記載してあり、ドック・レシートにオペレーターにより署名されると、実入りコンテナが正常な状態で引き渡されたことを示し、船会社の運送責任が開始する。在来船のときの本船貨物受取書（Mate's Receipt）に相当する。そのうちの1枚が船荷証券との引換え用ドック・レシートであり、荷送人はこれと引換えに船会社からコンテナ船荷証券（Container B／L）を入手する。

　　ドック・レシート内訳（船会社により枚数・順番が違う）：
　　1枚目：Dock Receipt（B/L Master）：B／L作成用
　　2枚目：Dock Receipt（B/L Copy）：荷主用コピー
　　3枚目：Dock Receipt, Original, Non-Negotiable：B／Lとの引換え用
　　4枚目：Dock Receipt, EDP（Electronic Data Processing）Copy：電算用
　　5枚目：Dock Receipt, Office Copy：船会社用
　　6枚目：Dock Receipt, 揚地 Copy：揚地の荷役担当者用
　　7枚目：Dock Receipt, Customs' Copy：積地税関提出用
　　8枚目：Dock Receipt, CY/CFS Copy：CYオペレーター用、CFSオペレーター用

v **エプロン**：岸壁に沿って舗装されている部分をいう。すなわち、コンテナ・ターミナルの岸壁とマーシャリング・ヤードの間のクレーン用レールが設置されている部分をさす。また、マーシャリングとはコンテナ・ヤードの中でコンテナ貨物の荷卸しに便利なように整列させるという意味であり、整列させる場所をマーシャリング・ヤードという。

(b) Shipper's Pack：ヤード通関・船積み（図表5－1 ②）
 ① 輸出者は、船会社の代理人であるCYオペレーターに**機器受渡証（搬出）**を提出し、空のコンテナを借り受ける。
 ② 輸出者は、空のコンテナに貨物を詰める際に、海貨業者が手配した検量人の検量を受け、検量人がドック・レシートに輸出貨物の重量、容積を記載する。またコンテナ詰めに立ち会った検量人または検数人（貨物の個数の計算、貨物の瑕疵(かし)の確認、受渡しの証明をする者）が税関用のコンテナ詰め貨物証明書（Vanning Certificate）を発行し、コンテナをコンテナシールで封緘する。
 ③ （保税地域等に搬入する前に輸出申告する場合） 海貨業者（乙仲）は、貨物をコンテナ詰めしたまま輸出者の倉庫・工場等で輸出申告手続きを行う。
 ④ 輸出者が、空のコンテナに貨物を詰めた後に、海貨業者は、**コンテナ貨物搬入票、コンテナ内積付表、ドック・レシート**を作成する。
　　工場などでの作業完了後に、ドライバーにインボイス、パッキング・リスト、コンテナ貨物搬入票、ドック・レシートなどを渡し、コンテナ詰め貨物をCYに搬入させる。
 ⑤ ゲート・クラークは、搬入の際、ターミナルのゲートでトラックスケールによる重量の計量を行う。次に、コンテナとコンテナ貨物搬入票により、コンテナ番号、シール番号を確認し、また機器受渡証（搬出）をもとにコンテナなどの機器の状態を確認する。それらの書類やコンテナの外観に問題がなければCYオペレーターは、ドック・レシート全部に署名し、貨物の受取証として1通を海貨業者に返却し、CYへの搬入を認める。
 ⑥ 保税地域等に搬入後に貨物の検査および輸出許可が出る。
 ⑦ CYオペレーターは、荷受けされた実入りコンテナを、船積準備のため一時CYに集積・蔵置する。次にマーシャリング・ヤードに移送し、ハッチ別、積込み順に整理・配列する。
 ⑧ CYオペレーターは、コンテナ船への積込みのため、積付けプランで決められた積荷順序に従って、マーシャリング・ヤードからキャリヤー（またはトラクター・シャシ）によりコンテナをエプロンに移送し、ガントリークレーンの下に持ち込む。その後コンテナはガントリークレーンによりコンテナ船へ積込みされる。

図表5-1を見ると、上屋通関では貨物を保税蔵置場に一時蔵置して、港頭保税地域で通関手続を行い輸出許可後にコンテナ詰めをするのに対して、ヤード通関ではあらかじめ輸出者の倉庫・工場等で輸出申告して内陸にある荷主の工場などでコンテナ詰めした未通関貨物を直接CYに搬入し、その後に輸出通関手続を行うことがよくわかる。このように実際には輸出者の倉庫・工場等で輸出申告するヤード通関のほうが、ドアからドアへというコンテナ化がめざす国際複合輸送に最も近い形となる。特に直接貿易を行っているメーカーのように単一品目で大量の貨物を輸出する荷主（輸出者）にとっては、時間が短くて済み、海貨業者への支払いも相対的に安くなるので経済効率のよい方式である。

用語解説　「コンテナー扱い申出書」手続きの廃止（2011年10月1日　関税法改正により廃止）：改正以前は事前に税関長にコンテナ扱いの申請を行い、承認を受ける必要があったが、コンテナ扱い申出の手続きの廃止により、承認を受けることなくコンテナ詰めを行えるようになった。輸出者が工場・倉庫等でコンテナ詰めを行う際、(1)貨物の品名、数量、記号、コンテナ番号、シール番号等の貨物の積付状態のわかる証明書、および(2)貨物をコンテナに詰めている状況とコンテナ番号が見えている写真等を輸出申告時に税関に提出することで、書類審査や貨物検査の時間を短縮できる。この時、コンテナに積み込む貨物と、書類や証明書などの内容が一致していることが必要である。

B．LCL 貨物（Less than Container Load Cargo）の場合

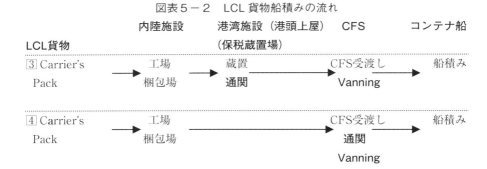

図表5-2　LCL 貨物船積みの流れ

(a) Carrier's Pack：上屋通関（港頭保税地域通関）（図表5-2 ③）
① 工場や内陸荷捌き施設（梱包場所）から貨物をトラックにより通常の輸出包装（ルーズ貨物）のまま運送し、海貨業者等の港頭保税地域に搬入する。
　搬入の際、検数人は貨物の個数、瑕疵を点検、検数する。
② 海貨業者は、検量人の検量を受け次第、ドック・レシートを作成する。**港頭保税地域で輸出通関手続**を行い、輸出許可書、ドック・レシートとともに貨物をそのまま（コンテナ詰めをしないまま）CFSに持ち込む。（もちろん、コンテナ内積付表やコンテナ貨物搬入票はない）。
③ CFSオペレーターは提出された輸出許可書、ドック・レシートと貨物をチェックして、異常がなければドック・レシートに署名をして海貨業者に返却する。
④ CFSで他の貨物と混載されてコンテナに詰め込まれ、CFSオペレーターによりコンテナ内積付表が作成される。CFSでのコンテナへの詰めは船会社が委託したCFSオペレーターや従来の船内荷役業者（ステベドア　Ste-vedore）または新海貨業者が行う。
⑤ CFSオペレーターによりCYのマーシャリング・ヤードに搬入され、CYオペレーターにより船積みされる。

(b) Carrier's Pack：ヤード通関（図表５－２④）
① 工場や内陸荷捌き施設（梱包場所）からサプライヤー等が通常の輸出包装（ルーズ貨物）のまま直接 CFS に搬入し、直ちに検量にかけられる。
② 海貨業者や通関業者は、検量の結果がわかり次第、ドック・レシートを作成し、**CFS で輸出通関手続**を行う。
③ 税関の輸出許可書とドック・レシートを CFS オペレーターに提出する。CFS オペレーターはドック・レシートに署名し、海貨業者に返却する。
④ 他の貨物とコンテナ詰めされた後に、CFS オペレーターによりコンテナ内積付表が作成される。
⑤ CFS オペレーターにより CY のマーシャリング・ヤードに搬入され、CY オペレーターにより船積みされる。

(2) コンテナ船の船積完了と輸出許可書

　船積みが完了すると CY オペレーターは、積地税関提出用ドック・レシートと輸出許可書をコンテナ・ヤード管轄の税関へ提出する。税関はドック・レシートにより船積みを確認し、輸出許可書に船積確認の記載をして、これらを CY オペレーターに引き渡す。輸出許可書は CY オペレーターから海貨業者を経て、輸出者へと返却される。

(3) ターミナル通関と内陸倉庫通関

　以上みてきた４種の貨物船積みを、通関手続を行う場所という観点から整理してみよう。通関手続は、まずターミナル通関と内陸倉庫通関に分類される。さらにターミナル通関には、港頭保税地域で検量・通関をしたうえで搬入する港頭保税地域通関と、CY や CFS へ搬入後に検量・通関をするヤード通関がある。一方、内陸倉庫通関とは内陸の保税倉庫や保税工場でコンテナ詰めをして、内陸の税関（出張所など）に対して輸出申告をするものである。輸出の許可を受け、外国貨物になった貨物は船積みのターミナルまで保税運送される。

(4) 船荷証券の取得時の留意事項

　FCL貨物のときは、CYオペレーターが貨物を受け取ったとき、LCL貨物のときは、CFSオペレーターが、コンテナ詰めが終り貨物を受け取ったときに、ドック・レシートに署名がなされ、船会社の責任が開始する。輸出許可書と返却されたドック・レシートを船会社に提示すれば、船荷証券が発行される。
受領された貨物に異常があれば、CYオペレーターやCFSオペレーターによりドック・レシートのException欄にその旨が記入される。（リマーク記載事例は第2章第2節参照）
　このような故障付のドック・レシートを船会社に提出すると、船荷証券（B／L）にも同じリマークがつき、銀行は、そのような故障付船荷証券（Foul B／L）での荷為替手形の買取を拒否するので、**補償状（Letter of Indemnity）** を差し入れて、無故障船荷証券（Clean B／L）を発行してもらう。在来船も同様である。
　在来船の場合には、船会社は船積船荷証券（Shipped B／L）を発行するのを原則とするが、コンテナ船の場合には、受取船荷証券（Received B／L）を発行する。船荷証券上に"Shipped"または"On Board"の表示がない。そこで船荷証券面に「船積みの表示」である"On Board Notation"を要求する。

(5) 在来船の場合の船積み

　コンテナ船と異なり、在来船の場合はどのように船積みが行われるのだろうか。書類の受渡しと作業者に注目しながら、確認しよう。
① 輸出者は、船積依頼書（Shipping Instructions＝S／I）を作成し、貨物の船積みを海貨業者（乙仲）に依頼する。
② 輸出者の依頼を受けた海貨業者は、輸出者が作成した船積依頼書をもとに、船会社から**船積申込書（Shipping Application＝S／A）** 1セットを入手し、記載事項をタイプする。自社用控えにShipper's Copyを取り、それ以外の全てを船会社に提出する。
③ 海貨業者は、税関に**搬入届**を提出、内国貨物を保税地域に搬入する。
④ 貨物の荷印、個数などの照合確認をしたうえで、検量人の検量を受ける。
⑤ 海貨業者は、税関に輸出申告を行う。
⑥ 税関は書類審査をし、検査が必要な場合は貨物の検査をし、輸出許可書を海貨業者に交付する。

⑦ 船会社は、その船積申込書の中から**船積指図書（S／O）**（船会社が署名したもの）と**本船貨物受取書**〔☞用語解説〕（署名なし）を海貨業者に返却する。
⑧ 海貨業者は、既に税関から交付を受けている輸出許可書、船積指図書（署名あり）、本船貨物受取書（署名なし）を艀またはトラックに託して、本船の一等航海士（Chief Mate）に提出する。
⑨ 海貨業者は外国貨物となった貨物を保税地域から搬出して、本船船側へ運送する。
⑩ 一等航海士は本船貨物受取書に署名し、船積指図書とともに**検数人**（**Tallyman、Checker**とも呼ぶ）に渡す。
⑪ 積込みの際に、本船側と荷主側の双方の検数人が、本船船側や艀で立ち会う。船積指図書と貨物を照合し、貨物の検数および損傷の有無を調査する。
⑫ 貨物に不備がなければ、本船側の検数人が貨物の個数を検数表（Tally Sheet）に記入し、船積指図書（S／O）と本船貨物受取書に署名して、一等航海士に提出する。貨物に不備があれば、検数人は検数表に不備の内容を書き加え、さらに本船貨物受取書にリマークをする。
⑬ 貨物に不備がなければ、一等航海士は本船貨物受取書に貨物の積載場所、積込日を記入・署名し、立会いの本船側の検数人に渡す。
⑭ さらに本船側の検数人が署名し、荷主側の検数人を通じて海貨業者に手渡される。このような本船貨物受取書が無故障本船貨物受取書である。
　貨物の本船への積込みはステベドアによって行われる。
⑮ 海貨業者は、一等航海士から渡された署名のある本船貨物受取書を税関へ提出する。
⑯ 税関から、船積確認済輸出許可書が交付され、海貨業者に渡される。
⑰ 海貨業者は、本船貨物受取書、船積確認済輸出許可書を船会社へ提出する。その時に運賃前払い（Freight Prepaid）の場合は運賃を支払う。引換えに船荷証券を受け取る。

　i　**船積指図書（Shipping Order=S／O）**：海貨業者が作成した船積申込書（S／A）の7枚のうちの1枚で、これには荷送人、荷受人、貨物の仕向地、荷印、容積・数量など貨物の内容が記載してあり、船会社から積載船の船長に対して、本船の甲板上で貨物を受け取るように指示した指図書である。また、次頁には船積申込書の構成の一例を

挙げているが、この中に船積指図書がある。

1枚目：Shipping Application（Shipper's Copy）：荷主控用

2枚目：Shipping Application, Office Copy, B/L Master：B／L作成用

3枚目：Bill of Lading（EDP Copy）：船会社内電算機用

4枚目：Shipping Order：船長宛船積指図書

5枚目：Mate's Receipt：本船貨物受取書

6枚目：Shipping Order（For Cargo Expense A/C）：荷物費用関係用

7枚目：Shipping Order（Office Copy）：船会社用

ⅱ **本船貨物受取書（Mate's Receipt=M／R）**：海貨業者が作成した船積申込書の中の本船貨物受取書に、一等航海士が本船に貨物が積み込まれたことを確認して署名（発行）する貨物の受取書。数量不足、損傷がある場合は、検数人によりその旨を摘要欄に記載（リマーク）される。

参考　港湾運送事業の業種

港湾運送事業は「港湾運送法」にもとづく許可制となっており、下記のように分類される。

A．事業の種類ごと、および港湾ごとに許可が必要なもの

　①一般港湾運送事業、②港湾荷役事業、③はしけ運送事業、④いかだ運送事業

B．事業の種類ごとに許可が必要なもの

　⑤検数事業、⑥鑑定事業、⑦検量事業

このうち、①の一般港湾運送事業の業種は、以下のように区分されている。

a）無限定1種：業務の範囲が限定されていないもの

b）限定1種：業務の範囲が限定されているもの

　各業務範囲は次頁の表のように規定されている。

名　　称	業務の範囲
海貨業（海貨限定:通称乙仲）	荷主の委託を受け、沿岸荷役等の作業を行う。
新海貨業（海貨無限定）	荷主の委託のほか、船会社の委託によるCFS作業を行うことができる。
一貫元請業	荷主の委託を受け、船内荷役、はしけ運送、沿岸荷役を行う。一般に、鉱石、石炭のように船内荷役費用を荷主が負担する貨物を対象としている。
いかだ一貫元請業	荷主の委託を受け、木材の受渡し、船内荷役、いかだ組み、いかだの曳航、水面貯木場への搬入などを行う。
船積・陸揚代理店業（シッピング・エージェント、ランディング・エージェント）	船会社の委託を受けて、上屋その他の荷捌き場所で行う。

チェック問題

次の各文章について、正しいものには○を、誤っているものには×をつけなさい。

① 新海貨業者とは、海貨業者としての業務のほか、船会社からの委託を受けて、CFSでの業務であるLCL貨物の受渡し、荷捌き、コンテナ詰めなども行う者をいう。

② FCL貨物の上屋通関の一般的な流れでは、海貨業者がコンテナ貨物搬入票、コンテナ内積付表（CLP）、本船貨物受取書（M／R）を作成し、重量容積証明書、輸出許可書等の書類とともにコンテナを直接CYに持ち込む。

③ FCL（Full Container Load）貨物のヤード通関の場合は、輸出者は通常、船会社の代理人であるCY（Container Yard）オペレーターにコンテナ内積付表（Container Load Plan：CLP）を提出し、空のコンテナを借り受け、あらかじめ輸出者の倉庫・工場等で輸出申告し、その後に貨物をCYに搬入して輸出許可を得る。

④ LCL貨物の上屋通関の場合は、貨物はまず海貨業者等の港頭保税地域（海貨上屋、保税蔵置場）に搬入される。そこで、検量人の検量を受けドック・レシート（D／R）を作成し、港頭保税地域で輸出通関手続を行う。

⑤ 上記④の場合、輸出通関手続後に、コンテナ内積付表を作成し、輸出許可書、ドック・レシートとともに貨物をそのまま（コンテナ詰めをしないまま）をCFSに持ち込む。

⑥ 輸出者がLCL貨物を船積みする際に、貨物に異常があれば、ドック・レシートにリマークが記入される。そのリマーク付きのドック・レシートを船会社に提出すると、故障付船荷証券が発行されるので、銀行は当該荷為替手形の買取りを拒否することになる。したがって荷主側は、船会社にLetter of Guaranteeを差し入れてClean B／Lを発行してもらう。

⑦ 在来船の船積みでは、まず輸出者は船積依頼書（Shipping Instructions）を作成し、貨物の船積みを海貨業者に依頼する。輸出者の依頼を受けた海貨業者は、輸出者が作成した船積依頼書をもとにドック・レシートを作成し、船会社に提出する。

⑧ 在来船への積込みの際に、本船側と荷主側の双方の検量人が、本船船側や艀で立ち会い、船積指図書（S／O）と貨物を照合し、貨物の検数および損

傷の有無を調査する。
⑨ 船積指図書と貨物が照合され、貨物に不備があればその結果が検数表（Tally Sheet）に記入され、船積指図書と本船貨物受取書にも不備がある旨がリマークされる。
⑩ 貨物の在来船への積込みは船内荷役業者によって行われる。

●解答と解説●

① ー ○   ② ー ×   ③ ー ×   ④ ー ○   ⑤ ー ×
⑥ ー ×   ⑦ ー ×   ⑧ ー ×   ⑨ ー ×   ⑩ ー ○

① ○
② ×　FCL貨物の上屋通関は、海貨業者がコンテナ貨物搬入票、コンテナ内積付表、ドック・レシートを作成し、重量容積証明書、輸出許可書等の書類とともにコンテナを直接CYに持ち込む。
③ ×　FCL（Full Container Load）貨物のヤード通関の場合は、輸出者は、船会社の代理人であるCY（Container Yard）オペレーターに機器受渡証（搬出）（Equipment Receipt（out））を提出し、空のコンテナを借り受け、あらかじめ輸出者の倉庫・工場等で輸出申告し、その後に貨物をCYに搬入して輸出許可を得るのが一般的である。コンテナ内積付表（Container Load Plan：CLP）とは、コンテナの中に何が詰めてあるのかを示した貨物の積み付け明細のことである。
④ ○
⑤ ×　コンテナ内積付表はCFSに搬入後に他の貨物と混載されてコンテナに詰め込まれ、CFSオペレーターにより作成されるのであり、CFS搬入時点では作成されていない。
⑥ ×　輸出者がLCL貨物を船積みする際に、貨物に異常があれば、ドック・レシートにリマークが記入される。そのリマーク付きのドック・レシートを船会社に提出すると、故障付船荷証券が発行されるので、銀行は当該荷為替手形の買取りを拒否することになる。したがって荷主側は、船会社にLetter of Indemnityを差し入れてClean B／Lを発行してもらう。Letter of Guaranteeとは、買取銀行は信用状条件と船積書類とが不一致のまま送付するが、後日において万一手形が不渡りになった場合には、輸出者が不渡り手形の買戻しをす

ることを約した念書である。
⑦　×　輸出者の依頼を受けた海貨業者は、輸出者が作成した船積依頼書をもとに、船会社から船積申込書（Shipping Application ＝ S／A）1セットを入手し、記載事項をタイプして船会社に提出する。
⑧　×　在来船への積込みの際に、本船側と荷主側の双方の検数人（Tallyman）が、本船船側や艀で立ち会い、船積指図書と貨物を照合し、貨物の検数および損傷の有無を調査する。
⑨　×　船積指図書と貨物が照合され、貨物に不備があればその結果が検数表に記入され、本船貨物受取書にリマークされる。
⑩　〇

第6章

輸出者の貨物代金回収

第1節 荷為替手形の取組み　P126
第2節 船積書類の
　　　チェッキング　　　P128
第3節 ディスクレの場合の
　　　処理方法　　　　　P145
第4節 フォーフェイティングと
　　　国際ファクタリング　P149

第1節　荷為替手形の取組み

貨物海上保険の付保も終り、船積みが完了し船荷証券を取得したら、輸出の最終の段階である貨物代金回収のために買取銀行（Negotiating Bank）に対して荷為替手形の買取を依頼するのみとなる。荷為替手形の買取は銀行にとっての与信行為となるため、荷為替手形の買取依頼の前に、輸出者は取引開始にあたり各種の書類を銀行に提出する必要がある。

A．銀行取引の開始

まず銀行との取引を始めるにあたって、輸出者はあらかじめ下記のような約定書等を届けておかなければならない。

一般的には、銀行取引に必要なものとして、次の書類を銀行に提出する。
① 　銀行取引約定書
② 　（法人の場合）会社の登記簿謄本（抄本）、定款

その他、貿易取引に特有なものとして、次のものを提出する。
③ 　署名鑑および印鑑証明書
④ 　（法人の場合）代理人届
⑤ 　外国為替取引約定書（内訳はⅠ～Ⅴの内容）
　Ⅰ．信用状取引約定　　　　　（輸入取引に関係する約定規定）
　Ⅱ．外国向為替手形取引約定　（輸出取引に関係する約定規定）
　Ⅲ．先物外国為替取引約定　　（為替予約に関係する約定規定）
　Ⅳ．輸出手形保険付保に係る約定（L／Cなし輸出の手形保険に関係する約定規定）
　Ⅴ．通則

B．買取銀行による与信取引

次いで輸出者は、信用状の要求している書類を作成し、買取銀行に提出する。買取銀行は荷為替手形、船積書類が信用状の要求条件と一致していれば、輸入者がその手形を決済する以前に、その荷為替手形を買い取る（輸出貨物代金を輸出者に立替払いをする）。これは、信用状という支払保証状があるためであり、買取銀行は輸出者の振り出した荷為替手形を買取して輸出者に支払う。

もしも後日手形が輸入地で不渡り（Unpaid）になった場合には、輸出者は買取銀行に輸出貨物代金を返還し、その不渡手形の買戻しをしなければならない。

C．荷為替手形の買取時に添付する船積書類

輸出者は取引を開始するにあたって前記A．の銀行取引約定書などのほかに、個別の買取依頼ごとに、次のような信用状の要求通りの船積書類を買取銀行に提出する。

① L／C付の場合は、**信用状付輸出手形買取依頼書（Application for Negotiation-with L／C）**

　　L／Cなしの場合は、**信用状なし輸出手形買取依頼書（Application for Negotiatior-without L／C）**。輸出手形保険の付保依頼書を兼ねる。

② **為替手形**

　　第1券（First）、第2券（Second）とも提出する（これを組手形という）。

③ L／C付の場合は**信用状原本**

　　L／Cなしの場合は**売買契約書等の写し**。船積書類と契約内容をチェックできるもの。

④ 為替予約のある場合は**為替予約票（Contract Slip）**、通貨オプションの場合は通貨オプション締結確認書、通貨オプション取引確認書。

⑤ 船積書類（買取書類）、添付書類は信用状の要求する条件にもよるが、次のようなものである。

　　船荷証券（Bill of Lading ＝ B／L）
　　航空貨物運送状（AWB）、複合運送書類、海上運送状（Sea Waybill）
　　保険証券（Insurance Policy）
　　商業送り状（Invoice）
　　梱包明細書（Packing List）
　　領事送り状（Consular Invoice）
　　税関送り状（Customs Invoice）
　　原産地証明書（Certificate of Origin）
　　検査証明書（Certificate of Inspection）
　　重量容積証明書（Certificate and List of Measurement and/or Weight）

第2節　船積書類のチェッキング

> 貿易取引での貨物代金の回収は、荷為替手形または送金によるのが一般的である。ここでは、基本となる信用状付取引における船積書類のチェッキングについて学習する。

A．売買契約書と接受信用状との内容確認

　呈示された荷為替手形、船積書類が信用状の内容と一致しない場合は、買取銀行により買取を拒絶される。この不一致をディスクレパンシー（Discrepancy、一般にディスクレ）という。

　信用状統一規則第5条（書類取引性）は、「信用状取引においては、すべての関係当事者は、書類を取扱うものであって、これらの書類が関係する物品、サービス、または履行を取扱うものではない」と規定している。また第4条（独立抽象性）は、信用状取引が売買契約とは別個の取引であることを明記している。そこで、積み込んだ貨物が契約通りであっても、信用状に記載された条件通りの書類の提示がなければ、輸出地の買取銀行は、荷為替手形の買取を拒否する。輸出者が買取銀行に持ち込む船積書類は信用状条件と完全に一致していることが必要となる。これを**厳密一致の原則**という。

　もし、この不一致のまま荷為替手形を買い取り、船積書類を添付して信用状発行銀行に送付したとしても、輸入地の信用状発行銀行または輸入者により信用状条件不一致を理由に支払いが拒絶される可能性がある。

　そこで、輸出者は、まず信用状を通知銀行から入手した場合には、信用状に記載されている条件が売買契約の条件と一致しているかどうかをチェックし、一致していなければ、輸入者に**信用状の条件変更**（Amendment、略して「アメンド」ともいう）依頼をする。続いて、信用状の内容と荷為替手形、船積書類が一致しているかどうかの厳重なチェッキングが要求される。

　それでは、チェッキングのポイントを学習しよう。

B．信用状のチェック・ポイント

　下記1から5は信用状自体の有効性について、6から8は売買契約書との一致についてのチェック・ポイントである。（図表6－1に例として掲げた信用状中の番号①から⑳を参照のこと。）

1．信用状は**一流銀行の発行の信用状**①か、または支払保証に懸念がある信用状発行銀行の場合には信用状発行銀行以外の銀行が追加の支払保証をしている**確認信用状**となっているか。場合によっては、サイレント・コンファームも検討すること。

　　船積書類の慎重なチェックをして信用状条件と完全に一致していても、信用状発行銀行に信用不安があり、支払いを履行する能力を欠いていては、買取銀行は荷為替手形の買取を拒否する場合がある。

2．**取消不能信用状**②か。（UCP500からUCP600への改訂により、全ての信用状が取消不能信用状でなければならなくなった。第1条の第2文により、取消可能信用状の発行は可能であるが、実務上は使わない。）

3．信用状発行銀行の**支払確約文言**⑲があるか。

4．**信用状統一規則の採択文言**⑳があるか。

　　信用状に信用状統一規則（UCP）の採択文言があれば、信用状発行銀行は第7条a項により支払いの責任を負うことになる。

> **参考　信用状統一規則第7条a項**
> 「規定された書類が指定銀行または発行銀行に呈示され、かつその書類が充足した呈示となることを条件として、発行銀行は、信用状が次により利用可能である場合には、オナーしなければならない。」

5．**信用状は原本**③であるか。予告通知書（Preliminary Advice）、電信通知分の再報（メール・コンファメーション　Mail Confirmation）では買取ができない。信用状の内容が実行可能な内容か、履行不可能、実行困難な事項がないか。

　　信用状統一規則第11条a項は、「信用状または条件変更の認証されたテレトランスミッションは、効力を持った信用状または条件変更と見なされ、後続の郵便確認書（mail confirmation）は無視されるものとする」としている。

6．信月状の受領日から船積期限⑩または信用状の有効期限⑪までが短くないか。

図表6－1　信用状のチェック・ポイント

①HONGKONG AND SHANGHAI BANKING CORP.
Central Hong Kong

②IRREVOCABLE CREDIT　　　　　　　　　　　　　　③ ORIGINAL

④Date of Issue　May 30, 20XX	⑤Credit No.　HK-03-0123
⑥Advising Bank　Honkong and Shanghai Banking Corp., Tokyo Japan	⑦Applicant　Hong Kong Trading Co., Ltd. 123 Mody Road Kowloon Hong Kong
⑧Beneficiary　Japan Trading Co.,Ltd. 2-3 Otemachi 1-chome, Chiyoda-ku, Tokyo	⑨Amount USD60,000.00(Say U.S. Dollars Sixty Thousand Only)*
⑩Bill of Lading must be dated on or before. July 20, 20XX	⑪Expiry Date and Place for Presentation July 30, 20XX　　Tokyo, Japan

Dear Sir,

　We hereby issue in your favor this irrevocable credit which is available by negotiation of your drafts ⑫at sight ⑬drawn on us bearing the Applicant's Name, the number and date of this credit. The amount of draft for full invoice cost to be accompanied by the following documents:

⑭ A ・Signed Commercial Invoice in 5 copies indicating Credit Number.
　 B ・Packing List in 5 copies.
　 C ・Inspection Certificate in 2 copies.
　 D ・Certificate of Origin in 2 copies issued by The Chamber of Commerce.
　 E ・Special Customs Invoice in 2 copies.
　 F ・2/3 set of clean on Board ocean Bill of Lading made out to order of shipper and blank endorsed marked Freight Prepaid notify Hong Kong Trading Co., Ltd. 123 Mody Road Kowloon Hong Kong
　 G ・Marine Insurance Policy or Certificate in duplicate endorsed in blank for full CIP value plus 10% covering Institute Cargo Clauses (All Risks), Institute War Clauses and Institute Strikes, Riots and Civil Commotions Clauses.
⑮　・Covering: Scanner for PC Model FB2500 as per Contract No.WB-333 dated May 20, 20XX.

⑯Trade Terms CIP Hong Kong

⑰　　A　　　　　　　　　　B　　　　　　　　　　C

Shipment from Tokyo to Hong Kong	Partial shipments Prohibited	Transshipment Prohibited

Special conditions
⑱ A ・ Drafts and documents must be presented within 10 days after the date of issuance of the Bill of Lading but within the credit validity.
　 B ・ Drafts under this Credit are negotiable only through Hongkong and Shanghai Banking Corp., Tokyo Branch.
　 C ・ Beneficiary must airmail one copy of original B/L to buyer immediately after shipment, and they must certify invoice that has been done.
　 D ・ For reimbursement, please reimburse yourselves by drawing sight draft on our Head Office A/C with CITIBANK, New York, U.S.A.
⑲ We hereby engage with drawers, endorsers and/or bona fide holders that drafts drawn and negotiated in conformity with the terms of this credit will be duly honored on presentation and that drafts accepted within the terms of this credit will be duly honored on maturity. The amount of each draft must be endorsed on the reverse of this credit by negotiation bank.

Yours faithfully,
Authorized signature

⑳ This documentary credit is subject to the Uniform Customs and Practice for Documentary Credits (2007 Revision), International Chamber of Commerce, Publication No 600.

参考　信用状上のリストリクト文言例
- This Credit is restricted to _____ Bank
- Drafts under this Credit are negotiable only through _____ Bank
- This Credit is available only through the _____ Bank
- We (Advising Bank) are holding special instruction for reimbursement
- Reimbursement as arranged
- Drafts drawn under this Credit must be presented for negotiation on or before (date) at Advising Bank

---

※ ⑨ Amount　英文複記をしない場合もある。(469頁　輸入2　信用状開設依頼書解説⑥参照)

7．買取銀行への書類提示の期間⑱Ⓐが船積後数日と短く、買取に支障はないか。
8．売買契約書との内容の不一致がないかどうか。
　ⅰ）金額⑨、商品名⑮の記載に誤りはないか。
　ⅱ）売買契約の金額が概算である場合、信用状の金額欄に"about"、"approximate"などの表現があるか。
　ⅲ）決済条件⑫、貿易条件⑯は一致しているか、など。

> **参考　仲介貿易のための信用状**
> 　仲介貿易は、仲介者である日本企業が輸出国の売手から商品を買って、輸入国の買手に売却する取引であるが、商品は日本を経由せず、輸出国から輸入国へ直接移動する。通常の輸出入よりも取引上のリスクが大きいことから、できるだけ信用状にもとづく取引とすることが求められる。
> 　信用状取引の場合には、仲介者は輸入者側から信用状を入手した後、輸出者に対して新たに信用状を通知する必要がある。その際、日本の取引銀行に提出する信用状発行依頼書では、仲介者である日本企業が発行依頼人 (Applicant) になり、信用状の受益者 (Beneficiary) を輸出者とする。仲介者はまた、輸入者側から入手した信用状と、発行を依頼する信用状との間に、矛盾や不一致がないかを点検して、船積書類と信用状条件との不一致を防ぐ。
> 　船積書類は、輸出者の買取銀行により買取が行われた後、日本の信用状発行銀行へ送付されて点検を受け、さらに輸入者側へ送付される。そのため、前述の2つの信用状の有効期限には、間隔を設けることが必要である。
> 　輸出者から仲介者への船積書類の送付にあたっては、買手への送付の必要上、分送でなく一括送付 (One Mail) とする。また、買手への送付書類にディスクレが発生した場合には、ケーブル・ネゴ扱いとする。

> **参考　サイレント・コンファメーション（Silent Confirmation）**
> 　信用状に確認を加えることについて、信用状発行銀行の授権も依頼も

> ないにもかかわらず、受益者（輸出者）の依頼によって、通知銀行などが確認銀行の役割を果たすことがある。これを「サイレント・コンファメーション」という。確認の依頼のない信用状に確認を加える行為は、輸出者と通知銀行（買取銀行）との間の特約であり、信用状統一規則に基づかない取扱いである。

C．荷為替手形のチェック・ポイント（図表6－2参照）

1．為替手形であることを示す"Bill of Exchange"①、いわゆる手形文句はあるか。
2．一定の金額を支払う旨の単純な委託文言⑦はあるか。
3．手形の振出日④は船積日以降であり、信用状の有効期限内で作成したか。
　信用状に呈示期間の定めがない、たとえば信用状のSpecial conditions欄："Drafts and documents must be presented within ○○ days after the date of issuance of the Bill of Lading but within the credit validity." でwithin ○○ daysと空欄の場合は、手形作成日は船荷証券発行日の日付から21日以内で、買取銀行への買取依頼は同様21日以内であるか。
4．荷為替手形は第1券（First）、第2券（Second）の2通作成したか。
5．手形の要件を満たし、所定の印紙②を添付し、割り印をしたか。
　外貨表示の手形は、金額のいかんにかかわらず200円の収入印紙を第1券のみに添付すればよい。ただし、為替相場による円貨換算額が10万円未満の場合には、添付不要である。
6．手形期限（Tenor）⑥は一覧払い（at sight）、一覧後定期払（at ○○ days after sight）など、信用状条件通りか。
7．手形金額⑤は信用状に記載している通貨で、金額は送り状金額と同一で、信用状の現在残高の範囲内か。また、手形金額が数字と文字⑨で記載が一致しているか。
　ただし、信用状で手形金額はインボイス金額の95％とする記載がある場合には、信用状条件通りであること。
8．手形金額は、信用状の未使用残高範囲内であるか。特に分割船積み（信用状⑰Bの欄）の場合、買取金額の合計額が信用状金額を超えていないか注意を要する。
9．受取人⑧は買取依頼する取引銀行になっているか。リストリクトされた信

用状の場合でも、買取依頼する取引銀行を記入するものであり、リストリクト銀行を記入するのではない。
10. 対価文句⑩は記載されているか。

　　対価文句 "Value received and charge the same to account of …"

　　「この手形により輸出者は既に対価を受領済みにつき、同額を信用状発行依頼人（輸入者）に要求されたい。」

　　これは振出人の対価受領文言であり、いわゆる融通手形でないことを示している。
11. to account of ⑪の欄は、輸入者名、住所を記入したか。ただし、名宛人（支払人）と同一の場合には省略できる。
12. 信用状発行銀行名、番号、発行日⑫は正しいか。
13. 名宛人（支払人）⑬は、発行銀行（Issuing Bank）、補償（決済）銀行（Reimbursing Bank）、輸入者（Applicant）のいずれかであって信用状条件通りか。たとえば信用状が "your drafts at sight drawn on us" で drawn on ○○の場合に、○○通りになっているか。drawn on us であれば us は信用状発行銀行を意味する。

　　ただし、信用状統一規則第6条c項は、発行依頼人（輸入者）を支払人とする手形により使用することができる信用状を発行すべきではないとしている。

信用状がリストリクトされている場合（信用状⑱Ⓑ）、輸出者が作成した荷為替手形は、買取銀行により次のように裏書されリストリクト銀行に提出される。買取銀行で買い取られた荷為替手形を再度買取するリストリクト銀行を再割銀行という。最終的にはリストリクト銀行が荷為替手形と船積書類を海外の信用状発行銀行に送付する。

〈手形裏書記載例〉（リストリクト銀行である Hongkong and Shanghai Banking Corp., Tokyo に再買取依頼の場合）

Pay to the order of
　Hongkong and Shanghai Banking Corp., Tokyo ◀──（再割銀行名を記載）
　　　for THE TOKYO-CITY BANK, LTD. ◀── 買取銀行の裏書
　　　―――――――――――――
　　　　　P.P. Manager

図表6−2　荷為替手形のチェック・ポイント

〈手形記載例（L／C付）〉

```
                    ①BILL    OF    EXCHANGE         ②
                                                  ┌──────────┐
                                                  │収 入 印 紙│
                                                  │ 200 円   │
                                                  └──────────┘
 ③   No 125                    ④ Tokyo, July 20, 20XX
 ⑤   For US$60,000.00
 ⑥   At xxxxxxxxxx   sight of this FIRST Bill of Exchange (SECOND of the same tenor and
     date being unpaid)  ⑦Pay to  ⑧THE TOKYO-CITY BANK, LTD. or order the sum of
 ⑨   U.S. Dollars Sixty Thousand Only
 ⑩   Value received and charge the same to account of ⑪Hong Kong Trading Co., Ltd. 123
     Mody Road Kowloon Hong Kong
 ⑫   Drawn under Hongkong and Shanghai Banking Corp.
     Irrevocable L/C No. HK-03-0123   Date May 30, 20XX
 ⑬   To Hongkong and Shanghai Banking Corp.   ⑭JAPAN TRADING CO.,LTD.
     Hong Kong
                                                  _____
                                                         Manager
```

①為替手形文句　②収入印紙　③手形番号　④手形の振出地および振出日
⑤手形金額　⑥手形期限　⑦支払委託文言　⑧受取人（通常は買取銀行）
⑨金額の文字での複記　⑩対価文句　⑪輸入者（名宛人と異なる場合に記入）
⑫信用状発行銀行、番号、日付　⑬名宛人（支払人）、支払地
⑭振出人（輸出者）

〈手形の概要〉

```
                    為  替  手  形

  手形番号 125                      東京　20XX年7月20日
  手形金額 US$60,000.00

   一覧払いであるこの第一券の為替手形(第二券が未払いの場合)US$60,000.00を東京
  シティー銀行にお支払い願いたい。（輸出者は）既に対価を受領済みにつき、同額を（輸
  入者）香港貿易有限公司に要求されたい。また、この手形は香港上海銀行、20XX年5
  月30日発行、信用状番号HK-03-0123 にもとづき振り出されている。
   名宛人　香港上海銀行　香港            振出人　日本貿易株式会社
```

第6章　輸出者の貨物代金回収

D．商業送り状（インボイス）のチェック・ポイント（図表6－3参照）

1．インボイスの通数は信用状条件通りか。
2．作成者は原則として受益者①で、手形振出人（荷為替手形⑭）および船荷証券上の荷送人（図表6－4・船荷証券①）と合致しているか。
3．インボイスは信用状に異なる明示がない限り輸入者②あてに作成したか。名宛人は信用状発行の依頼人（信用状⑦）か。

　　信用状統一規則第18条 a 項 ii は「商業送り状は、発行依頼人の名称に宛てて作成されなければならない」としている。
4．商品明細⑥は信用状記載（信用状⑮）と一致させたか。

　　信用状で商品の数量、単価、その他の明細を規定している場合には、同様に記載があるか。

　　信用状統一規則第18条 c 項により、「商業送り状における物品、サービスまたは履行の記述は、信用状中に現れている記述と合致していなければならない」と規定されている。
5．計算⑩（＝⑦×⑨）に誤りはないか。
6．信用状で要求される文言は全て記載したか。

　ⅰ）信用状の番号（信用状⑭A）、契約書の番号など。

　ⅱ）輸出者に対して、特別な証明または保証文言（信用状⑱C）を要求しているときは、その文言を明示したか。たとえば信用状に、

　　　"Beneficiary must airmail one copy of original B/L to buyer immediately after shipment, and they must certify in voice that has been done."

　　などと要求があった場合には、インボイス上⑪に、

　　　"We hereby certify that one set of copies of shipping documents has been forwarded to buyer immediately after shipment."

　　などと記載する。
7．輸出者としての署名⑫をしたか。ただし、信用状統一規則第18条 a 項 iv では、「商業送り状は、署名される必要がない」と規定している。
8．その他信用状条件や契約条件と一致しているか。
9．建値、荷印⑤、単価⑦、船名、船積地、船積日、仕向地④等の記載が他の船積書類と完全に一致していることが必要である。

図表6－3　商業送り状のチェック・ポイント

ＩＮＶＯＩＣＥ

①*JAPAN Trading Co., Ltd.*　　　　　　　Tokyo　July 5, 20XX
2-3 Otemachi 1-chome, Chiyoda-ku,　　　　Invoice NO.120/07
Tokyo 106　Japan

②　BUYER　　　　　　　　　③ L/C No. HK-03-0123　　dated May 30, 20XX
Hong Kong Trading Co., Ltd.　　　issued by Hongkong and Shanghai Banking Corp
123 Mody Road Kowloon Hong Kong　　　Hong Kong
④Shipped from Tokyo, Japan　to Hong Kong　　per Minato Maru　　Voy. 20-20T

Marks & Nos.	Description	Quantity	Unit Price	Amount
⑤ HKT Hong Kong C/No.1/10 MADE IN JAPAN	⑥ Scanner for PC Model FB2500 ⑧as per Contract No.WB-333 dated　May 20, 20XX	CIP Hong Kong ⑨　100 sets 1 carton each containing 10 sets Total:10 cartons 100 sets Net Weight　：　1,500kgs Gross Weight：　1,750kgs	⑦ @US$600.00	US$60,000.00

　　　　　　　　Total　100 sets　　CIP Hong Kong　　　　⑩US$60,000.00

⑪We hereby certify that one set of copies of
　shipping documents has been forwarded to buyer
　immediately after shipment.

　　　　　　　　　　　　　　　　　　Japan Trading Co., Ltd.
　　　　　　　　　　　　　　　　　⑫_____
　　　　　　　　　　　　　　　　　　　　Export Manager

E．船荷証券のチェック・ポイント（図表6－4参照）
1．船荷証券の通数⑲は信用状条件（信用状⑭F）通りであるか。
　　L／Cに特に指示のない場合は、"Full set of B／L"が通常であり、全通（Full Set、通常3通）あるか。船荷証券は担保権と貨物の処分権を有していて、買取銀行は船積みされた貨物の譲渡を受け荷為替手形の担保として買取をするので、通常は全通（Full Set）を提出するよう要求する。輸入地が近く船積書類より貨物が先に到着する場合は、輸入L／Gでの貨物の引取りは可能だが、輸入地の銀行の費用を考えて"Full Set less One Original"または"2/3 Set of B／L"などと信用状に記載し、直送B／L扱いにしてB／Lの1通を直接輸出者から輸入者に送付することもある。

> 直送B／L扱いの場合の信用状記載例
> "2/3 set of clean on Board ocean Bill of Lading made out to the order of shipper and blank endorsed marked Freight Prepaid notify…"

2．全通に発行者の署名⑱－2はあるか。
3．船荷証券の作成日（Shipped B／Lの場合）または船積日⑳－1（Received B／Lの場合）は、L／C条件の船積期限内（信用状⑩）か。ただし、L／Cに船積期限がないときには、船積期限はL／Cの有効期限（信用状⑪）までと考えてよい。
4．信用状が船荷証券を要求している場合は、船積船荷証券（Shipped B／L、On Board B／L）になっているか。受取船荷証券⑤（Received B／L）は買取銀行で拒否される。受取船荷証券の場合には、船積み月日、船荷証券作成者の署名のある船積み文言"On Board Notation"⑳－1の記載があるか。
　　信用状統一規則第20条a項iiでは、「…事前印刷文言により、または物品が船積された日付を示している積込済の付記（on board notation）により。船荷証券の発行日は、船積日と見なされる。ただし、船荷証券が船積日を示している積込済の付記を含んでいる場合を除くものとし、この場合は、その積込済の付記に記載された日が、船積日と見なされる。」と規定している。
5．運送品の品質、包装などに不完全である旨のリマークがない無故障船荷証券（Clean B／L）であることを確認したか。

6．荷受人欄④は、L／Cの指示通りか。L／C（信用状⑭F）が"to order of shipper and blank endorsed"または"to order and blank endorsed"と要求している場合には、船荷証券全通に輸出者の白地裏書をしたか。
7．着荷通知先⑥がL／C（信用状⑭F）上に指示がある場合には、その指示通りか。
8．船積港⑩、陸揚港⑪はL／C（信用状⑰A）通りか。
9．運賃支払い方法（⑭-8）はL／C（信用状⑭F）条件通りか。建値がFOB、FCAの場合には、"Freight Collect"、"Freight to be payable at destination"、またはこれと同意義の言葉が記載されていること、建値がCIF、CFR（C&F）、CPT、CIPの場合には、"Freight Prepaid"、"Freight Paid"またはこれと同意義の言葉が記載されていることを確認したか。
10．Stale B／Lではないか。

信用状統一規則第14条c項では、「運送書類の原本を含む呈示は、この規定に述べられたとおり、船積日後21暦日よりも遅れることなく、受益者により、または受益者のために行われなければならないが、いずれにしても、信用状の有効期限よりも遅れることなく行われなくてはならない」としている。それ以降はStale B／Lとなる。

11．貨物品名（⑭-5）は、L／C（信用状⑮）で要求する品名と相違はないか。

ただし、インボイスと同一性がある場合には、L／Cの商品名と完全に合致していなくても、一般的な名称での記載でよい。

12．L／C（信用状⑰B）に分割船積み禁止の条件があるか。

分割船積み（一部船積み）は、信用状で禁止されていない限り許容される。また、信用状統一規則第31条b項では、「1組よりも多い組の運送書類からなる呈示は、運送書類が同一の到着地を示していることを条件として、たとえ運送書類が異なった船積日または異なった船積港、異なった受取地または発送地を示している場合であっても、一部船積を対象としているものとみなされない」としている。したがって、信用状で分割船積みが禁止されていても、複数からなる船積書類の提示は、船積書類が同一の到着地を示していることを条件に、買取が可能である。

13．FCL貨物の場合につけられる⑮のリマーク"Shipper's Load and Count""Said to Contain"は、実際の中身と証券面に記載の貨物と異なっていても、運送人に責任はないとの「不知文言」であり、ディスクレにはならない。（参

照：P321⑳B．不知文言、P343　裁判事例２）

> **参考　複合運送書類と航空運送状の留意点**
>
> 　**複合運送書類**は、信用状統一規則では「たとえ信用状が積替を禁止している場合であっても、積替えが行われることまたは積替が行われることができることを示している運送書類は、受理されることができる。」とされている。（第19条ｃ項ⅱ）
>
> 　**航空貨物運送状**の場合は、航空会社や混載業者が発行する受取証であって、船荷証券のように有価証券ではないので、航空貨物の受取りには航空運送状は必要ない。したがって、Ｌ／Ｃ条件で航空貨物運送状を許容している場合には、通常荷受人をＬ／Ｃ発行銀行として物的担保の確保を図っているので、荷受人がＬ／Ｃ条件通りに記載されているかをチェックする。
>
> 　航空運送書類には、運送人の表示があり、運送人、またはその代理人の署名があることが求められている。信用状が航空運送状の全通を要求していても、荷送人には１通だけ交付されるから、買取の時に銀行に提出するのは荷送人用のオリジナル１通（３枚目）でよい。

図表6－4　船荷証券のチェック・ポイント

(Forwarding Agents)
② Minato-Unyu Soko Co., Ltd.

B/L No.
③ NS-4-205

Shipper
① Japan Trading Co., Ltd.
2-3 Otemachi 1-chome, Chiyoda-ku, Tokyo

N S K
BILL OF LADING

Consignee
④ to order of shipper

⑤ **RECEIVED** by the Carrier from the Shipper in apparent good order and condition unless otherwise indicated herein, the Goods, or the container(s) or package(s) said to contain the cargo herein mentioned, to be carried subject to all the terms and conditions provided for on the face and back of this Bill of Lading by the vessel named herein or any substitute at the Carrier's opinion and / or other means of transport, from the place of receipt or the port of loading to the port of discharge or the place of delivery shown herein and there to be delivered.
If required by the Carrier, this Bill of Lading duly endorsed must be surrendered in exchange for the Goods or delivery order.
In accepting this Bill of Lading, the Merchant agrees to be bound by all the stipulations, exceptions, terms and conditions on the face and back hereof, whether written, typed, stamped or printed, as fully as if signed by the Merchant, any local custom or privilege to the contrary notwithstanding, and agrees that all agreements or freight engagements for and in connection with the carriage of the Goods are superseded by this Bill of Lading.
In witness whereof, the undersigned, on behalf of Nippon Shousen Kaisha, the Master and the owner of the Vessel, has signed the number of Bill(s) of Lading stated under, all of this tenor and date, one of which being accomplished, the others to stand void.

Notify Party
⑥ Hong Kong Trading Co., Ltd.
123 Mody Road Kowloon Hong Kong

Pre-carriage by ⑦	Place of Receipt ⑧ TOKYO CY		
Ocean Vessel ⑨ Minato Maru	Voy. No 20-20T	Port of Loading ⑩ TOKYO, Japan	(Terms of Bill of Lading continued on the back hereof)
Port of Discharge ⑪ Hong Kong	Place of Delivery ⑫ Hong Kong CY		Final Destination (for the Merchant's reference only) ⑬

Container No. Seal No. Marks & Nos. ⑭	No. of Containers or P'kgs.	Kind of Packages: ⑮	Description of Goods	Gross Weight	Measurement
⑭-1 NSK012398 ⑭-2 CN7878	40'×1 ⑭-4 10 Cases	⑭-5	"Shipper's Load and Count" "Said to Contain" PC Model FB2500	⑭-6 1,750 KGS	⑭-7 30.400M3
⑭-3 JTC Hong Kong C/No.1-10 MADE IN JAPAN			⑭-8 "Freight Prepaid"		
	⑭-9 SAY: ONE(1) CONTAINER ONLY OR TEN(10) CASES ONLY				

TOTAL NUMBER OF CONTAINERS OR PACKAGES (IN WORDS)

FREIGHT & CHARGES	Revenue Tons	Rate	Per	Prepaid ⑯(a)	Collect ⑯(b)
	⑯ FREIGHT AS ARRANGED				

TCS
B/L

Ex. Rate	Prepaid at ⑰ Tokyo, Japan	Payable at	Place of B(s)/L Issue ⑱-1 Tokyo, Japan	Dated July 18, 20xx
@	Total Prepaid in Local Currency	Number of Original B(s)/L ⑲ Three(3)	Nippon Shousen Kaisha	
	Laden on Board the Vessel ⑳-1 Date July 18, 20xx	⑳-2 By (Signed)	⑱-2 (Signed)	

(JSA STANDARD FORM A)
SECOND ORIGINAL

(TERMS CONTINUED ON BACK HEREOF)

F．保険証券のチェック・ポイント（図表6－5参照）

1. 保険証券の通数⑱は信用状条件（信用状⑭G）通りであるか。

    L／C条件で、付保指定保険会社がある場合には、その指示に従っているか。

2. 保険者（保険会社）の発行署名⑲があり、発行通数全通があり、さらに被保険者の白地裏書によって、保険金の請求権が輸入者に譲渡されているか。

3. 付保の日付⑰が船積日（船荷証券⑳－1）以前になっているか。複合運送の場合では受取日以前になっているか。

> **参考　信用状統一規則第28条e項**
> 「保険証券上、保険担保（cover）が船積日よりも遅くない日から効力を持つと見られる場合を除き、保険書類の日付は、船積日よりも遅くないものでなければならない。」

4. 保険金額④はL／C（信用状⑭G）の指定通りか。売買契約や信用状等で特に定めのない場合、CIFまたはCIP価格に輸入者の希望利益10％を加算した110％となっているか。また端数は切り上げているか。

5. 保険金額について通貨指定があるか、なければ手形と同一通貨か。

> **参考　信用状統一規則第28条f項**
> ⅰ 「保険書類は、保険担保範囲の金額を示さなくてはならず、かつ信用状と同一の通貨で作成されていなければならない。」
> ⅱ 「……要求された保険担保範囲の記載が信用状にない場合には、保険担保範囲の金額は、最低で物品のCIF価額またはCIP価額の110％でなければならない。」

6. 付保物件⑮の記載は、インボイス、船荷証券と一致しているか。

7. 保険条件⑦はL／C、契約書条件通りFPA、WA、All Risks等か。CIPの場合の保険のてん補範囲は新ICC（A）、もしくは同種の約款（All Risks）か。CIFの場合には、保険のてん補範囲は新ICC（C）、もしくは同種の約款（FPA）か。ただし、より高い水準の保険補償の合意はかまわない。

また、L／C（信用状⑭Ｇ）が War Risks（戦争危険）、S.R.C.C. Risks（ストライキ・暴動・騒乱危険）を要求した場合には、追加契約し付保したか。
8．担保される区間である運送行程全区間⑪⑬は、船荷証券の⑩⑪の記載と一致しているか。
　　荷受人は貨物の損傷があるかどうかは自己の倉庫などで梱包を解いてはじめて発見するので、CIF 輸出の場合には、通常貨物保険の保険期間は原則として「倉庫間担保条項」で、保険証券に記載された貨物の仕向地の倉庫搬入まで（Warehouse to Warehouse）となっている。
9．カバー・ノート（注）は、信用状統一規則第28条ｃ項にもとづき、信用状に特に認めていない限り受理されない。
　　（注）カバー・ノートとは、個別予定保険の申込みに対して、予定保険証券（Provisional Insurance）に代わり発行されるもの。

図表6－5　保険証券のチェック・ポイント

THE TOYO MARINE AND FIRE INSURANCE CO., LTD

Assured(s)etc
① *Japan Trading Co., Ltd*
(Code:)

| Policy No. | ③ 04-1234567 |

Invoice No.
② *JT02-256*
Amount insured
④ *US$66,000.00*

Claim, if any, payable at/in　⑤ *Hong Kong*
⑥ *Immediate claim notice must be given*
　To　*The Toyo Marine and Fire Insurance Co., Ltd.*
　　Hong Kong Office 401, Far Finance Center,
　　16 Harcourt Road, Hong Kong
　　Fax:543-1234　　Tel:543-9876
　　And Claims will be paid by the said Agent.

Conditions
⑦ *All Risks*
　War Clauses and S.R.C.C. Clauses

Local Vessel or Conveyance
⑧

From(interior port or place of loading)
⑨

Ship or vessel called at
⑩ *C/S Mitato Maru*

at and from
⑪ *Tokyo*

Sailing on or about
⑫ *April 20, 20xx*

arrived at/transshipped at
⑬ *Hong Kong*

thence to
⑭

⑯ Including risks of War,
　　Strikes, Riots and Civil Commotions

Goods and Merchandises

⑮ *10 cases (100 sets) of PC Model FB2500*

(*In container under &or on Deck*)

Subject to the following Clauses as per back hereof:
Institute Cargo Clauses
Institute War Clauses (Cargo)
Institute Strikes, Riots and Civil Commotions Clauses
Institute Dangerous Drugs Clauses
Institute Replacement Clauses
Institute Radioactive Contamination, Chemical, Biological
Bio-Chemical and Electromagnetic Weapons Exclusion Clauses

Marks and Numbers as per Invoice No. specified above.　Valued at same as insured.

Signed in	Dated		No.of Policies issued
Tokyo	⑰ *July 16, 20xx*	⑱	*Two*

1.Warranted free of capture,seizure,arrest,restraint,or detainment,and the consequences thereof of any attempt thereat; also from the consequences of hostilities or warlike operations, whether there be a declaration of war or not; but this warranty shall not exclude collision, contact with any fixed or floating object(other than a mine or torpedo),stranding,heavy weather or fire unless caused directly(and independently of the nature of the voyage or service which the vessel concerned or,in the case of a collision, any other vessel involved therein, is performing) by a hostile act by or against a belligerent power;and for the purpose of this warranty power includes any authority maintaining naval, military or air forces in association with a power.
Further warranted free from yhe consequences og civil war, revolution, re bellion, insurrection, or civil strife arising therefrom or piracy.
2.Warranted free of loss or damage
　(a) caused by strikers, locked-out workmen, or persons taking part in labour disturbances, riots or civil commotions;
　(b) resulting from strikes, lockouts, labour disturbances, riots or civil commotions.
Grounding or stranding in the Suez, Panama or other canals, harbours or tidal rivers not to be deemed a stranding under the terms of the policy, but to pay any damage or loss which may be proved to have directly resulted therefrom.
This Insurance does not cover any loss or damage to the property which at the time of the happening of such loss or damage is insured by or would but for the existence of this Policy be insured by any fire or other insurance policy or policies except in respect of any excess beyond the amount which would have been payable under the fire or other insurance policy or policies had this insurance not been effected.

Be it known, that
as well in his or their own Name, as for and in the Name and Names of all and every other Person to whom the same doth, may, or shall appertain, in part or in all, do make Insurnace, and hereby cause himself or themselves and them and every of them, to be Insured, lost or not lost, at and from the port of　　　　　　　　　　　　　upon Goods and Merchandises, or Treasure, of and in the good Ship or Vessel called the　　　　　　　　　　　whereof is Master, for this present Voyage
or whosoever else shall go for Master in the said Vessel, or by whatsoever other Name or Names the said Vessel, or the Master thereof, is or shall be named or called-BEGINNING the Adventure upon the said Goods and Merchandises from the loading thereof on board the said Ship, and so to continue and endure, until the said Goods and Merchandises shall have arrived at　　　　　　　　　　and until the same be there discharged and safely landed.
And it shall be lawful for the said Vessel, in this Voyage, to proceed and sail to, and touch and stay at any Ports or Places whatsoever,f within the limits of the above Voyage(or necessary Provisions, Assistance or Repairs, without prejudice to this Insurance: the said Goods and Merchandises laden thereon for so much as concerns the Assured, are and shall be
Touching the Adventures and Perils which the said THE TOYO MARINE AND FIRE INSURANCE CO., LTD. Themselves are content to bear. And to take upon them in this Voyage: they are of the Seas. Men-of-War, Fire, Enemies, Pirates, Rovers, Thieves, Jettisons, Letters of Mart and Counter-Mart, Surprisals, Taking at Sea, Arrests, Restrains and Detainments of all Kings, Princes, and People, of which Nation Condition, or Quality soever, Barratry of the Master and Mariners, and o f all other Perils, Losses, and Misfortunes that have or shall come to the Hurt, Detriment, or Damage of the said Goods and Merchandises, or any part thereof: and in case of any Loss or Misfortune, it shall be lawful for the Assured, his or their Factors. Servants, or Assigns, to sue, labour,and travel for,in and about the Defence, safeguard and Recovery of the said Goods and Merchandises,or any part thereof, without prejudice to this Insurance: to the Charges whereof the said Company will contribute. It is expressly declared and agreed that no acts of the Insurer of Insured in recovering, saving, or preserving the property insured, shall be considered as a waiver or acceptance of abanonment. And it is agreed that this Writing or Policy of Insurance shall be of as much Force and Virtue as the surest Writing or Policy of Insurance made in London. And so the said THE TOYO MARINE AND FIRE INSURANCE CO., LTD.are contenred, and do hereby promise and bind themselves to the Assured, his or their Excutors, Administrators, or Assigns, for the true Performance of the PREMISERS+ cofessing themselves paid the Consideration due unto them for this Insurance, at and after the rate of　　as arranged　　　　　　　　　　　　Per Cent
－Corn, Fish, Salt, Fruit, Flour and Seed are warranted free from Average, unless General, or the Ship be stranded, sunk or burnt: Sugar, Tobacco, Hemp, Flas, Hides, and Skins are warranted free from Average under Five per cent., and all other Goods are warranted free from Average under Three per Cent., unless General, or the Ship be stranded, sunk or burnt.
This insurance is understood and agreed to be subject to English law and usage as to liability for and settlement of any and all claims.
In witness whereof,　I the Undersigned of THE TOYO MARIN AND FIRE INSURANCE CO., LTD. On behalf of the said Company have subscribed my Name in　　　　Policies of the same tenor and date, one of which being accomplished, the others to be void, as of the date specified as above.

For **THE TOYO MARINE AND FIRE INSURANCE CO., LTD.**

⑲　　　(Signed)
　　(AUTHORIZED SIGNATORY)

第3節　ディスクレの場合の処理方法

> ディスクレとは、信用状条件と船積書類とが不一致、または船積書類相互間に矛盾がある場合であり、信用状発行銀行に荷為替手形を送付しても支払いを拒絶されるおそれがある。そこでディスクレが見つかった場合にはどのように対応すればよいのだろうか。インボイスなど輸出者側で訂正できるものは問題ないが、信用状条件や契約条件と違う項目については、輸入者や信用状発行銀行の承諾が必要となる。原則的には信用状の条件変更（Amendment）を行うのだが、それでは船積期限に間に合わない場合など、どうしてもディスクレがある状態で買取依頼をしなければならないケースもある。では、その対応にはどのようなものがあるのだろうか。

A．ディスクレの形態

ディスクレに船積書類が信用状統一規則に合致しないことにより、または信用状の要求する条件と一致しない場合に発生する場合がある。その主な例をみてみよう（ディスクレの詳細は、第12章 UCP600 と ISBP745 を参照）。

① **信用状統一規則関連で発生する場合**

信用状統一規則第14条 c 項には次のように規定されている。

「1またはそれよりも多い運送書類の原本を含む呈示は、この規則に述べられたとおり、船積日後21暦日よりも遅れることなく、受益者により、または受益者のために行われなければならないが、いずれにしても、信用状の有効期間よりも遅れることなく行われなくてはならない。」

UCP500では、提示のための期間の定めがない場合には、銀行は、船積日後21日を過ぎて提示された書類を受理しないとしていた。しかし、UCP600では、運送書類の原本を含む提示は船積日後21日を超えることなく提示を要することになった。ただ、運送書類の原本を含まない場合には、船積日後21日を経過して提示してもよいことになった。

ディスクレの記載	内　　容
Stale Bill of Lading	船荷証券の発行日後21日を過ぎても銀行に買取の依頼をしていない船荷証券。

② 信用状条件と船積書類が不一致であるため発生する場合

ディスクレの記載	内　　容
Over Drawing	信用状が許容している金額以上の手形を振り出している場合。
Late Presentation	信用状に "Drafts and documents must be presented within 10 days after the date of issuance of the Bill of Lading but within the credit validity" との記載があり、船荷証券の発行日後10日以上過ぎて買取依頼をする場合（ただし有効期限内であること）。
L/C expired	"Late Presentation" よりさらに遅れて信用状の「有効期限」を経過した後での買取依頼をする場合。
Late Shipment	信用状に記載された「船積期限」より遅れて貨物の船積みを行った場合。
Short Shipment	信用状で要求された数量より少なく船積みされている場合。
Partial Shipment	信用状で分割船積みが禁止されているのに、一部のみの船積みを行っている場合。

　それでは、今みてきたようなディスクレがあった場合には、どのように対処すればよいかを学習しよう。

B．ディスクレ対策
(a) 信用状の条件変更（Amendment）

　輸出者に信用状が通知され、その時点の内容点検ですぐに発見した場合など船積みに時間的に余裕があるときは、輸出者から輸入者に対し、売買契約と送付された信用状とが一致しないことを連絡し、輸入者が信用状発行銀行に条件変更を依頼するようにする。通常、これをアメンドという。

(b) ケーブル・ネゴ（Cable Negotiation）による買取

　重要なディスクレがあり信用状の条件変更の依頼をしている時間的余裕がない場合に、買取銀行は信用状発行銀行に対して電信（Cable）で、そのディスクレの内容を伝える。後日不一致の書類が送付されても輸入決済する旨の承諾回答を輸入者、信用状発行銀行から電信で得て、買取銀行が買取に応じるもので、不渡りになる可能性はない。この電信による照会にもとづく買

取を「ケーブル・ネゴ」という。

この場合には、照会を受けた信用状発行銀行は輸入者の決済の同意を取り付けなければならないので、輸出者は買取までに通常5日から1週間の余分な資金負担を負わねばならない（参照：P307　ケーブルネゴとＬ／Ｃの有効期限）。

(c) **Ｌ／Ｇ付買取**

Ｌ／Ｇ（Letter of Guarantee　保証状）とは、ディスクレの内容が軽微であるため、「買取銀行は信用状条件と船積書類とが不一致のまま輸入地に送付するが、後日万一手形が不渡りになった場合には輸出者が不渡手形の買戻しをする」ことを輸出者が約した念書である。同時に、この念書を差し入れさせて買取を行うことを「Ｌ／Ｇネゴ」という。この場合輸入者の支払保証はなく、あくまでも輸出者と買取銀行の間での念書であり、不渡りになる可能性もある。

(d) **取立（Collection）扱い**

信用状条件の不一致が訂正できず、ディスクレの内容が重大であり、かつ輸出者の買戻しにも懸念がある場合には、取引銀行は手形を買い取らずに、荷為替手形を取立扱いにする。輸入者が決済してから輸出者に支払う方法である。実体は信用状取引と切り離された取引となる。

> **参考　アプルーバル扱い（Approval Basis）とプリテンド・ネゴ（Pretend Nego）**
>
> ディスクレ対策や銀行の輸出者に対する与信対策として、「アプルーバル扱い」と「プリテンド・ネゴ」を挙げることができる。
>
> **アプルーバル扱い（Approval Basis）** とは、①船積書類に重大なディスクレがあることにより、または②輸出者の荷為替手形の買戻し能力に不安があることにより、ケーブル・ネゴやＬ／Ｇ付買取が適当でない場合に、送付状に**取立統一規則（URC）522準拠文言を記載して取立扱いとし**（170頁参照）、手形や船積書類を信用状発行銀行に送付して、輸入者からの代金取立を依頼するもの。送付状には信用状番号を記載するが、UCP600に準拠しないので、信用状発行銀行の支払確約はない。取引銀行は発行銀行

第6章　輸出者の貨物代金回収

から代金を受領した後に輸出者に支払う。

　プリテンド・ネゴ（Pretend Nego）とは、買取銀行が信用状付輸出手形を直ちに買い取らないが、対外的には表面上買い取ったように見せかけて（Pretend）、**UCP600にのっとり**、信用状条件に従って発行銀行あてに船積書類の送付と代金請求を行い、信用状発行銀行、補償銀行、再割銀行等から代金を受領した後に、輸出者に支払う扱い。（銀行によっては、「Post Payment Negotiation（資金受領後買取）」と呼んでいる。）

　両扱いとも、輸出者の取引銀行に代金の立替えが生じないので、荷為替手形の買取レートはTTBとなる。（第10章第3節「B．買相場」、第13章P342　裁判事例1　参照）

参考　輸出前貸

　「輸出前貸」とは、輸出契約の締結以降、輸出者が船積みを行い、荷為替手形を取り組んで、銀行から買取代り金を受領するまでの間、輸出貨物の生産、加工、仕入れ等に必要な資金を銀行から円貨で借り入れることをいう。信用状付の輸出であれば、輸出者は通知された信用状を取引銀行に預け、信用状なしの場合には輸出契約書で契約の存在を証明し、荷為替手形を取引銀行に持ち込むことを確約して、融資を受ける。また、返済には輸出手形の買取代り金を充当する。輸出前貸は通常、手形貸付の形態をとる。

第4節 フォーフェイティングと国際ファクタリング

(1) フォーフェイティング（Forfeiting）

　今まで学習してきた荷為替手形の買取では、輸出手形が海外で不渡りになった場合、「外国向為替手形取引約定書」の規定（外国向為替手形取引約定書第15条「買戻し義務」）により、輸出者は買取銀行から手形の買戻し請求権が行使される。

　これに対して、フォーフェイティングとは、輸出企業の売掛債権回収のリスクを軽減することを目的として、輸出者が振り出した信用状付ユーザンス（期限付）輸出手形を、輸出者が買戻し義務を負わない形（Without Recourse）で買取銀行が買い取ることをいう。つまり、買取銀行が買取依頼人に対する買戻し請求権を放棄する取引である。ただし、輸出者振出しの期限付手形は、信用状発行銀行や決済（償還）銀行等を名宛人（支払人）とする引受済手形でなければならない。また、買取銀行は手形債権のリスクに応じた金利で、手形代金を割引する。

A フォーフェイティングの流れ

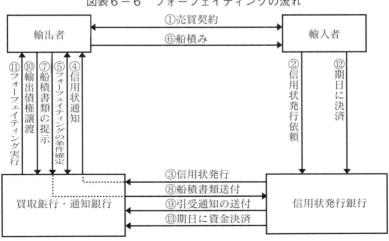

図表6-6　フォーフェイティングの流れ

① 輸出者は輸入者との売買契約を締結する。
② 輸入者は、取引銀行に「信用状の開設(発行)依頼書」を提出して信用状の発行依頼をする。
③ 信用状発行銀行は、輸入者の信用状態等の与信審査をし、財務状況、信用状態、担保などの債権保全状況を勘案し、良好であれば信用状を発行する。
④ 通知銀行は信用状発行銀行の指図にもとづき、信用状を輸出者に通知する。
⑤ 輸出者は、信用状にもとづき、フォーフェイティングの可否、および実行する際はその条件を買取銀行と協議する。
⑥ 輸出者は、信用状条件にしたがって船積みを行う。
⑦ 輸出者は船積書類を買取銀行に持ち込み、フォーフェイティングを依頼する。
⑧ 買取銀行は、信用状条件と船積書類が一致していることを確認した後に、船積書類を信用状発行銀行に送付する。
⑨ 信用状発行銀行は買取銀行に引受通知を送付する。
⑩ 輸出者は買取銀行に輸出債権を譲渡する。
⑪ 買取銀行は、フォーフェイティングの実行を行う。すなわち買取処理を行い、輸出代金を輸出者に支払う。
⑫ 輸入者は、期日に手形金額の支払いをする。
⑬ 買取銀行は、期日に信用状発行銀行から資金決済を受ける。

B．フォーフェイティングのメリットとデメリット
 (a) **輸出者のメリット**
　　フォーフェイティングは貿易金融の一種であり、輸出者のメリットとして次のような点が挙げられる。
　① 資金調達面
　　　通常の信用状付荷為替手形買取とは別の資金調達の検討が可能である。
　② リスク・ヘッジ
　　　輸入者からの代金回収リスク、輸入者の所在する輸入国のカントリーリスクをヘッジできる。
　③ 財務面での改善
　　　手形の買戻し義務をともなわない輸出債権の売却となるため、輸出企業の財務上、これまで貸借対照表(バランス・シート B／S)に計上され

ていた売掛債権を、計上しないで済ませる「オフ・バランス化」が可能となる（BSの縮小効果がある）。また、オフ・バランス化により、金利や為替相場の変動リスクが軽減されるほか、利益率を向上させることができるため、企業評価の基準として重視されるようになったROA（使用総資本利益率）やROE（株主資本利益率）を上げることもできる。

④　管理負担の軽減

貿易保険（輸出手形保険）と異なり、100％のリスク・ヘッジが可能で、万が一の手形不渡り等の場合でも、輸出者に手形代金の回収義務が残らない。

⑤　延滞利息の回避

期限付輸出手形を償還義務を負わない形（Without Recourse）で買取銀行が買い取るため、輸入決済が遅延した場合にも、輸出者は買取銀行から延滞利息（Overdue interest）を請求されない。

(b)　輸出者のデメリット

①　買取銀行は、輸出書類のディスクレに対するリスクを取らない。

②　手形が信用状発行銀行や決済（償還）銀行等に引き受けられて債権債務が確定するまでは、輸出者がリスクを負う。

図表6－6でみたように、フォーフェイティングの実行（買取処理）は、信用状発行銀行の引受け通知が買取銀行に送付されて債権債務が確定し、輸出者が買取銀行に輸出債権の譲渡手続を行った後であるため、①と②のデメリットが生じる。

③　割引金利は、市場金利プラス銀行マージンが一般的である。しかし買取銀行が買戻し請求権を放棄し、リスクを肩代わりするので、当然そのリスクはコストとなる。そこで輸出者は、リスクに応じた金利・手数料など、買取銀行の判断によるコストを負担する。なお、対象通貨は米ドルなどの主要通貨である。

(c)　買取銀行のメリット（手数料など）

一方、買取銀行のメリットとしては、金利とコミットメント手数料[注]収入がある。また場合によっては、買取銀行は手形決済遅延に備えて、あらかじめ期日までの日数のほかに支払猶予期間の金利も徴求する。

(注) コミットメント手数料（Commitment fee）
　フォーフェイティングの条件確定日や実行日など、取引条件を確定させるための手数料である。

(2) 国際ファクタリング（Factoring）

　貿易取引にともなうリスクを回避するには、通常は取消不能信用状やスタンドバイ信用状を入手するか、輸出貿易保険等を利用するが、これらの対策は手続の煩雑さに加え、輸入国の制度上の都合で信用状等の発行が難しいこともある。そうした場合は「ファクタリング」という機能を利用する方法がある。

　ファクタリングとは、売掛債権を履行期日以前に譲渡することにより、債権の期日前に前払いを受けたものと同様の効果をもたらすものであり、国際金融取引の「債権譲渡」の一形態である。ファクタリングには、輸出者サイドから見た輸出ファクタリングと、輸入者サイドから見た輸入ファクタリングがある。

　輸出ファクタリングとは、この売掛債権を履行期日以前に償還請求権（遡求権）なしに、その売掛債権の譲渡の通知をした後に、買い取ったり割り引いたりすることなどをいう。輸出ファクタリングのポイントは、以下のようになる。

　輸入者から注文を受けた輸出者が、取引銀行を経由して取引銀行の関連ファクタリング会社に輸入者の信用保証を依頼する。次に関連ファクタリング会社は、外国の輸入ファクター（外国のファクタリング提携会社）に保証の引受けを依頼する。輸入ファクターが信用調査の結果、保証の引受けを承諾すれば、輸出者はファクタリングの利用について輸入者の了解を得た後に売買契約を締結する。

　このように輸出ファクタリングとは、輸入者に対する輸出者の売掛債権を関連ファクタリング会社に譲渡し、買い取ってもらう「売上債権買取業務」のことで、信用状を用いない貿易取引（後払い送金、D／A取引等）のリスクを貿易保険に頼らずに回避することができる。

　一方、日本の企業が輸入者となる場合には、取引銀行の関連ファクタリング会社が「輸入ファクター」となり、輸入者の信用リスクを対外的に保証することを輸入ファクタリングという。

　ここでは、輸出ファクタリングの流れを学習する。

A．国際ファクタリングの流れ（手形買取の場合）

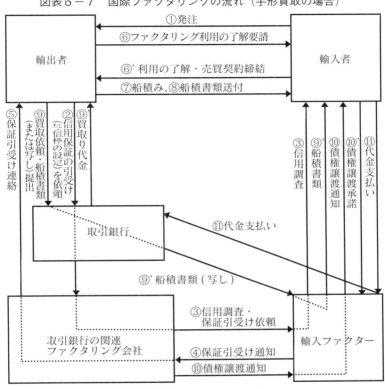

図表6－7　国際ファクタリングの流れ（手形買取の場合）

① 受注

　輸出者は海外の輸入者から注文を受ける。

② 信用調査・保証依頼

　注文を受けた輸出者は、取引銀行を通じて、取引銀行の関連ファクタリング会社に、輸入者の支払能力についての信用保証の引受けを依頼する。

　具体的には、取引銀行に輸入業者の信用保証の引受け（与信枠の設定）を依頼し、信用限度額の設定やその期間等を協議する。期間は180日以内の短期が通常である。

③ 信用調査・引受け依頼

　取引銀行から信用調査依頼を受けた関連ファクタリング会社は、輸入ファ

第6章　輸出者の貨物代金回収　153

クター(外国の提携ファクタリング会社)に信用調査とともに保証引受けを打診する。
④　保証引受け通知
　　輸入ファクターは輸入業者の信用を調査し、問題がなければ関連ファクタリング会社に保証引受け通知を行う。
⑤　保証引受け連絡
　　海外の輸入ファクターから保証引受け通知を受けた関連ファクタリング会社は、輸出者に保証引受け連絡を行う。
⑥・⑥'　ファクタリング利用の了解要請
　　輸出業者は輸入業者に国際ファクタリングの利用を通知する。輸入業者の了解を得て売買契約を締結する。
⑦　船積み
　　生産、商品手配、船積みを行う。
⑧　船積書類送付
　　原則として、送金決済の場合には、輸出業者は船積書類を輸入業者に直送し、取引銀行には船積書類の写しを提出する。買取の場合には、取引銀行に原本を提出する。
⑨　買取依頼
　　輸出者は取引銀行に荷為替手形の買取または取立を依頼する。買取の場合には、代金を受領する。
　　同時に輸出者は取引銀行に船積書類を提出し、取引銀行は受け取った船積書類を輸入ファクターに送付する。
⑩　債権譲渡通知
　　取引銀行の関連ファクタリング会社は、輸入ファクターに対して債権譲渡を通知する。輸入者は債権譲渡を承諾する。
⑪　取立
　　輸入ファクターは、支払期日に輸入業者から代金を取り立て、輸出地の買取銀行に支払うか、または本邦の指定銀行に送金する。

B．**輸出ファクタリングのメリット**
①　信用状発行が不要
　　取引銀行の関連ファクタリング会社と輸入ファクターが、輸入者の保証引

受けを行うので、輸出者は代金回収が確実となる。
② 輸出手形保険の付保が不要

　格付けのない新規取引先など輸出手形保険を付保できない場合にも、ファクタリングの引受けが可能であり、銀行が買い取らない手形も対象になる。

　また、輸出代金を船積後30日後に送金するという「後払い送金決済条件」の提示がある場合、その輸出代金債権についてファクタリング会社から100％の支払い保証を取得し、輸出契約に結びつけることも可能である。

③ 輸出代金の全額が保証され、不渡りでも遡求されない

　輸出代金の100％が保証される。万一荷為替手形決済が不渡りになっても、輸出者はいったん受領した手形代金を取引銀行へ返却する必要がない。また天災による支払不能も通常保証される。

　原則、輸入者の不払いなど信用事故のみが保証される。しかし、契約不履行など輸出者の責めに帰すべき事由による輸入者の不払い、および戦争等の非常危険やマーケット・クレームのような係争事由等による代金回収不能は保証対象外となる。

④ 輸出手形保険と異なり、手形代金の回収義務がない

　万一荷為替手形決済が不渡りになっても、輸出手形保険のような諸報告義務や回収義務がない。

C．銀行のメリット（手数料など）

　荷為替手形買取に関わる銀行手数料・利息は、通常の信用状なし輸出取引と同一である。そのほかに関連ファクタリング会社が信用調査費用と信用保証引受料を得る。

参考　国際ファクタリングと輸出手形保険との比較

	国際ファクタリング	輸出手形保険
担保される金額	送り状金額の100％	手形金額の95％（信用危険・非常危険とも）
担保される範囲	①輸入者の信用破綻 ②非常危険および原則マーケット・クレームは担保されない	①輸出者の無責が証明できる輸入者の不払い ②信用危険、非常危険、マーケット・クレームも担保される
適用企業	外国の提携輸入ファクターが承認した企業	①手形の支払人が、海外商社名簿においてG格、SAの格付け ②EE、EA、EFまたはEMに格付けされている場合は、手形買取前に個別保証枠の確認を受けること
手続・金額の制限	事前に信用限度枠を設定 設定された極度は自動的に継続、必要に応じ額の増減が可能	未登録バイヤーの場合、海外商社名簿への登録に時間がかかる 支払遅延等により格下げが発生する
買取レート	信用状なし輸出荷為替手形買取レート	同左
諸手数料	①ファクタリングチャージ：送り状金額の0.7％〜2.0％程度　最低手数料は1件5,000円 ②郵送料：約1,250円 ③信用調査費：10,000円程度	①所定の保険料（第4章第4節（6）参照） ②最低手数料は3,000円 ③信用調査費：実費
回収責任	回収責任・償還義務ともになし	回収責任あり
不払いの場合の処理	輸出者の手続不要	諸手続書類が複雑で、労力と時間、費用がかかる 保険金請求書の提出から支払いまで6ヵ月以上かかる 円貨受け、為替差損発生の可能性あり

チェック問題

1. 次の各文章について、正しいものには○を、誤っているものには×をつけなさい。
   ① 信用状決済において契約通りに貨物を積み込んでも、買取銀行に信用状に記載された条件通りの書類の提出がなければ、荷為替手形の買取りを拒否される。輸出者が買取銀行に持ち込む船積書類は信用状条件と完全に一致していることが必要となる。これを書類取引性の原則という。
   ② 予告通知書（Preliminary Advice）は、信用状の原本であり買取が可能である。
   ③ 商業送り状の物品の記述は、信用状の記述と一致していなければならない。その他の船積書類の物品の記述は、信用状面の物品の記述と矛盾しなければよい。
   ④ 信用状に"2／3 set of B／L"の記載がある場合には、買取銀行に提出する船荷証券の通数は１通である。
   ⑤ L／Cが"to order of shipper and blank endorsed"または"to order"と要求している場合には、船荷証券全通に輸出者の白地裏書が必要である。
   ⑥ L／C条件で航空貨物運送状を許容している場合には、通常荷受人は輸入者である。
   ⑦ 保険証券の付保の日付は、船荷証券の船積日より以前になっている必要がある。
   ⑧ L／Gネゴとは、後日不一致の書類が送付されても輸入決済する旨の承諾回答を輸入者、信用状発行銀行から得て、買取銀行が買取に応じるもので、不渡りになることはない。
   ⑨ 信用状に記載された「船積期限」より遅れて貨物の船積みを行った場合のディスクレを Short Shipment という。
   ⑩ 信用状の「有効期限」を経過した後での買取依頼をする場合のディスクレを Late Presentation という。
   ⑪ フォーフェイティングとは、輸出者振出しのユーザンス（期限付）輸出手形を、買戻し義務を負わない形で買取銀行が買い取るもので、輸出手形保険と異なり、100％のリスク・ヘッジが可能で、万が一の手形不渡り等の場合でも、輸出者に手形代金の回収義務は残らない。

⑫　輸出ファクタリングとは、売掛債権を履行期日以前に償還請求権（遡及権）なしに、その売掛債権の譲渡の通知をした後に、買取銀行が買取などをするもので、万一荷為替手形決済が不渡りになっても、輸出代金の全額が保証され、輸出手形保険のような諸報告義務や回収義務がない。

2．次の記述は輸出荷為替手形に関するものであるが、取引銀行での買取が可能なものはどれか。
　　A　信用状での船荷証券の規定が、"… made out to the order of L/C Opening Bank …"の場合に、船荷証券の荷受人欄を"to the order"とし、輸出者が白地裏書をした場合。
　　B　受取船荷証券の船積証明日がJuly 5, 20XX で、貨物海上保険証券の発行日が July 6, 20XX の場合。
　　C　信用状での保険証券の規定が、"… endorsed in blank for 110% of the invoice value including, Institute Cargo Clauses (A), Institute War Clauses and Institute S.R.C.C. Clauses."の場合に、従来のLloy's S.G.Policy の旧証券で付保した場合。
　　D　信用状の商品名が、"SCANNER for Personal Computer"の場合に、船荷証券、保険証券の商品名が"Scanner for PC"で、インボイス上の商品名の記載が"SCANNER for Personal Computer"の場合。

●解答と解説●
1．①－×　　②－×　　③－○　　④－×　　⑤－○　　⑥－×
　　⑦－○　　⑧－×　　⑨－×　　⑩－×　　⑪－○　　⑫－○
①　×　信用状決済において契約通りに貨物を積み込んでも、買取銀行に信用状に記載された条件通りの書類の提出がなければ、荷為替手形の買取りを拒否される。輸出者が買取銀行に持ち込む船積書類は信用状条件と完全に一致していることが必要となる。これを厳密一致の原則という。また、信用状統一規則第5条は、「銀行は、書類を取扱うのであり、その書類が関係することのできる物品、サービスまたは履行を扱うのではない」と規定して、信用状取引が売買契約とは別個の取引であることを明記している。これを書類取引性という。
②　×　予告通知書、電信通知分の再報（メール・コンファメーション）では買

取ができない。
③ ○
④ × 信用状に"Full set less One Original"または"2／3 set of B／L"などと記載のある場合は、B／Lの１通を直接輸出者から輸入者に送付する直送B／L扱いであり、買取銀行には２通提出する。
⑤ ○
⑥ × L／C条件で航空貨物運送状を許容している場合には、通常、荷受人をL／C発行銀行として物的担保の確保を図っている。
⑦ ○
⑧ × ケーブル・ネゴの場合は、後日不一致の書類が送付されても輸入決済する旨の承諾回答を輸入者、信用状発行銀行から電信で得て、買取銀行が買取に応じるもので、不渡りになる可能性はない。しかし、L／Gネゴの場合は、輸出者と買取銀行の間での念書であり、不渡りになる可能性もある。
⑨ × 信用状に記載された「船積期限」より遅れて貨物の船積みを行った場合のディスクレはLate Shipmentという。
⑩ × 信用状の「有効期限」を経過した後での買取依頼をする場合のディスクレをL／C expiredという。
⑪ ○
⑫ ○

2．D
A 信用状での船荷証券の規定が、"… made out to the order of L/C Opening Bank …"の場合には、船荷証券の荷受人欄は同じく"to the order of L/C Opening Bank"とし、輸出者の白地裏書は省略してよい。
B 受取船荷証券の船積証明日がJuly 5, 20XXで、貨物海上保険証券の発行日がJuly 6, 20XXの場合には、船積日より保険証券の付保が遅く保険会社は免責となる。同日の場合には買取が可能となる。
C 信用状での保険証券の規定が、"… endorsed in blank for 110% of the invoice value including, Institute Cargo Clauses (A) ……"の場合には、信用状は新ICCおよび新保険証券を要求していることになる。一方、"… Institute Cargo Clauses（All Risks）……"の場合には、旧ICCおよび従来のLloy's S.G.Policyの旧証券を要求していることになる。

D　信用状統一規則第18条c項、商業送り状の規定では、「商業送り状における物品、サービスまたは履行の記述は、信用状中に現れている記述と合致していなければならない」とされており、商業送り状の物品の記述は、信用状の記述と完全一致していなければならないが、一方その他の全ての書類（運送書類、保険証券、検査証明書など）の物品の記述は、信用状面の物品記述と矛盾しない一般的な用語により示すことができる旨を規定している。したがって、信用状での商品名が、"SCANNER for Personal Computer"の場合に、船荷証券、保険証券の商品名が"Scanner for PC"と違っていても、同一であることが認識でき、インボイス上の記載が一致していれば、ディスクレにならない。

第7章

貿易決済と輸入金融

第1節　貿易代金の決済方法　P162
第2節　貨物の引取準備　　　P173
第3節　輸入金融　　　　　　P180

第1節　貿易代金の決済方法

　貿易取引は国際間の売買契約にもとづく取引である。その中で債権者としての輸出者が債務者としての輸入者にどのように請求し、輸入者は決済をどのような方法で行うのか、このとき利用される外国為替について学習する。
　図表7－1のように、代金決済方法は大きく3通りに区分されるが、ここでは、輸出者振出しの荷為替手形や船積書類の流れと、立替払いした買取銀行の代金がどのように回収されていくのか、また輸入者にはどのような決済方法があるのかを信用状取引の流れの中で考えよう。

図表7－1　代金の決済方法

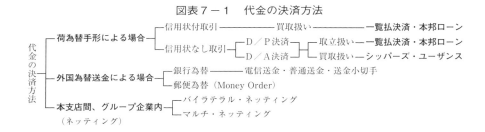

　貿易取引では荷為替手形による請求、または送金によって決済するのが一般的である。信用状をともなわない貿易取引では、本支店間やグループ企業内取引に見られるように、バイラテラル・ネッティング、マルチ・ネッティングの方法がとられるようになってきた。
　まず、輸出者に立替払いした代金を買取銀行はどのように回収するかをみてみよう。その回収方法には、①回金方式、②リンバース方式、③デビット方式、④クレジット方式がある。

(1) 買取銀行の資金回収の方法 （182頁 図表7－4参照）

A．回金方式（Remittance Base）

　　回金（送金）方式とは、買取銀行が荷為替手形、船積書類を信用状発行銀行に送付して、代り金（立替代金）をコルレス銀行または買取銀行の預金勘定に入金するよう指示したものである。すなわち、信用状発行銀行が輸出地から送付された船積書類にディスクレがないと判断した場合に、信用状発行銀行が買取銀行に対して資金を送金して決済する方法である。通常は「代り金」が郵送（M.T）で送金され、買取銀行の指定の為替決済勘定（以下、預金口座という）に入金が完了するまでの金利を輸出者が負担する。信用状発行銀行と指定銀行が遠隔地の場合には、入金遅延金利が発生しやすいので、金額の大きいものは電信（T.T）送金を依頼する。輸出者にとってこの回金方式は、リンバース方式に比べ金利負担が大きい。

> 回金（送金）方式の場合：信用状の Special conditions 欄の記載例
> "Upon receiving your Documents in compliance with the L／C and conditions, we will remit proceeds as per Instructions"

B．リンバース方式（Reimbursement Base）

　　リンバース方式とは、信用状発行銀行が信用状発行と同時に、補償（決済）銀行（Reimbursing Bank）に対して「買取銀行より資金請求がきたら請求金額を買取銀行に支払い願いたい」との指示書である**償還授権書**を事前に送付しておく方法である。信用状をスイフト等の電信（テレトランスミッション）により発行する場合には、その支払指示を電信により補償（決済）銀行へ通知しなければならない。買取銀行は荷為替手形の買取後に船積書類を信用状発行銀行に送付し、一方、信用状に指定された補償（決済）銀行には買取代金の求償を行う**償還（求償）手形**（Reimbursement Draft）を送付する。補償（決済）銀行は償還手形により信用状発行銀行の預金口座から引き落とし、買取銀行の指定口座に入金する。また、買取銀行が補償（決済）銀行に電信で資金を請求することを"TT Reimburse"といい、信用状発行銀行によって禁じられていない限り認められる。

　　したがって、リンバース方式は回金方式（Remittance Base）と異なって、買取銀行が補償銀行に資金を請求する形になる。

> リンバース方式の場合：信用状の Special conditions 欄の記載例
> "For reimbursement, please reimburse yourselves by drawing sight draft on our Head office A／C with CITIBANK, New York, U.S.A."

C．デビット方式

　輸出地の買取銀行を支払銀行ないし補償（決済）銀行として、買取銀行に開設された信用状発行銀行の預金口座から引き落すことによって、買取銀行が代り金を受領する方法である。

　すなわち、買取銀行に信用状発行銀行のデポ（預金口座＝為替決済勘定）があれば、原則買取と同時に発行銀行のデポからリンバース（引落し）が行われる。これを**デビット方式**という。

> デビット方式の場合：信用状の Special conditions 欄の記載例
> "In reimbursement, debit our account with you"

なお、リンバース方式やデビット方式の場合は、資金が既に買取銀行に渡っているので（引落し済みなので）、あとで信用状発行銀行が船積書類にディスクレを発見し、支払拒絶をしようとしても資金回収にトラブルが発生することが多い。

D．クレジット方式

　輸出地の買取銀行の預金口座が信用状発行銀行にある場合（デポ・コルレス先）に、その口座に入金してもらい、買取銀行が代り金を受領する方法である。

> クレジット方式の場合：信用状の Special conditions 欄の記載例
> "In reimbursement, we shall credit your account with us"

では、代表的なリンバース方式で貿易決済が行われるまでの流れをみていこう。

(2) 貿易決済のしくみと書類、資金の流れ（信用状を参考に）

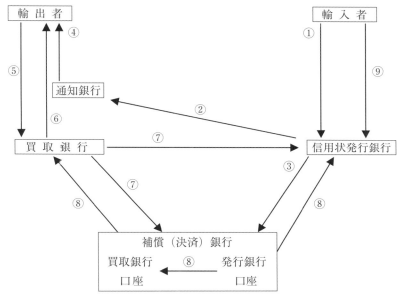

図表7－2　貿易決済のしくみと書類の流れ、資金の流れ

① 売買契約後に輸入者は、自分の取引銀行に「**信用状の開設（発行）依頼書**」を提出して信用状の発行依頼をする。
② 信用状発行銀行は、輸入者の信用状態等の与信審査をし、財務状況、信用状態、担保などの債権保全状況を勘案し良好であれば「**信用状**」を発行する。信用状発行銀行は、通常は、発行銀行の支店が輸出地にある場合には、支店を通知銀行として信用状を通知する。支店がない場合には、**コルレス契約**がある銀行を通知銀行として信用状を通知する。
③ 信用状発行銀行は、信用状の発行と同時にデポ・コルレス先（発行銀行の預金口座のあるコルレス先）である補償（決済）銀行に対し、「**償還授権書（Reimbursement Authorization）**」と「**信用状の写し**」を送付し決済を指図する。
④ 通知銀行（Advising Bank）は「**信用状通知書（Advice of Credit）**」に「**信用状原本**」を添えて輸出者に通知する。
　信用状を受け取った輸出者（**受益者　Beneficiary**）は、信用状条件通りの貨

物を準備し、船積みをして船会社から**船荷証券（B／L）**を受け取る。（船積書類等の流れは、第5章「貨物の船積み」参照）
⑤　輸出者は、債権者として輸出貨物代金の回収を図るべく、請求書である「**荷為替手形（Bill of Exchange）**」を作成し、船荷証券をはじめとする信用状の要求する「**船積書類**」と「**信用状付荷為替手形買取依頼書**」を添付して、取引銀行に手形の買取を依頼し、輸出代金の回収を図る。
⑥　買取銀行は、信用状条件と船積書類が一致していることを確認した後に、買取処理を行い、輸出代金を輸出者に支払い（**立替払い**）する。
⑦　買取銀行は、輸出者が持ち込んだ荷為替手形や船積書類を信用状発行銀行あてに送付し輸入者からの代金決済を求める。一方、買取銀行は、信用状に記載してある条件（For Reimbursement, please reimburse yourselves by drawing sight draft on our Head office A／C with Citibank, New York, U.S.A.）通りに、「**償還（求償）手形**」を作成し、補償（決済）銀行に送付して輸出者に立替払いした輸出代金の請求をする。

　　上記信用状の記載例は、買取銀行に発行銀行のドルのデポ（預金口座）がなく**デビット方式**がとれない場合に、発行銀行が買取銀行に対して、米国ニューヨークの銀行（Citibank, New York）にある発行銀行本店名義の預金口座に代金を請求させる**リンバース方式**である。
⑧　ニューヨークにある補償（決済）銀行は、先の償還授権書にもとづき買取銀行が立替払いした輸出代金を信用状発行銀行の口座から引き落とし、買取銀行の口座に入金する。信用状発行銀行には「**引落通知**」を、買取銀行へは「**入金通知**」を送付する。信用状発行銀行にとって、この引落しが買取銀行との**対外決済**〔☞用語解説〕となる。
⑨　一方、輸入地で信用状発行銀行は、買取銀行が送付してきた船積書類の到着を「Arrival Notice」（接受通知兼支払・引受請求通知）にインボイス1通を添付して輸入者に通知する。一覧払決済の場合には、荷為替手形の決済を求める。これが輸入者にとって信用状発行銀行と輸入者との**対内決済**〔☞用語解説〕である。

　　輸入者が、輸入ユーザンスを希望する場合には、輸入者はユーザンス（Usance）の許容日を振出日とした「**外貨建約束手形（Promissory Note）**」と「**輸入担保荷物保管証（Trust Receipt）**」を信用状発行銀行に差し入れる。

　　信用状発行銀行は、輸入者が**一覧払決済**するか、または輸入者から**引受け**

（輸入ユーザンス）の申し出を受けたら船荷証券に「**輸入者への指図式裏書**」を行い、船荷証券をはじめとする船積書類を輸入者に引き渡す。

輸入者は、決済または引受けが終了したら信用状発行銀行から引き渡された船荷証券に裏書のうえ、船会社に呈示して、「**荷渡指図書（Delivery Order）**」の交付を受け、その荷渡指図書と「**輸入許可書**」により貨物を引き取る。

用語解説
i **対外決済**：信用状発行銀行が輸入者に代わり輸出地の買取銀行に対し輸入代金の支払いを行うこと。
ii **対内決済**：輸入者が信用状発行銀行に対し輸入代金の支払いを行うこと。

参考　信用状の開設

　信用状の開設は銀行にとって与信行為となる。では、なぜ信用状発行銀行が主たる債務者となって信用状の開設をするのかといえば、輸入者が破綻して信用状発行銀行自身が支払保証をしても、船荷証券の荷受人が to order、または to order of shipper となっていれば、信用状発行銀行が貨物の所有権を取得できるからである。最終的に信用状発行銀行はその貨物を処分して、債権の回収を図ることになる。しかし航空運送状は有価証券でなく、信用状発行銀行が航空運送状を持っていても貨物の所有権を主張できないため、信用状の開設のときに、はじめから貨物の荷受人を信用状発行銀行として、信用状を開設する。
（信用状の開設については、第2編第2部2参照）

　一方、「**スタンドバイ信用状**」は、債務者の債務不履行に備えて、債権者の債権を担保する目的で開設される信用状であり、金銭貸借契約の債務保証などのため、開設依頼人の委任と指図にもとづいて信用状発行銀行が支払いを確約する取消不能信用状である。
　たとえば、日本の企業の海外現地法人が現地の銀行から融資を受ける際、親会社である日本の企業の依頼により、日本の銀行が現地の融資銀行を受益者としてスタンドバイ信用状を開設し、債務弁済を保証する。

(3) 信用状なし取引による書類と資金の流れ

　信用状なし取引において取立が行われる場合には、輸出地の銀行を「仕向銀行」、輸入地の銀行を「取立銀行」という。もちろん、信用状なしの取引でも輸出地の銀行で荷為替手形の買取が行われれば「買取銀行」である。

　信用状のない荷為替手形は、輸入地銀行の支払い保証がないため、支払いがされるかどうかはあくまでも輸入者の信用力次第である。輸出者に荷為替手形の買戻し能力に不安があるなど信用力がない場合には、輸出地の取引銀行は荷為替手形の買取を行わず、輸入地の取立銀行に荷為替手形を取立のため送付する。支払人（名宛人＝輸入者）が荷為替手形を取立銀行で決済し、その代金が取立銀行から輸出地の仕向銀行に送金（入金）される。仕向銀行は口座への入金確認後に輸出者に支払う。これを輸出手形の**取立**（B／C=Bill for Collection）という。したがって、荷為替手形の買取と異なり輸出地の取引銀行での与信行為は発生せず、メール期間立替金利（Mail Days Interest）も延滞利息も発生しない。

　手形の取立の方法には、船積書類をいつの時点で輸入者に引き渡すかにより、2つの種類、D／PとD／Aに分かれる。

図表7－3　信用状なし取引による書類と資金の流れ

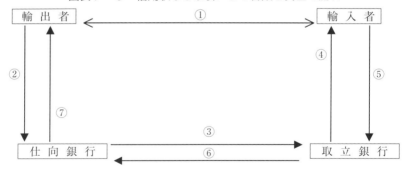

(a)　D／P（Documents against Payment）（支払渡し）

　　輸入者が輸出者の振り出した手形の決済をした後に、輸入地の取立銀行から船積書類が輸入者に引き渡される。以下は、D／Pによる決済の流れである。

①　輸出者と輸入者との間で信用状なしでの売買契約を締結する。

② 輸出者は荷為替手形、船積書類を「**代金取立荷為替手形申込書**」とともに提出し輸出地の仕向銀行に取立依頼をする。
③ 輸出地の仕向銀行は、「**売買契約書**」と「**荷為替手形、船積書類**」の内容一致を確認後に、輸入地のコルレス先銀行である取立銀行に手形の取立のために荷為替手形、船積書類を送付する。
④ 輸入地の取立銀行は、輸入者に荷為替手形、船積書類が到着したことを「**Arrival Notice**」にインボイス1通を添付して通知し、手形の決済を促す。
⑤ 船積書類の到着案内を受けた輸入者は、一覧払いで荷為替手形の決済をする。取立銀行は、船荷証券を含む船積書類を輸入者に引き渡し、輸入者は引き渡された船荷証券で船会社から「**荷渡指図書（Delivery Order）**」の交付を受け、その荷渡指図書と「**輸入許可書**」により貨物を引き取る。
⑥ 取立銀行は、決済された貨物代金を輸出地の仕向銀行に送金（または輸出地以外の他行にある指定された仕向銀行の預金口座に入金）する。
⑦ 輸出地の仕向銀行は、自行口座への入金を確認して、輸出者に「**取立済通知書**」により通知を行い、荷為替手形の支払いをする。

　　Ｄ／Ｐ手形であっても、輸出者への貨物代金の入金までには1ヵ月前後かかり、その間、輸出者が輸入者に与信を与えていることになる。
　　また、Ｄ／Ｐ手形であっても"Ｄ／Ｐ at 30 days after sight"の場合には、一覧後30日の手形期日に決済を完了した場合にのみ船積書類が引き渡される。このＤ／Ｐユーザンスの手形は、航海日数の関係で、輸入貨物の到着まで日数がかかる場合などに利用される。Ｄ／Ｐ30日の手形であれば、船積書類が到着しても決済せず、貨物の到着を待ち、手形の期日に手形決済すればよいことになる。所要航海日数（貨物の到着）とユーザンスの手形の期日をほぼ同時になるように取り組むことにより、決済してすぐに貨物を入手できることになる。

(b) Ｄ／Ａ（Documents against Acceptance）（引受渡し）
　　Ｄ／Ａとは、輸入者が輸出者の振り出した期限付手形に期日に支払うことを約束して引受けをすれば、船積書類の到着時点で輸入決済をしなくても、船荷証券などの船積書類が引き渡されるものである。
　　①～④までは、上記のＤ／Ｐ決済の流れと同じである。
⑤ 輸出者と輸入者との売買契約で支払条件を信用状なし期限付手形（Ｄ／

A)、"At 90 days after sight" として契約した場合には、輸入者は輸入代金をすぐに支払うのではない。輸出地から送付された荷為替手形に引受けをし、船荷証券を含む船積書類の引渡しを受ける。この船積書類の引渡しは輸入者が輸入地の取立銀行から船積書類を借り受けることであり、その借り受けた船荷証券で貨物を引き取ることになる。

その貨物を国内で売却し、その売却代金で90日後の手形の支払期日に輸入代金の決済をすればよいことになる。したがって、輸入者としては資金繰りが楽になる。

しかし、輸入者が決済するまでの手形期間90日間は、輸出者が、輸入者に輸入代金の支払いを猶予しているのである。この間の決済の支払猶予は、輸出者が与えているので、これを**シッパーズ・ユーザンス（Shipper's Usance）**という。

⑥ 輸入地の取立銀行は、手形期日に決済された貨物代金を輸出地の仕向銀行に送金（または指定口座に入金）する。

⑦ 輸出地の仕向銀行は、自行口座への入金を確認して、輸出者に**「取立済通知書」**により通知を行い、輸出荷為替手形の支払いをする。

> **参考　取立統一規則とは**
> 国際商業会議所（ICC）が制定した「URC522（ICC Uniform Rules for Collections, 1995 Revision, ICC Publication No.522）」を取立統一規則という。手形、小切手、送り状などの代金取立を円滑に行うために国際商業会議所が制定した国際規則で、関係当事者の義務・責任、支払い、利息・手数料、引受け、拒絶証書の作成などの統一的基準が規定されている。

チェック問題

次の各文章について、正しいものには○を、誤っているものには×をつけなさい。

① 荷為替手形の買取により輸出者に立替払いした代金を買取銀行が求償する方法で、立替代金をコルレス銀行または買取銀行の預金勘定に入金するよう指示したものをデビット方式という。

② 輸出地の買取銀行を支払銀行ないし補償（決済）銀行として、買取銀行に開設された信用状発行銀行の預金口座から引き落すことによって、買取銀行が代り金を受領する方法をリンバース方式という。

③ 輸出手形の取立（B／C）は、荷為替手形の買取と異なり輸出地の取引銀行での与信行為は発生せず、メール期間立替金利（Mail Days Interest）も延滞利息も発生しない。

④ D／P（支払渡し）とは、輸入者が輸出者の振り出した手形の決済をした後に、輸入地の取立銀行より船積書類が輸入者に引き渡されるものである。

⑤ "D／P at 30 days after sight" の場合には、一覧後30日の手形期日に決済を完了した場合にのみ船積書類が引き渡されることになる。

⑥ 日本の輸出者と米国の輸入者が円建てにより売買契約を締結した場合、信用状のSpecial conditions欄の買取銀行への資金回収の指示は、通常 "Reimbursement shall be made by debiting our account with you" と記載される。これを回金方式といい、対外決済場所は日本となる。

⑦ リンバース方式の場合、信用状発行銀行には自行にあるコルレス先の口座から引き落し、買取銀行の口座に入金する。この引落しが信用状発行銀行にとって買取銀行との対内決済となる。

⑧ 買取銀行が送付してきた荷為替手形を輸入者が一覧払いで決済した場合に、信用状発行銀行は船荷証券に白地裏書を行い、船荷証券をはじめとする船積書類を輸入者に引き渡す。

⑨ リンバース方式やデビット方式の場合は、資金が既に買取銀行に渡っているので、あとで信用状発行銀行が船積書類にディスクレを発見し、支払拒絶をしようとする場合にトラブルが発生することが多い。

⑩ 信用状なしD／A "at 90 days after sight" としての取立依頼では、輸入者が決済するまでの手形期間90日間は、輸入代金の支払いを猶予されている。この決済の支払猶予は、買取銀行が与えているので、これをシッパー

ズ・ユーザンスという。

●解答と解説●

①－×　②－×　③－○　④－○　⑤－○
⑥－×　⑦－×　⑧－×　⑨－○　⑩－×

① ×　荷為替手形の買取により輸出者に立替払いした代金を買取銀行が求償する方法で、立替代金をコルレス銀行または買取銀行の預金勘定に入金するよう指示したものは、回金（送金）方式という。

② ×　輸出地の買取銀行を支払銀行ないし補償（決済）銀行として、買取銀行に開設された信用状発行銀行の預金口座から引き落すことによって、買取銀行が代り金を受領する方法は、デビット方式という。

③ ○

④ ○

⑤ ○

⑥ ×　日本の輸出者と米国の輸入者が円建てにより売買契約を締結した場合、信用状のSpecial conditions欄の買取銀行への資金回収の指示は、通常"Reimbursement shall be made by debiting our account with you"と記載される。これをデビット方式といい、決済場所は日本となる。"Upon receiving your documents in compliance with the conditions of the L／C, we will remit proceeds as per instructions"（信用状条件に合致した書類を受領次第、指示にしたがって代金を送ります。）での資金回収の方法を回金方式という。

⑦ ×　補償（決済）銀行は、償還授権書にもとづき買取銀行が立替払いした輸出代金を信用状発行銀行の口座から引き落し、買取銀行の口座に入金する。信用状発行銀行には「引落通知」を、買取銀行へは「入金通知」を送付する。信用状発行銀行にとって、この引落しが買取銀行との対外決済となる。

⑧ ×　買取銀行が送付してきた荷為替手形を輸入者が一覧払いで決済した場合に、信用状発行銀行は船荷証券に輸入者への指図式裏書を行う。

⑨ ○

⑩ ×　輸入者が決済するまでの手形期間90日間は、輸入代金の支払いを猶予されている。この決済の支払猶予は、輸出者が与えているので、これをシッパーズ・ユーザンスという。

第2節　貨物の引取準備

　貨物の荷受けについては、第9章の「貨物の荷卸しと損傷貨物の求償手続」で学習することになるが、ここでは、貨物の引取りの準備としての荷物引取保証（Letter of Guarantee＝L／G）と輸入担保荷物貸渡（Trust Receipt＝T／R）が銀行にとって与信行為であること、並びにその手順やしくみをみていこう。

(1) 荷物引取保証（単に保証状ともいう）

　船の高速化、港湾荷役設備の進歩、コンテナ輸送の増加等により、近距離からの輸入の場合は、船荷証券が銀行に到着する前に貨物が先に到着するケースが増加している。輸入者としては船荷証券なしで貨物を引き取る必要がでてくるが、船会社は貨物の引渡しは船荷証券と引換えに行うのが原則であり、船荷証券なしで貨物を引き渡した後に第三者から船荷証券の呈示を受けた場合には、既に貨物を引渡し済みであり、損害賠償責任を負うことになる。そこで船荷証券の未着を理由に船荷証券の呈示の前に貨物の引渡しを求める者に対して、船会社が万一の場合に備えて銀行に保証を求める制度を荷物引取保証（L／G）という。

　輸入者は船荷証券の代わりに、銀行の連帯保証をした保証状を船会社に差し入れ、荷渡指図書（Delivery Order＝D／O）の交付を受ける。このように船荷証券なしで保証状で貨物を引き取ることを荷物引取保証または保証状荷渡しという（参照：P345（2）輸入者として認識すべき事故事例）。

A．L／Gの流れ
（船荷証券到着前）
① 船会社は本船の入港時（またはその直前）に、貨物の着荷通知先（Notify Party）である輸入者に本船入港（予定）を通知し、貨物の引取りを求めてくる。
② 輸入者は船荷証券が本邦に到着しているかどうか確認のうえ、未着の場合には信用状発行銀行に対して、船会社への荷物引取保証を依頼する。
③ 船会社所定の保証状（L／G）のフォームに輸入者が記入し、銀行の連帯

保証を受ける。
④　輸入者は船会社にL／Gを差し入れ、荷渡指図書（D／O）の交付を受ける。
⑤　本船、倉庫（保税蔵置場）等に荷渡指図書（D／O）を提示し貨物を引き取る。

（船荷証券到着後）
⑥　輸入者が船荷証券を受け取る方法は次の2通りである。
　ⅰ）一覧払輸入決済の場合
　　　輸入者は、信用状発行銀行に輸入代金を決済して、船荷証券その他の船積書類を取得する。
　ⅱ）輸入ユーザンス利用の場合
　　　輸入者は、信用状発行銀行に**輸入担保荷物保管証（Trust Receipt=T／R）**を差し入れて、船荷証券（B／L）その他の船積書類を借り受ける。
　　　輸入者は、銀行から取得した船荷証券に裏書をして船会社に提出する。
⑦　輸入者に船荷証券と引換えに船会社から先に差し入れてあったL／Gが返却される。
⑧　輸入者は船会社から戻されたL／Gを銀行に返却し、保証の解除手続をとる。これを**L／Gの解除**という。
⑨　輸入者は、銀行がL／Gに連帯保証した日から輸入者がL／Gを銀行に返却するまでの間の保証料を銀行に支払う。これによりL／G解除の手続が完了する。

B．保証状（L／G）の内容

船会社に差し入れるL／Gの内容は以下のようである。
①　L／Gで貨物を引き取るについて、正当な権利者であること。
②　船荷証券を入手した場合は、遅滞なく船荷証券を船会社に提出すること。
③　いっさいの損害に対して、船会社に輸入者・銀行が単独または連帯して責任を負うこと。
④　揚地払運賃、その他の費用、積出地の未納運賃、その他の費用を支払うこと。

C．保証状の発行のための必要書類
① 銀行への提出書類
　ⅰ）船会社あてL／G　2通（1通は銀行控え）
　ⅱ）輸入担保荷物引取保証に対する差入証　1通
　ⅲ）外貨（円貨）建約束手形（Promissory Note）
　ⅳ）通関用送り状　通常3通（銀行により3通ともにL／G No、銀行名が記入される。うち、1通は銀行控え、2通はL／Gとともに返される。うち、1通を輸入通関に使用する。）
② 船会社への提出書類
　　上記ⅰ）のL／Gのうち銀行から返却された1通を船会社に提出する。

(2) 輸入担保荷物貸渡

A．輸入担保荷物貸渡制度の背景

　輸入者は輸入為替の決済を行わない限り船荷証券を引き渡されず、輸入貨物を売却できない。貨物が本邦に到着時に輸入者が既に船荷証券を取得していれば問題はないが、船荷証券が信用状発行銀行の担保になっている場合には、船荷証券は輸入者が決済を完了するまでは引き続き銀行により保管される。そこで、このような不都合を解消するために、輸入者は銀行に**外貨建約束手形**（輸入ユーザンス手形）、**輸入担保荷物保管証（Trust Receipt）** を差し入れて、貨物を譲渡担保〔☞用語解説〕として所有権を銀行に置いたまま、船積書類を借り受ける。このように輸入者が銀行の代理人として通関、倉入、売却までを行う制度を、輸入貨物の貸渡し制度（T／R）という。元来はこのT／Rとは、銀行に差し入れる輸入担保荷物保管証のことであるが、最近では、輸入貨物の貸渡しそのものをT／Rと呼んでいる。

　譲渡担保：担保の目的である権利（この場合は所有権）を債務者（輸入者）が債権者（信用状発行銀行）に譲渡することによって担保としての効力が発生するもの。担保の対象となる動産を債務者の手もとに置き、債務者にその担保物の利用を認める制度である。輸入ユーザンス手形が期日に決済されて債務が弁済されると権利は債務者に戻るが、弁済できない場合は、債権者に移ってしまう担保。

B．T／Rの手続

　信用状発行銀行から①書類の到着案内、②インボイスのコピー、③輸入担保荷物保管証（T／R）が輸入者に渡される。輸入者は外貨建約束手形を作成し、T／Rに署名し信用状発行銀行に提出する。信用状発行銀行は輸出地の銀行への対外決済を済ませ、輸入者へのユーザンスを実行する。輸入者は信用状発行銀行から船積書類を借り受ける。船荷証券に裏書のうえ船会社へ提出し、船会社から荷渡指図書の交付を受け貨物を引き取る。

C．T／Rが利用できる場合

　輸入者は、T／Rにより信用状発行銀行や取立銀行から船積書類を借り受けられる。その前提は、輸入貨物が銀行の担保であるかどうかということである。
① 信用状ベースの輸入では、
　ⅰ）一覧払条件の輸入手形決済のために本邦ローンを利用する場合。
　ⅱ）期限付手形による外銀ユーザンスを利用する場合。
② 信用状なし取引では、一覧払輸入手形の決済のために本邦ローンを利用する場合。

D．T／Rが利用できない場合

　次の場合には、貨物が銀行の担保となっていないため、T／Rが利用できない。
　ⅰ）信用状なしD／P手形条件の対外決済前
　D／Pの場合は、信用状が発行されている場合と違って輸入者が輸入代金の決済を行うまでは、船積書類は輸入者に引き渡されない。
　ⅱ）信用状なしD／A手形条件の引受け前
　　D／A手形条件であれば、引受け後はT／Rにより船積書類を借り受けられる。

E．T／Rの種類

　T／Rは、輸入者への権限を委任する範囲に応じて次の種類に分類される。
① 甲号T／R：荷物の陸揚げ、倉入、売却処分を銀行の代理人として行い、売上代金の入手次第ユーザンス手形決済のため弁済充当するもの。
② 乙号T／R：単に荷物の陸揚げ、倉入だけを認めたもの。（輸入者の業況

が悪化した場合などに、貨物の保管を確実にするためにとる方式で、一般的ではない。)
③ 丙号T／R：航空貨物の場合で船積書類到着前に貨物が先に到着したときに用いるもので、甲号T／Rとほとんど同じである。
④ 特甲号T／R：信用状なし一覧払い輸入B／C（Bill for Collection）で本邦ローンを利用する場合。

(注) 信用状なし一覧払輸入手形の取立（B／C=Bill for Collection）の場合には、本来取立銀行は輸入者が手形を決済した後に船積書類を輸入者に引き渡す。しかし輸入者に決済資金がない場合には、取立銀行が対外決済を済ませ、輸入者には支払猶予（本邦ローン）を行い、輸入貨物の貸渡しを行う。特に信用状なし一覧払輸入B／Cであることから、これをB／Cユーザンスという。(第3節(2)「A．本邦ローン」参照)

チェック問題

次の各文章について、正しいものには○を、誤っているものには×をつけなさい。

① 船荷証券の未着の場合に貨物の引渡しを求める者に対して、船会社が万一の場合に備えて銀行に保証を求める制度を輸入担保荷物貸渡という。

② 保証状で貨物を引き取る場合、輸入者は、銀行がL／Gに連帯保証した日から輸入者がB／Lを船会社に提出するまでの間の保証料を銀行に支払う。

③ L／Gで貨物を引き取った後は、後日貨物に不備・故障があったとしても貨物の引取りを拒否できず、また、銀行経由で送付された書類にディスクレがあっても書類の引取りを拒絶できず、輸入貨物代金を決済しなければならない。

④ 船荷証券が信用状発行銀行の担保になっている場合、輸入者は銀行に「外貨建約束手形」、「輸入担保荷物引取保証に対する差入証」を差し入れて、貨物を譲渡担保として所有権を銀行に置いたまま、船積書類を借り受ける。

⑤ 信用状ベースでT／Rが利用できるのは、一覧払条件の輸入手形決済のために本邦ローンを利用する場合および、期限付手形による外銀ユーザンスを利用する場合である。

⑥ 信用状なしの取引でT／Rが利用できる場合は、一覧払輸入手形の決済のために本邦ローンを利用する場合である。

⑦ 信用状なしD／P手形条件の場合は、対内決済前には船積書類は輸入者に引き渡されない。

⑧ 信用状なしD／A手形条件の場合は、引受け前後にかかわらず船積書類は輸入者に引き渡されない。

⑨ 銀行が輸入者に荷物の陸揚げ、倉入、売却処分までを銀行の代理人として行う権限を委任するものを「丙号T／R」という。

⑩ 信用状なし一覧払輸入B／Cで本邦ローンを利用する場合のT／Rを「乙号T／R」という。

●解答と解説●

① - ×   ② - ×   ③ - ○   ④ - ×   ⑤ - ○
⑥ - ○   ⑦ - ○   ⑧ - ×   ⑨ - ×   ⑩ - ×

① ×　船荷証券が銀行に到着する前に貨物が先に到着する場合、輸入者としては船荷証券なしで貨物を引き取る必要がでてくるが、船荷証券なしで保証状で貨物を引き取ることを荷物引取保証または保証状荷渡しという。

② ×　輸入者は、銀行がL／Gに連帯保証した日から輸入者がL／Gを銀行に返却するまでの間の保証料を銀行に支払う。

③ ○

④ ×　船荷証券が信用状発行銀行の担保になっている場合、輸入者は銀行に「外貨建約束手形」とともに、「輸入担保荷物保管証（Trust Receipt）」を差し入れて、貨物を譲渡担保として所有権を銀行に置いたまま、船積書類を借り受ける。

⑤ ○

⑥ ○

⑦ ○

⑧ ×　信用状なしD／A手形条件の場合は、引受け後はT／Rにより船積書類を借り受けられる。

⑨ ×　荷物の陸揚げ、倉入、売却処分を銀行の代理人として行い、売上代金の入手次第ユーザンス手形決済のため弁済充当するまでの権限を委任するものを「甲号T／R」という。

⑩ ×　信用状なし一覧払輸入B／Cで本邦ローンを利用する場合のT／Rを「特甲号T／R」という。

第3節　輸入金融

> 輸入金融とは、銀行や輸出者の輸入者への輸入取引にともなう金融であるが、輸入地での金融と輸出地での金融に分けられる。
> 輸入地では、輸入地の銀行が輸入手形の決済資金を輸入者に融資する輸入ユーザンス、輸入者の国内販売先に対する貨物の販売から代金回収までの期間を円資金で融資する跳ね返り金融や、外貨でのユーザンスを利用せず最初から円資金で融資をする直ハネがある。
> 輸出地では、輸出者が輸入者に直接金融を付けるシッパーズ・ユーザンスや輸出地の銀行が輸入者に金融を付けるB／Cディスカウントなどがある。

(1) 輸入ユーザンス

　船会社から貨物を引き取るためには、船荷証券が必要となるが、船荷証券は信用状発行銀行での輸入決済が済まないと引き渡されないため、貨物を国内で売却する前に輸入決済する必要がでてくる。信用状付による貿易決済では一覧払荷為替手形が多く利用され、輸入者は貨物を引き取る前に輸入決済に迫られ、経済的な余裕が必要となる。しかし、手元資金が充分でない場合には、信用状発行銀行から借入れをすることになる。
　具体的には、輸入者は外貨建約束手形（輸入ユーザンス手形）を信用状発行銀行に差し入れ、外貨建手形の貸付を受け、輸出地の買取銀行に対し対外決済を先に行ってもらい、信用状発行銀行への対内決済を一時猶予してもらう。
この輸入者に対する対内決済の一時猶予が輸入ユーザンスである。輸入者に対して輸入代金の融資を行うことと同じであり、「輸入金融」という。日本の銀行が貸出（猶予）をすることから通常「本邦ローン」と呼ばれる。このとき輸入者は、輸入担保荷物保管証（T／R）を利用して貨物の所有権を譲渡担保として銀行に移し、銀行の代理人として通関、倉入、売却を行い、国内での輸入貨物代金の回収を図る。
　このユーザンスは、誰が支払猶予を与えるかによって呼び名が異なる。銀行が与えるものを「銀行ユーザンス」といい「本邦ローン（自行ユーザンス）」と「外銀ユーザンス（アクセプタンス方式）」がある。輸出者が与えるものを「シッ

パーズ・ユーザンス」という。

(2) 輸入ユーザンスの種類

A．本邦ローン（自行ユーザンスまたは邦銀ユーザンスともいう）

　輸出者が振り出す荷為替手形は一覧払いであるが、輸入地の銀行（輸入信用状発行銀行）が、輸入者に独自に輸入ユーザンス手形を差し入れさせて対外的には決済を済ませ、本邦の銀行自身の外貨資金を輸入者に貸し付ける方式である。本邦ローンは対外決済後の邦銀による銀行融資であるため、融資期間についての外為法上の規制はない。信用状表示の通貨とは異なる通貨でのローンも可能であり、為替相場の見通しなどから通貨の選択ができる。

　なお、信用状なしの代金取立の場合には、輸出者が輸入者あてに一覧払手形（D／P）を振り出し、それに船積書類を添えて、輸出地の銀行を通して輸入地の取立銀行に送付し、輸入地の取立銀行が輸出地の銀行に対外決済を済ませ、輸入者に外貨（円貨）建期限付手形を差入れさせ、ユーザンスを与える。これをB／Cユーザンスという。

　特に、B／Cベースの丙号T／Rは、船積書類が銀行に未着の段階で、輸入者が銀行から航空貨物の貸渡しを受けるものであり、貨物の所有権は輸出者または仕向銀行にあるのでこれらの所有権の侵害になり、また仕向銀行の取立指図に違反するため輸入者に信用力がないと対応してもらえない（参照：P349　B航空貨物での丙号T／R、事故事例9）。

図表7－4　本邦ローン

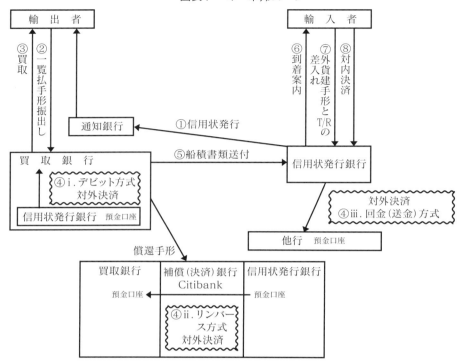

　具体的に信用状ベースでみていこう。
① 信用状発行銀行は、一覧払荷為替手形を振り出す条件の信用状を発行する。
② 輸出者が信用状にもとづいて一覧払荷為替手形を振り出す。
③ 輸出地の銀行によって一覧払いで買い取られる。
④および⑤　輸出地の銀行は、
　　ⅰ．輸出地の買取銀行に信用状発行銀行の預金口座があるデビット方式の場合は、信用状発行銀行の勘定を引き落し、自行に入金し、船積書類を信用状発行銀行に送付する。
　　ⅱ．輸出地の買取銀行に信用状発行銀行の預金口座がないリンバース方式の場合には、船積書類を信用状発行銀行に送付し、償還手形を補償（決済）銀行に送付する。
　　ⅲ．輸出地の買取銀行に信用状発行銀行の預金口座がなく、他行に振込依頼

をする**回金（送金）方式**の場合には、送金銀行を指定する。
　ⅳ．信用状発行銀行に買取銀行の預金口座がある**クレジット方式**の場合は、買取銀行の口座に入金する。
⑥　信用状発行銀行は、船積書類の到着案内（Arrival Notice）を輸入者に送付する。
⑦　輸入者は、外貨建約束手形（輸入ユーザンス手形）と輸入担保荷物保管証（T／R）を信用状発行銀行に差し入れる。信用状発行銀行は当該輸入ユーザンス手形の期日まで支払いを猶予する。
⑧　輸入者は、当該輸入ユーザンス手形の期日に、信用状発行銀行に支払いをする。

> **参考　フレート・ユーザンス**
> FOB、FCA、C&I等の建値の輸入で、輸入者が外貨で船会社に海上運賃を支払う場合に、積荷が鉄鉱石、石炭などであることにより運賃が多額になるときに、輸入の代金決済資金だけでなく、海上運賃を本邦ローンとして借り入れることを**フレート・ユーザンス**という。同様に保険料の支払いにも**保険料ユーザンス**が用いられることもある。

B．自行アクセプタンス

　海外の輸出者が本邦の信用状発行銀行宛に期限付荷為替手形を振出すことを認める信用状を発行し、信用状発行銀行自らが、その手形を引受ける方式を自行アクセプタンスという。
　at 90 days after sightの満期日は書類にディスクレがない場合には、発行銀行の書類の受領日後から90日が満期日となる。書類にディスクレがあり、手形の支払銀行（発行銀行）が支払いの拒絶を通知したが、その後ディスクレを承認した場合は、為替手形の引受後90日が満期日になる（書類の受領日から起算してもよい）。

C．外銀ユーザンス（アクセプタンス方式）

　信用状発行銀行は、ニューヨークやロンドンの銀行のコルレス銀行と手形引受（アクセプタンス）契約を結んでおき、輸出者は信用状条件にもとづいてそのコルレス銀行を名宛人（支払人）とする期限付手形を振り出す。通常、その

期限付手形は輸出者の買取銀行で買い取られ、支払場所としてあらかじめ定められた名宛銀行に呈示されると、その名宛銀行はその期限付手形を引き受ける。一般的には、名宛銀行（引受銀行）は輸出者または買取銀行からの依頼で手形の割引をする。つまり、手形を引き受けた引受銀行は、手形の期日までの期間利息を差し引いて直ちに買取銀行に支払いをする。

その引受銀行が輸入者の支払いを手形の期日まで猶予するので、他行ユーザンスまたは外銀ユーザンスという。また期限付手形が引き受けられることからアクセプタンス方式ともいう。

図表7－5　外銀ユーザンス

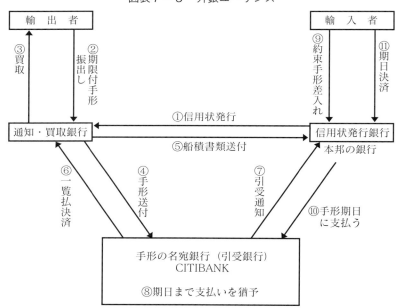

具体的には、
① 　信用状発行銀行（本邦の銀行）は、ニューヨークやロンドンの一流銀行（コルレス先）を引受け・支払人とする期限付為替手形を振り出す条件の信用状を発行する。
② 　輸出者が信用状にもとづいて期限付手形を振り出す。
③ 　輸出地の銀行（買取銀行）によって一覧払いで買い取られる。
④ 　輸出地の銀行は、手形を引受銀行（外銀、仮にCITIBANKとする）に送

付する。
⑤ 一方、船積書類は輸出地の銀行から信用状発行銀行に送付される。
⑥ 引受銀行（CITIBANK）は、一覧払決済を行う。すなわち、CITIBANKが本邦の信用状発行銀行に代わって、手形期日までの期間利息を差し引いて買取銀行に支払う。これにより買取銀行は輸出者への支払った立替金を回収したことになる。
⑦ 同時に、引受銀行は呈示された手形の引受けを行って、手形期日を信用状発行銀行に通知する。
⑧ 引受銀行は当該引受手形の期日まで信用状発行銀行の支払いを猶予する。
⑨ 引受銀行から信用状発行銀行に通知された手形期日にもとづき、輸入者は引き受けられた手形と同金額、同期日の約束手形を信用状発行銀行に差し入れる。
⑩ 信用状発行銀行は、引受銀行が引き受けた手形の期日に手形金額を支払う。
⑪ 同時に、輸入者から支払いを受ける。
⑫ 引受銀行は、この資金で引受済みの手形を決済する。したがって、信用状発行銀行の資金負担はない。

　すなわち、輸入者は引受銀行（外銀）によって支払いの猶予を受けていたことになる。

D．シッパーズ・ユーザンス
(a) **輸出者が期限付荷為替手形を振り出す場合**

　信用状にもとづかない期限付荷為替手形（D／A手形）の場合には、輸入者は輸出者の振り出した手形を一覧したときには決済を要せず、その期限付荷為替手形に「引受」をすることで、船積書類の引渡しを受けることができる。すなわち、輸入者は輸入地の銀行の本邦ローン（自行ユーザンス）を利用せずに、輸入代金の支払いは手形の支払期日にすればよいことになる。

　シッパーズ・ユーザンスとは、輸出者または輸出地の銀行が直接に輸入者にユーザンスを与え、輸入手形の決済を猶予する方式である。

　本邦ローンのように輸入者が独自に外貨建約束手形（輸入ユーザンス手形）を振り出すのでなく、通常は輸出者の振り出した期限付荷為替手形の裏面に引受けを行う。

図表7－6　シッパーズ・ユーザンス

手形裏面の引受け記載例

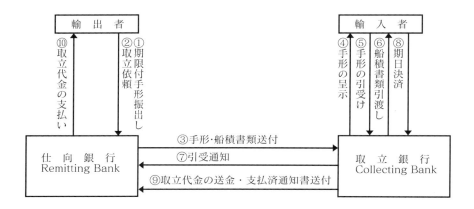

① 輸出者は、信用状にもとづかない at 90 days after sight などの期限付荷為替手形（D／A手形）を振り出す。
② 輸出地の取引銀行に代金取立（B／C=Bill for Collection）依頼をする。
③ 輸出地の仕向銀行は輸出者からの代金取立依頼にもとづき輸入地の取立銀行に期限付荷為替手形、船積書類を送付する。
④ 輸入地の取立銀行は仕向銀行の取立指図にもとづき、D／A手形を引き受けるよう通知する。
⑤ 輸入者は、輸出者の振り出したD／A手形の引受けを行う。
⑥ 輸入地の取立銀行はD／A手形の引受け後に、輸入者に船積書類の引渡しを行う。
⑦ 輸入地の取立銀行は輸出地の仕向銀行に対して引受通知を送付する。
⑧ 輸入者は手形の支払期日（満期日）までに貨物を売却し、支払期日にそ

の売却代金で手形の決済（対内決済）を行う。
⑨　輸入地の銀行は、その対内決済が済んでから輸出地の銀行の指図通りに代り金を指定銀行に送金（対外決済）し、支払済通知書を送付する。
⑩　輸出地の取引銀行は入金確認後に輸出者に取立代金を支払う。

通常、信用状にもとづかない期限付荷為替手形は代金取立が原則であるが、輸出地（日本の銀行の海外支店等）で主として、輸入業者の海外支店等が振出した期限付手形の買取が行われる場合もある。その場合には輸出地の買取銀行が期限付荷為替手形を買い取り、手形の支払期日まで輸入者に支払猶予を与える。輸入地の取引銀行は期日に貨物代金を支払うことを輸入者に確約させ、その見返りに船積書類を引き渡す。期日に取立銀行は送金にて対外決済をする。これを**B／Cディスカウント**という。

(b)　後払い送金の場合

輸出者は船積み後の一定期間代金の支払いを猶予し、輸入者はその支払期日に送金により決済する。この後払い送金も、シッパーズ・ユーザンスの一種である。この場合、一般的には輸出者は船積書類を、輸出地の銀行を経由せず直接輸入者に送付する。

また、輸入取立の方法に、輸出者が船積書類を輸出地の銀行を経由せず直接に輸入地の取立銀行に送付する**ダイレクト・コレクション（Direct Collection）**と呼ばれる方法もある。

(3) 跳ね返り金融

　本邦ローンや外銀ユーザンスの期日に、売却先からの代金回収の遅延などにより銀行への支払いが不可能なとき、販売代金等回収までのつなぎ資金として、銀行が輸入者に対して円資金で融資をすることをいう。
　なお、金利や為替の相場の動向によっては本邦ローンを利用せず、最初から円資金で融資を受ける場合もある。これを「直(じき)ハネ」という。
　具体的に、図表7－7を見ながら考えよう。輸入者が輸入貨物を国内で売却し売上代金を現金で回収するのでなく、約束手形で回収した場合、約束手形の満期日（12/25）が到来するまでは輸入決済資金として利用できない。このように、当該輸入ユーザンス外貨建手形の支払期日（12/9）が先に到来し、約束手形の満期日がその後となる時には、国内売却代金として回収した約束手形を割引する。その割引した代金（円貨）をドルなどの決済通貨に交換し、当該輸入ユーザンスを決済する。この約束手形の割引など銀行の円貸出を「跳ね返り金融」という。

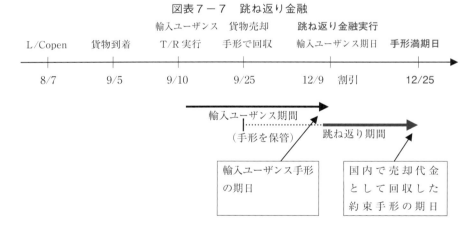

図表7－7　跳ね返り金融

チェック問題

次の各文章について、正しいものには○を、誤っているものには×をつけなさい。

① 輸入金融には、輸入地の銀行が輸入手形の決済資金を輸入者に融資する「跳ね返り金融」、輸入者の国内販売先に対する貨物の販売から代金回収までの期間を円資金で融資する「輸入ユーザンス」や、外貨でのユーザンスを利用せず最初から円資金で融資をする「直ハネ」がある。

② 輸出地では、輸出者が輸入者に直接金融を付ける「B／Cディスカウント」や輸出地の銀行が輸入者に金融を付ける「シッパーズ・ユーザンス」などがある。

③ 銀行が与えるものを「銀行ユーザンス」といい「本邦ローン（自行ユーザンス）」と「外銀ユーザンス（アクセプタンス方式）」がある。輸出者が与えるものを「シッパーズ・ユーザンス」という。

④ 輸出者が振り出す荷為替手形は一覧払いであるが、輸入地の銀行が、輸入者に独自に輸入ユーザンス手形を差し入れさせて対外的には決済を済ませ、本邦の銀行自身の外貨資金を輸入者に貸し付ける方式を「本邦ローン」という。

⑤ 本邦ローンは対外決済後の邦銀による銀行融資であるため、融資期間についての外為法上の規制はない。ただし、信用状表示の通貨とは異なる通貨でのローンは不可能である。

⑥ 信用状なしの代金取立の場合に、輸入地の取立銀行が輸出地の銀行に対外決済を済ませ、輸入者にユーザンスを与えることを「B／Cディスカウント」という。

⑦ B／Cベースの丙号T／Rは、船積書類が銀行に未着の段階で、輸入者が銀行から航空貨物の貸渡しを受けるものであり、貨物の所有権は輸出者または仕向銀行にあるのでこれらの所有権の侵害になり、また仕向銀行の取立指図に違反するため輸入者に信用力がないと対応してもらえない。

⑧ FOB、FCA、C&I等の建値の輸入で、輸入者が外貨で船会社に海上運賃を支払う場合に、輸入の代金決済資金だけでなく、海上運賃を外銀ユーザンスとして借り入れることを「フレート・ユーザンス」という。

⑨ 輸出者は信用状条件にもとづいてニューヨークやロンドンの銀行のコルレ

ス銀行と手形引受（アクセプタンス）契約を結んでおき、そのコルレス銀行を名宛人（支払人）とする期限付手形を振り出すことを「ダイレクト・コレクション」という。
⑩　本邦ローンや外銀ユーザンスの期日に、売却先からの代金回収の遅延などにより銀行への支払いが不可能なとき、販売代金等の回収までのつなぎ資金として、銀行が輸入者に対して円資金で融資をすることを「直ハネ」という。

2．次の記述は、貿易金融に関するものであるが、正しいものはどれか。
　A）　信用状にもとづかない期限付荷為替手形は代金取立が原則であるが、輸出地の買取銀行が期限付荷為替手形を買取り、手形の支払期日まで輸入者に支払猶予を与える場合をB／Cユーザンスという。
　B）　輸入貨物の販売先からの代金回収が商業手形によるものである場合に、本邦ローンの期日等までにその商業手形の満期日が未到来のときに、ユーザンスの決済代金に充当するためにその商業手形を割引して国内円資金の借入をすることをインパクトローンという。
　C）　B／Cベースの丙号T／Rは、船積書類が取立銀行に未着の段階で、輸入者が取立銀行から航空貨物の貸渡しを受けるものであり、輸出者または仕向銀行の所有権の侵害になり、また仕向銀行の取立指図に違反するため、取立銀行は原則として取り扱わない。
　D）　スタンドバイ信用状とは、債務者の債務不履行に備えて、債権者の債権を担保する目的で開設される信用状であり、金銭貸借契約の債務保証等のために、外国の銀行が本邦の融資銀行を受益者として発行する取消不能信用状である。

●解答と解説●
①－×　　②－×　　③－○　　④－○　　⑤－×
⑥－×　　⑦－○　　⑧－×　　⑨－×　　⑩－×

①　×　輸入金融には、輸入地の銀行が輸入手形の決済資金を輸入者に融資する「輸入ユーザンス」、輸入者の国内販売先に対する貨物の販売から代金回収までの期間を円資金で融資する「跳ね返り金融」や、外貨でのユーザンスを利用せず最初から円資金で融資をする「直ハネ」がある。

② ×　輸出地では、輸出者が輸入者に直接金融を付ける「シッパーズ・ユーザンス」や、輸出地の銀行が輸入者に金融を付ける「B／Cディスカウント」などがある。
③ ○
④ ○
⑤ ×　本邦ローンは対外決済後の邦銀による銀行融資であるため、融資期間についての外為法上の規制はない。信用状表示の通貨とは異なる通貨でのローンも可能であり、為替相場の見通しなどから通貨を選択できる。
⑥ ×　信用状なしの代金取立の場合に、輸入地の取立銀行が輸出地の銀行に対外決済を済ませ、輸入者にユーザンスを与えることを「B／Cユーザンス」という。
　「B／Cディスカウント」とは、輸出地の買取銀行が期限付荷為替手形を買い取り、手形の支払期日まで支払猶予を与えることをいう。
⑦ ○
⑧ ×　FOB、FCA、C&I等の建値の輸入で、輸入者が外貨で船会社に海上運賃を支払う場合、積荷が鉄鉱石、石炭などであることにより運賃が多額になるときに、輸入の代金決済資金だけでなく、海上運賃を本邦ローンとして借り入れることを「フレート・ユーザンス」という。
⑨ ×　輸出者は信用状条件にもとづいてニューヨークやロンドンの銀行のコルレス銀行と手形引受（アクセプタンス）契約を結んでおき、そのコルレス銀行を名宛人（支払人）とする期限付手形を振り出すことを「外銀ユーザンス」という。
⑩ ×　本邦ローンや外銀ユーザンスの期日に、売却先からの代金回収の遅延などにより銀行への支払いが不可能なとき、販売代金等回収までのつなぎ資金として、銀行が輸入者に対して円資金で融資をすることは、「跳ね返り金融」という。金利や為替の相場の動向によっては本邦ローンを利用せず、最初から円資金で融資を受ける場合もあり、これを「直ハネ」という。

2．C
A）　信用状にもとづかない期限付荷為替手形は代金取立が原則であるが、輸出地の買取銀行が期限付荷為替手形を買い取り、手形の支払期日まで輸入者に支払猶予を与える場合をB／Cディスカウントという。

B） 輸入貨物の販売先からの代金回収が商業手形によるものである場合に、本邦ローンの期日等までにその商業手形の満期日が未到来のときに、ユーザンスの決済代金に充当するためにその商業手形を割引してもらい国内円資金の借入をすることも輸入跳ね返り金融という。インパクトローンとは、居住者に対する資金使途に制限のない外貨建貸付をいう。

D） スタンドバイ信用状とは、債務者の債務不履行に備えて、債権者の債権を担保する目的で開設される信用状であり、金銭貸借契約の債務保証等のために、本邦の信用状発行銀行が支払いを確約する取消不能信用状であり、本邦の銀行が外国の融資銀行を受益者として発行する。

第8章

通関手続

第1節 わが国における
　　　 通関制度　　　　P194
第2節 わが国における
　　　 輸入税制　　　　P208

第1節　わが国における通関制度

(1) 輸出通関

> ここでは輸出通関の流れを理解する。輸出通関の方法は、最近の関税法改正により大きく変わった。輸出通関のしくみを原則の場合とAEO制度を利用する場合と比較しながら理解する。

　わが国の関税法では、内国貨物を外国に向けて送り出す行為を輸出と定義し、当該行為を行う場合には、原則として税関長に輸出申告を行い税関長の輸出許可を得なければならないと規定している。この申告から許可を取るまでの一連の流れを輸出通関という。現在、輸出通関手続のほとんどがNACCS（ナックス、輸出入・港湾関連情報処理システム）により行われている。なお、税関長より輸出許可された貨物は関税法上の外国貨物になるため、これを運送する場合には保税運送の承認が必要となる。ただし、外国貿易船に積み込まれた後はこの限りではない。

A．輸出申告の手続

　輸出通関においては、現在、保税地域搬入原則が廃止され、輸出しようとする貨物を保税地域などに搬入する前に（輸出者の倉庫や工場などに貨物が置かれている状態で）輸出申告を行うことができる。ただし、その後、検査などを受け輸出許可を受けるためには、保税地域などに搬入する必要がある。この場合、輸出申告を行う税関長は、保税地域などの所在地を管轄する税関長に対してである。

　しかし、関税法では輸出通関の効率化、迅速化を図るため、保税地域に搬入せずに輸出許可が受けられる例外規定も設けられている。

〈例外1〉保税地域に入れることが困難または著しく不適当な貨物の場合
　たとえば、輸出申告後、輸出しようとする貨物が巨大重量物であって保税地域にこれを置く設備がない場合や、腐敗変質または他の貨物を汚損するおそれがある貨物など保税地域に搬入することが困難であるなどの理由により、税関長の他所蔵置の許可を受けた場合、許可の際に指定された場所（保税地域以

外の場所）に貨物を搬入し、検査の上、輸出許可を受ける。

〈例外２〉 外国貿易船に積み込んだ状態で輸出申告を行う場合
　外国貿易船に積み込んだ状態で輸出申告を行うとは、「本船扱い」、「艀中扱い」がある。たとえば、輸出自動車の「本船扱い」の場合、本船上に自動車を積み込んだ後に輸出申告を行う。税関による審査、検査も、本船上で行われる。このように、外国貿易船に積み込んだ状態で輸出申告を行う場合には、あらかじめ税関長の承認を受け、当該外国貿易船の係留場所を所轄する税関長に対して行う。

　「本船扱い」は本船に積み込んだ状態で、「艀中扱い」は艀に積み込んだ状態で輸出申告し、検査を受け輸出許可を受けるしくみになっている。

〈例外３〉 **特定輸出者**が輸出する場合
　AEO制度にもとづく例外措置で、特定輸出者の承認を受けた場合には、保税地域に搬入することなく、すなわち輸出者の工場や倉庫などに置かれたままで輸出申告を行い、輸出許可を受けることができる。（詳しくは、「Ｃ．AEO制度の一環としての輸出通関」参照）

〈例外４〉 **特定委託輸出者**等が輸出する場合
① 特定委託輸出者
　　特定委託輸出者とは、「認定通関業者」に輸出通関を委託した輸出者である。この輸出者の行う「特定委託輸出申告」から「輸出許可」を受けるまでの一連の手続は、保税地域に搬入することなく行うことができる。なお、特定委託輸出申告に係る貨物が置かれている場所から外国貿易船などに積み込もうとする開港等までの運送は、特定保税運送者に委託しなければならない。
② 特定製造貨物輸出者
　　認定製造者の製造した製品を輸出する者であって、その貨物の輸出に関する業務を認定製造者の管理のもとに行う者を、特定製造貨物輸出者という。この特定製造貨物輸出者の行う輸出申告から輸出許可を受けるまでの一連の手続は、貨物を保税地域に搬入せずに行うことができる。

AEO（Authorized Economic Operator）制度：世界税関機構（WCO = World Customs Organization）は、貿易のセキュリティの確保および貿易円滑化の両立を目的にガイドラインを採択したが、わが国ではこれをベースに日本版 AEO 制度を構築した。

B．AEO 事業者の行う輸出通関（前出 A．の例外 3、例外 4 のこと）

輸出者のコンプライアンスの度合いに着目し、輸出通関に対応させようという制度が特定輸出申告制度である。すなわち、輸出者の申請に対し、これまで法令を遵守してきたか、法令を遵守するためにどのような管理体制を敷いているか、妥当な実績があるかなどの観点から税関が審査を行い、コンプライアンス及びセキュリティ管理のすぐれた者と認めた場合等一定の要件に該当する場合には、「特定輸出者」の承認を行う。特定輸出者が輸出を行う場合には、輸出しようとする貨物を保税地域に搬入することなく、工場などで輸出申告から

図表 8 − 1　原則型輸出通関と特定輸出者に認められる輸出通関との比較

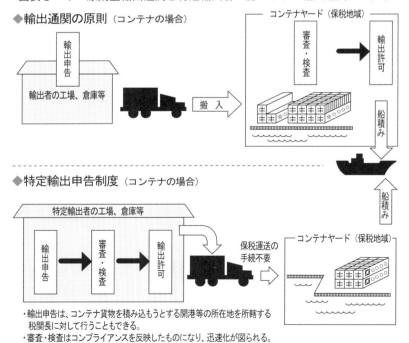

・輸出申告は、コンテナ貨物を積み込もうとする開港等の所在地を所轄する税関長に対して行うこともできる。
・審査・検査はコンプライアンスを反映したものになり、迅速化が図られる。
・保税運送の手続は不要。

許可を得るまでの手続を行うことができる。なお輸出申告は、貨物の置かれている輸出者の倉庫など、または、外国貿易船に積み込もうとする開港などで行うことができる。

図表8−1は原則型の輸出通関と特定輸出者に認められる輸出通関の違いを示している。輸出通関に関しコンプライアンス及びセキュリティ管理のすぐれた者に対しては、インセンティブを与え、そうでない者に対しては、取締りを強化する体制を意図していることがわかる。

C．EMSなど郵便路線を利用した輸出

課税価格20万円以下の貨物や寄贈物などを、郵便路線を利用して輸出する場合には、これまで述べた輸出通関の方法と次の点が異なる。

1）税関長に対し、輸出または輸入の申告、並びにその許可を受けることを要しない。また、賦課課税方式が適用される。
2）税関職員による検査が必要な郵便物に限り、関税法第70条の規定が準用される。
3）郵便路線を利用する場合、貨物についての大きさなどの制限がある。

D．輸出してはならない貨物

関税法では、「輸出してはならない貨物」を規定しており、次の①〜④の貨物を掲げている。これにもとづき税関では水際取締りを行っている。

① 麻薬および向精神薬、大麻、あへんおよびけしがら並びに覚せい剤（覚せい剤取締法にいう覚せい剤原料を含む。）
② 児童ポルノ
③ 特許権、実用新案権、意匠権、商標権、著作権、著作隣接権、育成者権を侵害する物品
④ 不正競争防止法に規定する周知表示の混同を惹起する製品、著名表示を冒用する製品、形態模倣品、営業秘密不正使用行為、技術的制限手段無効化行為等を組成する物品

なお、上記③④については、税関長の認定手続により、侵害物品等と認定された場合のみ輸出が差止められる。また、権利者および不正競争差止請求権者は、輸出差止申立を税関に対して行うことができる。手続は、輸入差止申立てに準じて行われる。（(2)「D．輸入してはならない貨物」参照）

チェック問題

1．次の記述の正しいものには○を、誤っているものには×をつけなさい。

① 特定輸出申告制度とは、コンプライアンスやセキュリティ管理のすぐれた者に対する制度で、特定輸出者の承認を受けた場合には、輸出しようとする貨物を保税地域に入れることなく自社工場や倉庫に置いたままで、輸出申告を行い輸出許可を受けることができる。

② 外為法48条（輸出の許可）の規定に違反して処罰された者が輸出する場合には、輸出しようとする貨物を保税地域に搬入した後に輸出申告を行う。

③ 外国貿易船に積み込んだ状態で輸出申告を行い、輸出許可を受ける取扱い（本船扱い）の承認を受けた場合には、輸出許可のための検査は免除される。

④ 特定委託輸出者とは、認定通関業者に輸出通関の委託をした者をいい、この者は輸出申告から輸出許可までの手続きを保税地域に搬入せずに行うことができる。

⑤ 特定製造貨物輸出者は、輸出貨物を保税地域に入れないで、輸出申告から輸出許可を得るまでの輸出通関手続きを行うことができる。

●解答と解説●

1．①－○　　②－×　　③－×　　④－○　　⑤－○

① 特定輸出申告制度とは、コンプライアンスのすぐれた者に対する制度で、保税地域に入れないで自社の工場や倉庫に貨物を置いたままで、輸出申告から輸出許可までの手続を行うことができる。

② 関税法には、このような規定はない。輸出申告は、保税地域に搬入する前に行うことができる。

③ 「本船扱い」の承認を受けても、税関の輸出許可のための検査が免除されることはない。

④ 特定委託輸出者は、認定通関業者に輸出通関の委託をした者のことで、輸出申告から輸出許可までの手続きを保税地域に搬入せずに行うことができる。

⑤ 特定製造貨物輸出者は、保税地域に搬入せずに、輸出申告から輸出許可までの輸出通関手続きを行うことができる。

(2) 輸入通関

　ここでは輸入通関の流れを理解する。また、AEO制度の一つである「特例輸入申告制度」のほか、「輸入許可前貨物の引取承認制度」などについても理解する。さらに、「輸入してはならない貨物」とりわけ知的財産権侵害物品の水際取締りについて理解する。

A．輸入通関と輸入（納税）申告

　関税法で規定する輸入とは、外国貨物を本邦に引き取る行為であるが、かかる行為を行う場合には、輸入者は、貨物の輸入申告と貨物に係る関税などの納税申告を税関長に対して行い、税関長の検査、審査を経て輸入許可を得る必要がある。

　さて、ここでは、「輸入申告の時期」および「納税申告の時期」並びに「納税の時期」が重要である。

　輸入申告は、原則として輸入しようとする外国貨物を保税地域に搬入した後に行う。しかし、輸出申告と同様に、次のⅰ）およびⅱ）の場合はこの限りではない。

ⅰ）保税地域に搬入することが困難または著しく不適当な貨物の場合と税関長が認めた貨物。

ⅱ）保税地域に入れないで輸入申告することについて税関長の承認を受けた場合。

　ⅱ）の場合、輸出の場合と同様の本船扱い、艀中扱い、搬入前申告扱いの扱いが認められるが、このほか、到着即時輸入許可扱いという輸入の場合のみの扱いもある。

　到着即時輸入許可扱いとは、輸入貨物が本邦に到着した後、即時にNACCSを利用して輸入申告を行うことができる扱いのことである。

　次に納税申告の時期である。これは、原則として輸入申告と同時に行う。しかしながら、次に述べる特例輸入申告の場合にはこれと異なり、輸入申告と納税申告は、それぞれ別の時期に行われる。（次項参照）

　ところで、関税の法定納期限は、通常の場合輸入許可の日である。たとえ

ば、過少申告を行ったため法定納期限後に不足分の関税の納付がされた場合には、延滞税が別途課税される。なお、関税法によると関税、内国消費税、地方消費税等の納付がされない場合には、次の例外を除き輸入は許可されない。この例外とは、「納期限の延長」がされた場合と「特例輸入申告」の場合である。「納期限の延長」がされている場合には、延長された期限が法定納期限となり、この日までに納付する。この場合、もちろん延滞税は徴収されない。

B．AEO制度の一環としての輸入通関
(a) 特例輸入申告制度

輸出の場合と同様に、コンプライアンスのすぐれた者に対する輸入通関制度として、「特例輸入申告」制度がある。これは、「輸入申告（引取申告）」と「納税申告（特例申告）」を二段階に分けて行うしくみになっている。本邦に貨物が到着する前に貨物の引取申告を行い、輸入許可まで受けることも可能である。そして、「輸入許可の日の属する月の翌月末日まで」に特例申告（＝納税申告のこと）と納税を行う。これは、税的な審査は輸入許可後にすることにより、物流をできるだけ阻害せずに迅速な輸入通関を実施しようというものである。

輸入者は、輸入貨物を通常の通関よりも迅速に引き取ることが可能となるほか、関税などの輸入税の納付を約1ヵ月留保できるメリットもある。

この「特例輸入申告」による通関手続を行うためには、全国のいずれかの税関長から「特例輸入者」の承認を受ける必要がある。

「特例輸入者」の承認は、主としてコンプライアンスの観点から行われる。具体的な審査基準は、ⅰ）過去3年間に関税法その他国税に関する法律の規定に違反して刑に処せられ、または関税法などの規定により通告処分を受けたことがないこと、ⅱ）過去3年間に関税または輸入貨物に係る内国消費税などを滞納したことがないこと、ⅲ）特例輸入申告をNACCSを使用して行うことその他特例申告貨物の輸入に関する業務を適正かつ確実に遂行することができる能力を有していること、ⅳ）コンプライアンス規則を定めていること、などである。

(b) 特例委託輸入申告制度

特例委託輸入者とは、「認定通関業者」に輸入通関を委託した輸入者である。この輸入者の行う申告も、引取申告と納税申告を分けて行うことができる。但し、輸入許可を受けるためには、保税地域等に搬入することが必要である。

C. 輸入許可前貨物の引取承認制度（BP（Before Permit）承認制度）

輸入申告後、課税標準の審査に時間がかかるなどの理由により輸入許可が遅れる場合、その遅延による輸入者のビジネスチャンスの喪失を防止するため、輸入許可される前に貨物を保税地域から引き取ることを認める制度である。

(a) この制度を利用できる場合の例
　ⅰ) 新規輸入品であるなどの理由により課税標準の審査に日時を要するなど税関側の事情により輸入許可が遅延する場合
　ⅱ) 輸入貨物が消散、漏洩、変質または損傷のおそれがあるものである場合その他、動植物，貴重品、危険物などである場合など、申告者側において特に引取りを急ぐ理由があると認められるもの
　ⅲ) インボイスがプロフォーマであること、または契約が揚地ファイナルであることなどの理由により、課税標準の決定に日時を要する場合や原産地証明書の提出が遅れる場合など、申告者側の事情により輸入許可が遅延する場合

(b) この制度を利用するための手続

輸入許可前貨物の引取承認の申請を税関長に行う。この際、貨物の関税額に相当する担保を提供しなければならない。

(c) 承認がされない場合

次の場合には、輸入許可前貨物の引取承認はされない。
　ⅰ) 関税額相当額の担保が提供されない場合
　ⅱ) 他法令により輸入に関し許可、承認等が必要な場合で、その許可、承認等を受けている旨の税関への証明がされない場合
　ⅲ) 輸入貨物の原産地について虚偽表示がされている場合や誤認を生じさせる表示がされている場合

(d) 承認を受けた場合

　承認を受けた場合、当該貨物は、原則として内国貨物とみなされる。つまり、貨物の輸入許可前引取りの承認により引き取られた貨物を外国に向けて送り出す場合には、輸出通関手続が必要である。しかし、課税物件の確定の時（関税法第4条）や適用法令の日（関税法第5条）、関税額などの納付と輸入許可（関税法第72条）などについての規定の適用にあたっては、外国貨物とみなされる。

　ところで、税関の税的審査などにより貨物の税額が確定できた場合には、次の区分により輸入許可前引取承認を受けた者に通知する。

ⅰ）**申告額に誤りがないと認められたとき**

　税関長は、当該申告に係る税額および税額を納付すべき旨を書面により輸入許可前引取承認を受けた者に通知する。

ⅱ）**当該貨物に係る税額などについて税関長の調査したところと異なるとき**

　税関長は、当該申告に係る税額を更正し、「更正通知書」を輸入許可前引取りの承認を受けた者に通知する。この通知を受け、輸入許可前引取承認を受けた者（輸入者）は関税などを納付する。これにより輸入許可を受ける。

D．輸入してはならない貨物

　関税法では、輸入してはならない貨物を次のように規定している。

---

① 麻薬および向精神薬、大麻、あへん、けしがら、覚せい剤および覚せい剤原料並びにあへん吸煙具、指定薬物
② けん銃、小銃、機関銃、砲および銃砲弾並びにけん銃部品
③ 爆発物（爆発物取締罰則第1条に規定する爆発物）
④ 火薬類（火薬類取締法第2条第1項に規定する火薬類）
⑤ 化学兵器製造用の化学物質
⑥ 「感染症の予防及び感染症の患者に対する医療に関する法律」に規定する病原体
⑦ 通貨、印紙、郵便切手若しくは有価証券の偽造品、変造品および模造品並びに偽造クレジットカード

⑧ 公安または風俗を害すべき書籍、図画、彫刻物など
⑨ 児童ポルノ
⑩ 特許権、実用新案権、意匠権、商標権、著作権、著作隣接権、回路配置利用権または育成者権を侵害する物品
⑪ 外国から日本国内にある者に宛てて発送した貨物のうち外国にある者が業として外国から日本国内に他人をして持ち込ませた意匠権または商標権を侵害する物品
⑫ 不正競争防止法に規定する(1)周知表示の混同を惹起する製品、(2)著名表示を冒用する製品、(3)形態模倣品、(4)営業秘密不正使用物品、(5)技術的制限手段無効化行為又は、技術的制限手段特定無効化行為を組成する物品

　これらのうち、①から⑥については、政府や政府の許可を受けた者であれば輸入できる相対的な規制である。その他のものは、絶対的な規制である。
　これらの輸入してはならない貨物のうち特許権など知的財産権を侵害する物品（上記⑩〜⑫）については、その物品が侵害物品であるか否かの認定手続を経る必要がある。認定手続は、図表8－2のように行われる。
　また、⑩〜⑫については特許権者、実用新案権者、意匠権者、商標権者、著作権者、著作隣接権者、育成者権者、および不正競争差止請求権者（商品形態模倣行為などによる営業上の利益の侵害について不正競争防止法により行為の停止または予防を請求できる者をいう）は、自己の権利または営業上の利益を侵害すると認める貨物に関して税関長にその侵害の事実を疎明するために必要な証拠を提出し、権利の侵害がされているか否かの認定手続をとるべきことを申し立てることができる。これを「輸入差止申立制度」と呼んでいる。

図表8－2　知的財産権侵害物品に対する認定手続の一巡

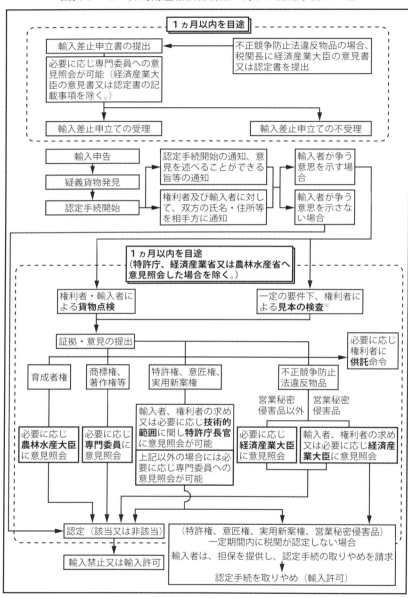

チェック問題

1．次の記述のうち、正しいものには○を、誤っているものには×をつけなさい。

① 特例輸入申告制度を利用した場合、輸入許可後に納税申告を行うことになる。

② 特例輸入申告制度を利用できる特例輸入者の承認期間は3年間であり、更新も可能である。

③ 輸入通関において、輸入者が海外から輸入する貨物の国内引取に時間的制約がある場合には、税関長の承認を受けて輸入許可前に貨物を引き取ることができる制度がある。この承認を「輸入許可前引取承認」というが、税関長が担保提供の必要があると認めたときには、輸入貨物の関税額等に相当する額の担保を税関に提供する必要がある。

④ 特例輸入申告制度を利用する場合、税関長に命ぜられたときは、輸入者はあらかじめ課税価格に相当する額の担保の提供を行う必要がある。

⑤ 最初に販売されてから3年を経過した商品のデッドコピーである模倣品は、絶対的な輸入してはならない貨物である。

⑥ 輸入差止申立てを行う時に、差止対象となる物品が不正競争防止法違反物品の場合には、専門委員の意見書を添えなければならない。

2．知的財産権侵害物品に関する記述において誤っているもの1つを選びなさい。

A 「回路配置利用権」を侵害する貨物が輸入されようとする場合、輸入を差し止めるために、権利者は税関長に対し、輸入差止情報提供制度を利用することができる。

B 商標権者が自己の商標権を侵害する物品が輸入される場合には、経済産業大臣の意見書を添えて税関長に輸入差止申立てを行うことができる。

C 税関が輸入貨物について著作権を侵害する貨物であると思料したときは、認定手続を行う。

D 周知表示混同惹起行為を組成する物品は、輸入してはならない貨物の一つである。

●解答と解説●

1．①－○　②－×　③－×　④－×　⑤－×　⑥－×

① 特例輸入申告制度を利用した場合、納税申告（特例申告）は、「輸入許可日の属する月の翌月末日まで」に行えばよい。

② 特例輸入者の承認期間は法定化されておらず、承認の取消しがあったときや関税法に定める承認が失効したときにその地位はなくなる。

③ 輸入者が海外から輸入する商品を展示会等へ出品するため時間的制約がある場合や、貴重品や危険物、変質・損傷のおそれがあるものなど、特に引取りを急ぐ貨物には、税関長の承認を受けて輸入許可前に貨物を引き取ることができる輸入通関制度がある。この承認を「輸入許可前引取承認（BP〔Before Permit〕承認）」というが、税関長からこの承認を受けるには、貨物の関税額等に相当する額の担保を税関に提供する必要がある（必須担保）。

④ 税関長に命ぜられた場合には担保の提供を行う必要があるが、担保の額は課税価格に相当する額ではない。

⑤ 最初に販売されてから3年を経過した商品のデッドコピーについては、商品形態模倣行為を組成しない。

⑥ 輸入差止申立てを行う時に、差止対象となる物品が不正競争防止法違反物品の場合には、経済産業大臣の意見書を添えなければならない。専門委員への意見照会はできない。

2．B

輸入差止申立制度とは、税関長に対し、自己の権利を侵害すると認める貨物が輸入されようとする場合には、侵害物品か否かを認定するための手続（認定手続）をとるように申し立てることができる制度である。「特許権」「商標権」「意匠権」「著作権」「著作隣接権」「実用新案権」「育成者権」「不正競争差止請求権」に対して適用される。

輸入差止申立てを行う場合、経済産業大臣の意見書や認定書の添付が必要なのは、不正競争防止法違反物品の場合である。

「回路配置利用権」に適用されるのが輸入差止情報提供制度で、回路配置利用権を侵害する物品が輸入されようとする場合に、輸入を差し止めるために、回路配置利用権者が税関長に対し、権利の内容や侵害に関する証拠等の情報を提供するものである。

参考　輸入差止申立制度と輸入差止情報提供制度

権利者	内容	制度
特許権者 商標権者 意匠権者 著作権者 著作隣接権者 実用新案権者 育成者権者 不正競争差止請求権者	自己の権利または営業上の利益を侵害すると認める貨物に関し、その侵害の事実を疎明するために必要な証拠を提出し、権利侵害の認定手続をとるべきことを申し立てることができる。	輸入差止申立制度
回路配置利用権者	権利の内容や侵害に関する証拠等の情報を提供することができる。 ただし、認定手続を執るべきことを申し立てることはできない。	輸入差止情報提供制度

第2節　わが国における輸入税制

　本節では、輸入の際に課される税金の知識、HS品目表の知識、および特恵関税制度、原産地証明書、関税の減免税などに関する基本的知識を身につける。また、関税の課税価格の計算、評価申告についての基礎もあわせて理解する。

(1) わが国の輸入税制

A．輸入税

　わが国においては、輸入貨物に対し関税のほか消費税、地方消費税、酒税、たばこ税、揮発油税、地方道路税、石油ガス税などを課税している。中国、ベトナムなど一部の国では、特定の輸出品に対して輸出関税を課している例もあるが、わが国では、輸入の際にのみ関税を課している。

　従価税品の輸入の場合、輸入税は、国際間の売買契約を基礎として課せられる。したがって、売買契約以外による契約、たとえば、販売委託契約、贈与契約、賃貸借契約などにより輸入された場合も、売買契約により輸入された場合の価格に置き換えられ税額が計算される。

　ところで、付加価値税である消費税に目を向けると、この消費税は、国境を超えた財の取引に対して課税するものであるので、国境税調整がされている。国境税調整には、原産地主義（origin principle）と仕向地主義（destination principle）の方法がある。

　原産地主義とは、輸出国で付加価値税が課税され、輸入国では、付加価値税が非課税とされるものである。また、仕向地主義とは、輸出国では、付加価値税が非課税とされ、輸入国では、付加価値税が課税されるというものである。多くの国は、仕向地主義を採用している。EU型付加価値税では、域内取引に対しては原産地主義を、域外取引では仕向地主義をとっている。わが国においては、仕向地主義を採用している。したがって、輸出取引に係る貨物については、消費税は課税されない。

B．HS条約と関税分類

わが国に輸入される貨物は、全てHS品目表にもとづいて作成された関税率表によって分類され、これにもとづき関税率が決定されている。このHS品目表とは、「商品の名称及び分類についての統一システムに関する国際条約（the International Convention on the Harmonized Commodity Description and Coding System 以下「HS条約」という）」の附属書のことである。この品目表は、世界税関機構（WCO）により作成されたもので、1988年1月1日に発効されている。

「HS条約」は、2019年5月現在、156ヵ国及びEUが加盟している。また、HS品目表であるHSコードを使用してる国や地域は、211ヵ国に及ぶ。

この品目表による分類を国際的に取り決めることにより輸入国側による税率適用の際の恣意的な商品分類を防止し、WTO条約の適正な運用を行おうとするものである。

この品目表は、部のほか類、項、号に分かれ分類されている。全部で6桁になるが、わが国では、これに3桁の関税率表の統計細分番号を加えたものを統計用に使用している。

たとえば、「さば（Mackerel）」の例を示すと、第4部に分類される。

16 …………類
1604 …………項
1604.15 ………号（この6桁が条約締結国の義務）

さらに、わが国独自に3桁の統計品目番号を加え、1604.15－XXXと表示される。なお、この統計品目番号の桁数は、国により異なっている。

なおこの品目表は、輸入のみならず、「輸出統計品目表」にも採用されている。

ところで、HS品目表の分類は、誰が行っても同様に分類できるものでなければならず、そのための解釈基準が「関税率表の解釈に関する通則」である。

C．関税率のしくみ

HS品目表にそれぞれの税率を表示したものが「実行関税率表」である。

この実行関税率表には、国定税率である「基本税率」、「暫定税率」、「特恵税率」と、WTOで取り決められている譲許税率である「協定税率」が表示されている。

また、EPAにより締結された協定税率もある。たとえば、シンガポール産品に対するシンガポール協定税率やメキシコ産品に対するメキシコ協定税率等である。
　このほか、課税価格20万円以下の少額貨物に対する「少額輸入貨物に対する簡易税率」および、携帯品、別送品に対する「入国者の携帯品等に対する簡易税率」が別枠として規定されている。

D．特恵関税制度

　特恵受益国からの輸入品については、特恵税率が適用される。なお、特別特恵受益国からの輸入品については、特恵税率は無税である。
　特恵受益国および特別特恵受益国とは、次の要件を備えている国である。

(a)　**特恵受益国**
ⅰ）経済が開発途上にある国（固有の関税および貿易に関する制度を有する地域を含む）で、
ⅱ）関税について特別の便益を受けることを希望するもののうち、
ⅲ）便益を与えることが適当であるものとして政令で定めるものをいう。

(b)　**特別特恵受益国**
　特恵受益国などのうち、
ⅰ）国連総会の決議で後発開発途上国（LCD）とされている国で、
ⅱ）特別の便益を与えることが適当であるものとして政令で定める国をいう。

(c)　**特恵供与**
　特恵供与の方法は、エスケープ・クローズ方式のみが採用されている。

E．税率適用にあたり原産地証明書等が必要な場合

　輸入品についての税率適用の際、原産地証明書が必要な場合がある。
ⅰ）協定税率を適用する場合…WTO加盟国、便益関税適用国などの原産品であることを証明する必要がある。
ⅱ）特恵関税を適用する場合…特恵受益国または特別特恵受益国の原産品であることを証明する必要がある。
ⅲ）シンガポール協定、ベトナム協定、モンゴル協定等のEPAによる特別

の規定による便益を受ける場合……第三者証明である原産地証明書が必要である。

iv）スイス協定、ペルー協定、メキシコ協定による特別の規定による便益を受ける場……認定輸出者による自己証明または、原産地証明書が必要である。

v）オーストラリアEPA※、TPP11協定、EU EPAによる特別の規定による便益を受ける場合……輸入者、輸出者もしくは生産者の作成した原産品申告書が必要である。

※オーストラリアEPAの場合は、原産地証明書による証明方法も選択できる。

vi）日米貿易協定による特別の規定による便益を受ける場合……輸入者の作成した原産品申告書が必要である。

vii）RCEPによる特別の規定による便益を受ける場合……認定輸出者による自己証明、原産地証明書または輸入者、輸出者もしくは生産者の作成した原産品申告書が必要である。ただし、原産品申告書については、参加国の意向により選択的段階的に運用されている。本邦においては、原産品申告書による方法は、協定通り行なわれている。

また、原産品申告書による場合は、税関長がその必要がないと認める場合を除き、当該貨物の契約書、仕入書、価格表、総部品表、製造工程表、その他当該貨物が当該締約国原産品であることを明らかにする書類を併せて提出する。これらをまとめて「原産品申告書等」という。

図表8－3　原産地証明書

	協定税率の適用を受ける場合（WTO加盟国からの輸入・便益関税の適用）	特恵関税の適用を受ける場合（特恵関税原産地証明書）	EPA協定の適用を受ける場合（締約国原産地証明書・締約国原産品申告書）
条文	関税法施行令第61条第1項第1号	関税暫定措置法施行令第27条、第28条等	関税法施行令第61条1項2号（1）及び（2）
提出不要な場合	①郵便物 ②課税価格の総額が20万円以下のもの ③20万円超の貨物については種類、商標等又は当該貨物に係る仕入書その他の書類によりその原産地が明らかなもの ④特例申告貨物 のいずれかのものを輸入する場合	①課税価格の総額が20万円以下のもの ②20万円超の物品については、税関長が物品の種類又は形状によりその原産地が明らかであると認めたもの ③特例申告貨物 のいずれかのものを輸入する場合 ただし③の場合、税関長が必要と認めるときには提出を要する。	①課税価格の総額が20万円以下のもの ②20万円超の物品については、税関長が物品の種類又は形状によりその原産地（たとえば、原産地がシンガポールということ）が明らかであると認めたもの ③特例申告貨物 のいずれかのものを輸入する場合
有効期間	輸入申告等の日において、その発行の日から原則として1年以上経過したものであってはならない。	輸入申告等の日において、その発給の日から原則として1年以上経過したものであってはならない。	輸入申告等の日においてその発給の日、もしくは作成の日から原則として1年以上経過したものであってはならない。
その他	①貨物の原産地、仕入地、仕出地若しくは積出地にある本邦の領事館若しくはこれに準ずる在外公館又はこれらの地の税関などの官公署若しくは商業会議所の証明したものでなければならない。 ②書式については、特段の定めはない。	①原産地の税関（税関が原産地証明書を発給することとされていない場合には、発給の権限を有するその他の官公署又は商工会議所等で税関長が適当と認めるもの）が発給したものでなければならない。 ②書式は、関税暫定措置法施行規則10条に定める様式を使用しなければならない。 ③原産地証明書は、必要な事項が記載され、かつ、発給機関の印、署名権者の署名がされたものでなければならない。	①当該締約国原産地証明書の発給につき、権限を有する機関が発給したものでなければならない。 ②締約国原産品申告書は、日豪EPA、TPP11、EU EPAは輸入者か輸出者もしくは生産者、日米貿易協定は輸入者が作成したものを提出 ③締約国原産地証明書、締約国原産品申告書の形式は、法定化されていないが記載事項は定められている。なお、通達や各EPAの規定で定められている。

(2) 関税の課税価格の決定と評価申告

A．関税評価協定

　課税価格についての取決めは、「世界貿易機関を設立する協定附属書ⅠA・1994年の関税及び貿易に関する一般協定」（以下「WTO一般協定」という）第7条に規定されている。さらに関税評価規定を実施するため定められた「WTO一般協定第7条の実施に関する協定」（以下「関税評価協定」という）がある。

　これらの協定は、課税価格の各国の恣意的な算定を防止するために、公正かつ画一的な算定方法を定めたものである。

　わが国では、「WTO一般協定」および「関税評価協定」に準拠して関税定率法に「課税価格の決定の原則」が規定されている。

B．課税価格の決定の適用

　わが国においては、輸入取引（国際間の売買契約）にもとづいた輸入貨物のうち、親族間の取引で課税価格に影響がある場合など、「特別な事情」があるもの以外のものについては、その取引価格を課税価格とするというのが基本的な考え方である。（「D．課税価格決定の原則」参照）

　その国際売買契約の背景に「特別な事情」が存在する場合、または、輸入の原因となる契約が「国際売買契約」以外の契約、すなわち、「販売委託契約」「贈与契約」「賃貸借契約」などであった場合には、背景に「特別な事情」が存在せず、かつ「国際売買契約の取引」によった場合の公正妥当な取引価格に置き換えて課税価格を算定する。（「E．「特別な事情」などがある場合の課税価格の決定」参照）

　この課税価格を決定するにあたっては、適用条項に関連する国（または地域）において一般的に認められている会計原則に適合する方法で作成された資料を使用する。

　たとえば、国内販売価格から課税価格を求める際に「輸入貨物と同類の貨物で輸入されたものの国内における販売に係る通常の手数料または利潤および一般経費」を控除するとの規定があるが、この場合の「通常の利潤および一般経費」の決定は、わが国において一般的に認められる会計原則に適合する方法で作成された資料を使わなければならない。また、製造原価から課税価格を求め

る場合、輸入貨物の製造原価に当該輸入貨物の生産国で生産された輸入貨物と同類の貨物の本邦への輸出のための販売に係る「通常の利潤および一般経費」並びに当該輸入貨物の輸入港までの運賃などの額を加算し算定する。この場合の「通常の利潤および一般経費」というのは、輸入貨物の生産国において一般に認められている会計原則に適合する方法で作成された資料を使用する。

C．評価申告
(a) **評価申告が必要な場合**

次のような場合、原則として税関長に対して評価申告を行わなければならない。

ⅰ）輸入取引に係る仕入書価格と現実支払価格が不一致の輸入貨物を輸入する場合

ⅱ）輸入取引に関連して加算要素がある輸入貨物の場合（ただし、輸入申告の際、税関に提出する運賃明細書または保険料明細書からその額が明らかなものを除く）

ⅲ）特殊関係にある売手と買手の間の輸入取引に係る輸入貨物の場合

ⅳ）特別の事情のある貨物または、国際売買契約以外の契約により輸入される場合

ⅴ）輸入申告までに輸入貨物に変質または損傷があったと認められる場合

ⅵ）「航空運送貨物等に係る課税価格の決定の特例」の規定により評価する輸入貨物の場合

評価申告書は、ⅠおよびⅡがあり、次の区分に応じて提出する。

・評価申告書Ⅰは、関税定率法第4条第1項（課税価格の決定の原則）の規定による場合に使用

・評価申告書Ⅱは、関税定率法第4条の2以下の規定による場合（課税価格の決定の原則によらない場合）に使用

なお、納税申告ごとに評価申告を行う方法のほか、同一輸出者との間で継続した輸入取引を行う場合で、取引条件が同一の場合には、包括評価申告を行うこともできる。

包括評価申告書は、提出の日から起算して2年間有効である。また、この間に提出する輸入（納税）申告書には、包括評価申告書の受理番号を記載すればよい。

図表8－4　評価申告書Ⅰ

(関税定率法第4条関係)　　　　　　　　　　　　　　　　　　　　　　　　　税関様式C第5300号

輸入貨物の評価（個別・包括）申告書Ⅰ　　□ 新規申告　□ 変更届

あて先　　殿	評価申告年月日	変更届年月日	包括申告受理番号又は輸入申告番号	輸入者符号
申告貨物の品名・税番・適用税率	輸入者住所氏名印　　　　　　　　　㊞ （署名） 担当部課　　　　TEL（　） 代理人住所氏名印　　　　　　　　　㊞ （署名） 担当部課　　　　TEL（　）			包括申告の主要関係税関名
生産者名				
事前教示回答書　登録番号				

上記の貨物に関し、関税法施行令第4条第1項又は第4条の2第1項の規定により第4条第1項第3号若しくは第4号又は第4条の2第1項第10号若しくは第11号に掲げる事項のうち下記について次のように申告します。

A．この貨物の取引について

1．輸入取引の当事者（輸入取引の売手及び買手については□内に×印を付し、特殊関係にある者については実線で結ぶこと。）

| □ 輸 入 者 | 氏名 | | ☒ | □ 輸 出 者 | 氏名、国名 |
| □ 輸入の委託者 | 氏名 | | | □ 輸出の委託者 | 氏名、国名 |

2．輸入取引に関する事情について
 (1) 関税定率法第4条第2項第1号、第2号又は第3号に掲げる事情が　□ある。　□ない。
 (2) 上記1の売手と買手との間に特殊関係（関税定率法第4条第2項第4号）が　□ある。　□ない（この場合には、(3)の記載不要）。
 　特殊関係の内容
 (3) この貨物の取引価格は、特殊関係により影響を受けて　□いる。　□いない。

B．この貨物の輸入申告価格について

この貨物の輸入申告価格は、仕入書（□運賃明細書　□保険料明細書）に記載された額に次の調整を行って計算する。

調　整　項　目	イ 調整を要する額又は率	ロ 調整項目の内訳その他の参考事項
(1) 現実に支払われた又は支払われる 　べき価格のうち、仕入書価格以外の額		
(2) 加　算　要　素 　（運賃明細書又は保険料明細書に記載 　された額以外のもの） ① 輸 入 港 ま で の 運 賃 等 ② 仲 介 料 そ の 他 の 手 数 料 ③ 容 器 ・ 包 装 の 費 用 ④ 材 料 、 部 品 等 の 費 用 ⑤ 工 具 、 鋳 型 等 の 費 用 ⑥ 消 費 物 品 の 費 用 ⑦ 役 務 （ 技 術 、 設 計 等 ） の 費 用 ⑧ ロ イ ヤ ル テ ィ ・ ラ イ セ ン ス 料 ⑨ 売 手 に 帰 属 す る 収 益		
(3) 控 除 す べ き 費 用 等 　例えば、課税物件確定後の据付け、 　組立て、整備又は技術指導の費用、 　輸入港到着後の運送費用等、本邦 　の関税等、延払金利		
合　　　計		

この包括申告書は　※平成　年　月　日　以降の輸入申告には適用できません。

※ 受 理	※ 審 査	※ 税 関 記 入 欄

この評価申告に基づく輸入申告による課税標準又は納付すべき税額に誤りがあることがわかったときは、修正申告又は更正の請求をすることができます。
なお、輸入の許可後、税関長の調査により、この申告に基づく輸入申告による税額等を更正することがあります。

(注) 1．※印の箇所は記入しないで下さい。
　　 2．この申告書に記入する前に、記載要領をよく読んで、黒字で記載して下さい。
　　 3．記入欄の広さが足りないときは、適宜の用紙に記入して添付して下さい。
　　 4．この申告の内容に変更が生じたときは、遅滞なく所定の届出をして下さい。
　　 5．輸入者住所氏名印欄及び代理人住所氏名印欄には、住所及び氏名を記載の上、押印又は署名のいずれかを選択することができます（法人においては、法人の住所及び名称並びにその代表権者の氏名を記載の上、法人又は代表権者の押印若しくは代表権者の署名のいずれかを選択）。

(規格A4)

図表8－5　評価申告書Ⅱ

(関税定率法第4条の2から第4条の6関係)　　　　　　　　　　　　　　　税関様式C第5310号

輸入貨物の評価（個別・包括）申告書Ⅱ　　□ 新規申告　□ 変更届

あて先	評価申告年月日	変更届年月日	包括申告受理番号又は輸入申告番号	輸入者符号
殿				
申告貨物の品名・税番・適用税率	輸入者住所氏名印 ㊞ （署名） 担当部課　　　　TEL（　）		包括申告の主要関係税関名	
	代理人住所氏名印 ㊞ （署名） 担当部課　　　　TEL（　）			
生産者名				
事前教示回答書　登録番号				

上記の貨物に関し、関税法施行令第4条第1項又は第4条の2第1項の規定により第4条第1項第3号若しくは第4号又は第4条の2第1項第10号若しくは第11号に掲げる事項のうち下記について次のように申告します。

A．輸出入当事者（輸入取引がある場合には、輸入取引の売手及び買手について□内に×印を付し、特殊関係にある者については実線で結ぶこと。）

□ 輸入者　｛氏名　　　　　　｝　　　□ 輸出者　｛氏名、国名　　　　　｝

□ 輸入の委託者　｛氏名　　　　　｝　　□ 輸出の委託者　｛氏名、国名　　　｝

B．1．この貨物の輸入申告価格は、次の規定に基づき計算する。

　　□ 関税定率法第4条の2
　　　　（同種又は類似の貨物に係る取引価格による課税価格の決定）
　　□ 関税定率法第4条の3（□第1項第1号　□第1項第2号　□第2項）
　　　　（国内販売価格又は製造原価に基づく課税価格の決定）
　　□ 関税定率法第4条の4
　　　　（特殊な輸入貨物に係る課税価格の決定）
　　□ 関税定率法第4条の5
　　　　（変質又は損傷に係る輸入貨物の課税価格の決定）
　　□ 関税定率法第4条の6（□第1項　□第2項）
　　　　（航空運送貨物等に係る課税価格の決定の特例）

2．この貨物について、関税定率法第4条（□関税定率法第4条の2　□関税定率法第4条の3）の規定に基づいて輸入申告価格を計算することができない具体的な理由は、次のとおりである。

　　　　　　　　　　　　　　　　　　　　　　　　　　　　　　　　　　　
　　　　　　　　　　　　　　　　　　　　　　　　　　　　　　　　　　　
　　　　　　　　　　　　　　　　　　　　　　　　　　　　　　　　　　　

3．この貨物の輸入申告価格は、次のように計算する。

輸入申告価格の計算方法等（包括申告の場合にのみ記入する。）

この包括申告書は　※平成　年　月　日　以降の輸入申告には適用できません。

※受理	※審査	※税関記入欄

　この評価申告に基づく輸入申告による課税標準又は納付すべき税額に誤りがあることがわかったときは、修正申告又は更正の請求をすることができます。
　なお、輸入の許可後、税関長の調査により、この申告に基づく輸入申告による税額等を更正することがあります。

（注）1．※印の箇所は記入しないで下さい。
　　　2．この申告書に記入する前に、記載要領をよく読んで、黒字で記載して下さい。
　　　3．記入欄の広さが足りないときは、適宜の用紙に記入して添付して下さい。
　　　4．この申告の内容に変更が生じたときは、遅滞なく所定の届出をして下さい。
　　　5．輸入者住所氏名印欄及び代理人住所氏名印欄には、住所及び氏名を記載の上、押印又は署名のいずれかを選択することができます（法人においては、法人の住所及び名称並びにその代表者名を記載の上、法人又は代表権者の押印若しくは代表権者の署名のいずれかを選択）。

（規格A4）

(b) 評価申告が不要な場合

次の場合には、(a)に該当している場合でも評価申告書の提出を必要としない。
 i) 無税（免税）または従量税である場合
 ii) 少額貨物（仕入書ごとの課税価格の総額が100万円以下の特定のもの）の場合
 iii) 特殊関係がある場合でも当該特殊関係が取引価格に影響を与えていない場合

D．課税価格の決定の原則

わが国では、関税定率法に「課税価格の決定の原則」が規定されている。

すなわち、「輸入貨物に係る輸入取引がされたときに、買手により売手に対し（直接に）、又は売手のために（間接に）輸入貨物につき現実に支払われた、もしくは支払われるべき価格（以下「現実支払価格」という）を基準として」課税価格が計算される。

この「現実支払価格」は、通常インボイス価格（仕入書価格）である。なお、この価格には、輸出国において課されるべき関税、内国消費税その他の課徴金であって、輸出国の法令によって貨物の輸出を条件に軽減または払戻しを受けるものの金額については、課税価格に含まれない。もっとも、このような関税その他の課徴金は、通常、仕入書価格に含まれていないので、実務上問題になることはない。

次に、この「現実支払価格」に図表8－6のAの部分に示す費用が含まれていない場合には、これを加算する。また、図表8－6のBに示す費用が含まれている場合には、その費用を控除する。

図表8−6　現実支払価格に加算する費用および控除する費用

課税価格 ＝ 仕入書価格 ＋ A − B

A
1. 輸入港到着までの運賃・保険料
2. 買手が負担する仲介料その他手数料（買付手数料を除く）
3. 買手により無償、値引きをして提供された物品、役務の費用
4. 特許権・意匠権・商標権等の使用にともなう対価で、輸入取引の条件として買手により支払われるもの
5. 買手による輸入貨物の処分、使用による収益で売手に帰属されるもの

B
1. 輸入港到着後、国内での運賃・保険料
2. 輸入申告の日以後にする輸入貨物に係わる据付け、組立て、整備または技術指導に要する役務の費用
3. 本邦において輸入貨物に課される関税その他の課徴金
4. 輸入貨物に係わる輸入取引が延払条件付き取引である場合の延払い金利

（具体的な計算例）

わが国へ貨物を輸入する場合、その取引に特別な事情がなければ、税関への輸入申告価格はCIF価格をベースとした取引価格である。

次の取引内容を例にとり輸入貨物の課税価格を計算してみよう。

① 仕入書（インボイス）価格は、FOB価格10,000,000円である。
② 輸入者（買主）は、上記インボイス価格とは別に、当該輸入貨物に係る次の費用を負担している。
　A　輸入港から保税地域までの運賃 …………………………140,000円
　B　輸出港から輸入港到着までの海上保険料 ……………30,000円
　C　輸入港における貨物荷揚げ費用 …………………………120,000円
　D　輸出港から輸入港到着までの運賃 ………………………310,000円
　E　保税地域から国内小売店までの運賃 ……………………180,000円
　F　輸出港から輸入港到着までのコンテナ賃借料 ………50,000円
③ 輸入者は、輸入取引の条件として、当該輸入貨物に係る商標権の使用の対価として、当該インボイス価格の5％相当額を商標権者（第三者）に支払っている。

④ 輸入者は輸出者に、商品生産に使用するボタン、ラベル等の付属品を無償で提供しており、それらの本来価格は100,000円である。
　課税価格は次のようになる。

　　仕入書（インボイス）価格（FOB） ……………10,000,000円
　　輸出港から輸入港到着までの海上保険料（B） …………30,000円
　　輸出港から輸入港到着までの運賃（D） ………………310,000円
　　輸出港から輸入港到着までのコンテナ賃借料（F）　50,000円
　　商標権の使用の対価※ ……………………………………500,000円
　　無償提供分の付属品 ………………………………………100,000円
　　　　　　　　　　　　　　　　　　　　　　　　10,990,000円

　※　商標権の使用の対価　　10,000,000円 × 5％ ＝ 500,000円

　課税価格は、CIF 価格をベースとしたもので、輸入港到着後に発生する費用は、課税価格には算入されない。この例でいえばA、C、Eは課税価格には含まれない。

E．「特別な事情」などがある場合の課税価格の決定

　「特別な事情」とは、次に示す事情をさし、たとえば、輸入貨物の取引価格が、輸入貨物の売手と買手との間で取引される輸入貨物以外の貨物の取引数量に依存して決定される旨の条件がされている場合などがそうである。このような条件により決定された取引価格を、自由競争の中で需要と供給により決定される正常な取引価格ということはできない。このような価格は売買当事者の恣意や思惑が入り込んだ価格で、これを無条件に課税価格とすることは、課税の公平性の観点からはなはだ問題がある。

　わが国の関税定率法では、「特別な事情」を図表8－7のように定義している。

　また、関税定率法は、「特別な事情」などがある場合の課税価格の決定方法を次の順位で決定することを定めている。

　　（第一優先順位）同種または、類似の貨物に係る取引価格により課税価格を決定する方法
　　（第二優先順位）国内販売価格にもとづき課税価格を決定する方法
　　（第三優先順位）輸入貨物の製造原価にもとづき課税価格を決定する方法
　ただし、輸入貨物の製造原価が把握できる場合で、かつ輸入者が要請する場

図表8－7　課税価格の決定方法

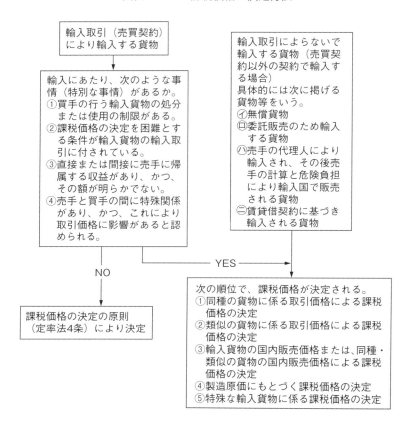

合には、国内販売価格にもとづいて課税価格を決定する方法に先立って、輸入貨物の製造原価から課税価格を決定することができる。

また、上記のいずれの方法によっても課税価格が決定できない場合には、たとえば、関税定率法の規定を弾力的に解釈して関連条項の規定に準じて課税価格を決定する。

(3) 輸入税の計算

輸入時に課税される税金は基本的に関税、消費税、地方消費税であるが、そのほか、例えば酒類を輸入する場合には、酒税が徴収される。ここでは基本的な関税、消費税及び地方消費税の計算方法を学ぶ。

【輸入税の計算】
つぎの輸入貨物の輸入の場合を例にとって輸入税の計算をする。

課税価格　2,345,600円
関税率　　4.5％

A．関税額の計算

2,345,000円（千円未満切捨て）×4.5％＝105,525円→納付すべき関税額
105,500円（百円未満切捨て）

課税価格に千円未満の端数がある場合には、切り捨てる。
計算された関税額に百円未満の端数があった場合には、切り捨てて「納付すべき関税額」にする。

B．消費税額及び地方消費税額の計算の計算

※消費税率は、7.8％（飲食品などの軽減税率が適用される場合は、6.24％）、地方消費税率は、22/78として計算される。今回の例では、消費税率が、7.8％が適用されるとして、計算する。

(a) 消費税

貨物の課税価格に納付すべき関税額を加算したものが消費税の課税標準である。

2,345,600円＋105,500円＝2,451,100円
2,451,000円（千円未満切捨て）×7.8％＝191,178円→納付すべき消費税額
191,100円（百円未満切捨て）

(b) 地方消費税

納付すべき消費税額が地方消費税の課税標準である。

191,100円×22/78＝53,900円　→納付すべき地方消費税額　53,900円

消費税の課税標準には、輸入貨物の関税額も加算される。
地方消費税の課税標準は、納付すべき消費税額である。

(4) 附帯税

　関税法では、延滞税、過少申告加算税、無申告加算税、重加算税が附帯税として規定されている。なお、関税については、平成9年（1997年）10月1日以後加算税制度が始まった。ただしこのときは、過少申告加算税と無申告加算税制度の導入のみであった。そして、平成17（2005）年10月1日からは、新たに重加算税が導入された。また、平成29（2017）年1月1日から、修正申告又は更正決定があった日の前日から起算して、5年前の日までの間に、無申告加算税等が課されたことがある場合には、無申告加算税や重加算税はさらに加重され課税される仕組みに改正される。

A．延滞税

　法定納期限までに関税が納付されていない場合には、延滞税が徴収される。延滞税は、関税法の規定により、延滞が発生することにより自動的に延滞税額が確定する。また、災害などが発生したことにより関税の納付が困難な関税に係る延滞税など一定の場合には、延滞税が免除される。

B．過少申告加算税

　納税義務者が税額を過少に申告した場合や、納付すべき税額がないと申告したにもかかわらず納付すべき税額がある場合に課される加算税である。本来であれば当初申告において適正な申告をすべき義務を怠ったことに対する、行政制裁と解されている（以下の加算税も同様である）。たとえば、税関職員による事後調査の結果、過少申告が指摘され、税関長による増額更正処分がされた場合や修正申告に応じた場合に課される。この過少申告加算税額は、賦課課税方式により確定する。ちなみに、賦課課税方式とは、もっぱら税関長が税額を確定する方式のことである。

C．無申告加算税

　納税義務者が納税申告を必要とする貨物であるにもかかわらず、申告しないで輸入した場合（たとえば、保税地域（上屋）に搬入されている外国貨物を輸入許可がされる前に使用、消費した場合など）や、特例輸入申告により輸入したのであるが、輸入許可の日の属する月の翌月末日までに特例申告を行わなか

ったことにより税関長の決定処分を受けた場合等に課される加算税である。この無申告加算税額も賦課課税方式により確定する。

D．重加算税

　納税義務者が納付すべき関税の課税標準などや税額の基礎となる事実について隠ぺいまたは仮装という不正な手段を行った場合、上記の過少申告加算税や無申告加算税に代えて課税されるものである。たとえば、二重帳簿をつくり事実を隠ぺいしようとしたり、特別特恵受益国の原産品と見せかけるために「原産地証明書」を偽造したり、豚肉の差額関税を免れるために帳簿などを偽造、変造する行為は、重加算税の課税対象になる「隠ぺいまたは仮装」である。この重加算税額も賦課課税方式により確定する。

チェック問題

1. 輸入関税に関する記述について、正しいものを1つ選びなさい。
   A わが国から加工または修繕のため輸出された貨物が、海外での加工または修繕後、輸出許可の日から1年以内に再びわが国に輸入された場合、関税は免税される。
   B 生産や輸出について、輸出国から補助金を受けたある貨物が、補助金の分安く輸入され、日本の生産者が損害を受けた場合、その補助金の額を限度として課される特殊関税を相殺関税という。
   C 正常価格より低い価格でわが国に輸出されたことにより、本邦の産業が損害を受けた場合、正常価格とそのダンピングされた価格との差額を限度として課される関税を対抗関税という。
   D WTO加盟国からの輸入産品について、基本税率、協定税率の2つが適用できる場合には、基本税率と協定税率とのいずれか高い税率が優先適用される。

2. 関税の評価申告に関する次の記述のうち、誤っているものを1つ選びなさい。
   A 関税定率法第4条第1項（課税価格の決定の原則）の規定により課税価格を計算する場合で、課税価格に加算しなければならない額があるにもかかわらず、その額がインボイス等で明らかでない場合には「輸入貨物の評価申告書Ⅰ」を使用する。
   B 関税定率法第4条第1項（課税価格の決定の原則）の規定により課税価格を計算することができない場合で、同種の貨物の取引価格から課税価格を決定するような場合には、「輸入貨物の評価申告書Ⅱ」を使用する。
   C 納税申告に係る貨物の関税が無税（免税を含む）、または従量税品の場合は、評価申告書の提出は要求されない。
   D 輸入貨物の変質、損傷がある場合の評価申告には「輸入貨物の評価申告書Ⅰ」を使用する。

3. 次の輸入貨物の課税価格を求めなさい。
   ①仕入書価格　5,600,000円（CIF価格）
   なお、次の②及び③の費用は、仕入書価格には、含まれていない。

②当該輸入貨物の生産に関して、輸入者（買手）は、輸出者（売手）に対して、次の物品または、役務を無償で提供している。
　イ　当該輸入貨物の生産のために使用された鋳型　750,000円
　ロ　当該輸入貨物の生産に必要な技術で本邦において開発されたもの
　　　300,000円
③輸入者（買手）は、輸出者（売手）との取り決めに従って、当該輸入貨物を購入するために当該輸入貨物に係る商標権の使用の対価として650,000円を商標権者（第三者）に支払っている。

●解答と解説●
1．B
　A　わが国から加工または修繕のため輸出された貨物が、海外での加工または修繕後、輸出許可の日から1年以内に再びわが国に輸入された場合、外国において加工や修繕がなされた付加価値部分にのみ課税され、関税は減税される。
　B　生産や輸出について、輸出国から補助金を受けたある貨物が、補助金の分安く輸入され、日本の生産者が損害を受けた場合、その補助金の額を限度として課される特殊関税を相殺関税という。したがって、正しい。
　C　正常価格より低い価格でわが国に輸出されたことにより、本邦の産業が損害を受けた場合、正常価格とそのダンピングされた価格との差額を限度として課される関税を不当廉売関税という。対抗関税とは、WTO加盟国が輸入制限や関税の引上げなどの緊急措置をとったことにより、わが国が不利益を受けた場合に、対抗措置として課する当該国産品への割増関税をいう。
　D　WTO加盟国からの輸入産品について、基本税率、協定税率の2つが適用できる場合には、基本税率と協定税率とのいずれか低い税率が優先適用される。

2．D
　わが国における関税の課税価格はCIF価格であり、通常、貨物の輸入申告と同時に輸入（納税）申告書で納税申告される。このCIF価格は関税定率法により、輸入取引において特別な事情等がないならば、買手から売手または売

手のために現実に支払ったまたは支払うべき価格であるが、これらの現実支払価格に本来含まれるべき価格で含まれていないもの（運賃、保険料など）があれば加算し、含まれるべきでないのに含まれている（輸入してからの諸費用など）場合にはこれを控除する。これを「課税価格の決定の原則」という。

したがって、取引がCIF条件で、加算要素も控除要素もない場合には、インボイス価格がそのまま課税価格となる。

この「課税価格の決定の原則」により課税価格を決定する場合、たとえば課税価格に加算しなければならない額があるにもかかわらず、その額がインボイス等で明らかでない場合には、「輸入貨物の評価申告書Ⅰ」を添付して、その加算の状況や課税価格の算出の根拠等を明らかにする。

輸入取引において取引がない輸入（無償輸入など）の場合や、取引に次のような特別な事情がある場合は、「課税価格の決定の原則」で課税価格を決定することができない。

(a) 輸入貨物の処分または使用に制限がつけられている
(b) 課税価格決定を困難とする条件がついている（他の貨物の購入を条件とする、など）
(c) 売手に帰属する収益があり、その額が不明である場合（買手が輸入国内で販売した利益の一部を売手が受け取る、など）
(d) 売手と買手との間に特殊関係があり、価格に影響している

この場合には、①同種または類似貨物の取引価格、②国内販売価格または製造原価からの逆算価格、③その他税関長が定める決定方法による価格、などによって、課税価格を決定する。このように上記(a)～(d)の特別な事情があり、①、②、③により課税価格を決定する場合、および次の場合には、「輸入貨物の評価申告書Ⅱ」によって課税価格を申告する。

(ア) 変質または損傷に係る輸入貨物
(イ) 航空輸送運賃等の特例計算対象となる貨物（航空輸送で輸入されたにもかかわらず、海上輸送されたものとみなして運賃を計算できる特例措置）

特に(ア)(イ)の場合には、「輸入貨物の評価申告書Ⅱ」のほかに「輸入貨物の評価申告書Ⅰ」の提出も必要である。

なお、納税申告に係る貨物の関税が無税（免税を含む）、または従量税品である場合には、評価申告書の提出は不要である。

3．7,000,000円

課税価格の計算
5,600,000円（仕入書価格）＋750,000円（無償提供された鋳型代）＋650,000円（商標権使用料）＝7,000,000円

ポイント
①無償提供された輸入貨物の生産に必要な技術で本邦において開発されたものは、課税価格に含まれない。外国で開発されたものである場合には、課税価格に含まれる。
③商標権の使用料は、課税価格に含まれる。

第9章

貨物の荷卸しと
損傷貨物の求償手続

第1節　貨物の荷卸し　　　　　P230
第2節　運送上のクレーム　　　P244
第3節　保険会社に対する求償　P250
第4節　売買契約上のクレーム
　　　　（貿易クレーム）の解決　P260

第1節　貨物の荷卸し

> 本節では、本船入港前の荷渡指図書の取得方法と本船入港後のコンテナ船FCL貨物・LCL貨物の荷受けや在来船の荷受け方法、並びにヤード通関、港頭保税地域通関、内陸倉庫通関の差異などを学習する。

(1) コンテナ船の場合

A. 本船入港前の手続

　定期航路のコンテナ船は、定曜日、定時の配船が原則であり、したがって入港前に綿密な荷役計画がなされる。荷役担当者であるプランナー(Planner)は、船会社から荷役に必要な本船入港時の積付図（Stowage Plan）、積荷目録（Cargo Manifest）、コンテナ・リスト、特殊貨物明細書(Special Cargo List)、およびドック・レシートなどの貨物情報を入手し、荷役計画を作成する。荷役計画では、荷主へのコンテナの引渡し方法を考え、最初の1本目から最後の積みコンテナまで、陸上げされる順にコンテナ番号、サイズ、重量、本船積載場所およびヤード蔵置場所が作業進行表（Sequence List）にまとめられる。

　また、貨物に危険物がある場合には、危険物荷役申請並びに貯蔵申請など関係する書類を海上保安庁、税関、港湾局、所轄消防署などに事前に提出し許可を得なければならない。

　さらに、動植物の検査が必要な場合には、動物検疫所、植物防疫所などに必要な書類を提出する必要がある。

(a) 本船の入港通知

　船会社やその代理店は、当該船舶の入港日を着船通知書（Arrival Notice）により船荷証券（B／L）の着荷通知先(B／L面の通知先)に通知してくる。着船通知書の内容は、船荷証券とほぼ同じである。

　しかし、以下の記載が加えられる場合もある。

① 　運賃後払いの場合の運賃明細
② 　コンテナ・ヤード／コンテナ・フレート・ステーション（CY/CFS）保管の有効期限（Free Time）

③ FCL貨物の場合には、定められた期限内に船会社にコンテナを返却しなければならないため、遅延した場合の遅延料金明細

荷受人はこの着船通知書で本船入港日を確認して海貨業者または通関業者へ輸入通関を依頼し、また貨物の引取り予定日までに船荷証券裏面に裏書を行って、船会社から荷渡指図書（Delivery Order ＝ D／O）〔☞用語解説〕を取得する。

　　荷渡指図書（Delivery Order=D／O）：船会社が荷受人に貨物を引き渡すように荷渡しを指図したもの。あて先は、FCL貨物ではCYオペレーターあてに、LCL貨物ではCFSオペレーターあてに、在来船で自家取り（(2)B.「荷受けの流れ」参照）の場合には船長あてに、総揚げの場合はステベドア（Stevedore　ステベ）あてに作成される。これには、本船名、貨物の品名、個数、数量、記号、番号、船荷証券番号、荷受人氏名などが記載されており、船会社の責任者の署名がある。

(b) **荷渡指図書の取得**

荷渡指図書の取得には、まず銀行との輸入貨物代金の決済または輸入ユーザンスによる船荷証券の取得が必要となる。

① **一覧払いの場合**

本邦ローンを利用しないときは、一覧払手形決済を行う。船積書類が海外から到着すると銀行から① Arrival Notice（銀行の書類到着案内＝決済催促状）、②仕入書コピー、③書類受領書が送られてくるので、書類受領書にサインをして銀行へ返却し、輸入決済を行い、銀行から**船積書類の引渡しを受ける**。

② **本邦ローンを利用するとき（T／Rによる書類の借受け）**

輸入者は、資金的余裕すなわち輸入決済資金がないときは、銀行への輸入決済（対内決済）を猶予してもらい、銀行には外貨表示の約束手形、荷物貸渡依頼書および輸入担保荷物保管証（Trust Receipt ＝ T／R）を差し入れて、銀行に海外の輸出者に対する決済（対外決済）をしてもらう。すなわち、これが**本邦ローン**の借入れである。輸入者は、輸入担保荷物保管証（T／R）の差入れにより**船積書類を借り受けて**、船荷証券を受け取ることができる。

このように荷受人（輸入者）は、輸入手形の決済または引受けにより、

信用状発行銀行（または取立銀行）から船荷証券を入手する。次に、運賃前払い（Freight prepaid）の場合は船荷証券を船会社に提出し、運賃着払い（Freight collect）の場合は船荷証券の提出と同時に運賃を支払い、船荷証券と引換えに船会社から荷渡指図書（D／O）の交付を受ける。

船荷証券が銀行に未着の場合は、船会社へ荷受人の荷受けに対し銀行が連帯保証する旨の保証状であるL／Gを差し入れて、船会社から荷渡指図書（D／O）の交付を受ける。

B．本船入港後の作業

(a) 入港届と貨物陸揚許可

本船入港後24時間以内に船長は、税関に対し入港届、積荷目録（Cargo Manifest）、船用品目録などを提出する。そして、①検疫、②税関による本船の検査、③入港手続が行われた後、船長は貨物の陸揚許可を取得する。

(b) 本船陸揚作業

ガントリークレーンを使用して陸揚げをする。本船荷役はスーパーバイザーと呼ばれる担当者が監督し、ヤードの機器運用を統括するコントロール・センターと連係して行われる。

蔵置場所はあらかじめ荷役計画で決められており、LCL貨物や植物・動物検疫対象のコンテナは一般の揚げ場所とは区別されている。

コンテナ船積貨物の輸入通関は、輸出と同じである。貨物の蔵置場所を基準に、①ヤード通関、②港頭保税地域通関、③内陸倉庫通関の3つがある。

(c) FCL貨物（Full Container Load）の引取り

① ヤード通関の場合

貨物はCYオペレーターによって本船からエプロンに荷卸しされ、CYに搬入される。荷受人に依頼された海貨業者が通関手続を行う。輸入許可を受けた後、海貨業者はコンテナ・ターミナル事務所に輸入許可書、荷渡指図書、搬出依頼書を提出し、CYオペレーターにより先にプランナーに提出してある積荷目録との照合を受ける。FCL貨物の場合、荷受人はコンテナのまま引き取るので、荷受人とCYオペレーターとの間で**機器受渡証（搬出）（Equipment Receipt（out）=E/R-out）**を双方署名のうえ交換

〈コンテナ貨物の荷受け〉

		(ヤード通関)		(港頭保税地域通関)	(内陸倉庫通関)
コンテナ船から：		CY	CFS	海貨業者施設 保税上屋	荷受人 施設
Shipper's Devanning (FCL 貨物)	①陸揚げ →	CY 蔵置 通関・引渡し	内貨運送（コンテナー扱い：CY 通関）		デバンニング 内貨荷捌き
	②陸揚げ →	CY 蔵置 引渡し (保税運送手続)	保税運送(OLT) →	搬入　内貨運送 デバンニング 通関・蔵置	内貨荷捌き
Carrier's Devanning (LCL 貨物)	③陸揚げ	保税運送(OLT) →	デバンニング 通関・蔵置 引渡し	内貨運送 →	内貨荷捌き
	④陸揚げ	保税運送(OLT) →	デバンニング	保税運送　通関 　　　引渡し	内貨運送 内貨荷捌き

し、実入りコンテナを引き取る。

CY での手続完了後、荷受人から依頼を受けた運送業者は CY オペレーターからコンテナを受け取る。ゲートで、ゲートクラークはコンテナ番号、コンテナシール番号の確認、外観検査、税関許可の書類確認をして、リマーク（コンテナの外観に異常、シール番号相違など）があれば機器受渡証（搬出）(E/R-out) に記入する。その後運送業者はコンテナを工場、倉庫等荷受人の施設まで運送する。

② 港頭保税地域通関の場合

外国貨物のまま CY から搬出する場合には、あらかじめ税関から保税運送承認書（Overland Transport = OLT）の交付を受けて、荷受人の指定する保税地域まで運送する許可を得る。そこで貨物がデバンニングされる（取り出される。実務上は略して「デバン」という）。

海貨業者は、デバンの時に、保税地域への到着年月日、搬入開始・終了の日時を記録するとともに、貨物の数量の過不足、損傷があった場合には、デバンニング・レポート（Devanning Report）〔☞用語解説〕に記載する。

第 9 章　貨物の荷卸しと損傷貨物の求償手続　233

用語解説 デバンニング・レポート（Devanning Report）：荷受人のコンテナ貨物の受取り時に、船会社と荷受人が貨物の状態を点検確認し、その状態を記録したものをデバンニング・レポートという。船会社の責任の終了を示す。

> **参考　ドア（Door）渡しとは**
> 　内陸の倉庫・工場まで船会社の責任で下請け運送人により保税運送され、そこで荷受人に引き渡され、その内陸倉庫で通関される。この場合には、まだ輸入申告はされておらず、ヤードから内陸倉庫・工場までは保税運送となる。

(d) LCL貨物（Less than Container Load）の引取り
　③　ヤード通関の場合
　　CYオペレーターによって本船からエプロンに荷卸しされ、CYを経由してCFSに搬入される。海貨業者はCFSで輸入通関手続を行い、CFSで貨物がコンテナからデバンされ、船荷証券（荷受人）ごとに仕分けされる。荷受人は、CFSオペレーターに荷渡指図書を提出して貨物を引き取る。内国貨物として受け取ることができるので、CFSから直接トラックでユーザーに内貨運送できる。
　④　港頭保税地域通関の場合
　　CYオペレーターによって本船からエプロンに荷卸しされ、CYを経由してCFSに搬入される。CFSで貨物がコンテナからデバンされ、船荷証券（荷受人）ごとに仕分けされる。荷受人はCFSオペレーターに荷渡指図書を提出して貨物を引き取り、海貨業者の保税上屋に外国貨物のまま保税運送して、その港頭保税地域で通関手続を行う。

> **参考　デマレージ、ディスパッチ・マネーおよび返還遅延料**
> 　デマレージ（Demurrage）：この用語は、次の2つの意味で使われている。
> 　1　滞船料：荷主などの傭船者が、保証した停泊期間内に荷役を終了できず、レイ・タイム（Lay Time　停泊期間）を超えて船舶を停

泊させた場合、傭船者が船主に対して支払う割増金（違約金）を
　　　デマレージという。通常1日当たりいくらと決められている。（「傭
　　　船者」とは船主から傭船して運航を行う者であり、「船主」とは船
　　　舶の所有者をいう。）
　　２　**留置料**：荷主が本船から荷卸しされた自己のコンテナ貨物を引
　　　き取る際、コンテナはCYまたはCFSに搬入されるが、ある一定
　　　期間以内であれば、船会社に対し保管料を支払うことなく留め置
　　　ける。その一定期間をフリータイム（Free Time）という。このフ
　　　リータイムを超えて留置した場合には、荷主はその留置された期
　　　間に応じて保管料が課せられる。この留置料もデマレージという。
　　　ディスパッチ・マネー（Despatch Money　早出し料）：荷主などの
　　　傭船者が、約定した停泊期間満了前に荷役を終了した場合、その短
　　　縮された期間に対し船主が傭船者に支払う割戻金（報奨金）をいう
　　　（ただし、傭船契約書にその旨を記載した場合に限られ、金額は通常
　　　滞船料の半額である）。また早出し料と滞船料を並べて「デス・デ
　　　マ」と呼ぶ。
　　　返還遅延料（Detention Charge）：荷主はCYから搬出された実入
　　　りコンテナを、自社の倉庫などでデバンした後、遅滞なくCYに返
　　　却する必要がある。この貸し出されたコンテナには一定の無料貸出
　　　し期間があり、これを超えて返却した場合、荷主に返還遅延料が課
　　　せられる。

(2) 在来船の場合

A．荷受け、通関の概略

　在来船の荷受けもコンテナ船の場合と同様であり、以下のように行われる。
① 荷受人（輸入者）は、輸入手形の決済または引受け（T／R）により、信
　用状発行銀行から船荷証券（B／L）を入手する。
② 船会社に船荷証券を提出。船荷証券が銀行に未着の場合はL／Gを提出
　し、運賃着払い（Freight Collect）の場合は船荷証券の提出と同時に運賃を
　支払う。
③ 船荷証券やL／Gと引換えに、船会社から荷渡指図書（D／O）の交付

を受ける。
④　海貨業者により本船から荷卸しされた貨物は、原則として保税地域に搬入される。
⑤　海貨業者が保税地域で輸入通関手続をして輸入許可を受け、荷受人に貨物を引き渡す。

B．荷受けの流れ
(a)　**本船入港日の調査**
　　輸出者から船積通知（Shipping Advice）が送られてくるので、輸入者は配船表により船会社に問い合せ、本船の入港予定日（Estimated Time of Arrival ＝ ETA）を確かめる。

(b)　**着船通知**
　　輸入港の船会社から、本船入港に先立って船荷証券に記載されている通知先（Notify Party）あてに着船通知書（Arrival Notice）、運賃請求書（Freight Bill）が送付される。それによって荷受けや通関の準備をしなくてはならない。本船の入港日時が確定したら、船会社から荷受人あてに貨物の引渡し日時を記載した荷渡通知状（Delivery Notice）が送られてくる。

(c)　**荷受け・通関書類の整備**
①　荷受けには、船荷証券が必要である。（「A．荷受け、通関の概略」参照）
②　通関には、商業送り状、梱包明細書（Packing List）、重量容積証明書（Certificate and List of Measurement and/or Weight）、その他必要に応じて原産地証明書（Certificate of Origin）などが必要となる。

(d)　**荷受手続**
　　通常、輸入者は船積書類を整備すると、通関業を兼ねる海貨業者に荷受けと通関手続を依頼し、本船の入港を待つ。本船が入港すると、船長は積荷目録（Cargo Manifest）を税関に提出し、入港手続をする。その後に、貨物の陸揚げが許可される。

(e) 荷受けの方法

荷受けの方法には、総揚げ（Delivery Ex-Warehouse）と自家取り（＝直取り、自家揚げ）（Alongside Delivery、Shipside Delivery）がある。総揚げ、自家取りのどちらの場合でも、荷卸ししたときは荷受人の検数人（Tallyman、Checker）により**カーゴ・ボート・ノート（Cargo Boat Note）**〔☞用語解説〕がつくられる。個数不足や貨物の損傷があった場合は、摘要（リマーク）が記入される。

① **総揚げ**

船会社の指定した荷揚代理店（Landing Agent）またはステベが、多数の荷主の貨物をいったん一括して全部陸揚げして保税地域、他所蔵置許可場所に搬入することをいう。その際本船側の検数人と荷主側の検数人が貨物の数量、状態を記載する。これが**ランディング・レポート（Landing Report）**である。

貨物は荷受人（輸入者）ごとに仕分けされ、荷受人が通関手続をして、必要な場合は税関の検査を受け、輸入許可書と搬出届を保税地域の派出税関職員に提出する。通関を終えた荷受人は、荷揚代理店（またはステベ）あての荷渡指図書を提出して陸揚げ費用を支払う。荷渡指図書と引換えに保税地域（荷揚代理店の保税蔵置場）から貨物を引き取る。

② **自家取り（自家揚げ）**

輸入者が自分の責任で直接本船から貨物を引き取ることをいう。本船の入港以前に自家取りの要請がなければ自動的に総揚げされるため、船会社に自家取りする旨を事前に連絡しておき、荷揚代理店（またはステベ）を選び、これに船会社から受けた船長あての荷渡指図書（D／O）を渡しておく。

本船入港後、荷揚代理店（またはステベ）が艀により直接船側から引き取る。荷受人は、船またはトラックに卸された貨物をいったん保税地域に搬入して税関の検査を受け、輸入許可を受けて自己の倉庫に引き取る。

【用語解説】　カーゴ・ボート・ノート（Cargo Boat Note　船卸票）：ボート・ノートともいう。荷渡指図書（D／O）と引換えに輸入貨物を引き取った場合に、貨物の受取書として本船側に提出する書面で、本船側と荷受人側の責任の限界を示し、また貨物に関する明細、荷印、番号、個数、貨物の故障の種類、程度が記載され、荷卸しされた貨物の状態を示した書

類である。

　貨物に故障摘要があれば、ボート・ノートに記入して責任の所在を明確にしておく。もしもボート・ノートに故障摘要がないと、後日故障が発見されても本船側に責任はなく、荷受人は責任を追及できない。したがって、貨物の荷受け時に事故発生の疑いがある場合には、ボート・ノートに"in dispute"（未解決）と注記して、後日のクレームの権利を留保すべきである。

(f)　荷卸貨物の不足、損傷
　ボート・ノートに故障の種類、程度が記載されている場合は、船会社の責任として、求償手続をとる。

(3)　航空貨物の荷受け

　航空貨物が到着すると、航空会社から航空貨物運送状（Air Waybill＝AWB）、商業送り状などを添付した貨物の到着通知書が、荷受人に送付される。荷受人は、海上貨物で船会社に船荷証券を提出したように、航空会社（またはその代理人）に**貨物引渡指図書（Release Order＝R／O、リリース・オーダー）**を提出し、**荷渡指図書（Delivery Order＝D／O）**を受け取る。
　以下、航空貨物運送状の「荷受人」（Consignee）の欄が銀行である場合と、輸入者である場合に分けてみていこう。

A．航空貨物運送状の荷受人が銀行の場合
　航空貨物運送状の荷受人が銀行となる場合とは、次の二通りである。

(a)　**信用状ベースによる代金決済の場合で、信用状発行銀行が担保権確保のため荷受人となる場合**
　航空貨物運送状は船荷証券と異なり有価証券ではないので、信用状発行銀行は信用状開設にともなう担保権確保のため、荷受人を自行として開設する。
　航空貨物が到着すると、航空会社は荷受人である銀行と"Also Notify Party"に記載された輸入業者に、貨物の到着通知書を送付する。このうち銀行への到着通知書には、航空貨物運送状のコピーとリリース・オーダーの用紙（506頁参照）を添付する。一方、航空会社は航空貨物運送状の原本と

荷渡指図書を一時保管する。

　輸入者への船積書類は銀行経由で送付されるため、航空貨物の場合には、船積書類とともに送られてくる輸出者の荷為替手形よりも貨物のほうが先に到着することになり、輸入者が貨物代金を決済したくても手形の決済や引受けができない。しかし、輸入者は届いた貨物を早く引き取りたいので、信用状発行銀行のものである貨物を借り受ける形でリリース・オーダーを発行してもらい、貨物を引き取る。このとき信用状発行銀行から貨物を借り受けるために、輸入者は「輸入担保荷物保管証（航空貨物用：丙号Ｔ／Ｒ）」（Air Trust Receipt=AIR T/R）と、債権証書である外貨建約束手形（Promissory Note）を銀行に差し入れる。輸入者は銀行からリリース・オーダーを発行してもらい、通常通関業者に渡して通関や荷受けの作業を依頼する。

　通関業者は航空会社にリリース・オーダーを提出して、荷渡指図書を発行してもらう。次に通関業者は、この荷渡指図書を輸入許可通知書とともに貨物の保管場所に提出して、貨物を引き取る。

　手続に時間の余裕のない、腐敗しやすい品物などの緊急貨物については、航空会社は銀行からの口頭による引渡し指示に従って、貨物を指定先に引き渡すことがある。しかしこの場合も銀行は、後日書面による正式なリリース・オーダーを送付する。

　① **運賃前払いの場合**
　　航空会社は、銀行の署名のあるリリース・オーダーが提出された場合に、航空貨物運送状の原本と荷渡指図書を輸入者または輸入者の指定した通関代理人に発行する。

　② **運賃着払いの場合**
　　航空会社は、銀行の署名のあるリリース・オーダーが提出されても、運賃が支払われるまでは荷渡指図書を発行しない。

(b) **Ｄ／Ｐ手形決済、Ｄ／Ａ手形決済であるが荷受人欄を輸入地の取立銀行とする場合**

　航空貨物運送状の荷受人が輸入地の取立銀行の場合には、貨物が到着したとき、航空会社はリリース・オーダーを荷受人である取立銀行に発行する。輸入者が貨物を引き取るにはこのリリース・オーダーが必要となり、銀行に手形代金の支払いまたは丙号Ｔ／Ｒ（手形の引受け）の手続をしないと発

行されない。このように航空貨物運送状の荷受人を輸入地の取立銀行にしておくことにより、将来の決済について輸入地の銀行が関与することとなる。輸出者からみると取立銀行に代金回収を委任する形になり、輸出代金回収が確保される。

(a)、(b) ともリリース・オーダー（R／O）は、航空会社から送付された用紙を用いるのが原則であるが、急ぐ場合には銀行の自身のフォームで発行されることもある。

B．航空貨物運送状の荷受人が輸入者の場合

もし航空貨物運送状の荷受人が輸入者であれば、輸入地の航空会社は貨物到着時にリリース・オーダーを輸入者に送付する（実務的には送付されない場合も多い）。輸入者は決済することなく貨物を取得することも可能であり、輸出者には代金決済について不安が生じる。しかし、信用状なしの取立手形決済の場合の航空貨物運送状の荷受人は、実際には一般的に輸入者である。

この取引は、
① 前払い送金で代金決済が完了していて、はじめから貨物の所有権が輸入者にある場合
② 長年の取引関係があるなど問題のない場合
③ 本支店、現地法人間である場合

などに利用されている。

航空貨物が到着すると、航空会社は荷受人である輸入者または輸入者の指定した通関代理人に航空貨物運送状、インボイスなどと貨物の到着通知書を送付してくる。通関手続を終えて貨物を受け取る。

① **運賃前払いの場合**

航空会社は荷受人である輸入者または輸入者の指定した通関業者に航空貨物運送状のオリジナルと荷渡指図書を引き渡す。

② **運賃着払いの場合**

航空会社は貨物の到着通知書と航空貨物運送状のオリジナルのみを送付して、運賃支払い後に荷渡指図書を引き渡す。

チェック問題

次の各文章について、正しいものには○を、誤っているものには×をつけなさい。

① 荷受人は本船到着案内で本船入港日を確認して海貨業者または通関業者へ輸入通関を依頼し、貨物の引取り予定日までに船荷証券裏面に裏書を行い、船会社から荷渡指図書（Delivery Order）を取得しておく。

② 荷渡指図書を取得する方法としては、「輸入貨物代金の決済」または「輸入ユーザンス」による2つの取得方法のみである。

③ 荷渡指図書とは、船会社が荷受人に貨物を引き渡すように荷渡しを指図したもので、あて先は、FCL貨物ではCFSオペレーターあてに、LCL貨物ではCYオペレーターあてに、在来船で自家取りの場合にはステベあてに、総揚げの場合は船長あてに作成される。

④ 荷受人（輸入者）は、船荷証券が銀行に未着の場合は、輸入担保荷物保管証、すなわち船会社に荷受人の荷受けに対し銀行が連帯保証する旨の保証状であるL／Gを差し入れて船会社から荷渡指図書（D／O）の交付を受ける。

⑤ 信用状による航空輸送貨物の場合に、貨物を早く引き取りたいときには、輸入者は航空会社から貨物を借り受ける形でリリース・オーダーを発行してもらう。

⑥ FCL貨物のヤード通関の場合、荷受人はコンテナのまま引き取るので、荷受人とCYオペレーターとの間で機器受渡証（E/R-out）を双方署名のうえ交換し、コンテナの貸出しを受ける。

⑦ CYでFCL貨物が上記⑥の手続完了後、ゲートで、ゲートクラークはコンテナ番号やコンテナシール番号の確認、外観検査、税関許可の書類確認をして、コンテナの外観の異常やシール番号の相違などがあればデバンニング・レポートに摘要（リマーク）を記入する。

⑧ LCL貨物のヤード通関の場合、本船からエプロンに荷卸しされ、CYを経由してCFSに搬入される。CFSで貨物がコンテナから取り出され、荷受人は、CFSオペレーターに荷渡指図書を提出して貨物を引き取る。

⑨ 在来船の荷受けは、総揚げ・自家取りとも、個数不足や、貨物に損傷があった場合は、荷卸ししたときに荷受人の検数人によりカーゴ・ボート・ノート（Cargo Boat Note）がつくられ、リマークが記入される。

⑩　総揚げとは、船会社の指定した荷揚代理店（Landing Agent）またはステベが、多数の荷主の貨物を一括して全部陸揚げして保税地域、他所蔵置許可場所に搬入することをいう。

⑪　荷主などの用船者が、保証した停泊期間に荷役を終了できず、停泊期間を超えて船舶を停泊させた場合、傭船者が船主に支払う違約金をディスパッチ・マネー（Dispatch Money）という。

●解答と解説●

①－○　　②－×　　③－×　　④－×　　⑤－×　　⑥－○　　⑦－×
⑧－○　　⑨－○　　⑩－○　　⑪－×

①　○

②　×　荷渡指図書の取得方法には、輸入担保荷物引取保証（L／G）、輸入貨物代金の決済または輸入ユーザンスによる取得がある。

③　×　荷渡指図書とは、船会社が荷受人に貨物を引き渡すように荷渡しを指図したもので、宛先は、FCL貨物ではCYオペレーターあてに、LCL貨物ではCFSオペレーターあてに、在来船で自家取りの場合には船長あてに、総揚げの場合はステベあてに作成される。

④　×　荷受人は、船荷証券が銀行に未着の場合は、「輸入担保荷物引取保証（L／G）」、すなわち船会社に荷受人の荷受けに対し銀行が連帯保証する旨の保証状であるL／Gを差し入れて、船会社から荷渡指図書の交付を受ける。

⑤　×　信用状による航空輸送貨物の場合に、貨物を早く引き取りたいときには、輸入者は信用状発行銀行から貨物を借り受ける形でリリース・オーダーを発行してもらう。

⑥　○

⑦　×　FCL貨物の場合、CYでの手続完了後、ゲートで、ゲートクラークはコンテナ番号やコンテナシール番号の確認、外観検査、税関許可の書類確認をして、リマーク（コンテナの外観の異常、シール番号相違など）があれば機器受渡書（搬出）（E/R-out）に記入する。

⑧　○

⑨　○

⑩　○

⑪　×　荷主などの用船者が、保証した停泊期間内に荷役を終了できず、停泊期間（レイ・タイム：Lay Time）を超えて船舶を停泊させた場合、用船者が船主に支払う割増金（違約金）を滞船料（デマレージ：Demurrage）という。早出し料（ディスパッチ・マネー：Dispatch　Money）とは、荷主などの用船者が、約定した停泊期間満了前に荷役を終了した場合、その短縮された期間に対して船主が用船者に支払う報奨金をいう。

第2節　運送上のクレーム

> 本章第2節以降では、船会社に対する「運送クレーム」や保険会社に対する「保険クレーム」の流れと、どのような書類と手続が必要になるのかを学ぶ。
> また、「貿易クレーム」により紛争が発生した場合の解決方法を順を追ってみていき、さらに国際条約との関連を理解する。

貿易実務上の「クレーム」には大きく分けて次の3種類がある。
① **運送クレーム**　輸入者（荷主）が貨物運送において、不着、抜荷などの量的な損害を被ったり、海水濡れ、破損などによる質的な損害を被ったりした際に、運送人に対して提起する損害賠償請求。この場合、運送人とは主に船会社である。
② **保険クレーム**　船会社などに対する損害賠償請求が難航したり、船会社に責任があることが判明してもその支払いが遅延する場合や船会社に責任を問えない損害である場合に、保険会社に対して請求すること。
③ **貿易クレーム**　輸出者（荷送人）が契約条件と異なる品質の貨物を船積みしたことなどにより発生した損害に対して賠償を求めること。

以下、まず「運送クレーム」と「保険クレーム」を取り上げ、手続の流れと必要書類について理解する。

(1) 損害賠償請求権等の所在

A．船積み前

CIF条件での付保、輸出FOB保険の付保がある場合には、貨物が輸出する本船に積み込まれる前に事故に遭い、損害を被ったときは、本船積込み前の損害（before loading claims）として、輸出者は直ちに保険会社に損害を通知する。保険会社指定の鑑定人（Surveyor）から鑑定書（Survey Report）を取り付け、所定の保険金請求書とともに保険会社に提出し保険金の請求をする。

B．船積後

船積後に発生した損害については次の2点に注意したい。

① FOB、CFR、CIFなどの条件の場合、本船に積み込まれた後に発生した損害については、危険負担は既に輸入者（荷主）に移っているので、輸入者に保険金の請求権があり、輸出者（荷送人）には保険金請求権はない。しかし、たとえば、積出港に停泊中に船火事が発生した場合には、輸出者は輸入者に通知をしたり、必要に応じて保険会社とも連絡をとり、輸入者に対して情報サービスの便宜を提供する必要がある。
② 運送人が輸出者から貨物を引き取ってから輸入者に引き渡すまでに生じた事故で、たとえば、コンテナをガントリークレーンで船積中に落下事故を起こしたり、あるいは冷凍コンテナの冷凍装置の設定をまちがえたりして、中身の冷凍食品を腐らせた場合には、船会社の責任になる。しかし、本船が荒天に遭遇して、中身が荷崩れを起こし損傷した場合など、またはコンテナ内の化学薬品が自然発火し炎上した場合などは運送人の責任とはならない。

(2) 輸入港到着後の損害賠償請求の方法

貨物の被った損害が輸入港到着後に明らかになった場合、主たる求償先は船会社である。

A．船会社に対する事故通知（予備クレーム）
(a) 荷受け時に貨物の損傷を発見した場合
① 本船が海難に遭遇したなど、荷卸し前に損傷が発生していることがわかっている場合、損傷の検査を受ける必要があるが、下記ⅰ）損傷検査（Damage Survey）だけでなく、ⅱ）艙口検査（Hatch Survey）も受けるようにする。
  ⅰ）損傷検査（Damage Survey）：貨物に損害が発生した場合に、その損害の程度、原因、損害額などを検査すること。
  ⅱ）艙口検査（Hatch Survey）：鑑定人（Surveyor）が本船に立ち入り、ハッチ（艙口）を開いて、積荷の状況、海水浸水の程度などを調べ、船長や一等航海士に面談して海難の有無や程度、航海中の天候などを調査し、損傷や原因、程度を検査すること。
② 輸入者（荷主）は貨物の受取りに際し、包装の破損や、貨物の損傷・不足を発見したときは、リマークのある書類を証拠として取り付ける必要がある。

ⅰ）在来船の場合はカーゴ・ボート・ノートに、リマークを取り付ける。
　ⅱ）コンテナ船の場合、LCL貨物とFCL貨物では当然に対応が分かれる。
　　a．LCL貨物であればデバンニング・レポートに、リマークを取り付ける。
　　b．FCL貨物はコンテナ・ヤードではデバンニングしないが、次のような異常がないかどうか観察する。
　　　① コンテナの外観に損傷がある（内部の貨物にも損傷があることが予測されるため）。
　　　② コンテナシールが剥がれて、なくなっている。
　　　③ 船荷証券上の番号と一致しない番号のシールが添付されている（②、③とも誰かが開扉した可能性があるため）。
　異常があった場合は、船会社への求償に備え機器受渡証（搬出）に証拠のため、必ずリマークを取り付ける。

(b) 荷受け時には発見できず、あとで自社の倉庫等で発見した場合

　輸入者は、船会社に「事故通知」（Notice of Damage）を提出する。この船会社への事故通知は、予備クレーム（Preliminary Claim）の役割を持ち、保険会社が将来船会社に求償する際の損害賠償請求権（代位請求権）を確保するものでもある。また、国際海上物品運送法[注1]に準拠した船荷証券の免責約款では、船会社の貨物の引渡し後3日以内に提出しなければ、船会社は責任を負わないこととされている。運送人に対する損害賠償請求権を確保するために、輸入者が運送人に対して3日以内に書面で予備クレームを行う。次に、この事故通知（予備クレーム）を受理した船会社は、船会社側に責任があるかどうか、調査を行う。

　貨物の引渡し後3日以内に事故通知（予備クレーム）を行うことはむずかしい場合もあるので、実務的には1週間〜10日程度後でも受理されているが、あまり遅いと"外見上良好な状態"で引き渡されたとみなされ、"引渡し後の事故"と判断される。事故通知（予備クレーム）には、詳細を記載する必要はなく、運送品に異常があったことを通知し、クレームする権利を確保すればよい。

　その場合、輸入者は、船会社への事故通知（予備クレーム）と同時に保険証券に記載されている揚地の保険会社の事務所またはクレーム・エージェン

ト(注2)に事故通知を行い、損害拡大の防止、貨物の保全処置を行う。船会社と保険会社の担当者の立会い検査を受け、**鑑定人（Surveyor）**の鑑定を依頼するかどうかを協議する。

なお、国際航空輸送においては、貨物に損傷があった場合、わが国の航空運送約款では貨物の受取りの日から**14日以内**に運送人に対して事故通知を行う、と定められている。

（注1）国際海上物品運送法第7条第1項
「荷受人または船荷証券所持人は、運送品の一部滅失または損傷があったときは、受取の際運送人に対してその滅失または損傷の概況につき書面による通知を発しなければならない。ただし、その滅失または損傷が直ちに発見することができないものであるときは、受取の日から3日以内にその通知を発すれば足りる。」

（注2）クレーム・エージェント
保険会社は、世界の主要港のほかに各国各地にクレーム処理や精算事務を代行する損害査定（精算）代理店を置いている。この代理店をクレーム・エージェントという。

B．船会社に対する求償（本クレーム）

一般に、貨物に損傷を受けた事故すなわち質的事故の場合には、船会社は明らかな落ち度がない限り、**船荷証券の免責条項や海難報告書**(注1)により免責を立証して弁償を拒否し、**弁償拒否状**(注2)を送付してくる。一般に船会社の免責は、明白な証拠がない限り認められる。

たとえば、貨物の数量に不足がある場合でも、CY/CYコンテナ（輸出地のCYから輸入地のCYに輸送されるコンテナ）で中身の個数が足りなかった場合には、そのコンテナのシール番号が船荷証券上のシール番号と異なっていたとか、剥がれていたなどの事実がない限り、船会社は免責になる。コンテナ船によるFCL貨物の場合は、B／L上には"Shipper's Load and Count" "Said to Contain"との不知文言があり、またB／Lの裏面約款にも"Unknown Clause, Shipper Packed Container"と二重に免責を規定している。

そこで相当の損害がある場合には、鑑定を依頼し、**鑑定書（Survey Report）**を入手することが必要になる。

輸入者と船会社、保険会社が立会い検査を行い、輸入者は船会社に対して専門の調査機関で調査した鑑定報告書を添付して求償を申し入れる。船会社による調査の結果、船会社に責任があることが明白になった場合で、船会社が求償

に応じるときは求償を承諾する旨通知される。

　船会社以外に責任の所在がある場合には、その責任の所在に応じて、輸入者は、受託契約等にもとづいて、海貨業者、倉庫業者などに求償する。

　船会社に責任があることが確定してから、必要書類（「Ｃ．求償に必要な添付書類」参照）を立証書類として添付して「確定損害賠償の請求」(**本クレーム**)(**Final Claim**) をする。

　このように通常は、事故通知、本クレームの２段階の手続をする。しかし、揚げ不足（荷卸しの際の貨物の個数不足）の場合は、カーゴ・ボート・ノートや倉庫会社の記録などで最初から「**確定損害賠償の請求**」(**本クレーム**)をすることも可能である。

　運送人への**損害賠償請求権**は、船荷証券統一条約（ヘーグ・ルール）および国際海上物品運送法にもとづくＢ／Ｌ約款により、**貨物の受取り後１年以内**(注3)に本クレームをしないと消滅する。たとえ運送人に責任があっても請求権は**消滅**してしまい、免責される。そこで期限切れになる前に解決が不可能と判断したら、時効の延長のため船会社に**時効延長願**（**Application for Time Extension**）を届ける必要がある。

　一方、航空輸送で輸入した貨物に損傷があった場合、ワルソー条約、ヘーグ議定書、モントリオール第四議定書規定第29条は、「責任に関する訴えは、到着日・到着すべきであった日または運送中止の日から**２年以内**に提訴しなければならず、期間経過後は提訴できない」と規定している。

(注１) 海難報告書（Captain's Protest、Sea Protest）とは、本船が航海中に悪天候に遭遇し、船体、積荷が損害を被ったとき、または損害が発生したかもしれない場合に、船長が、入港と同時に着港の官庁または領事あてに荒天または海難の状況について説明した報告書である。これは損害が不可抗力によるもので、船長に責任がない旨を主張するためのものである。

(注２) 弁償拒否状（Rejecting Letter）とは、現時点では運送人の責任は考えられないという補償の拒否状（＝回答書　Carrier's Reply）であり、拒否理由が書かれている。

C．求償に必要な添付書類（一定の基準はない。必要なものを添付する）
(a) 本クレームは**損害賠償請求書**(Claim Letter、Claim Note)によって行う。その主な記載事項は次のようである。

> 損害の種類、船名、船荷証券番号、保険証券番号、積出港、仕向港、出港日、荷印、商品名、数量、インボイス番号、インボイス金額、保険金額など。

(b) (a)の「損害賠償請求書」には、必要に応じて下記の書類を添付する。
① 船荷証券のコピー
（本船、B／L番号、運送品などの明細を知るため）
② インボイス（シッパーの署名のあるコピー）
（運送品の価格、損傷品目と正常品目との価格の違いなどを明らかにするため）
③ カーゴ・ボート・ノート
タリー・シート（Tally Sheet）…自家取りの場合のみ（総揚げはなし）
デバンニング・レポート…LCL貨物
（運送品の異常がリマークされているかどうか）
④ 鑑定書（Survey Report）…損傷検査や艙口検査を依頼して入手した場合など、サーベイ（鑑定）にかけた場合
（損傷、破損の状況を知るため）
⑤ Debit Note（損害額の請求書）
⑥ その他証拠書類、機器受渡証、CLP（コンテナ内積付表）、Partlow Chart（コンテナ内の温度を記録したもので、冷凍コンテナ食品の腐敗には必須の証拠となる）など

第3節　保険会社に対する求償

　輸入者（荷主）は原則として、①輸出者（荷送人）にも船会社にも責任がなく賠償金が支払われない場合、②船会社の責任の有無が確定しない場合、③船会社に責任があるが賠償金の支払いが遅れる場合には、保険会社に求償する。
　貨物の不着、抜荷などの量的な損害の場合は、既に貨物は減失しており、受渡し書類で立証可能であるが、海水濡れ、破損などの質的な損害の場合には、損害額の確定のために鑑定人を選定して検査を求め、損害額の査定を行い、保険会社に対し保険金を請求する。

(1) 全損の場合

　全損には、「絶対（現実）全損」と「推定全損」とがある。
　運送契約をした貨物の全部が損失した場合、または船舶が行方不明で全損と推定できる場合が「絶対（現実）全損」である。一方、貨物の全部が減失に近い損害を受け、それを回復させるのに要する費用がその貨物の価値以上に達すると推定される場合は、法律上これを全損とみなし、「推定全損」という。いずれも、上記③の船会社に責任がある場合には、被保険者は保険会社に**委付**（Abandonment）をすることにより、保険金全額の支払いを受ける。
　委付とは、輸入者の有する保険の目的物（貨物）に対する権利を保険者（保険会社）に移転し、損害賠償の請求権も移すことをいう。保険会社は、保険金の支払いと引換えに、輸入者（荷主）が船会社に対して有する損害賠償請求権を継承（保険代位）する。
　保険会社が保険金支払いにより損害賠償請求権を代位取得した場合は、被保険者は**権利移転領収書**（Subrogation Receipt）に署名し、保険会社に提出する。保険会社はこの権利移転領収書に損害立証書類を添付して、船会社に対し代位請求をしていく。

図表9−1　委付証の書式例

委　付　証

東洋海上火災保険会社　御中

　船　名　：　M/S　Tokyo Maru

　事　故　：　Damage of all goods

上記の件に関し下記の貨物を貴社に委付します。ついては、次の通り確約いたします。

1. 貴社がこの委付物件に関する権利を行使の際必要な一切の手続きは貴社の
ご請求に応じて何時でもこれを履行いたします。
2. この委付物件に後日故障等の申出があった場合には下名でこれを引受け
貴社には一切ご迷惑をお掛けいたしません。

　　令和XX年10月15日

　　　　　　　　　　　　　　　被保険者　日本貿易株式会社

　　　　　　　　　　　　　　　　　　　　代表取締役　小林　太郎

保険証券			船路	委付物件	該当保険金額
発行地	年月日	番号			
Seoul	February 7,20xx	TKKI-04-789	Korea	39 Cartons(780 pcs.) of LEATHER JACKET	￥4,153,600

(2) 分損（Partial Loss）の場合

分損とは、貨物の一部が滅失または毀損した場合で、その損害またはその結果として生じた費用について単独で負担するか、共同で負担するかによって、単独海損と共同海損に分かれる。

A．単独海損である分損の場合

(a) **量的な分損**

量的損害は、滅失または減少した量に対する保険金の割合を算出して支払われる。

（例）AとBという2種類の貨物を合計100個輸入し、うちAの貨物10個がカートンを破られ抜荷された。

100個分合計の保険金額　￥1,375,000

インボイス（CIF 規則）　　A　＠￥10,000×50個＝　￥500,000
　　　　　　　　　　　　　B　＠￥15,000×50個＝　￥750,000
　　　　　　　　　　　　　合計　CIF　　　　　　￥1,250,000

算式…保険金額×受損貨物のインボイス金額／合計インボイス金額＝支払い保険金

$$¥1,375,000 \times \frac{@¥10,000 \times 10}{¥1,250,000} = ¥110,000$$

(b) **質的な分損**

海水濡れや破損などの質的な損害を被って到着した場合、以下のような二通りの保険金の計算方法がとられている。

① **格落ち処理をする場合**

（例）コロンビアからコーヒー豆150M／Tを輸入した。しかし、15M／Tが海水に濡れているのが判明し、その分は、本来の国内売却先である焙煎業者に引取りが拒絶された。そこで輸入者（荷主）は他の使用業者を見つけ、￥130／kgで売却した。本来、市場に出せば￥260／kg程度で売れるものであった。

保険金額　　　　　　　　￥25,000,000
売却による値引率　　　　￥130／￥260×100＝50％

該当保険金額	¥25,000,000×15/150M／T ＝ ¥2,500,000
支払い保険金	¥2,500,000×50％ ＝ ¥1,250,000

② **損率協定（allowance）をする場合**

　損率協定（allowance）とは、貨物が被損状態で到着した場合に、保険会社の係員や専門の損害検査人が損害貨物の処理方法、原状回復のための手入れにかかる費用、貨物の値引率などを検討し、保険金額の何パーセントを支払うか、被保険者に対して約束する旨の協定をいう。被保険者としては、損害貨物の手入れを行って、売却し、損害額を確定してから保険金のてん補を受けるのは、かなり時間がかかるので、保険者と損率協定をすることで、早期に支払いを受けられるというメリットがある。

　（例）①の例と同様、コロンビアからコーヒー豆150M／T（保険金額¥25,000,000）を輸入した。しかし、15M／Tが海水に濡れているのが判明し、その分は、本来の国内売却先である焙煎業者に引取りを拒絶された。ほかになかなか売却先が見つからず、売却には時間や手間と費用がかかることになるため、保険会社、鑑定人と相談した結果、損害の程度から考え、程度の重い5M／Tは格落ち50％、比較的程度の軽い残りの10M／Tは格落ち20％で協定することになった。

　¥25,000,000×｛(5M／T×50％＋10M／T×20％)÷150M／T｝＝¥750,000（支払い保険金）

B．共同海損の場合の処理

　共同海損の処理については、**ヨーク・アントワープ規則**にしたがって精算する旨の定めが共同海損約款にある。この規則は、各種の傭船契約書、船荷証券および保険証券の中で世界的に利用されており、事実上共同海損に関する国際的な準則になっている。

　処理の流れは次のようである。
① 共同海損が発生すると、船会社は鑑定人に対して船舶および貨物の損害を検査・鑑定させるとともに、共同海損が発生した旨を輸入者にあてて通知する。これを「**共同海損宣言（G.A.Declaration）**」といい、明文化したものを「共同海損宣言状」と呼ぶ。
② 船会社はその通知に輸入者の共同海損処理の同意を得るために、輸入者に

対して**共同海損盟約書**^(注1)（Average Bond）と、**積荷価格告知書**^(注2)（Valuation Form）を添付して送付する。

③ 輸入者は共同海損の通知を受領した後、直ちに保険会社に連絡し、下記書類を送付して、**共同海損分担保証状**^(注3)（**G.A.Guarantee、L／G（Letter of Guarantee）ともいう）の発行を依頼する。

　　a．保険証券（または保険証券の発行が省略されている場合は「保険料請求書」（Debit Note））
　　b．共同海損宣言状（G.A.Declaration Letter）：コピー
　　c．共同海損盟約書（Average Bond）：輸入者の署名のあるコピー
　　d．積荷価格告知書（Valuation Form）：輸入者の署名のあるコピー
　　e．インボイス：コピー（FOBの場合には、保険料の請求書と船会社の運賃請求書（Freight Debit Note）、CFR（C&F）の場合には、保険料の請求書を添付する）
　　f．船荷証券：コピー

④ 自己の貨物に損害がない場合は、保険会社から発行された共同海損分担保証状を船会社に提出し、貨物の引渡しを受ける。保険会社への求償は行わない。共同海損分担保証状の発行を保険会社から受けて、船会社に提出するのが一般的である。提出に代えて**共同海損供託金（G.A.Deposit）**の供託も認められるが、実務上は共同海損分担保証状の発行を受けるのが一般的である。

⑤ 自己の貨物に損害がある場合は、直ちに保険会社に連絡し、共同海損分担保証状の発行を依頼し、さらに船会社の指定した共同海損鑑定人（G.A. Surveyor）に自己の貨物の損傷について鑑定を依頼する。鑑定費用は保険でてん補され、輸入者が負担することはない。

⑥ 利害関係人の間の精算が完了するまでには、通常1年〜3年の日数がかかる。そこで、共同海損が発生した場合、輸入者は、保険証券、共同海損宣言状、共同海損盟約書、積荷価格告知書、インボイス、船荷証券に保険会社の共同海損分担保証状（L／G）を添付して、船会社に提出すれば、貨物の引渡しが受けられる。その後は輸入者と船会社の交渉はなくなる。

⑦ 船会社に依頼された共同海損精算人が**共同海損精算書（Statement of G.A.）**を作成する。共同海損の精算は、保険会社と船会社あるいは精算人との間で行われる。

⑧　船会社または精算人は、保険会社に対して共同海損精算書と共同海損分担金請求書を送付する。保険会社は内容を精査して、貨物の共同海損分担金を船会社に支払い、共同海損の処理が終了する。

（注１）共同海損盟約書（Average Bond）（図表９－２参照）とは、共同海損が発生した場合に、船舶の輸入港入港と同時に船会社が発する文書である。各荷主に対して共同海損が発生した旨を通知し、共同海損の処理について同意を求める内容となっている。貨物の引渡しを受けたら、割り当てられた共同海損分担金を支払うこと、かつ分担金の算出上必要な自己の貨物の明細、正しい価格を申告することを約束させる書面である。

（注２）積荷価格告知書（Valuation Form）（図表９－３参照）とは、貨物の共同海損負担価額を算定するための資料となるものであり、貨物の正味到着価額（現在の価値）を申告する。また損傷のある状態で到着したものも正味到着価額で申告する。この価額を申告記載したものが積荷価格告知書である。ヨーク・アントワープ規則第17条によると、貨物の分担価額は、荷卸時の価額として、商業送り状のCIF価格によって確定するとしている。そのためインボイスの価額がFOBの場合は海上運賃と海上保険料、CFR（C&F）の場合は海上保険料の提出が必要となる。

　　　Valuation Form A欄には、インボイスがある場合に記入し、Valuation Form B欄には、インボイスのない場合で、船積価額を記入する。CIF条件で輸入したものは、インボイス金額をそのまま記入し、FOB条件で輸入したものは、まずFOB価格を書き、次に海上運賃、海上保険料を記入し、最終的にはCIF価格とする。

（注３）共同海損分担保証状（G.A. Guarantee, Letter of Guarantee ＝ L／G）について。

　　　船会社は、本来、共同海損分担金の支払いを受けなければ、留置権を主張し貨物を輸入者に渡すことはない。しかし、共同海損の精算金が判明するまでには相当の日数を要するので、その精算金の支払いの保証として、保険会社の支払保証状を船会社に差し入れれば、貨物の引渡しが受けられる。この支払保証状を「共同海損分担保証状」という。

　　　共同海損分担保証状の内容は「保険会社が輸入者（荷主）に代わって共同海損、救助費、その他費用の分担額を支払う」というもの。

図表９－２　共同海損盟約書

AVERAGE BOND
(LLOYD'S FORM)

To　Cosmo Japan Co., Ltd .
Owner(s) of the M/S *"Neptune "*
Voyage and date at and from *Busan Korea* to *Tokyo*, sailing on *April 5, 20xx*
Port of shipment *Busan*
　　　　　　　　Port of destination/discharge *Tokyo*
　　　　　　　　Bill of Lading or waybill number(s) *FB-58141*

Quantity and description of goods
39 Cartons (780 pcs.) of LEATHER JACKET

　　In consideration of the delivery to us or to our order, on payment of the freight due, of the goods noted above we agree to pay the proper proportion of any salvage and/or general special charges which may hereafter be ascertained to be due from the goods or the shippers or owners thereof under an adjustment prepared in accordance with the provisions of the contract of affreightment governing the carriage of the goods or, failing any such provision, in accordance with the law and practice of the place where the common maritime adventure ended and which is payable in respect of the goods by shipper or owners thereof.
We also agree to:
(1) furnish particulars of the value of the goods, supported by a copy of the commercial invoice rendered to us or, if there is no such invoice, details of the shipped value and
(2) make a payment on account of such sum as is duly certified by the average adjusters to be due from the goods and which is payable in respect of the goods by the shippers or owners thereof.

Date *June 11, 20XX.*　　Signature of receiver goods
Full name and address＿＿＿＿*Japan Trading Co., Ltd.*
＿＿＿＿＿＿＿＿＿＿＿＿＿＿*1-2 Otemachi, 1-chome, Chiyoda-ku, Tokyo*＿

図表９－３　積荷価格告知書

VALUATION FORM

To   Cosmo Japan Co., Ltd.
Owner(s) of the M / S "Neptune"
Voyage and date at and from Busan Korea to Tokyo, sailing on April 5, 20xx
Port of shipment Busan
　　　　　Port of destination/discharge Tokyo
　　　　　Bill of Lading or waybill number(s) FB-58141

Quantity and description of goods	Particulars of Value	
	A Invoice value (specify	B Shipped value currency)
39 Cartons (780 pcs.) of LEATHER JACKET	JP¥4,168,000 (CIF)	

1 If the goods are insured please state the following details(if known):
　Name and address of insurers or brokers   THE TOYO MARINE AND FIRE INSURANCE Policy or certificate number and date 04-243 April 6, 20xx Insured value JP¥4,153,600
2 If the goods arrived subject to loss or damage, please state nature and extent thereof. and ensure that copies of supporting documents are forwarded either direct or through the insurers to the average adjusters named below.
3 If a general average deposit has been paid, please state:
　(a)Amount of the deposit　　　　　　　　　(b)Deposit receipt number
　(c) Whether you have made any claim on your insurers
　　for reimbursement
　　　　　　　　　　　　　　　　　Signature
Date
Full name and address　　　　　　　Japan Trading Co., Ltd.

参考　保険金請求に必要な書類

	必　要　書　類	航海中の全損	分損 Damage 損傷	分損 TPND 盗難、抜荷、不着損害	分損 Shortage 不足損害
①	Claim Note	◎	◎	◎	◎
②	Policy または Certificate	◎	◎	◎	◎
③	Invoice	◎	◎	◎	◎
④	Packing List		○	○	○
⑤	Bill of Lading	◎ (full set)	◎	◎	◎
⑥	Weight Certificate（積地および揚地）	△	△	△	◎
⑦	Cargo Boat Note（在来船の場合）		◎	◎	◎
⑧	Lading Report（在来船の場合）		◎	◎	◎
⑨	Equipment Receipt（コンテナ貨物 FCL の場合）		◎	◎	
⑩	Devanning Report（コンテナ貨物 LCL の場合）		◎	◎	◎
⑪	Delivery Record（コンテナ貨物 LCL の場合）		◎	◎	◎
⑫	Survey Report		○	△	
⑬	Survey Fee 請求書		○	△	
⑭	Claim Notice to Carriers	◎	◎	◎	◎
⑮	Carriers' Reply	○	○	○	○
⑯	損害額を立証する書類（修理費用明細書など）		○		
⑰	Captain's (Sea) Protest	△	△	△	
⑱	Stowage Plan	△	△	△	
⑲	Import Declaration（Duty が付保されている場合）	◎	◎	◎	◎
⑳	Charter Party	△	△	△	△

資料：三井住友海上「外航貨物海上保険案内」、東京海上日動「貨物保険案内」などから作成
(注)　◎　必ず必要な書類
　　　○　原則として必要な書類
　　　△　貨物または損害内容によっては必要な書類

保険金請求のための主な書類の内容

①…保険金請求書＝損害求償状：保険会社あての請求書で、被保険者名義の請求書を作成する。
②…保険証券：全通（通常は2通）。保険請求者が正当な請求者であるかどうかを証明するもの。
③…インボイス：荷送人の署名のあるコピー。
⑤…船荷証券：全通。通常は、サインのあるコピーでよいが、沈没など航海中に貨物が全損になった場合は、オリジナルB／Lの全通が必要。
⑭…Claim Notice to Carriers：運送人に対する求償権を保全するために、運送人に送付した事故通知（予備クレーム）。
⑮…Carriers' Reply：それに対して運送人からきた回答書。
⑰…Captain's (Sea) Protest（海難報告書）：本船が衝突、沈没、火災などの海難に遭遇した場合に、船長が、入港と同時に着港の官庁または領事あてに荒天または海難の状況について説明した報告書。

(3) 貸付金形式支払（Loan Form Payment）

　貨物の損害の求償はまず船会社に行い、支払いを拒否された後に保険会社に求償するのが原則である。しかし、その責任の所在が不明の場合、または船会社にあることが明白であっても船会社の賠償金の支払いは遅れがちであり、その額が多額の場合は、輸入者の資金繰り上問題も発生する。そこで、その損害が保険契約の範囲内であれば被保険者と保険会社との話合いで、保険会社が支払うべき保険金に相当する金額を無利息で「貸付金」の形で受けることがある。

　また、被保険者（輸入者）と船会社との今までの取引関係上、保険者が代位求償していくよりも、被保険者が自分（輸入者）の名前で船会社に請求するほうが有利で、かつ円滑に行われる場合が多い。そこで、その貨物の求償権を保険会社に移転せず被保険者（輸入者）の名前で求償し、賠償金を得た後に保険会社からの借入金の返済に充当する形をとる。

第4節　売買契約上のクレーム（貿易クレーム）の解決

(1) 輸出者への求償

　船積み前に生じた損傷や契約相違などから発生した貿易クレームは、輸出者にその責任がある。この場合船会社と保険会社はクレームに応じないので、輸出者である売手にクレームの申し立てをする。その解決は売買契約で取り決めた方法で当事者間の話し合いにより解決する方法が最も多くとられているが、この場合、本人同士が直接折衝する場合と、弁護士などを立てて行う方法がある。それでも不調の場合は、斡旋、調停、仲裁、訴訟などによって解決を図る。
　まず貿易クレームをみてみよう。主なクレームは次の4種に整理される。
① 　品質・数量のクレーム：品質不良、品質相違、不完全包装、破損、着荷不足
② 　貨物受渡しのクレーム：船積相違（契約品以外の船積み）、船積遅延
③ 　価格・決済のクレーム：契約不履行、解約

また、輸出者に不当なクレームを要求してくる場合、これをマーケット・クレームという。
④ 　マーケット・クレーム：市場価格が下落した場合、買主がその被る損を穴埋めしようとして、通常ではクレームの対象にもならないものを口実に、値引きの要求や、引取拒否を申し出る偽装的なクレーム。輸出者は断固として拒否すべきである。

　このようなクレームを当事者間で直接に解決することができなかった場合には、次の4方法のいずれかをとることになる。

A．斡旋
　商工会議所、商社、取引銀行などの第三者に斡旋を依頼し、譲歩・妥協点を見出す方法である。双方が同意しても、**法律的な拘束力はなく**、両当事者がその解決案（和解案）を誠実に履行することを期待するしかない。

B．調停

両当事者の双方が選んだ調停人が、双方の意見や証拠書類等にもとづき調停案を提出し、当事者間の合意により解決策を見出そうとする方法である。両当事者は調停案を受諾する義務はなく、この調停案も**法律的な拘束力**はない。

C．仲裁

当事者の**選んだ仲裁人**（仲裁判断を下してくれる人）や**仲裁機関**（わが国では日本商事仲裁協会、国際的仲裁機関としては国際商業会議所など）にトラブル解決のいっさいを任せる。この仲裁で、当事者によって合意された仲裁判断はニューヨーク条約（仲裁に関する国際条約）加盟国間で**法律的な拘束力**を持つ。裁定通りの履行をしない場合は、裁判所で強制執行の判決を得て、執行を実施できる。

D．訴訟

通常、斡旋、調停を経ても、解決がつかないときは、訴訟に移行する。国際商取引裁判所等は存在しないため、自国の裁判所または相手国の裁判所に訴訟を提起することになる。自国の裁判所で勝訴判決を得て損害賠償請求権を認められたとしても、直ちには強制執行できず、再度、相手国の裁判所に訴訟を提起する必要がある。

以上のように解決方法には、斡旋・調停・仲裁・訴訟があるが、万一紛争が起こった場合の解決方法として一番効果的なものが「**仲裁**」である。

したがって、売買契約書に**仲裁条項**（Arbitration Clause）をあらかじめ取り決めておくのが一般的である。

(2) 仲裁条項で決めておくこと

① 仲裁地
② 仲裁機関または仲裁人
③ 仲裁規則

このうち②は、仲裁の方法を「国際商事仲裁による制度的仲裁（Institutional Arbitration）」にするか、「個別的仲裁（Ad hoc Arbitration）」にするかによって決まってくる。

(a) **制度的仲裁**（Institutional Arbitration）とは、常設の仲裁機関に仲裁を依頼することであり、常設の仲裁機関の規則、設備、ノウハウ、サービスなどを利用できることから、国際商事仲裁においては広く採用されている。

(b) **個別的仲裁**（Ad hoc Arbitration）とは、紛争の当事者が、既存の常設仲裁機関などを利用せずに、個別の紛争を仲裁で解決することを合意し、仲裁人を選定し、選任した仲裁人に仲裁をしてもらう方法である。この場合は、売買契約書に仲裁人の選任のみならず、③の仲裁規則も決める必要がある。

(3) 仲裁の利点

仲裁には次のような利点があると考えられている。

① 仲裁人による判断

　当事者が仲裁人を選ぶことができる。取引の実情に精通した専門家を選べるので、現実的で妥当な解決が期待できる。

② 手続の非公開

　営業上の秘密や、企業のプライバシーを守ることができる。

③ 上訴がない

　手続が簡略で時間も節約でき、紛争解決に要するコストを削減できる。

　（しかしこの一審制が仲裁の欠点でもある。紛争金額が大きい場合、一回の仲裁判断（確定判決と同じ）で多額の賠償を負うおそれがあるため、当事者にプレッシャーとなる。1990年代にサンフランシスコで起きた日米企業間のコンピュータ関連事業契約をめぐる紛争では、多額の損害賠償支払いを命ずる仲裁判断が下された。）

④ 仲裁地の選択が可能

　相手の国で訴訟を起こされることがない。訴訟の場合に問題となる国際裁判管轄の問題を回避できる。

⑤ 外国での執行が容易

このような利点があるためあらかじめ売買契約書に仲裁方法を取り決めるのが一般的であるが、売買契約自体が解除された場合には、その中で取り決めた仲裁条項がどうなるかが問題となる。それについては**仲裁合意の独立性**（Separability）という概念がある。

　仲裁合意の独立性とは、主たる売買契約が買手の代金の不払い等を理由に契約

が解除されたとしても、その契約書中でなされた仲裁合意は当然には無効とはならず、その主契約とは切り離されて独立して存続し、未回収の売買代金の取立や損害賠償の請求については、その契約書の仲裁条項の定めにもとづいて解決が図られるというものである。わが国においても通説、判例ともこれを認めている（最判昭和50年7月15日）。

(4) 仲裁に関する国際条約と仲裁判断

　仲裁は、国の司法裁判所によらない民事紛争解決の一つであり、その解決を当事者の選任する仲裁人に任せ、下された仲裁判断に服することによって紛争を解決する方法である。多くの国では国内法で仲裁に関する法律の規定を設けており、わが国でも「仲裁判断は当事者間において確定したる裁判所の判決と同一の効力を有する」（仲裁法第45条）として、仲裁判断は最終判断と同じで、控訴はできず、強制執行が可能となる。

　しかし仲裁判断の法律的効果はわが国だけでなく他国でも認められなければ、効果はない。そこで仲裁制度の利用について他国との国際協力が必要となり、仲裁に関する国際条約が必要となる。仲裁に関する国際条約には、多数国間条約と二国間条約がある。

　多数国間条約には、次の3つの国際取決めがあり、①から③の順で欠陥を補うようにしながら締結されてきた。

① ジュネーブ議定書：契約書に定められた仲裁条項の有効性を認めているが、外国で行われた仲裁の裁定の効力と強制執行について規定していない。
　（1923年）

② ジュネーブ条約：ジュネーブ議定書の締結国における外国仲裁判断の承認と執行について規定している。しかし、条約の適用範囲、執行に関する制約が多く、実務上の要請に充分応えるものではなかった。
　（1927年）

③ ニューヨーク条約：国外で行われた仲裁判断を自国の裁判所が承認し、これに執行力を与える国際条約である。
　（1958年）

　このように、仲裁に関する国際条約には、ジュネーブ議定書、ジュネーブ条約、ニューヨーク条約があるが、ニューヨーク条約締結国間ではこれらのジュネーブ議定書、ジュネーブ条約は失効し、ニューヨーク条約が適用される。

ニューヨーク条約（第3条）によると、仲裁に関する国際条約加盟国間では、仲裁判断はそれぞれの国で法的執行力を持っている。たとえば、日本で下された仲裁判断は、裁判所の確定判決と同一の効果が認められており、一定の条件のもとで条約加盟国でも強制執行ができることが承認されている。また逆に条約加盟国でなされた仲裁判断はわが国において執行力を持つことになる。

　二国間条約（たとえば日米友好通商航海条約など）によっても、条約締結国が相手国でなされた仲裁判断の自国での執行が一定の条件のもとで保証されている場合もある。ニューヨーク条約と二国間条約との関係では、二国間条約が優先する場合が多いと考えられている（名古屋地裁昭和36年判例時報1232号）。

チェック問題

1. 次の各文章について、正しいものには○を、誤っているものには×をつけなさい。

   ① 荷受け時に貨物の損傷を発見した場合は、在来船の場合はカーゴ・ボート・ノートに、リマークを取り付ける。

   ② 荷受け時に貨物の損傷を発見した場合、コンテナ船の場合はLCL貨物であれば機器受渡証（搬出）に、FCL貨物はデバンニング・レポートに証拠のため、必ずリマークを取り付ける。

   ③ 荷受け時には発見できず、あとで自社の倉庫等で発見した場合は、輸入者が運送人に対して3日以内に書面で「事故通知」を行う。これを本クレームという。

   ④ 国際航空輸送において貨物に損傷があった場合、わが国の航空運送約款では貨物の受取りの日から15日以内に運送人に対して事故通知を行う、と定められている。

   ⑤ 運送人への損害賠償請求権は、船荷証券統一条約（ヘーグ・ルール）および国際海上物品運送法にもとづくB／L約款により、貨物の受取り後1年以内に本クレームをしないと損害賠償請求権が消滅する。

   ⑥ 委付とは、輸入者の有する保険の目的物に対する権利を保険者に移転し、損害賠償の請求権も移すことをいう。保険会社が保険金支払いにより損害賠償請求権を代位取得した場合は、被保険者は権利移転領収書（Subrogation Receipt）に署名し、保険会社に提出する。

   ⑦ 共同海損の処理については、ニューヨーク条約に従って精算する旨の定めが共同海損約款にある。この条約は、各種の傭船契約書、船荷証券および保険証券の中で世界的に利用されており、事実上共同海損に関する国際的な準則になっている。

   ⑧ 輸入者は共同海損宣言の通知を受領した後、直ちに保険会社に連絡し、共同海損盟約書（Average Bond）の発行を依頼する。

   ⑨ 航空輸送で輸入した貨物に損傷があった場合、責任に関する訴えは、到着日、到着すべきであった日または運送中止の日から2年以内に提訴しなければならない。

   ⑩ 保険会社へのクレーム手続は、到着貨物の損傷について船会社に「事故通

知」をし、船会社からの回答書（Carrier's Reply）を入手した後でなければならない。

2．仲裁に関する国際条約と仲裁判断について、次の記述のうち誤っているものはどれか。

　A　わが国で下された仲裁判断については、裁判所の確定判決と同一の効果が認められており、一定の条件のもとで強制執行することができる。

　B　仲裁方法でAd hoc Arbitration（個別的仲裁）とは、既存の仲裁機関などを利用せずに、個別の紛争を仲裁で解決することを合意し、仲裁人を選定し、選任した仲裁人に仲裁をしてもらう方法である。

　C　ニューヨーク条約以前にも、ジュネーブ議定書およびジュネーブ条約といった外国の仲裁判断に関する国際条約があるが、外国仲裁判断の承認と執行についての効力はいずれも同じである。

　D　主たる売買契約が買手の代金の不払い等を理由に契約が解除されたとしても、その契約書中でなされた仲裁合意は当然には無効とはならず、その主契約とは切り離されて独立して存続する。

●解答と解説●

1．　①－○　　②－×　　③－×　　④－×　　⑤－○
　　　⑥－○　　⑦－×　　⑧－×　　⑨－○　　⑩－×

①　○
②　×　コンテナ船の場合で、LCL貨物であればデバンニング・レポートに、FCL貨物は機器受渡証（搬出）に、証拠のため、必ずリマークを取り付ける。
③　×　荷受け時には発見できず、あとで自社の倉庫等で発見した場合は、輸入者が運送人に対して3日以内に書面で「事故通知」を行う。これを予備クレーム（Notice of Damage）という。
④　×　国際航空輸送において貨物に損傷があった場合、わが国の航空運送約款では貨物の受取りの日から14日以内に運送人に対して事故通知を行う、と定められている。
⑤　○
⑥　○

⑦ ×　共同海損の処理については、ヨーク・アントワープ規則にしたがって精算する旨の定めが共同海損約款にある。この規則は、各種の傭船契約書、船荷証券および保険証券の中で世界的に利用されており、事実上共同海損に関する国際的な準則になっている。

⑧ ×　輸入者は共同海損宣言の通知を受領した後、直ちに保険会社に連絡し、「共同海損分担保証状（G.A. Guarantee、L／G)」の発行を依頼する。

⑨ ○　航空輸送で輸入した貨物に損傷があった場合、ワルソー条約、ヘーグ議定書、モントリオール第四議定書規定第29条は、「責任に関する訴えは、到着日、到着すべきであった日または運送中止の日から2年以内に提訴しなければならず、期間経過後は提訴できない」と規定している。

⑩ ×　荷主は、船会社への事故通知（予備クレーム）と同時に、保険証券に記載されている揚地側の保険会社の事務所またはクレーム・エージェントに事故通知を行い、損害拡大の防止、貨物の保全処置を行う。

2．C

ニューヨーク条約においては、仲裁に関する国際条約加盟国間では、仲裁判断はそれぞれの国で法的執行力を持っている。しかし、ジュネーブ議定書には外国で行われた仲裁の効力と執行に関する規定はなく、ジュネーブ条約でも制約が多かった。

第10章

外国為替相場と外国為替市場

第1節 外国為替相場と
     外国為替市場　　P270
第2節 直物相場と先物相場　P272
第3節 輸出入取引と
     適用相場　　　P278

第1節　外国為替相場と外国為替市場

> 貿易決済にともなう国際間の資金の移動は、銀行の支払指図にもとづき行われる。このときの自国通貨と他国通貨との交換レートのことを外国為替相場という。ここでは、外国為替市場を構成する参加者は誰なのか、またどんなしくみで相場が決定されるのかを学習する。

(1) 外国為替相場とは

　日本であれば「円」、アメリカでは「ドル」、ヨーロッパ連合では「ユーロ」という自国内または領域内で通用する通貨をそれぞれ持っている。しかし、外国との輸出入である貿易取引、貿易外取引、資本収支など国際間の資金の移動は、それぞれの自国通貨で決済するわけではない。また、決済方法は、実際に現金を輸送させて決済しているわけではなく、電信、郵便など銀行の**支払指図**にもとづき、資金を移動させて決済している。このしくみを外国為替という。このとき、自国通貨と他国通貨を交換するときの交換レートのことを**外国為替相場**という。

　この外国為替相場には自国通貨を基準にするか、それとも他国通貨を基準にするかによって、表示方法が二通りある。たとえば、「リンゴ1個が120円」という言い方と、「120円でリンゴ1個」という言い方があるように、「米ドルを1単位（＄1＝120円）」とする場合を**邦貨建（自国通貨建）相場**といい、「円を1単位（1円＝0.0083ドル）」とする場合を**外貨建相場**という。

　リンゴ（米ドル）が120円から110円になればリンゴ（米ドル）が10円安くなったことになるが、米ドルが安くなることを「ドル安」という。円を主語にして考えると「**円高**」となる。より少ない円でリンゴ（米ドル）が買えるようになった、円の価値が上昇したことになる。したがって、代金を支払う輸入者にとっては、円高のほうがそれだけ少ない円貨額で支払えばよいことになる。逆に代金を受領する輸出者にとっては、「**円安**」のほうが入ってくる円貨額が増えることになる。

(2) 外国為替市場

　外国為替市場は、24時間休むことなく地球上のどこかで金融市場が開いている。世界の金融市場は、取引時間帯が多少重なっているため、ある金融市場が閉まる時間帯には、次の市場の取引が始まる。一般的に東京市場・ロンドン市場・ニューヨーク市場と都市名で呼ばれるが、ウェリントン市場に始まりシドニー、東京、香港、シンガポール、バーレーン、フランクフルト、チューリッヒ、ロンドン、ニューヨークと、どこかの市場で常に為替取引が行われ、市場の相場は常に変動している。外国為替相場は外国為替市場での通貨の需要と供給との関係で決まる。

　では、外国為替市場の1日の取引高でロンドン、ニューヨークに次ぐ世界第3位の東京外国為替市場を構成しているのは誰で、どのような相場体系になっているのだろうか。

(a) 市場を構成する参加者

　東京外国為替市場の参加者は、民間銀行（都市銀行・信託銀行・外国銀行・地方銀行・信用金庫）、一部の証券会社、仲介業者（為替ブローカー）、一般企業および日本銀行である。一般企業の参加は1998年4月の新外為法の施行で外国為替公認制度が廃止され、為替市場への参入規制がなくなったため拡大した。日銀は通常参加せず、相場の乱高下などがあった場合に通貨安定のため参加する。参加者間の取引の仲介をするのが為替ブローカーであり、マイクとスピーカーを電話回線でつないだ「テレホンマーケット」で行っている。最近ではコンピュータの端末に入力をすると条件に合った取引をコンピュータが成立させる電子ブローキング(注)が増加している。このネットワークを「**インターバンク**」といい、そこで行われる取引のことを「**インターバンク（銀行間）取引**」という。

　東京外国為替市場には、国内のどこからでも参加できる。また時差の少ないシンガポール、香港など海外からの参加も増加している。

(注) 電子ブローキングでは、コンピュータが売手と買手の注文を照合し、取引を成立させ、確認作業も含めてコンピュータ上で行われるため、取引の経過と約定をすぐに照会することができる。電子ブローキングは手数料が安いので、現在では東京外国為替市場の85％前後を占めている。

(b) インターバンク相場と対顧客相場

　外国為替市場は大きく2つに分けることができる。

　相場は通貨の需要と供給により決まり、刻々変動している。しかし銀行が輸出者や輸入者との為替取引をする場合や外貨預金や外貨への両替またはトラベラーズ・チェックの作成のときに、変動している市場の実勢相場をその都度適用することは困難である。そこで1日1回、午前10時頃に成立する取引をベースにして銀行が独自に公表するレート、すなわち公表相場（仲値　TT Middle Rate）で対顧客レートを決定している。大幅な変動が生じない限り対顧客向けにその日一日の固定相場を決め、対応している。この相場のことを「**対顧客相場**」という。これに対して、インターバンク取引での変動相場を「**インターバンク相場**」という。

　「対顧客相場」は、原則として一日中変わらない。しかし、「インターバンク相場」が投機的な動き等により大きく変動した場合には、「対顧客相場」も変更される。変更の仕方には、「**市場連動制への移行**」と「**サスペンド**」の2つがある。

　市場連動制とは、対顧客相場が提示された後に市場のスポット・レートが当日の公表相場（仲値　TTM）から1円以上乖離（かいり）した場合に、1件 US$100,000以上の取引についてはマーケット・レートにもとづいてその都度対顧客相場を決めることをいう（銀行によっては1件 US$50,000）。US$100,000未満の小口の場合は変更されず、継続して仲値（公表相場）が適用される。銀行によっては、1円以上の乖離のあるなしに関係なく1件 US$100,000以上の取引については市場のスポット・レートにもとづいて決めているところもある。

　サスペンド（公表相場適用停止）とは、市場連動制に移った後に、当初の対顧客相場より2円以上乖離した場合に、US$100,000未満の小口取引も公表相場（仲値）が全面的に適用停止になり、新たな公表相場（仲値）が設定されることをいう。

(c) 売相場と買相場

　相場には、銀行が外貨を顧客に売る「売相場」と、銀行が外貨を顧客から買う「買相場」がある。相場体系は、銀行からみて「売り」「買い」となっている。

　たとえば、米ドル取引で、輸入者が米ドルで輸入決済をする場合にドルが必

要になる。その場合輸入者は、「円」で「ドル」を銀行から購入し（銀行はドルを売る）、輸入決済に充当する。逆に輸出の場合には、輸出者は「ドル」を銀行に売り（銀行はドルを買う）、「円」を入手することになる。この場合に取引を銀行側からみて、輸入取引に使われる相場を「売相場」、輸出取引に使われる相場を「買相場」という。

第2節　直物相場と先物相場

> インターバンク取引および対顧客取引の双方にはそれぞれ**直物取引**（じきもの）と**先物取引**（さきもの）がある。また直物取引に適用される相場を**直物相場**、先物取引に適用される相場を**先物相場**という。

(1)　直物取引

　直物取引とは、外貨の売買契約成立の当日または2営業日以内にその対価（たとえば円に対するドル）の受渡しが行われる為替取引で、一般に**スポット（Spot）**という。スポット取引のレートは、外国為替市場の基準となるレートで、ニュース等で報道されるレートは、このスポット・レートである。

　対顧客取引においては、外国為替売買の対価の受渡しが、適用相場の取決め日に行われることを直物取引といい、たとえば、輸出者が外貨建ての荷為替手形を銀行に買い取ってもらう場合、銀行との間に買契約が成立し、同日銀行から外貨に相当する円貨が買取代り金として輸出者に支払われる。

　銀行等間の資金決済では、国をまたぐため1日おいた2営業日先に受渡し決済が行われる。これは海外の時差を考慮して余裕を持たせているからである。

図表10－1　直物取引と先物取引との比較

	対顧客取引	インターバンク取引
直物取引	当日取引	2営業日後の取引
先物取引	翌営業日以降取引	3営業日以降取引

(2)　先物取引

　先物取引とは、外貨の売買契約は成立させるが、実際の資金の受渡しは契約成立日から3営業日以降に行う為替取引で、取り決められた将来のある一定の日となる。直物取引のスポットに対し、**フォワード（Forward）**という。先物取引は将来の取引について契約することから「**先物予約**」ともいわれる。

　対顧客取引においては、外国為替売買の対価の受渡しが契約の翌日以降になるものを先物取引という。具体的には、将来、輸出入等の取引がある場合、銀行と

為替先物予約を締結することにより、将来の受け取るべき、または支払うべき円貨額を確定して、為替相場の変動リスクを回避するとともに採算を確定することができる。

(3) 直物相場と先物相場の開き

A．ディスカウントとプレミアム

先物が直物に比べ円の価値が先に行くほど上昇する円高傾向の場合、たとえば、直物取引の相場（以下、直物相場という）が1ドル＠120円、3ヵ月物先物取引の相場（以下、先物相場という）が＠110円のように、先に行くほど円高・ドル安になることを**ディスカウント（discount：d）**という。逆に、円の価値が先に行くほど下落し、直物相場が1 US$ ＠120円、3ヵ月物先物相場が＠130円のように、先に行くほど円安・ドル高になることを**プレミアム（premium：p）**という。

先物取引の相場は、円・ドルの場合には2通貨（日本の金利と米国の金利）の金利差に左右され、米国の金利（海外金利）に比べ国内の金利の低いときは、円は先高傾向すなわちディスカウント相場となる。

図表10－2　新聞紙上でのディスカウントの記載例
（銀行間ドル直先スプレッド）
（1ドルにつき、dはディスカウント、pはプレミアム）

	実　勢	年　率　％
1ヵ月物	d 0.120円	1.14％
3ヵ月物	d 0.344円	1.15％

B．先物相場の表示方法

先物相場は、直物の相場との開きで表示される。直物相場が1 US$ ＠120円00銭で、図表10－2のように3ヵ月物の先物相場がd 0.344円と表示されている場合、3ヵ月後の先物相場は、120.00円－0.344円＝119円65銭となる。

3ヵ月の先物相場と直物相場との開き0.344円を「**直先スプレッド**」という。仮に短期金利（年率）が米国1.25％、日本0.1％とすると、この直先スプレッド0.344円は、両国の金利差（1.25％－0.1％＝1.15％）を反映している。（後述のスワップ・コストの計算式を参照）

(4) スワップ取引とコスト

先物取引は将来の取引について契約することから「**先物予約**」ともいわれるが、この取引にはコストの発生する場合がある。このコストは為替売買の当事者である輸出入業者が負担することになる。

A．スワップ取引（Swap Transaction）

スワップ取引とは、受渡し日の異なる同額通貨の「売り」と「買い」を**同時に交換的に行う取引**をいう。たとえば、一定額の直物為替を買う（売る）と同時に、同額の先物為替を売る（買う）場合、こうした取引をスワップ取引と呼ぶ。

具体例に沿って考えてみよう。

輸出取引で、船積期限が6月30日、信用状の有効期限が7月10日の場合、6月11日から7月10日までの順月オプション渡しの荷為替手形買取のための先物予約を3月10日締結したとする。その場合に、輸出者は3ヵ月先の買取相場を銀行と取り決め（①、④）、採算を確定したことになる。一方、銀行は輸出者から3ヵ月先のドルを「買う先物契約」（①）をすると同時に3ヵ月先に銀行間等でドルを「売る先物契約」（②、③）をしてリスクを回避する。このように「売り」と「買い」を同時にする取引をスワップ取引と呼ぶ。

図表10－3　スワップ取引の例

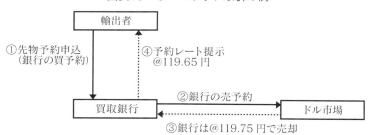

仮に市場レートが@120.00円の場合に、輸出者は0.344円のコストを支払い、3ヵ月先の買取相場を@119.65円で確保し、採算を確定したことになる。一方、銀行は市場で@119.75円で売り、輸出者に@119.65円を提示し、1US$当たり@0.10円のディーリング利益を得たことになる。

B．スワップ・コスト（Swap Cost）

　スワップ・コストとは、スワップ取引をする場合に、直物と先物の相場の開きから生じる損失をいう。すなわち、為替売買の当事者が直物為替の売買と同時に、これに対応する先物為替の売買を同額かつ交換的に行うので、ディスカウント（d）相場のときに直買先売を行えば、その開きだけ損失となる。これをスワップ・コストという。

　なお、直先スプレッドを直物相場に対する百分率に直し、年率に換算したものをディスカウント率という。

〈スワップ・コストの計算式〉（図表10－2の相場の表示を参照）
ディスカウント率
　＝（直物相場－先物相場）/直物相場×年365日/先物相場の期間日数×100％
0.344円（d）（直先スプレッド）/120円（直物相場）×365日/91日×100％
　＝1.1498≒1.15％（年率）

　したがって図表10－2の2段目の表示は「3ヵ月先物のディスカウント幅は0.344円であり、ディスカウント率1.15％の損失」という意味になる。

　逆に、直売先買を行えば反対に利益が発生する。これを**スワップ・マージン（Swap Margin）**（プレミアム率）と呼ぶ。

第3節　輸出入取引と適用相場

　本節では、対顧客相場はどのように決まるのか、相場体系の中になぜ金利が含まれるのかを理解する。輸出では**一覧払荷為替手形買取**、**期限付手形買取**、**TTリンバース**など、また輸入では**一覧払輸入決済**、**輸入ユーザンス**、**輸入B／C決済**などがなぜその相場を適用するのかを学習する。

A．対顧客取引相場

　対顧客取引相場とは、輸出入取引において、銀行と個人、法人（企業）が個々の取引内容に応じて適用する為替取引の相場をさす。これは、図表10－4からわかるように、対顧客仲値を中心に売相場と買相場に分かれる。

① 対顧客仲値

　対顧客相場の基準は、図の中心にある「**対顧客仲値**」（TT Middle Rate）である。対顧客仲値は午前10時頃に成立するインターバンク取引（銀行間市場の実勢相場）をベースにして、銀行が市場変動している直物相場に2営業日分のスワップ・レート（直物相場と先物相場との差額）を加味して独自にその日の対顧客向けに固定相場として公表するレートである。

B．買相場

② TTB（電信買相場）（Telegraphic Transfer Buying Rate）

　銀行の外貨の受領が円貨の支払いと同時に行われ、銀行に資金の立替払いが発生しない取引に適用される相場である。取引の資金移動の指図を電信で決済する場合の相場で、対顧客仲値に銀行の手数料1円が差し引かれている。すなわち、銀行は、輸出者などからドルをTTBレートで仕入れて、銀行間（インターバンク）市場で仲値で売却する。

　TTBは、以下の(a)～(c)のように銀行に何ら立替金利の発生しない為替取引に適用される。このとき銀行は、そのドルを銀行間（インターバンク）市場で売却し1ドル当たり1円の利益を得ることになる。

(a)　海外から送金された外貨を円貨に換算し輸出者などに支払う場合。
　　なお海外から外貨が送金されること「**被仕向送金**」という。

(b)　輸出者から一覧払荷為替手形の買取を依頼されたとき、信用状上で決済

図表10－4　対顧客相場（メール期間立替金利（次頁参照）を20銭とする）

106.80	——	現金売相場（Cash Selling Rate）電信売相場（TTS）に外国通貨の輸入、保管のコスト1.80円をプラスしたレートで、銀行が顧客に対しドル現金を売却する時に適用
105.20	——	信用状付一覧払輸入手形決済相場（Acceptance Rate）TTSにメール期間立替金利をプラスしたレート。L/C付一覧払輸入手形決済に適用
105.00	——	電信売相場（TTS: Telegraphic Transfer Selling Rate）仲値に銀行手数料1円プラスしたレート。仕向送金、L/Cなし輸入手形決済、輸入ユーザンス決済に適用
104.00		**対顧客仲値（TTM　TT Middle Rate）**
103.00	——	電信買相場（TTB: Telegraphic Transfer Buying Rate）仲値に銀行手数料1円マイナスしたレート。被仕向送金、TTリンバースの買取に適用、信用状なし輸出取立金の支払い
102.80	——	信用状付一覧払輸出手形買相場（A/S Rate: At Sight Buying Rate）TTBからメール期間立替金利をマイナスしたレート。L/C付一覧払輸出手形買取、信用状付の期限付手形買取（金利輸入者負担の場合）
102.50	——	信用状なし一覧払輸出手形買相場（Without L/C At Sight Buying Rate） （信用状付の期限付手形買相場 Usance Bill Buying Rate）（金利輸出者負担の場合）
102.00	——	at 30days after sight
101.50	——	at 60days after sight
101.00	——	at 90days after sight
100.50	——	at 120days after sight
101.20	——	現金買相場（Cash Buying Rate）仲値より2.80円マイナスした相場

第10章　外国為替相場と外国為替市場　279

条件（請求方法）を TT リンバース（電信での補償請求）することが許容されている場合。
(c) 取立扱いの**信用状なしＤ／Ｐ、Ｄ／Ａ手形の輸出取立金支払い**の場合。

③ **一覧払輸出手形買相場**（At Sight Buying Rate=A/S Rate）
　銀行にメール期間だけの資金の立替えが発生する買為替取引に適用される相場で、電信買相場からメール期間立替金利（Mail Days Interest）〔☞用語解説〕を差し引いて建値される。
　この相場は、**信用状付の一覧払輸出手形や小切手、旅行小切手（Ｔ／Ｃ）等の買取**に適用される。
　図表10－5を参照して、立替金利の発生するところを確認しよう。
　輸出者が信用状（Ｌ／Ｃ）の要求条件通りに荷為替手形を振り出し、船積書類を作成した場合には、信用状発行銀行は、輸入者が貨物代金の不払いの場合は、輸入者に代わり主たる債務者として債務を履行する。したがって、買取銀行は、信用状条件と輸出書類が一致していることを確認した後に、荷為替手形の買取を行い、輸出貨物代金を輸出者に立替払い（貸出しを）する。
　すなわち、輸出地の買取銀行は、輸入者が貨物代金を決済する前に、信用状という支払保証状があるため、輸出者振出しの荷為替手形を買取し、輸出者に貨物代金の支払いをする。このとき、買取銀行の**立替払いした金利**は、対顧客相場の中に既に組み込まれており、金利差引き後の相場が適用となる。これが一覧払輸出手形買相場（At Sight Buying Rate）といわれるものである。

　メール期間立替金利（Mail Days Interest）：輸出地の買取銀行は、既に荷為替手形を買取し、輸出者に貨物代金を立替払いしている。そこで立替払いした資金を回収するため、補償（決済）銀行あてに決済（償還）手形を作成、送付して信用状発行銀行の口座から引き落すよう依頼する。決済（償還）手形が補償（決済）銀行に到達するまでには郵便日数（Mail Days）がかかり、その日数分だけ輸出地の買取銀行は資金を負担（立替え）していることになる。この期間を、米ドルの場合は、入金処理までに12日間の日数がかかるとして金利を計算する。これがメール期間立替金利（Mail Days Interest）である。
　この金利は、日本円と米ドルとの間の取引では次の計算式による。

〈メール期間立替金利の計算式〉

電信売相場×(プライム・レート(注) ＋ 1 ％)×12日／365日

(注) プライム・レートとは、米国の市中貸出短期金利のうち、一流企業向け最優遇貸出金利をいう。

　また信用状発行銀行は、信用状に次のような文を記載して、買取銀行に立替え資金の回収方法を明示している。これがリンバース方式であり、メール期間立替金利が発生する。

For Reimbursement, please reimburse yourselves by drawing sight draft on our Head office A/C with Citibank, New York, U.S.A.
(決済に関して、米国のCitibank, NYにある当行本店名義の口座あてに一覧払いの償還手形を振り出し求償されたい。)

図表10－5　資金の流れとメール期間立替金利の関係

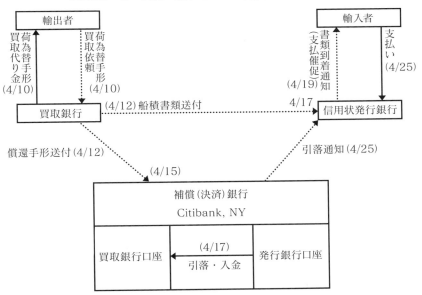

　ところで、メール期間の考え方に注意したい。買取銀行は買取代り金支払いの日（4/10）から補償銀行での入金日（4/17）の間、資金を立て替えている。買取銀行の口座に12日以内に入金がある場合でも12日間の金利を計算する。一方、郵便などの遅れで立替期間が長期にわたる（12日を超える）場

合には、買取銀行により、別途計算のうえ遅延金利（Overdue Interest）が請求される。

④ **信用状なし一覧払輸出手形買相場（Without L/C At Sight Buying Rate）**

③で見てきた信用状付一覧払輸出手形買相場（with L/C At Sight Buying Rate）から、さらに1ドルにつき30銭のリスク負担料をマイナスしたレートで、信用状なし取引での一覧払輸出手形の買取相場に適用される。

⑤ **期限付手形買相場（Usance Buying Rate）**
ⅰ）金利輸出者負担の場合

輸出地の買取銀行が輸出者から信用状付の期限付輸出手形（ユーザンス金利輸出者負担条件）を買い取った場合の相場で、ユーザンス期間に応じて異なった相場となる。

輸出手形のユーザンス期日決済が保証されているので、銀行は買取日から輸出手形決済日までの期間の立替金利およびユーザンス金利をTTBから差し引いた相場で顧客に買取代り金を支払うことになる。銀行が期限付手形を買い取った場合には、銀行は一覧払輸出手形買取りのときのメール期間立替金利（Mail Days Interest）に加え、さらにユーザンス期間の分の金利を上乗せして資金を立て替えていることになる。

したがって、ユーザンス期間が30日の場合（At 30 days after sight）には、輸出者はメール期間立替金利（12日間）とユーザンス期間（30日間）の金利との合計（42日間）をTTBから差し引かれて受け取ることになる。一方、輸入者は手形の呈示された日から30日後に代金を支払えばよい。

TTB － Usance Buying Rate ＝メール期間立替金利＋ユーザンス金利

ⅱ) 金利輸入者負担の場合

　ユーザンス金利を輸入者が負担することが信用状に明記されていた場合には、銀行は一覧払輸出手形買相場を適用して買取する。利息は別途信用状発行銀行に請求する。

C．売相場

⑥　TTS（電信売相場）（Telegraphic Transfer Selling Rate）

　銀行に資金の立替払いが発生しない売為替取引に適用される相場である。
　取引の資金移動の指図を電信で送る場合の相場で、対顧客仲値に銀行の手数料（利益）1円が加えられている。すなわち、銀行は、インターバンク（銀行間）市場からドルを仲値で仕入れて、海外への送金依頼を受けた場合や信用状なし輸入決済に適用するときに、そのドルを売却し、1ドル当たり1円の利益を得る。
　TTS は主に下記の決済に適用される。

(a)　**輸入取立手形決済**（信用状なし荷為替手形：一覧払い、期限付とも）
　　輸入地の取立銀行は輸入者が決済した資金を輸出地の取立銀行に回付（送金）するだけであり、輸入地の取立銀行にはなんの立替金利も発生していない。

(b)　**輸入ユーザンス決済**（ユーザンス金利は別途銀行より請求されるため）

(c)　**送金、送金小切手取組、銀行の旅行小切手売渡しの取引**

⑦　アクセプタンス・レート（一覧払輸入手形決済相場）（Acceptance Rate）

　銀行にメール期間だけの資金の立替えが発生する売為替取引に適用される相場で、電信売相場にメール期間立替金利（Mail Days Interest）を加えて建値される。信用状付の一覧払輸入手形の決済に適用される。
　アクセプタンス・レートを適用するしくみを買取銀行、補償（決済）銀行、信用状発行銀行のそれぞれの流れの中からみてみよう。

ⅰ) 買取銀行の処理

　買取銀行は、信用状条件と輸出書類が一致していることを確認した後に、荷為替手形を買取し輸出者に買取代り金を支払う。買取銀行は、立替払いした資金の回収のため、補償（決済）銀行（Reimbursing Bank）あ

てに決済（求償）手形を作成し、補償（決済）銀行に信用状発行銀行の口座から資金分を引き落してもらうよう請求する。一方、輸出者が持ち込んだ船積書類（荷為替手形、船荷証券など）を、輸入者の決済のため信用状発行銀行に送付する。

ⅱ）補償（決済）銀行の処理

補償（決済）銀行は、先に信用状発行銀行から送付されている「償還授権書」にもとづき、信用状発行銀行の口座から資金分を引き落し、買取銀行の口座に入金する。なお、「償還授権書」とはこの資金移動を指図する書類をいう。

信用状発行銀行は、信用状という支払保証状を発行しているので、輸入者が代金を決済する前に、輸入者に代わって輸出地の買取銀行に代金の決済を行う。補償（決済）銀行は、信用状発行銀行には引落し通知を、買取銀行には入金通知を送付する（対外決済の完了）。

このように船積書類が信用状発行銀行に到着し輸入者から貨物代金の決済（対内決済）を受ける以前に、補償（決済）銀行により発行銀行の口座から既に引き落されている。つまり信用状発行銀行が輸入者に手形代金の支払いを立替払いしていることになる。

ⅲ）信用状発行銀行の処理

信用状発行銀行は、補償（決済）銀行の引落しから輸入者が手形代金を支払うまでの間の利息を輸入者から徴収する。これは輸出の場合と同様に、立替払いした期間に対する金利（メール期間立替金利）が発生するからである。この金利は、対顧客相場の中に既に組み込まれており、銀行の手数料1円を含んだTTSに金利（Mail Days Interest）を加算した後の相場が適用となる。

輸入者の対内決済が遅れ、信用状発行銀行の対外決済日から輸入者の対内決済日までの日数がメール期間を超過する場合には、輸入者は超過した期間について Overdue Interest を別途支払う。

チェック問題

次の各文章について、正しいものには○を、誤っているものには×をつけなさい。

① サスペンド（公表相場適用停止）とは、対顧客相場が提示された後に市場のスポット・レートが当日の公表相場（仲値）から１円以上乖離した場合に、原則として１件US$100,000以上の取引についてはマーケット・レートにもとづいてその都度対顧客相場を決めることをいう（銀行によっては１件US$50,000）。

② 対顧客取引においては、外国為替売買の対価の受渡しが契約の翌日以降になるものを直物取引という。

③ 先物取引の相場は、円・ドルの場合には２通貨（日本の金利と米国の金利）の金利差に左右され、米国の金利に比べ国内の金利の低いときは、円は先高傾向すなわちプレミアム相場となる。

④ スワップ取引とは、受渡し日の異なる同額通貨の「売り」と「買い」を同時に交換的に行う取引をいう。

⑤ TTSとは、取引の資金移動の指図を電信で決済する場合の相場で、対顧客仲値に銀行の手数料１円が差し引かれている。

⑥ 輸出者から一覧払荷為替手形の買取を依頼されたとき、信用状上で決済条件を「TTリンバース」することが許容されている場合の適用相場はTTBである。

⑦ 輸出地の買取銀行が荷為替手形を買取し輸出者に貨物代金を立替払いした資金を回収するまでの期間（米ドルの場合は12日間）の金利をメール期間立替金利（Mail Days Interest）という。

⑧ 輸出地の買取銀行が、信用状付のユーザンス金利輸入者負担条件の期限付輸出手形を買い取る場合の相場を期限付手形買相場（Usance Buying Rate）という。

⑨ 本邦ローンで、ユーザンス期日に行われる決済では、相場に金利を織り込まない電信売相場（TTS）が適用される。

⑩ 信用状のない一覧払輸入手形の決済には、支払当日のAcceptance Rateが適用される。

●解答と解説●

① － ×　　② － ×　　③ － ×　　④ － ○　　⑤ － ×
⑥ － ○　　⑦ － ○　　⑧ － ×　　⑨ － ○　　⑩ － ×

① ×　問題文は「市場連動制」の説明。

② ×　対顧客取引においては、外国為替売買の対価の受渡しが契約の翌日以降になるものを先物取引という。

③ ×　先物取引の相場は、円・ドルの場合には２通貨（日本の金利と米国の金利）の金利差に左右され、米国の金利に比べ国内の金利の低いときは、円は先高傾向すなわちディスカウント相場となる。

④ ○

⑤ ×　問題文はTTBレートの説明。TTSとは、取引の資金移動の指図を電信で決済する場合の相場で、対顧客仲値に銀行の手数料１円がプラスされている。

⑥ ○

⑦ ○

⑧ ×　輸出地の買取銀行が信用状付のユーザンス金利輸出者負担条件の期限付輸出手形を買い取る場合の相場を期限付手形買相場（Usance Buying Rate）という。ユーザンス金利を輸入者が負担することが信用状に明記されていた場合には、銀行は一覧払輸出手形買相場を適用する。

⑨ ○

⑩ ×　信用状なし一覧払い輸入手形の決済に適用される相場には、輸入地の銀行に資金の立替え（融資）が発生しないため手数料（通常、仲値プラス１円）のみが加算された決済当日の電信売相場（TTS）が適用される。

第11章

為替変動リスクの回避

第1節　為替先物予約　　　　P288
第2節　通貨オプション　　　　P291
第3節　その他の為替変動リスク
　　　　回避の方法　　　　　 P293

第11章　為替変動リスクの回避

外貨と円貨の交換比率である外国為替相場は市場で日々変動しており、売買契約が外貨建てでなされたときには、為替相場の変動にさらされることになる。これを「為替変動リスク」という。リスク回避の方法として一般的に広く利用されているのは、「為替先物予約」と「通貨オプション」である。

第1節　為替先物予約

A．輸出者の場合

市場相場が1ドル110円の時に売買契約を締結し予想利益を計上した後に、荷為替手形の買取入金時の直物相場が1ドル100円と円高になった場合には、輸出者は1ドル当たり10円の損失を被ることになる。そこで輸出者にとっては、荷為替手形の買取時（輸出貨物代金の回収時）の適用相場を、取引銀行と買契約時点で取決めしておけば安心である。これを「**先物予約**」という。

為替先物予約には2種類あり、輸出に適用される相場の予約を**買予約**（Buying Contract）、輸入に適用される相場の予約を**売予約**（Selling Contract）という。

銀行への為替先物予約の申込みは、**コントラクト・スリップ**（Contract Slip）により行う。通常、電話による申込みをした後内容の確認のため、コントラクト・スリップの交換を速やかに行う。コントラクト・スリップ（予約スリップ）は予約締結の契約書とみなされるので、輸出者が2部作成し銀行に提出する。銀行で予約締結の確認がされると、銀行から予約スリップが渡され、輸出者と銀行が1部ずつ保管する。輸出の買予約には『Bought from（顧客）』、輸入の売予約には『Sold to（顧客）』と表示される。これは、銀行からみた「売り、買い」とされるためである。

為替先物予約取引には銀行間取引と対顧客取引があるが、ここでの為替予約は、銀行と輸出者・輸入者との取引である。輸出の場合はTTB（電信買相場）レートを、輸入の場合はTTS（電信売相場）レートを適用する。

図表11－1　買予約の場合のコントラクト・スリップの記載例

```
              EXCHANGE CONTRACT SLIP
        No margin allowed
        Cont No _____
             Bought from    Japan Trading Co., Ltd.
             Sold to    The Tokyo-City Bank, Ltd
     Amount              Rate         Term         Delivery
   US$12,528.00        @ 103.00       TTB        October 20XX

      Seller;                           Buyer;
   Japan Trading Co., Ltd          The Tokyo-City Bank ,Ltd
         (Signed)                              (Signed)
```

（注）No margin allowed とは、予約を締結した者は予約した金額を指定期間内（October 20XX）に必ず実行して未消化の残高（Balance）を残さないでくださいとの意味である。

　輸出者が10月中に荷為替手形の買取を行う場合、1ドル当たりTTB@103.00が適用相場となる。その場合の適用レートがどのようになるかを確認しよう。

　10月の買取時のメール期間立替金利を0.20円とした場合、一覧払輸出手形の買取適用レートは、
TTB 103.00 －メール期間立替金利 0.20円＝102.80円
　となる。

B．輸入者の場合

　海外の輸出者との売買契約が外貨建てでなされた場合、将来の輸入決済に備えて、信用状発行銀行と「**先物予約**」を結んでおく必要がある。

　輸入の場合には、たとえば売買契約時の市場相場が1ドル110円であり、輸入決済時に1ドル120円の円安になった場合には、輸入者は1ドル当たり10円

第11章　為替変動リスクの回避　289

の損失を被ることになる。そこで輸入者は、売買契約後相場の推移を見ながら有利なときに、一覧払いでの輸入決済の適用相場、または輸入ユーザンス決済時（満期日）の適用相場を、信用状発行銀行と取り決めておけば安心である。

図表11−2　売予約の場合のコントラクト・スリップの記載例

```
              EXCHANGE CONTRACT SLIP
         No margin allowed
         Cont No
            Sold to    Japan Trading Co., Ltd.
            Bought from   The Tokyo-City Bank, Ltd.
         Amount           Rate         Term         Delivery
         US$12,528.00    @ 105.00      TTS         November 20XX

         Buyer;                           Seller;
         Japan Trading Co., Ltd.          The Tokyo-City Bank, Ltd.
            (Signed)                         (Signed)
```

輸入者が11月中に輸入決済を行う場合、1ドル当たりTTS105.00円が適用相場となる。さらに、一覧払輸入決済を行う場合と輸入ユーザンスを利用する場合の適用レートがどのようになるかを確認しよう。

① 　メール期間立替金利0.20円で**一覧払輸入決済を行う場合**の適用レート
　　TTS 105.00円＋メール期間立替金利 0.20円＝105.20円が信用状付の一覧払輸入決済相場となる。
② 　**輸入ユーザンスを利用する場合**は、決済のための予約レートはTTS105.00円である。銀行にユーザンスを受けている間の金利は、補償（決済）銀行が発行銀行の口座から引き落した日（対外決済日）から輸入者が発行銀行に輸入ユーザンスの満期日（対内決済日）に支払うまでの期間に応じて、輸入決済相場（TTS）とは別に銀行より徴求される。なお本邦ローンは、対外決済後の銀行の国内融資となる。

第2節　通貨オプション

(1) 通貨オプションとは

　最近では、輸出入企業の為替リスク回避の一つの方法として、為替先物予約とともに「通貨オプション」の取引が盛んになってきた。

　為替先物予約では、予約期日（予約受渡期間内）に予約の実行が義務づけられているため、決済日の直物相場が予約相場よりも有利となった場合でも、当初締結した予約相場で為替取引をする必要がある。これに対して、通貨オプションの場合には、オプションの行使価格（約束した相場）での実行の義務がなく、直物相場と行使価格とを比較して、どちらか有利なほうで決済ができる。これが通貨オプションの取引が盛んになってきた理由である。

　「通貨オプション」とは、売手と買手の間で約束した相場（「行使価格」という）で通貨を売ったり買ったりする**「権利」を売買する取引**である。

　この権利をオプション（Option）という。権利を確保するための手数料（**オプション料**）を支払って権利を確保する人を**オプションの買手**、手数料を受け取って権利を保証する人を**オプションの売手**という。オプション料は通常締結時の2営業日後に買手が売手に支払う。

　通常の為替予約では、輸出者が110円で予約した場合には、予約実行期日に円安になり直物相場が120円になっても予約した為替相場（110円）で通貨の受渡しを行わなければならない。しかし、通貨オプションでは、同様に円安になりドルが上昇し120円になった場合には、オプションを放棄して直物相場でドルを売ることができる。一方、円高になりドルが110円より下がっても110円は保証されている。実際に受渡しを実行するかどうかは通貨オプションの買手の選択権となる。

　つまり、行使価格が直物相場より有利な場合は**オプションを行使**し、逆に不利な場合には、**オプションを放棄**することができる取引である。

　輸出企業の場合、輸出代金回収のため、将来ドルなどの外貨を売る必要がある。すなわち、「ドルを売る権利」を確保する取引となる。対象通貨を売る権利をプットといい、輸出企業の場合には**ドル・プット・オプション**の購入である。

　一方、輸入企業の場合、輸入代金決済のため、将来ドルなどの外貨を買う必要

がある。すなわち、「ドルを買う権利」を確保する取引となる。対象通貨を購入する権利を**コール**といい、輸入企業の場合には**ドル・コール・オプション**の購入である。

(2) ゼロコスト・オプション

通貨オプションを利用することにより、為替リスクの回避は容易になった。

しかし、リスクを回避しながら相場のメリットを受けるには、オプション料の負担がかかることになる。これを解消するために工夫されたものが、「**ゼロコスト・オプション**」である。輸出、輸入ともゼロコスト・オプションを利用できる。

輸入企業の場合には、コール・オプションの買いで支払うオプション料と、プット・オプションの売りで受け取るオプション料が同額であれば、相殺されて実質的にオプション料のコストの支払いは不要となる。このようにコール・オプションの買いとプット・オプションの売りを同時に同額で行うことをゼロコスト・オプションという。

第3節　その他の為替変動リスク回避の方法

A．円建て取引への変更（為替リスクを相手に転嫁）

売買契約を自国通貨である円建てで行う。国内での取引同様為替リスクはないが、この方法は為替リスクを相手側に転嫁することであり、取引相手の合意が必要となる。

B．為替マリー（Exchange Marry）

輸出代金を円貨で受領せず、ドルのまま外貨で受領して、輸入決済に充当する方法である。つまり債権と債務を同時に持ち、為替リスクを回避する方法である。しかし、実際には、大手商社以外は、外貨債権債務を同時に同額持つことはできず、どのような企業でも行えるというものではない。

C．リーズ・アンド・ラグズ（Leads and Lags）

外貨の決済時期を相場の動きをみて早めたり遅らせたりして、為替相場の変動に対応しようとするものである。したがって、リーズ・アンド・ラグズは、為替相場予測にもとづいて対応策を考えるということである。しかし、予測はむずかしく確実な対策とはならない。

図表11-3　輸出企業の行動と輸入企業の行動

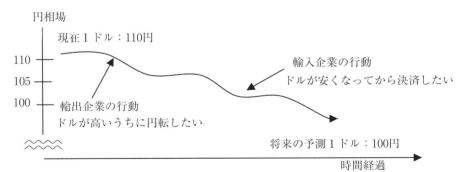

第11章　為替変動リスクの回避

D．バイラテラル・ネッティング（Bilateral Netting）

　同一企業グループの本社と海外子会社など2社の拠点間の代金決済を個別に行わずに、受取りと支払いを相互に相殺して、差額を決済する方法である。本支店間で発生する為替リスクを回避するとともに、それぞれの決済にともなう為替手数料や送金手数料を節減できる。しかし、この方法は次に述べる「マルチ・ネッティング」と同様に、一つの企業グループの中に輸出・輸入などによる債権債務が継続的に発生する取引が行われている場合に限られる。

　（例）本社は海外現地法人に100万ドルの債務があり、一方、海外現地法人に80万ドルの債権がある場合、その都度決済するのではなく、ある一定期間後に差額の20万ドルのみを決済する。（矢印は、→方向へ代金が支払われることを示す。）

図表11－4　バイラテラル・ネッティングによる決済

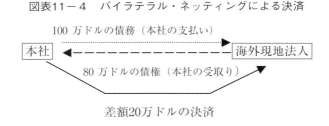

E．マルチ・ネッティング（Multilateral Netting）

　支店や子会社などを3つ以上の複数持つ企業が、多数の当事者間の受取りと支払いをネッティング・センターと呼ばれる企業内に設立された社内銀行（決済機関）で一括して相殺して、それぞれが差額を決済する方法である。本支店間で発生する為替リスクを回避するとともに、多数の決済にともなう為替手数料や送金手数料を節減できる。また確認作業も決済機関があわせて行うので簡素化できる。

　（例）本社は、現地法人Aに対し40万ドルの支払い（債務）、80万ドルの受取り（債権）があり、現地法人Aは、現地法人Bに対しては、80万ドルの債務、120万ドルの債権があり、現地法人Bは、本社に対しては、10万ドルの債務、40万ドルの債権がある場合、ネッティング・センターは、現地法人Bから10万ドルの支払いを受け、本社に対して10万ドルを支払う。（次頁の図中、矢印は、→の方向へ代金が支払われることを示す。）

図表11-5 マルチ・ネッティングによる決済

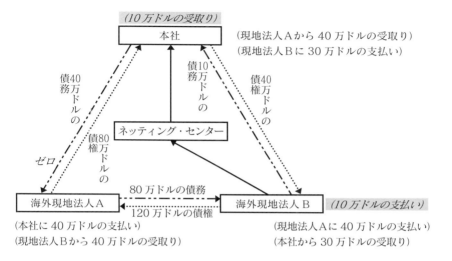

チェック問題

1．次の各文章について、正しいものには○を、誤っているものには×をつけなさい。

① 輸出に適用される相場の予約を売予約（Selling Contract）といい、銀行への為替先物予約の申込みは、電話による申込みをした後内容の確認のため、コントラクト・スリップにより行う。

② "No margin allowed"とは、予約を締結した者は予約した金額を指定期間内に必ず実行して未消化の残高（Balance）を残さないとの意味である。

③ 通貨オプションとは、売手と買手の間で約束した相場（行使価格）で通貨を売ったり買ったりする「権利」を売買する取引である。

④ 荷為替手形の買予約レートがTTB @103.00で、買取時のメール期間立替金利が0.20円である場合、買取時の適用相場は買予約レートの103.00円である。

⑤ 輸入ユーザンス決済のための予約レートはTTS105.00円で締結した。決済時のメール期間立替金利が0.20円である場合、輸入ユーザンス決済適用相場は売予約レートの105.00円である。

⑥ 通貨オプションは、行使価格が直物相場より有利な場合はオプションを行使し、逆に不利な場合には、オプションを放棄することができる取引である。

⑦ 輸出企業の場合、将来輸出代金回収のため、ドルなどの外貨を売る必要がある。すなわち、「ドルを売る権利」を確保する取引となる。対象通貨を売る権利をコールといい、輸出企業の場合にはドル・コール・オプションの購入である。

⑧ 輸入企業の場合では、コール・オプションの買いとプット・オプションの売りを同時に同額で行うことでオプション料の負担を解消することを「ゼロコスト・オプション」という。

⑨ 売買契約を自国通貨である円建てで行う方法は、為替リスクを取引相手側に転嫁することになるため、相手方の合意が必要となる。

⑩ 本社を含めて支店や子会社などを3社以上持つ企業が、多数の当事者間の受取りと支払いを、ネッティングセンターと呼ばれる企業内に設立された社内銀行（決済機関）で一括して相殺し、それぞれが差額を決済する方法をマルチ・ネッティングという。

2．為替の変動リスク回避について、次の記述のうち誤っているものはどれか。
　A　外貨建決済の時期を早くしたり、遅くしたりして為替リスクを回避し、差益を得ようとする方法を「リーズ・アンド・ラグズ」という。
　B　輸出などの外貨受取りと輸入などによる外貨支払いとの見合いを図ることによって債権と債務を同時に持ち為替リスクの回避をする方法を「為替マリー」という。
　C　バイラテラル・ネッティングとは、同一企業グループの本社と海外子会社など2社の拠点間の代金決済を個別に行わずに、受取りと支払いを相互に相殺して、差額を決済する方法である。
　D　通貨オプションを利用した輸出の場合で、行使価格を105円、1ヵ月先を期日とし、オプション料2円としてドル売りオプションを購入した場合に、1ヵ月先の期日の市場実勢相場が100円になった場合には、輸出者はオプションを放棄する。

●解答と解説●
1．　①－×　　②－○　　③－○　　④－×　　⑤－○
　　　⑥－○　　⑦－×　　⑧－○　　⑨－○　　⑩－○
①　×　輸出に適用されるのは、買予約（Buying Contract）である。
②　○
③　○
④　×　買取予約レート TTB @103.00が適用相場の場合、その場合の一覧払輸出手形の買取適用レートは、TTB103.00－メール期間立替金利0.20円＝102.80円となる。
⑤　○　輸入ユーザンスの満期日に支払うまでの期間に応じて、輸入決済相場（TTS）とは別に銀行より徴求されるため。
⑥　○
⑦　×　対象通貨を売る権利をプットといい、輸出企業の場合にはドル・プット・オプションの購入で、輸入企業の場合にはドル・コール・オプションの購入となる。
⑧　○　輸入企業の場合では、コール・オプションの買いとプット・オプションの売りを同時に同額で行うことで、また輸出企業の場合では、プット・オプシ

ョンの買いとコール・オプションの売りを同時に同額で行うことで、それぞれオプション料の負担を解消することを「ゼロコスト・オプション」という。
⑨　○
⑩　○

2．D
　輸出の場合に、行使価格を105円、1ヵ月先を期日とし、オプション料2円としてドル売りオプションを購入した場合に、1ヵ月先の期日の市場実勢相場（スポット・レート）が円高になり100円になったとすれば、通貨オプションを実行することにより、105円－2円＝103円が輸出採算点となり、市場実勢相場100円より有利となり、行使価格105円でドル売りの権利を行使する。

第12章

UCP600 と ISBP745

第1節　信用状統一規則の概要
P300

第1節　信用状統一規則の概要

> 信用状付き貿易取引の基本ルールとなる「荷為替信用状に関する統一規則UCP600」と貿易に携わる関係者の実務処理の指針となる「UCP600に基づく書類点検に関する国際標準銀行実務ISBP745（681も含む）」の重要ポイントについて学び、貿易トラブルを回避できるようにする。詳細は、国際商業会議所日本委員会のUCP600とISBP681とISBP745を参照すること。ここではUCP600を中心に、その内容をみていく。

(1) 第2条　定義

A．取消不能信用状の性質

UCP600では、信用状はすべて取消不能信用状となった。取消可能信用状が必要である場合には、信用状の中に規定しておけば発行可能である。

取消不能信用状は、一旦発行されると取り消すことはもちろん、変更することもできない信用状のことをいう。信用状はその独立抽象性の原則により、売買契約や信用状条件以外の理由で、支払拒絶をすることはできない。輸入者（発行依頼人）にとっては、一旦取消不能信用状を開設してしまうと厳しい取引条件を受け入れることになる。

また、信用状自体の有効期限が到来すれば、信用状は自動的に失効し、設定した船積期限を過ぎて船積みされた場合には、当然支払いは行われない。

B．オナー

オナーとは、次のことをいう。
(a) 信用状が一覧払の場合には、一覧後に支払うこと。
(b) 信用状が後日払の場合は、後日払約束をし、かつ支払期日に支払うこと。ここでの後日払とは、為替手形を要求せず、書類に呈示のみを要求する期限付きの支払い条件で、信用状に「支払いは書類呈示後〇日」、「支払いは船積後〇日」というような、期日に支払うことをいう。
(c) 信用状が引受により利用可能な場合は、受益者により振り出された為替手形を引き受け、かつ支払期日に支払うこと。

C．買取（Negotiation）

「指定銀行による、充足した呈示に基づく為替手形（その指定銀行以外の銀行を支払人として振り出された為替手形）および／または書類の買入であって、その指定銀行に対する補償の弁済日である銀行営業日またはそれ以前に、受益者に資金を前払いする方法によるもの、または、前払いすることを合意する方法によるものをいう。（UCP600第2条「買取とは」）」

UCP600での買取は、補償（reimbursement）の弁済期である銀行営業日またはそれ以前に、受益者に資金を前払いする方法によるもの、または前払いすることを合意する方法によるものと規定し、必ず支払われることが必要であるとしている。したがって、補償資金が支払われることを条件に支払うPPネゴは、本邦の裁判所（東京地裁判例平成15年9月26日　平成13年(ワ)21385号、東京高裁判決平成16年3月30日（UCP500の適用時））では買取に含まれると判断しているが、現在は買取に該当しないという見解がある。

買取の対象となるものは為替手形、または呈示する書類である。為替手形がある場合には、指定買取銀行以外の銀行（通常は信用状発行銀行）が為替手形の支払人になっていることが買取の要件であり、買取銀行自体が為替手形の支払人の場合には、買取でなく支払い（payment）という。

> **参考　買戻請求権**
>
> UCP600では、買戻請求権については規定していない。それは外国向為替手形取引約定書（第15条買戻債務）で買戻請求権を規定している。
> 輸出者が買戻請求権を行使された場合、船積書類等と引き換えで行うという民法533条の同時履行の抗弁権もない。

D．指定銀行（Nominated bank）

発行銀行から支払い・引受・買取り・確認等の権限を与えられている銀行をいう。

```
①ANY BANK（オープン信用状）の場合
  輸出者 ──→ 取引銀行 ──→ 発行銀行
②買取が、輸出者と取引のない銀行にリストリクトされている場合
  輸出者 ──→ 取引銀行 ──→ リストリクト銀行 ──→ 発行銀行
```

※　　　　　の部分が買取の指定銀行となる。

(2) 第3条　解釈

A．期間、期日の用語解釈

(a) **on or about**

on or about 又はこれに類似の表現は、指定日の5歴日前から5歴日後までを指す。例えば、"on or about May, 15"といえば、「May, 10から May, 20まで（両日とも含む）」となる。

(b) **船積日および船積期間の決定**

信用状のなかの船積み（積出）に関して規定している"to""until""till""from""between"は、記載された日を含む（初日算入）。"after""before"の語は、記載された日を含まない（初日不算入）。

(c) **満期日、支払期日**

手形期限についての"from"と"after"は区別がないことがISBP B2 d.にも定められている。期限付き為替手形の満期日を決定するための"from"と"after"は同一の効果を持つ。満期日の起算は、書類、船積みまたはその他、出来事の日付の翌日から開始する。「3月1日の後10日または3月1日から10日（10 days after or from March 1)」の場合の満期日は、"March 11"となる。

	From	after
船積日および船積期間の決定	算入	不算入
満期日、支払期日	不算入	不算入
書類の呈示期間など	不算入	不算入

B．支払期日の決定方法
(a) At 60 days after B/L date 等期限付き手形期日の計算方法
① 積み替えが行われた場合（<u>1通のB/L に異なる積込日があるとき</u>）
（ISBP745　B2 e. i.）

　例えば、信用状が船積港を"any European port"からの船積を要求している場合で、最初ダブリン港で10月10日にA船に船積され、その後ロッテルダム港で10月12日にB船に船積みされたと記載され、どちらの船積も any European port というL／C条件を満たしている。またそれぞれのB／Lも信用状の船積期限を満たしているものとする。この場合、B／Lは1通であり、荷物は1組であると考えられる。つまり1組の荷物が当初ダブリンでA船に船積され、その後ロッテルダムでB船に積替えられていると考える。このときには、手形期日の計算には最も早いほうの積込日である10月10日が用いられる。

② 同一の船に積み込まれた場合（<u>複数のB/L が添付されているとき</u>）
（ISBP745　B2 e. ii.）

　つぎに最初の船積がダブリン港で10月10日にA船に船積され、そして残りがロッテルダム港で10月12日に同一の船（A船）に船積みされたときには、手形期日の計算には最も遅い積込日10月12日が用いられる。

> 参照　信用状統一規則第31条
> 　1つの期限付為替手形に複数のB／Lが添付されている場合、荷為替手形の呈示期限を計算するための船積日は、最終の船積みの日となる。

(b) 支払銀行が満期日を決定する方法（ISBP745　B5 a. b.）
① at 90 days after sight の場合
　　ⅰ）信用状条件を充足している呈示の場合（発行銀行の書類の受領日の翌日から起算される場合）：書類にディスクレがない場合、またはディスクレがあったものの手形の支払銀行（発行銀行）が支払いを拒絶していない場合、書類の受領日の翌日から90日が満期日となる。
　　ⅱ）信用状条件を充足していない呈示の場合（手形の引受日から起算される場合）：手形の支払銀行（発行銀行）が支払いの拒絶を通知した場合、原則発

行銀行が発行依頼人の権利放棄を了承した日の翌日から起算して90日である。

② at 90 days after B/L date の場合

　手形は手形上の記載から満期日を確定することができなければならない。B／L date がわからなければ満期日を確定することができないので、B／L date を手形上に記載する。

　ISBP ではこの他に
ⅰ）直接満期日を記載
ⅱ）"90 days after 12 May 20xx"（20xx 年 5 月12日が B／L date）と記載
ⅲ）"90 days date" として、手形日付を B／L date と同じにする
などの方法も有効であるとしている。

記載例

Bill of Exchange

No. *2/190*　　　　　　　　*Tokyo*　　*December 6, 20xx*
　　　　　　　　　　　　　（Place）　　（Date）

For *US$100,000.00*
At *90 days after B/L date** of this FIRST Bill of Exchange (SECOND being unpaid) Pay to　*The Tokyo Metropolitan Bank, Ltd* or order the sum of　*U.S. Dollars One Hundred Thousand Only*
Value received and charge the same to account of　*Los Angeles Trading Co., Ltd. 18, Crocker Street, Los Angeles, USA*
Drawn under　*Bank of Los Angeles, Los Angeles, USA*
Irrevocable L/C No. *LOA-12/1234*　　dated　*November 10, 20xx*
To　*Bank of Los Angeles*　　　　　　*Japan Trading Co., Ltd.*
　　1-2 West 5th street　　　　　　　　　　（Signed）
　　Los Angeles, USA　　　　　　　　　　　Manager

B/L date of December 5, 20xx

REVENUE STAMP

＊手形期間は次のいずれかの方法で為替手形に表示しなければならない。
① 90 days after Bill of Lading of December 5, 20xx
② 90 days after December 5, 20xx
③ 90 days after Bill of Lading date として、為替手形表面の別の場所に"B／L date of December 5, 20xx と記載する。（本例）
④ 90 days date とし、船荷証券の発行日と同じ日付を為替手形の振出日とする。
⑤ March 5, 20xx と満期日を記載する。

(3) 第4条　信用状と契約

　信用状が売買契約に基づいていても、輸出者（受益者）・輸入者との売買契約と信用状は、別個の取引である。これを**独立抽象性の原則**という。また、信用状にそれらの契約の内容、たとえば売買契約の番号や日付などが含まれていても、その売買契約等とはなんの関係もなく、仮に輸出者が売買契約どおりの船積みを行っても、買取銀行は輸出者が作成した書類が信用状条件に合致していなければ、信用状に基づく支払いを発行銀行から受けることはできない。逆に、信用状に合致した書類が信用状発行銀行に呈示されれば、輸出者が売買契約を履行しなくても、発行銀行は支払の義務を負う。
　このように発行銀行の支払義務は、発行依頼人（輸入者）と受益者（輸出者）との間の売買契約、銀行間の契約から独立している。

(4) 第5条　書類と物品、サービスまたは履行

　信用状統一規則第5条（書類取引性）は、書類の「**厳密一致の原則**」である。
　この第5条は、銀行およびすべての当事者は書類を取り扱うという、**書類取引性**について規定し、物品を取り扱うのではないことを規定している。すなわち、信用状は売買契約とは別個の取引であり、積み込んだ貨物とは無関係に、信用状に記載された条件と船積書類との間にディスクレがあれば、輸出地の買取銀行は、荷為替手形の買取りを拒否する。したがって、船積書類は信用状条件と完全に一致していることが要求される。これを**厳密一致の原則**という。

(5) 第6条　利用可能性、有効期限および呈示地

A．為替手形の支払人（c項）

> c．信用状は、発行依頼人を支払人として振り出された為替手形により利用可能であるとして発行されてはならない。

郵送による信用状で"your drafts at sight drawn on ○○"の場合、drawn on ○○のところが輸入者（Applicant）であってならないとの規定であり、電信の場合は、42A Draweeが輸入者であってはならないとの規定である。なぜならば、信用状取引の主たる債務者は発行銀行であるからである。

> **参考　要求書類としての為替手形（ISBP745　B18 a.b.）**
> 　信用状は要求書類（required documents）の1つとして発行依頼人宛の手形を要求することはできるが、信用状の決済手段として支払いを決定づける金融書類として発行依頼人宛の手形を要求してはならない。
> 　しかし、信用状が「発行依頼人を支払人とする手形」を要求している場合、その手形は追加書類とみなし、銀行はこの手形を呈示された通りに受理し、手形の記載内容が他の書類と矛盾しないことをチェックする。

B．有効期限（d・e項）

> d．ⅰ．信用状は、呈示のための有効期限を記載しなければならない。オナーまたは買取りのために記載されている有効期限は、呈示のための有効期限と見なされる。
> e．第29条a項（有効期限または最終呈示日の延長）に定められた場合を除き、受益者による呈示または受益者のための呈示は、有効期限の当日またはそれ以前になされなければならない。

荷為替手形や船荷証券等の船積書類は買取りのために、この信用状の有効期限当日またはそれ以前に銀行に呈示しなければならない。

(a) 信用状の有効期限とは、輸出者が輸出地の買取銀行に荷為替手形の買取りを依頼できる荷為替手形、船荷証券等の船積書類の呈示の最終期限であり、信用状発行銀行の債務が消滅する日を意味しているのではない。信用状発行銀

行の債務が消滅する日は、対外決済が終了した時点である。
(b) 買取銀行が指定（restricted）されている信用状の場合、最終期限は買取銀行に依頼する日ではなく、再割（再買取り）のために指示されている指定銀行＝再買取銀行（restricted Bank）に依頼する（持ち込む）日が最終期限となる。したがって、買取銀行が指定されている場合には、十分な時間的余裕を持って買取銀行に依頼する必要がある。
(c) 指定銀行でない受益者の買取銀行が指定（restrict）銀行に書類を呈示せず、発行銀行に直接呈示する場合には、書類は有効期限、呈示期限内に発行銀行に呈示しなければならない。

> **参考　ケーブルネゴとL／Cの有効期限**
>
> 　買取の際、Late Presentationのディスクレだったため、ケーブルネゴでディスクレ照会をした。しばらくして発行銀行からディスクレを了承するとの返答がきたが、その時点で既にL／Cの有効期限が切れてしまった。この場合、買取銀行がケーブルネゴの照会を発電した時点で書類は買取銀行に呈示されているので、L／C Expiredにはならない。また、信用状のアメンドについて、受益者がアメンドを受諾するか否かを通知する期限が定められていないのと同様、ケーブルネゴの回答についても、回答期限はない。

(6) 第7条　発行銀行の約束

　引受を指定された銀行が引き受けないなどの場合には、書類が信用状条件に合致していれば、発行銀行自身がオナー（支払い等）しなければならない。

(7) 第8条　確認銀行での約束

A．確認銀行の支払確約（a項）

　信用状発行銀行から確認を依頼された銀行（確認銀行）は、信用状にいったん確認をした場合には、書類に信用状条件の不一致がない限り、確認後に信用状発行銀行の信用が悪化したり、発行銀行所在地のカントリーリスクが悪化しても買取りを拒絶できない。
　すなわち確認行為は発行銀行との連帯保証ではなく、確認銀行の受益者に対す

る独立した取消不能の支払確約となり、発行銀行に対する与信行為となる。したがって、後日、発行銀行からディスクレによる支払拒絶を受けた場合を除いて、確認銀行は受益者に対しては買戻請求ができない。

確認銀行での買取りはWithout Recourse（買戻し義務なし＝輸出者に買戻し請求ができない）であり、指定銀行での買取りはWith Recourse（買戻し請求ができる）である。もちろん、受益者と確認銀行との間の特約でWith Recourseにすることはできる。

B．無確認の通知

発行銀行から確認を依頼されても確認を加える用意のないときは、通知銀行はその旨を遅滞なく発行銀行に通報し、自行の確認を加えることなく、無確認信用状として受益者に速やかに通知することができる。

(8) 第9条　信用状および条件変更の通知

信用状および条件変更は、通知銀行を経由して受益者に通知できる。確認銀行でない通知銀行は、支払いする約束、買い取る約束をすることなく、信用状および条件変更を通知できる。

> **参考　条件変更する場合の注意事項**
> 信用状原本をA銀行より通知した後、条件変更をB銀行を通じて通知することはできない。どうしても、通知銀行を変更する必要が生じた場合は、信用状原本をキャンセルし、受益者の同意を得た上で、条件変更したい別の通知銀行で信用状原本を再発行する。

(9) 第10条　条件変更

A．取消不能信用状の取消手続き（a項）

第38条の特段の定めがある場合を除き、信用状は、発行銀行、受益者、もしあれば確認銀行、および受益者の同意がなければ取消したり、変更することができない（買取銀行は関係当事者ではない）。しかし、実務では条件変更にすべての受益者の同意を得るのは負担があるため、受益者に不利な条件変更で拒絶される可能性のあるものだけ受益者の同意を得ている。

B．条件変更の承諾通知（c項）

原信用状の条件は、受益者が通知銀行に条件変更の承諾を伝達するまでは、引き続き有効である。たとえば、原信用状が10万ドルで、3万ドルの増額の条件変更があった場合で、受益者が条件変更の承諾を通知しないまま、10万ドルの買取依頼をしてきた場合、条件変更を充足した呈示とはなっておらず。3万ドルの書類が呈示された時点で充足した呈示があったものとして考える。

C．一部承諾（e項）

条件変更について、受益者による一部分のみの承諾は認められない。

D．信用状条件変更の自動成立の制限（f項）

「一定期間内に受益者によって拒絶されなければ、条件変更が自動的に有効となる」という定めは無視され、認められない。受益者の立場が擁護されている。

> **参考　条件変更の拒絶時の注意事項**
>
> 　条件変更を受諾するか拒絶するかの回答をするのには期限はない。
> 　条件変更を拒絶しようとする場合で、拒絶に先立って書類の呈示をするときには、その書類の条件が条件変更後の信用状条件のほかの部分を充足したことにならないかを検討する。条件変更の一部の受諾は認められないため、もしそのような内容が含まれていると、条件変更全体に対して応諾したものとみなされるためである。拒絶するための期限制限はないが、拒絶すると決定した場合は、なるべく早く条件変更の拒絶を通知しておく必要がある。

⑩　第11条　テレトランスミッションによる信用状・条件変更、および予告された信用状・条件変更

テレトランスミッションが、①"full details to follow"またはこれと同趣旨の文言を記載している場合、または②メール・コンファメーションを信用状の原本とする旨を明記している場合には、そのテレトランスミッションは、信用状の原本または条件変更の原本としてみなさないので、発行銀行は遅滞なく原本を通知銀行に送付しなければならない。

したがって、事前通知（プレアドバイス＝プレアド）は、発行銀行が原本を発行する用意がある場合にのみ行う必要がある。また、信用状発行の事前通知（プレアドバイス）をした後に、信用状の発行を取り消すことはできない。

⑾　第12条　指定

「指定銀行が確認銀行である場合を除き、オナーすることの授権または買取の授権は、その指定銀行にオナーすべき義務または買取るべき義務を負わせない。ただし、その指定銀行により明示的に合意され、かつその旨が伝達されたときは除く」とあり、指定銀行により明示的に合意され、かつその旨が伝達されたときとは、サイレント・コンファメーションのことを意味している。したがって、UCPもサイレント・コンファメーションを認めていることになる。

⑿　第13条　銀行間補償の取決め

信用状が、補償請求を規定している場合には、国際商業会議所規則（URR725）に従うか否かを記載することが義務付けられた。

信用状発行銀行は、買取銀行などの補償請求銀行が補償（決済）銀行から補償（決済）を得られるように、信用状の発行後直ちに補償銀行あてに補償授権（書）（reimbursement authorization）を提供しなければならない。また、補償授権には有効期限を定めてはならない。補償銀行の手数料は、信用状発行銀行の負担である。しかし手数料を受益者が負担する場合には、信用状発行銀行は信用状および補償授権書に記載しなければならない。

⒀　第14条　書類点検の標準

A．書類の点検（a項）

> a．指定に基づき行為する指定銀行、もしあれば確認銀行、および発行銀行は、書類が外見上充足した呈示となっていると見られるか否かを、書類のみに基づき決定するために、呈示を点検しなければならない。

銀行が受取った書類が信用状条件を充足しているかどうか（ディスクレがあるかどうか）は、契約書や物品、や役務などは参考にせず、その書類のみに基づいて決定しなければならない。また、銀行は、信用状に定められた書類が文面上、信用状条件を充足しているかどうかを、相応の注意をもって点検しなければなら

ない。また、銀行は信用状に記載されていない書類は点検せず、呈示した者に返却するか、または回付（次の者に送付）する。

> **参考　船積書類とは（ISBP A19）**
> 　信用状で Shipping Documents とは、信用状で要求されている書類である。ただし、為替手形は船積書類の定義の中には含まれない。

B．銀行の書類点検日数（b項）

　信用状発行銀行、確認銀行、指定銀行は送付されてきた書類を点検し、かつ当該書類を引き取るかまたは拒絶するかを決め、そしてその結果を書類に送付してきた当事者に通報するための決定は、書類受取日の翌5銀行営業日内にしなければならない。
　また、書類点検が終わったらすぐに対外決済手続きに入らなければならない。5銀行営業日を待って対外決済を行うのではない。

C．船積後の書類呈示期間（c項）

　運送書類の原本を含む呈示は船積後21日を越えてはできない。船積後21日それ以降は Stale B/L となる。しかし運送書類の原本を含まない場合には、船積後21日を越えても呈示することができる。
　しかし、21歴日以内では遅過ぎるので、実務では、信用状開設のときに、B／L Date 後10日（または15日）以内に、銀行に呈示すべき旨を信用状に規定しているのが通列である。
　たとえば信用状の Special conditions 欄には "Drafts and documents must be presented within 10 days after the date of issuance of the Bill of Lading but within the credit validity." と記載される。

D．物品、サービス等の記述（e項）

> 　商業送り状以外の書類においては、もし記載されている場合には、物品、サービスまたは履行の記述は、信用状におけるその記述と食い違わない一般的な用語によって記載されることができる。

> **参考　商業送り状以外の書類のディスクレ**
>
> 　商業送り状以外の書類（運送書類、検査証明書等）とインボイスとの記載内容は同じである必要がない。
>
> 　信用状でまったく要求されていない書類を受益者が呈示してきた場合、銀行は、その書類を点検する必要はなく、その書類を返却しないときには、責任を負うことなく回付することができる。この場合、他の書類との間に不一致があっても、ディスクレにはならない。しかし、極力輸出者に返却するのがよい。
>
> 　一方、信用状が呈示を求めていて、その記載内容について規定されていない場合は、銀行はその書類を呈示されたとおりに受理するが、他の書類との間の矛盾がないことが必要で、他の書類との間に矛盾があった場合はディスクレになる。

E．書類の日付（i項）

> 書類には信用状の発行日よりも前の日付が付されることができるが、書類の呈示日よりも遅い日付が付されてはならない。

　輸出者や輸入者の都合で船積を急ぎ、信用状発行前に船積を行った場合、船積書類の発効日（船積日）は信用状の発効日より前になるが、ディスクレにはならない。ただし、為替手形は書類に含まないので、本条の適用はない。通常は呈示日（作成日）を為替手形の日付とする。

F．書類上に記載される受益者と発行依頼人の住所（j項）

> 書類上に記載される受益者と発行依頼人の住所に関し、一定の要件を充足していればディスクレにはならない。

　運送書類以外の書類上の受益者と依頼人の住所は、信用状に記載の同じ国であればよく、信用状や他の呈示書類に記載された住所と一致していなくともよい。

　また、住所の一部として記載された電話番号、メールアドレスなどは、運送書類の荷受人欄または荷物到着通知先欄の詳細を除いて、無視して構わない。

　ただ、発行依頼人の住所および連絡先が19条から25条までの運送書類上の荷受人（consignee）または着荷通知先の場合には、必ず信用状に記載された通りで

なければならない。

> **参考　B/L の shipper 欄の相違**
> 　B/L の shipper 欄の shipper が誤って記載され、本来、ABC Company とするところを ABC Corporation としてしまった場合でも、ISBP A23 では、タイピングエラーやスペルミスは、語句や文章に影響を与えないものであればディスクレとはされないと規定している。
> 　また、信用状統一規則第14条 k 項では、銀行は「書類上に示された物品の荷送人または送り主は、信用状の受益者である必要がない。」としているので、shipper 欄に受益者とまったく異なる会社の名前があったとしても、ディスクレにはならないので、タイピングエラーやスペルミスによって、異なる会社になる可能性があるとしてもディスクレにはならない。

⑭　第15条　充足した呈示

　指定銀行には、充足した書類が呈示されたとしても、これを買取り、オナーする義務はない。指定銀行には何らかの義務を課す規定ではない。ただ、発行銀行は、充足した書類が呈示されていると決定して場合には、オナーしなければならない。

⑮　第16条　ディスクレパンシーのある書類、権利放棄および通告

　「発行銀行が、呈示は充足していないと決定した場合には、発行銀行は、自行のみの判断でディスクレパンシーに関する権利放棄について発行依頼人と連絡をとることができる。」とされている。この発行依頼人への照会は、「しなければならない」ということではない。もし顧客の意思が確認できないために、期限内（書類受取日の翌5銀行営業日以内）に拒絶できなかった場合、信用状発行銀行としては支払義務を負うことになる。したがって、信用状発行銀行としては一旦拒絶通知を出しておいて、発行銀行としてその権利を確定させておいたうえで、あらためて顧客の意思を確認するという方法がよい。

　ディスクレを許容するかどうかは、発行銀行自身の判断で決定できるが、実務

では発行銀行は、ディスクレを発見したときは、支払拒絶の通告をすることなく、まず発行依頼人（輸入者）にディスクレの諾否について書面にて照会して、その回答を書面で入手後に対応をする。

> **参考　将来に対する不安による発行銀行の支払拒絶**
>
> 　信用状発行銀行から、ディスクレがある旨の拒絶通知を受け、バイヤーと交渉した結果、バイヤーがディスクレを応諾することになり、発行銀行にも応諾書を提出したと連絡を受けた。しかし、買取銀行からその旨を発行銀行に連絡したが、発行銀行は依然支払いを拒絶している。
>
> 　この場合、発行依頼人（輸入者）がディスクレを許容したときでも、発行銀行はこの発行依頼人の指示に従う義務はなく、また対外決済を行う義務も負わない。発行依頼人のディスクレ応諾に従うか否かは、主たる債務者として発行銀行の独自の判断によって決定するものである。
>
> 　このようなケースが起きる例は、発行銀行が決済資金を融資（輸入ユーザンス等を許与）する場合で、発行銀行が発行依頼人の将来の信用状態に懸念（数カ月後には倒産等すると）があると判断し、かつ、決済資金の融資ができないと判断したときには、発行依頼人がディスクレを応諾したとしても、発行銀行は主たる債務者として支払いを拒絶することができる。（信用状を発行することは、輸入者の連帯保証人になることではない。）

A．銀行の支払拒絶時の通知に記載すべき事項（ｃ項）

　指定銀行、確認銀行、発行銀行はオナーすること、または買い取ることを拒絶する場合には、拒絶の理由となるディスクレを全て漏れなく列挙し、呈示人に対して一度限りの通告をしなければならない。2回目以降のディスクレの通告は無効である。

　Ｃⅱ号では、その書類を拒絶する根拠となったディスクレを明確に述べること。

　ⅲ号のａ）では呈示人から指図があるまで書類を銀行が保管していること、ｂ）では発行銀行が発行依頼人から権利放棄を受領し、かつそれの承諾に合意するまで等、書類を保管していること。ｃ）では書類を返却していること。ｄ）で

は書類を拒絶しようとする銀行が、先に呈示人から受け取った書類の処分について、その指示に従って行動していること。

　ディスクレの内容を 1 回で全てを言い切り、申立の場合に、書類を保管（hold）しているのか、あるいはしないのか等ⅲ号の、 a ）～ d ）いずれかを明記する。

> **参考　新たなディスクレの発見**
> 　買取銀行から送付されたカバーレター上にディスクレにつきL／Gを提出している旨の記載がある。その後信用状発行銀行でチェックしたところ、別のディスクレが新たに見つかり、買取銀行に支払拒絶の通知をする場合は、新たに見つかったディスクレだけでなく、すべての（L／Gで通知してきものを含めて）ディスクレの箇所を明示する。さらに当該書類を呈示者の指図があるまで保管中であるか、または呈示者へ返送中であるか等を、そのいずれかを明示しなければならない。

B．通告期間（d項）

　信用状で要求されている書類にディスクレがある場合、書類点検期限である「呈示日の翌5銀行営業日の終了まで」に、書類の拒絶通知を「1回だけ」行うこと。したがって、ディスクレによる発行銀行からの支払拒絶通知が、発行銀行への書類到着日の翌5銀行営業日以内に発信されているときは、買取銀行はアンペイド（不払い）に応じる必要がある。

　その伝達の手段は、トランスミッション、電話、ファックス、 e メール、テレックス、スイフト等を加えたものをいう。

C．書類の返却（e項）

　ディスクレの内容を1回で全部を言い切り、ディスクレの申立の場合に、書類を保管（hold）しているのか、あるいはしないのか等を明記し、通告を提供した後は、書類をいつでも呈示人に返却できる。

　支払を拒絶する銀行が直ちに書類を返却するのは、実務的には、発行依頼人の倒産の場合などである。

⑯　第17条　書類の原本およびコピー

> 信用状に規定されて呈示を求められた各書類については、少なくても1通は、原本でなければならない。

in three copies といった場合には、「コピーが三部」という意味ではなく、「三通」という意味である。信用状に in duplicate, in three copies などの表現がある場合には、1通は原本でなくてはならない。ただし、船荷証券や保険証券のように書類自体に発行通数が表示されている場合には、全通が原本でなくてはならない。

> **参考　書類の署名**
> 「たとえ信用状中に記載がなくても、為替手形、証明書および宣言書には、署名が必要である。運送書類および保険証券には、UCP600の規定に従って署名がなされなければならない」(ISBP 681の37段)。したがって、信用状は特に"signed"と要求していなくても検査証明書、受益者の証明には署名が必要である。

⑰　第18条　商業送り状

> a．商業送り状は、次のとおりである。
> 　i　商業送り状は、受益者によって発行されたと見なされるものでなければならない。
> 　ii　商業送り状は、発行依頼人の名称に宛てて作成されなければならない。
> 　iii　商業送り状は、信用状の通貨と同一通貨で作成されなければならない。
> 　iv　商業送り状は、署名される必要がない。
> c．商業送り状における物品、サービスまたは履行の記述は、信用状中に現れている記述と合致していなければならない。

商業送り状は、信用状にほかに異なる定めのない限り、受益者により発行されたもので(インボイスの上部に受益者の名前・住所があるもの)、信用状の発行依頼人宛てに作成されていなければならない。インボイスの署名は必要ないが、

通常、信用状は"signed commercial invoice"を要求しており、「信用状にほかに異なる定め」に該当し、署名が必要となる。

　信用状にほかに異なる定めのない限り、銀行は、信用状が許容する金額を超えた金額をもって発行された商業送り状は拒否される。

　商業送り状の物品の記述は、信用状の記述と一致していなければならない。その他のすべての書類（運送書類、保険証券、検査証明書など）の物品の記述は、信用状面の物品記述と矛盾しない一般的な用語により示してあれば、厳密一致でなくてもディスクレとはならない。

「語句または文章中に発生するミス・スペリングまたはミスタイプで、語句または文章の意味に影響を及ぼさないものは、書類をディスクレとしない。したがって、"machine"と"mashine"、"fountain pen"と"fountan pen"、"model"と"modle"は、書類をディスクレとしない。しかし、商品番号、モデル番号のミス・スペリングまたはミスタイプは、別の商品となるためディスクレと判断される。」(ISBP A23)

　ただし、手形のミススペリングまたはミスタイプは、アラビア数字が合っていても、ディスクレになる。

参考　その他留意事項

　商業送り状（インボイス）には、日付が付される必要はない。(ISBP C10)

　手形、運送書類、保険書類は、たとえ信用状が日付を付することを要求していなくても、日付を付することが必要である。(ISBP A11)

　分析証明書、検査証明書、船積前検査証明書などの書類は、船積以降の日付を付することができる、したがって、検査証明書に示された日付が、船積日より後になっても、ディスクレにならない。しかし、信用状が船積以前の検査を行うことを求めている場合には、その検査が船積以前に行われたことを証明しなければならない。(ISBP A12)

　インボイスと第三者が発行した分析証明書等上の文言を訂正する場合、受益者によって発行される書類の訂正も、為替手形を除き、認証される必要がないので、インボイス（信用状が、受益者以外の者が発行したインボイスを求めていないかぎり、）にはその認証は不要である。し

かし、第三者が発行した分析証明書等の書類を訂正する場合は、署名またはイニシャルが必要である。(ISBP A7a)

⒅　第20条　船荷証券

a．ⅱ．物品が、信用状に記載された船積港で記載船舶に船積されたことを次の方法により示していること。事前印刷文言により、または物品が船積みされた日付を示している積込み済の付記 (on board notation) により船荷証券の発行日は、船積日と見なされる。ただし、船荷証券が船積日を示している積込済の付記 (on board notation) を含んでいる場合を除くものとし、この場合は、その積込済の付記に記載された日が、船積日 (date of shipment) と見なされる。
ⅳ．一通のみで構成される船荷証券の原本であること、または、1通よりも多い原本が発行されている場合には、船荷証券上に示されているとおりの全通であること
ⅴ．運送約款を含んでいること、または運送約款を含む別の出所に言及していること。運送約款の内容は、点検しない

　事前印刷文言により、または物品が船積みされた日付を示している積込み済の付記 (on board notation) により、船荷証券の発行日は、船積日 (date of shipment) と見なされる。ただし、船荷証券が船積日を示している積込済の付記 (on board notation) を含んでいる場合を除くものとし、この場合は、その積込済の付記に記載された日が、船積日と見なされる。

　信用状に船荷証券とだけ記載があり、通数について Full set 等の表示がない場合や1通を要求していても複数発行されている場合には、発行された通数全通を銀行に呈示しなければならない（直送B／L扱いは除く）。

　在来船の場合には、船積船荷証券（Shipped B／L）が発行されており、船荷証券の発行日が積込日であり、船積日とみなされる。しかし、船積船荷証券（Shipped B／L）に発行日と積込日の2つがある場合には、積込日付が船積日となる。

コンテナ船の場合には、発行される受取船荷証券（Received B／L）は、貨物が本船に積込まれたことを示していないので、船荷証券上に"Loaded On Board"と船積証明を追記する必要がある。発行日のほかに、船積日を記載する欄（On Board Notation：船積証明）に記載された日付が船積日となる。積込済の付記（On Board Notation）を船積証明（On Board Notation）といい、これにより受取船荷証券は船積船荷証券と同一に扱われる。（国際海上物品運送法）

> **参考　その他留意事項**
>　信用状が船積地 Yokohama と要求しているが、船荷証券に受取地 Tokyo、船積地 Yokohama と記載されていても、船積地が信用状に一致しており、ディスクレではない。
>　船荷証券の積込済みの付記（on board notation）に署名がないが、UCP500から削除されたためディスクレではない。
>　支払条件が at 90 days after B／L date で Shipped B／L 上に積込済の付記がなされており、この日付がB／Lの発行日より後になっている場合でも、積込済の付記の日付が船積日とみなし、支払日を確定する。

> **参考　発行日と積込済みの付記の日付が異なる場合　（ISBP E6）**
>　「Shipped on board」と事前印刷された船荷証券が呈示されたときに、日付入りの積込済の付記が他にない場合には、その発行日が船積日と見なされる。日付入りの積込済の付記が他にある場合には、その積込済の付記の日付が、船荷証券の発行日の前であろうと後であろうと、船積日であると見なされる。

b．積替（transshipment）とは、信用状に記載された船積港から陸揚港までの運送間における、ある船舶からの荷卸しおよび別の船舶への再積込を意味する。

　受取地から信用状で指定された船積港までと、船積港から陸揚港までのそれぞれの航路が別の船で運ばれても、船舶からの荷卸しと別の船舶への再積込が、船積港で行われており、信用状で指定された船積港と陸揚港までの運送が１つの船で行われていれば、ディスクレにはならない。

⒆　**第21条　流通性のない海上運送状**

　信用状が非流通性の海上運送状を要求し、信用状統一規則に定められた船荷証券の要件を備えていれば、銀行に担保権が確保できなくても、即ち海上運送状の荷受人が銀行でなくても、銀行はこれを受理する（買い取る）。

　信用状が船荷証券を要求している場合には第20条が適用になり、信用状がnon-negotiable sea waybill（流通性のない海上運送状）を要求している場合には第21条が適用になる。

　第20条、第21条とも要件を充足していれば、どのような名称であっても受理すると定められている。したがって、信用状が船荷証券を要求している状況で、non-negotiable sea waybill という名称の運送書類が呈示されても、それだけではディスクレにはならない。

　逆に、信用状がnon-negotiable sea waybillを要求している場合も、船荷証券を呈示してもディスクレにはならない。

⒇　**第22条　傭船契約船荷証券**

　傭船契約船荷証券は、傭船契約に従って発行される船荷証券であり、当事者間の法律関係が複雑なため、信用状が要求または許容している場合以外は、銀行は受理しない。受理する場合、傭船契約書の呈示があっても傭船契約船荷証券のもとになる傭船契約の内容が複雑なため、銀行は傭船契約書を点検せず、かつ責任を負わない。

　信用状が傭船契約船荷証券を要求している場合、B／L上には"charter party B／L"や"as per charter party agreement"などの傭船契約船荷証券である旨の表現がなければ、ディスクレとなる。

㉑　**第23条　航空運送書類**

　a．ⅲ．発効日を示していること。この日が、船積日と見なされる。ただし、航空運送状が実際の船積日の特別付記を含んでいる場合を除くものとし、含んでいる場合には、その付記に記載された日が船積日と見なされる。
　　ⅳ．信用状に記載された出発空港および到達空港を示していること。
　　ⅴ．たとえ信用状が原本全通を規定している場合であっても、送り主用また

> は荷送人用の原本であること。
> c．ⅱ．たとえ信用状が積替えを禁止している場合であっても、積替えが行われるまたは積替えが行われることができることを示している航空運送書類は、受理される。

　航空運送書類には、運送人の表示があり、運送人、またはその代理人の署名があることが求められている。信用状が航空運送状の全通を要求していても、銀行に提出するのは、荷送人用（3枚目）のオリジナル1通でよいこととされている（航空運送状は通常3通発行されるが、荷送人には1通だけ交付されるため）。
　信用状が積替えを禁止している場合に、航空運送状に積替えが行われる旨の記載がある航空運送状が銀行に提出されても、全運送が一つの航空運送状により運送される場合には、ディスクレにはならず、買取りが行われる。
　また、航空運送書類に署名欄があっても、信用状が要求していないかぎりは、そこにシッパーの署名がなくてもディスクレにはならない。（ISBP A37、H4）

> **参考　航空運送書類の船積日 ISBP H8a**
> 　航空運送書類は、発送日を示すべきである。この日付が、航空運送書類に実際の船積日の個別の付記がない場合には、この日付が船積日と見なされる。航空運送書類に実際の船積日の個別の付記がある場合は、その日付が航空運送書類の発行日の前であろうと後ろであろうと、船積日であるとみなされる。

⑵ 第26条 "On Deck"、"Shipper's Load and Count"、"Said by Shipper to Contain" および運用費に追加された費用

A．甲板積み（a項）

　積極的にOn Deck（甲板積み）を明示している運送書類を、銀行は受理しないが、甲板積みについて何も触れていないか、あるいは、単に甲板積みについての可能性があることを示しているものは、受理される。

B．不知文言（b項）

　コンテナ船のFCL貨物の場合、船会社はコンテナ内の明細を確認できないの

で、船荷証券上に"Shipper's Load and Count"または"said by Shipper to contain"の「不知文言」を記載することになるが、これは運送品や包装の瑕疵を示すものではないので、故障付き船荷証券とはならない。買取りに支障なく、銀行はその運送書類を受理することを規定している。

> **参考　在来船の「不知文言」**
> 　在来船のばら積み貨物については、運送人が検量することが困難であるため、荷送人から通知されて数量をそのまま運送書類に記載し"shipper's weight and measurement"等の不知文言（約款）を付記することがある。

⑳　第27条　無故障運送書類

　船荷証券その他の運送書類は、無故障でなくてはならない。銀行は、信用状が故障付きでもよいと認めていないかぎり、そのようなリマーク条項または但し書のついている運送書類を受理しない。

　しかし、信用状がB／L上に"clean on board"と表示するよう求めているが、この記載がない場合でもディスクレにはならない。

　また、B／L上で、当初"clean"と記載されていたものが抹消されていても、Foul（故障付・瑕疵がある）B／Lでなく、clean B／Lである（ISBP E21b、G19b、H21b）。

> **参考　船荷証券の名宛人相違**
> 　信用状がB/Lの名宛人に関し、"consigned to AAA bank（発行銀行）"と「記名式」を要求しているが、実際に呈示したB/Lには"to the order of AAA bank"と「記名指図式」になっていた場合、これはディスクレとなる。ISBP E12で、信用状が「記名式」を要求している場合は、「記名指図式」のB/Lは受理されず、その逆も同様となる。

⑳ 第28条　保険書類および担保範囲

> b．保険書類が1通よりも多い原本により発行されていることを示している場合には、すべての原本が呈示されなければならない。
> c．カバー・ノートは、受理されない。
> d．保険証券は、包括予定保険契約に基づく保険承認状または確定通知書の代わりとして、受理されることができる。
> e．保険証券上、保険担保（cover）が船積日（date of shipment）よりも遅くない日から効力を持つと見られる場合を除き、保険書類の日付は、船積日よりも遅くないものでなければならない。
> f．ⅰ．保険書類は、保険担保範囲の金額を示さなければならず、かつ信用状と同一の通貨で作成されていなければならない。
> 　　ⅱ．要求された保険担保範囲の記載が信用状にない場合には、保険担保範囲の金額は、最低で物品のCIF価格またはCIP価格の110％でなければならない。
> 　　　　CIF価格またはCIP価格が書類から決定できない場合には、保険担保範囲の金額は、オナーまたは買取りが求められている金額または送り状上に表示された物品の総価格のいずれか大きい金額に基づき計算されなければならない。
> 　　ⅲ．保険書類は、少なくとも、信用状に記載された受取地または船積地と陸揚地または最終到達地間の危険が担保されていることを示さなければならない。
> j．保険書類は、保険担保は小損害免責（franchise）または小損害控除免除（excess）に従うことを示すことができる。

　原本が2通以上発行されている場合には、その原本全通が提示されなければならない。

　包括予定保険契約に基づく場合は、保険証券だけでなく保険承認状または通知書が受理される。

　保険は船積み時点から有効でなければならないので、保険の効力発生日が船荷証券の船積証明（on board date）より以前でなければ、ディスクレとなる。

　保険書類は信用状と同一の通貨で表示されなければならない。

① （CIF または CIP の価額が確定できる場合）
　　最低付保金額は、CIF または CIP の価額の110％
② （CIF または CIP の価額が確定できない場合）
　　信用状が要求する支払い、引受け、買取りの金額の110％または商業送り状金額の110％のうち、いずれか大きいほう。

　また、必ずしも信用状に定められている受取地、船積地と陸揚地、最終到達地とが信用状と一致していなくてもよい。信用状で定められた区間がカバーされていれば、その区間の手前やその先が保険証券に記載されていても、ディスクレではない。
　銀行は担保条件がフランチャイズ（免責歩合＝ franchise ＝損害が一定の割合に達すれば損害の全額についててん補されるもの）またはエクセス（控除免責歩合＝ excess-deductible ＝損害の一定割合は取引に常に伴うものとして、免責歩合を差し引いた残りをてん補してもらえるというもの）の適用を受けることを示している保険書類を受理する。

> **参考　保険書類の留意事項**
> 　オーバーインシュアランス（保険金額超過）は、信用状がインボイスと付保金額を同額とする旨や、一定金額以下であるとする条件でなければ、ディスクレではない。
> 　テロ等のリスクから、貨物保険にパラマウントクローズ（至上約款）と呼ばれる免責条項がある。これは追加保険料を支払っても付保することができない免責条項である。たとえば、放射能汚染、生物兵器、生物化学兵器及び電磁兵器に関連する損害は免責になる。

⑤　第29条　有効期限または最終呈示日の延長

　信用状には有効期限を明記しなければならない。さらに支払等のための書類の呈示場所を定めなくてはならない。
　銀行に買取りのために呈示する荷為替手形、船荷証券等の船積書類は、この信用状の有効期限当日またはそれ以前に呈示しなければならない。
　信用状で要求されている書類の呈示最終日が、銀行の休業日にあたる時は、書

類の呈示最終日は最初の銀行営業日まで延長される。

　ただ、有効期限・呈示期限は銀行の休業日後の最初の銀行営業日まで延長されるが、これら銀行の休業が第36条に定める不可抗力による場合には延長されない。

> 参考　アメンドにより信用状の期限を延長する場合の留意事項
> ①　信用状に最終船積日が定められているときは、信用状の期限を延長しても最終船積期限は延長されない。船積期限も信用状の有効期限の延長に合わせて延長しなければならない。
> ②　信用状に最終船積日が定められていないときは、信用状の有効期限は延長があれば、最終船積期限も延長されたことになる。したがって、信用状の有効期限までに船積みをすればよいことになる。
> ③　ただし、②の場合信用状の有効期限が銀行の休業日にあたる時には、書類の呈示最終日の有効期限は延長されるが、その最終船積期限は延長されない。したがって、船積みは信用状の有効期限までに行わなければならない。これは銀行の休業日であっても船積みは休日・祝祭日でも行われるからである。

㉖　第30条　信用状金額、数量および単価の許容範囲

A．信用状金額、数量、単価の10％を超えない過不足（a項）

　信用状金額、数量、単価のすべてに"about"、"approximately"の表示がある場合には、それらが関係する金額または数量もしくは単価に対して10％を超えない過不足（増減）を許容しているものと解されるので、"about US$10,000.00"と信用状に記載があれば、US$11,000.00からUS$9,000.00までの間で信用状金額が使用できる。しかし、金額にaboutが使用されていても、数量、単価にaboutがない場合には、数量、単価の10％の過不足は認められない。

B．物品数量の5％以内の過不足（b項）

　信用状に①包装単位の数または個々の品目の数量（packages, pieces, cartonsなど）を記載していないこと、②物品について"about"がなくとも、物品の数量について、信用状が数量の過不足があってはならないと定めていない限り、物

品数量の5％を超えない過不足が認められる。ただし、その場合でも使用する金額が常に信用状金額を超えないこと。

もし、"about"が数量に付いていて、信用状金額に付いていない場合には、数量を超過する船積みをおこなっても、信用状金額を超えることはできない。この場合には、信用状金額にも"about"、"approximately"の表示が必要となる。

要約すると、信用状が以下の三つの条件を前提に数量の5％以内の過不足を認めている。

① 信用状が貨物の数量に過不足があってはならないことを定めていないこと。
② 信用状が貨物の数量を包装単位、または個々の貨物の数によって定めていないこと。

　　例えばウイスキー750㎖入りのビンで500ビンというように包装単位の個数で定めている場合には、数量の過不足は認められない。ただ、信用状がウイスキー100ℓと数量（重さg、kg、長さm、広さ㎡など）で定めている場合には、計り方や計測時点によって誤差が生じる可能性があるので、±5％以内の過不足が認められる。

③ 使用金額が信用状金額を超えないこと。

　　①、②、③条件をクリアーすれば数量に about がなくても5％の過不足が認められる。

⑵⑺　第31条　一部使用または一部船積

A．一部船積（a項）

一部（分割）船積は、信用状で禁止されていない限り許容される。

B．一部船積の例外（b項）

船積みが同一の運送手段により、同一の航路のために、同一の仕向地になされていることを示している複数の運送書類は、運送書類の船積日、船積港、受取地または発送地が異なっていても、分割船積みを行ったものとみなされない。この場合に、複数の船積日がある場合には、荷為替手形の呈示期限を計算するための船積日は、最終の船積みの日が計算するための船積日となる。

> **参考　一部（分割）船積になる場合とならない場合　（ISBP D23）**
> 　同一の手段とは同じ船舶に船積することであり、2以上の船舶に船積する場合は、船舶が同日に出発し、同一仕向地に向かったとしても一部（分割）船積となる。
> 　一方、信用状が一部（分割）船積を禁止しているときに、複数の運送書類が呈示されても分割船積にあたらない場合とは、2種類の物品を別々の港から積んだり、別々の日に積んだ場合に、運送書類は2種類に分かれるが、それぞれの物品が同じ船舶で同一の仕向地に向けられていれば、一部（分割）船積には該当せず、ディスクレにはならない。

⒀　第32条　所定期間ごとの分割使用または分割船積

　所定期間ごとの船積が信用状に定められている場合、いずれかの船積が期間内に行わなければ、その後のすべての船積についても、信用状は無効となる。ただし、この規定は発行銀行が、船積が期間内に船積が行われなかったことについて、支払拒絶を通知しなければならないとされている。発行銀行が、船積が期間内に行われなかった旨の支払拒絶を通知せずに対外決済している場合は、この条件違反を認めたものとして、信用状は引き続き効力を有することになる。

㉙　第33条　呈示の時間

　銀行には、その営業時間外に、書類の呈示に応じる義務はない。呈示期限当日の営業時間経過後に書類が呈示された場合には、銀行は書類の受理を拒絶して債務を免れることができる。しかし、これに応じた場合は当日に呈示したものとして取り扱われる。

㉚　第34条　書類の有効性に関する銀行の責任排除

　書類の様式、十分性、正確性、真正性、偽造または法的効力については、買取銀行、信用状発行銀行等、銀行は責任を負わない。

㉛　第35条　伝達および翻訳に関する銀行の責任排除

　信用状条件に一致した書類を輸出側銀行（買取銀行等）が買取り、または取立

を行い、かつ信用状条件通りに書類送付を行った場合、発送ミスなどの過失がなければ、書類の引渡における遅延、郵送中の紛失、損傷等について、買取銀行は責任を負わない。ただ信用状発行銀行（および確認銀行）は決済を行う義務を負う。

㉜　第36条　不可抗力

銀行は、天災、暴動、騒乱、戦争、テロ行為、ストライキ、ロックアウトなどの不可抗力による業務の中断について、責任を負わない。また、業務が再開されても、特に権限が与えられていない限り、そのような業務の中断中に有効期限切れになった信用状に基づくオナー（支払）、買取りを行わない。

㉝　第37条　指図された当事者の行為に関する銀行の責任排除

信用状の発行の際に現地の銀行に信用状に確認を加えることを発行銀行に依頼し、確認銀行の選定についても発行銀行に一任し、コルレス銀行から選んでもらうことにした。しかし、現地の銀行に確認の付与を拒否され、確認信用状とすることができなかった場合でも、確認銀行を選定した発行銀行に責任を追及できない。

㉞　第38条　譲渡可能信用状

Ａ．譲渡手続き義務（a項）

信用状発行銀行は譲渡手続きを行なう銀行とコルレス関係にあることが必要である。

譲渡銀行に指定された銀行は自らの判断に基づいて、譲渡を行うか否かを決定することができる。譲渡手続きを行う義務を負わない。

Ｂ．発行銀行が譲渡銀行になることができる旨の規定（b項）

譲渡可能信用状とは、発行銀行により信用状に"Transferable"と明らかに指示されており、譲渡手続きを行うことを発行銀行により明確に授権された銀行のみが譲渡することができる信用状である。

譲渡可能信用状とは、受益者が信用状の全額または一部を1名ないし数名の第三者に1回に限り（譲受人が再譲渡出来ない意味）譲渡することを認めている信用状で、譲受人は、原受益者と同一の権利を有し、譲渡された部分については、

自分の名で荷為替手形を振出し、発行銀行より輸出貨物代金の支払いを受けることができる。

　輸出地の譲渡手続きを行うべき銀行が、受益者（輸出者）の譲渡依頼に応じず、その譲渡依頼を拒絶した場合には受益者（輸出者）は、信用状発行銀行に譲渡手続きをお願いする。

C．譲渡手数料（c項）

　譲渡手数料については、負担者は譲渡時に別段の合意がない限りは、譲渡依頼人（第一受益者）になる。

D．譲渡方法（d項）

　譲渡には、全額譲渡（Total Transfer）と分割譲渡（Partial Transfer）があり、いずれの場合も一回の譲渡を限度とする。ただ、譲渡を受けた第二受益者から原受益者への再譲渡（Re-transfer）はできる。しかし、第二受益者から更に、異なる第三者への譲渡はできない。分割譲渡は、分割船積み（Partial Shipment）が禁止されていない場合に行われ、信用状の分割は複数の第二受益者に、それぞれ一回限りで複数人に譲渡することができる。

E．譲渡信用状の条件変更（f項）

　2つの譲渡先に譲渡した信用状にアメンドがなされ、ひとつの譲渡先はアメンドを応諾したが、一方の譲渡先はアメンドを拒絶するというように、それぞれの条件が異なってくる可能性がある。

F．第二の受益者による呈示（k項）

　第二の受益者から荷為替手形を買い取った買取銀行は、発行銀行でなく譲渡銀行に船積み書類を送付しなければならない。

㉟　第39条　代り金の譲渡

　受益者が、信用状条件に合致した書類を銀行に呈示することにより、将来受け取ることになる金銭受け取りの権利を譲渡することであり、信用状に基づき履行する権利の譲渡ではない。代り金の譲渡は、日本では行われておらず、欧米でも一般的に行われていない。

チェック問題

1．次の各文章について、正しいものには○印、誤っているものには×印を解答欄にマークしなさい。

① 信用状統一規則第35条によれば、信用状条件を充足している船積書類について、買取銀行に発送ミスなどの過失がなければ、郵送中に書類が紛失した場合でも買取銀行は発行銀行または確認銀行から対外決済を受けることができる。

② Post Payment Negotiation（PPネゴ）について、信用状統一規則（UCP600）第2条第11文では「買取りとは、指定銀行による、充足した呈示に基づく為替手形および書類の買取りであって、その補償銀行に対する補償の弁済日である銀行営業日またはそれ以前に、受益者に資金を前払いする方法によるもの」として規定しており、補償資金が支払われることを条件とするPost Payment Negotiationも買取りをしたものとして取り扱われる。

③ 分析証明書や検査証明書の日付が、船荷証券の船積証明（on board notation）の日付より後になっている場合には、ディスクレとなり荷為替手形の買取りができない。

④ 輸入地の取立銀行から、支払人（輸入者）が破産したため不渡りにするとの連絡があり、輸出者が買取銀行より買戻し請求を受けた場合、輸出者は不渡手形や船荷証券の返却と同時に買戻す旨の民法第533条の同時履行の抗弁権を主張できる。

⑤ 信用状統一規則（UCP600）第6条c項では、「信用状は発行依頼人を支払人として振出された為替手形により利用可能であるとして発行されてはならない」としているので、信用状が発行依頼人を支払人とする手形を要求している場合には、銀行はそのような手形での買取をしない。

⑥ 保険会社から2通発行された保険証券について信用状で、1通を輸入者に直送する扱いの規定がなく、単に保険書類についてオリジナル1通のみを買取時に買取銀行に呈示することを要求していた場合には、1/2通を銀行に呈示すればディスクレになる。

⑦ 輸出者は、買取銀行経由で「信用状発行銀行より『ディスクレがあり支払い拒絶する』旨の通知があった」という連絡を受けた。そこで輸入者と交渉した結果、輸入者はディスクレを承諾し輸入決済（対内決済）することで了

承を得た。信用状発行銀行には、買取銀行から輸入者が決済する旨を連絡してもらったが、信用状発行銀行は依然支払い拒絶（対外決済の拒絶）をしている。この信用状発行銀行の支払拒絶は不当である。

⑧　在来船のバラ積み貨物について、船荷証券上に"Shipper's weight and measurement"とのリマークがある船荷証券でも、ディスクレとはならず荷為替手形の買取りが可能である。

⑨　在来船に船積みし Shipped B／L が発行され、このB／L 上に積込済の付記がなされた。その積込済の付記の日付がB／L の発行日より先になっており、支払条件が at 90 days after B／L date となっている手形の満期日を計算する場合には、B／L の発行日と積込済の付記の日付のうち、いずれか遅い日付を起算日とする。

⑩　輸出者が積地での輸出許可取得のため、早急に信用状の発行確認が必要となり、輸入者はプレアドバイスにより信用状を開設した。ところが、輸入者はその後同業者から輸出者の悪い噂を聞き、信用状の発行を止めようと考えている。プレアドバイスは事前通知であり信用状原本ではなく、信用状の開設を中止できる。

⑪　信用状統一規則（UCP600）第28条『保険書類および担保範囲』では、付保金額は CIF または CIP の価額の110％と規定しているので、オーバーインシュアランス（付保金額超過）はディスクレとなる。

⑫　受取船荷証券には船積みの年月日欄がなく、船荷証券の発行日を船積日と見なすが、船積船荷証券の場合は、発行日のほかに、船積日を記載する欄が設けられており、この欄に記載された日付が船積日となる。

●解答と解説●

1.　①－○　　②－×　　③－×　　④－×　　⑤－×　　⑥－○　　⑦－×
　　⑧－○　　⑨－×　　⑩－×　　⑪－×　　⑫－×

①　信用状統一規則第35条によれば、信用状条件を充足している船積書類について、買取銀行に発送ミスなどの過失がなければ、郵送中に書類が紛失した場合でも買取銀行は発行銀行または確認銀行から補償（対外決済）を受けることができる。

　また、指定銀行がオナーしているかまたは買い取っているか否かを問わず、

呈示が条件を充足している書類を発行銀行または確認銀行へ送付した場合には、発行銀行または確認銀行は、たとえその書類が、指定銀行と発行銀行または確認銀行間において、もしくは確認銀行と発行銀行間において輸送中に紛失したときであっても、発行銀行または確認銀行は、オナーするかまたは買い取るか、もしくはその指定銀行に補償を行わなければならない。

② Post Payment Negotiation（PPネゴ）について、東京地裁判決（平成13年(ワ)21385号判決）は買取りに包含されるとしているが（上記判例はUCP500の適用時のもの）、信用状統一規則（UCP600）第2条第11文では「買取りとは、指定銀行による、充足した呈示に基づく為替手形および書類の買入であって、その指定銀行に対する補償の弁済日である銀行営業日またはそれ以前に、受益者に資金を前払いする方法によるもの」であると明言した。したがって、補償資金が支払われた後に支払うPost Payment Negotiationは買取りではないとしている。

③ 分析証明書や検査証明書の日付が、船荷証券の船積証明（on board notation）の日付より後になっている場合でも、書類の呈示期限内の日付であれば、分析証明書や貨物の検査が船積後に行われたとはみなされない（ISBP745 A12 c）。したがって、ディスクレとならず荷為替手形の買取が可能である。

④ 輸出者が取引開始にあたって銀行に差入れた「外国為替取引約定書」で民法第533条の同時履行の抗弁権を排除しているので、銀行への買戻しと同時に船積書類の返還を要求することはできない（同時履行の抗弁権はない）。また、付帯貨物には買取銀行の譲渡担保権（弁済できない場合には、所有権は買取銀行に移転する権利）が設定されており、返還された船荷証券で貨物の処分をするかどうかは買取銀行の任意となるので、買取銀行は買戻し請求をしないで貨物の売却もありうる。更にその場合、貨物を処分して売却代金を弁済充当後に回収不足金があればその不足部分に対して買戻し請求をすることになる。

⑤ 信用状統一規則（UCP600）第6条c項では、「信用状は発行依頼人を支払人として振出された為替手形により利用可能であるとして発行されてはならない」としているが、信用状が発行依頼人を支払人とする手形を要求している場合には、銀行はそのような手形を要求書類の一つとみなし、その手形の記載内容が他の書類と矛盾しない限り買取をする。この規則の意味するところは、信用状の決済手段すなわち信用状に基づき支払いを決定づける金融書類として発行依頼人宛ての手形を要求してはならないということである。

⑥　信用状統一規則第28条 b には、「保険書類が1通よりも多い原本により発行されていることを示している場合には、すべての原本が呈示されなければならない」としている。しかし、オリジナル1通を発行依頼人に直送することを求めているような信用状は別として、信用状が、保険書類についてオリジナル1通を要求していた場合であっても、全通の提出が必要となる。したがって、2通発行された場合に、銀行に1/2通を呈示することはディスクレになる。

⑦　信用状発行銀行よりディスクレがあり支払い拒絶する旨の連絡を受け、輸入者と交渉した結果、輸入者がディスクレを承諾し輸入決済を了承しても、信用状統一規則第16条 b 項では、「信用状発行銀行が、呈示は充足していないと判断した場合には、発行銀行は自らの判断でディスクレパンシーに関する権利放棄について発行依頼人と連絡をとることができる」としており、信用状発行銀行はこの輸入者の指示に従う義務はなく、また支払いの義務も負わない。したがって、信用状発行銀行は主たる独自に債務者として支払いが拒絶できる。

⑧　在来船のバラ積み貨物について、船荷証券上に "Shipper's weight and measurement" と記載してある船荷証券は、運送人が検量することが困難であるため、荷送人から通知された数量をそのまま運送書類に記載したとの船会社の不知文言であり、ディスクレにはならず荷為替手形の買取が可能である。

⑨　Shipped B／L の場合は、その発行日が船積日とみなされる。この場合に、積込済の付記がなされる必要はない。もし、Shipped B／L に積込済の付記がされ、発行日と積込済の付記の日付が異なる場合については、ISBP E6には次のような主旨が定められている。『「Shipped on board（船積された）」と予め印刷された船荷証券が呈示される場合は、その船荷証券に日付の付された積込済の付記（on board notation）が他になければ、船荷証券発行日が、船積日と見なされる。積込済の付記の日付がある場合には、その日付が船積日と見なされる。その日付が船荷証券の発行日より前か後かは問わない。』としている。したがって、積込済の付記の日付が船積日となり、積込済の付記の日付を船積日として手形の満期日を計算する。

⑩　プレアドバイスは、信用状の発行の予告であり、発行銀行が効力を持った信用状を発行することを決定している場合にのみ発信できる。いったん発信すると、効力を持った信用状を遅滞なく発行すべき取消不能の義務を負うことになる（信用状統一規則第11条 b 項）。信用状発行銀行（輸入者）は、いったんプレアドバイスを発信すると発行依頼人や輸出者の信用悪化等の理由で信用状の

発行を取り止めることはできない。
⑪　第28条『保険書類および担保範囲』のf項ⅱは、最低付保金額を、CIFまたはCIPの価額の110％と規定しているので、信用状にインボイスと付保金額を同額とする旨や、一定金額以下であるとする旨が定められていないかぎり、オーバーインシュアランス（付保金額超過）はディスクレとはならない。
⑫　船積船荷証券には船積みの年月日欄がなく、信用状統一規則第20条a項ⅱの規定によれば、船荷証券の発行日を船積日とみなすが、受取船荷証券の場合は、発行日のほかに、船積日を記載する欄（船積証明欄）が設けられており、この欄に記載された日付が船積日となる。

第13章

貿易取引の事故事例

(1) 輸出者として認識すべき
　　事故事例　　　　　　　P336
(2) 輸入者として認識すべき
　　事故事例　　　　　　　P345

第13章　貿易取引の事故事例

> 貿易取引の事故事例を学ぶには、信用状統一規則、取立統一規則、ISBP、商法・民法、国際海上物品法、銀行関係約定書等の法律知識が必要となる。ここでは、基本となる貿易事故事例について学習する。

(1) 輸出者として認識すべき事故事例

A．船荷証券の紛失
■原則

船荷証券は、貨物の所有権を表す有価証券であり、また貨物の目的地までの運送を約束し、所持人に対して運送貨物の引渡しを確約する受取証でもあり、さらに裏書きによって所有権を譲渡できる流通証券でもある。輸入地で輸入者が貨物を引き取るには、この船荷証券が必要となる。仮に運送人が正当ではない船荷証券の所持人に貨物を引渡したとしても、悪意または重大な過失がない限り、運送人はその貨物の引渡しに関して免責される。

> **事故事例1**　（輸出地での紛失）
> 輸出者Xの担当者は、取引銀行でのL／C付き買取りを依頼するため船積書類の整理をしているが船荷証券が見つからない。船荷証券を紛失してしまったのかもしれない。輸出者の取るべき対応はなにか。

【対応策】
① 輸出者は、ただちに船会社に船荷証券を紛失した旨を連絡する。
② 輸出者は、輸入者にケーブル等を打電し、輸入者が信用状発行銀行に対して荷物取引保証（L／G）にて貨物の引取りをするよう連絡する。
③ 輸出者は、船会社に船荷証券の再発行の依頼をする。通常は船会社から取引銀行の保証状を要求されるので、取引銀行に担保等を提供して、取引銀行の保証状の発行依頼をする。
④ 船会社から船荷証券の再発行を受けたならば、ただちに新たな船荷証券を信用状発行銀行宛に送付し、輸入者に信用状発行銀行の船会社に対する荷物取引保証（L／G）の解除を依頼させる。

⑤ 保証解除までの日数に応じて信用状発行銀行に支払う保証料について輸入者と協議すること。
⑥ 船荷証券の貨物引渡し履行地（輸入地）に除権決定の制度があれば、その決定を取得する。しかし、除権決定の制度がない場合には、貨物の引渡し請求権の消滅時効（日本の商法上は1年（商法585条1項））、1年間はL／Gは解除できない。

> **事故事例2**（輸入地での紛失）
> 輸入者Mは輸入地の取引銀行で輸入代金を送金ベースで決済を済ませたが、輸出者Xより直接郵送させた船荷証券（直送B／L）が輸入者Mに届く前に、郵送途中で紛失してしまった。輸入者Mはどのような対応を取ればよいか。（輸入地が日本の場合）

【対応策】（非訟事件手続法　第4編　第99条～第118条）
●申し立ての流れ
① まず、船荷証券などの有価証券を無効とする扱いは、非訟事件手続法第114条により、非訟事件手続きに基づいて有価証券（船荷証券の）無効宣言公示催告をしなければならない。（申し立て　第114条）
② 申し立てをするには、有価証券の謄本（船荷証券の写し）と有価証券の盗難、紛失、滅失の事実を証明する書類を、義務履行地を管轄する簡易裁判所に申し立てをする。（管轄裁判所　第115条）（申し立て方法および疎明　第116条）
③ 公示催告の方法は、公示催告の内容を裁判所の掲示板に「船荷証券を所持し正当な所有者であると主張する者は、公示催告期間内に申し出よ。その催告期間申し出がない時（船荷証券の提示がない時）は、その船荷証券は無効となる」との掲示をする。かつ、官報にも掲載する、また裁判所が認めるときは日刊紙に掲載して公告することもできる。（公示催告の内容　第101条、第102条、第113条、第117条）

公示催告の内容は、
(1)申立人の表示、(2)公示催告を官報に掲載した日から権利の届出の終期までの期間　(3)権利の届出の終期までに届けるべきこと　(4)届出がない場合には、効力が失権すること（第101条）

④ 公示催告の期間（第103条）は、官報に掲載した日から最短2ヵ月である。
⑤ 催告期間内に届出がなければ除権決定がなされ、この除権決定により申立人は船荷証券の所有権を主張することが可能となる。（公示催告手続終了の決定　第104条、除権決定による有価証券の無効の宣言等　第118条）
⑥ 輸入地で輸入者が荷物引取保証状（L／G）で貨物をすでに取得している場合には、この除権決定謄本を船荷証券の原本に代えて船会社に持ち込み、船会社からL／Gの返却を受け、そのL／Gを銀行に提出し、保証料を支払いL／G解除を行う。

B．信用状発行銀行の倒産

> **事故事例3**
> 輸出者Xは、A銀行発行の信用状条件に基づいて、船積みを完了したが、取引銀行での荷為替手形の買取依頼をする前に、発行銀行であるA銀行は業績が悪化、破綻（破産）してしまった。船荷証券について、信用状条件は"Full set of Clean On Board Ocean Bill of Lading made out to order of A Bank, Ltd."とある。輸出者Xのとるべき対応はなにか。

【対応策】

信用状発行銀行が倒産したのであり当該L／Cでの荷為替手形の買取りは受けられない。なお、信用状統一規則第14条ⅰ項「書類には信用状の発行日よりも前の日付が付されることができる～」により、船積書類の日付が信用状開設日よりも前であっても、ディスクレにはならないので、別の銀行の新たな信用状が入手できれば、L／C付きとしての買取りを受けられる可能性がある。ただ、買取銀行等への書類呈示（信用状のPeriod for Presentation）が、信用状の有効期限内であること、運送書類の発行日後の呈示期限内であることを条件に、買取が可能である。そこで、輸入者に連絡し、別の銀行による新たな信用状の開設を依頼する。その際には、信用状の有効期限の延長は無論のこと、すでに船積が終わっているので買取銀行への書類呈示期限（Period for Presentation）についても十分な考慮をし（船積後10日以内でなく20日以内の買取ぐらいに変更依頼する）、早急にフル・ケーブルにて発電送付してもらうことが重要である。

船荷証券の荷受人が to order of A Bank, Ltd. と旧信用状発行銀行に記名指図

式となっているので、船荷証券の荷受人を変更する必要がある。別の銀行から新しい信用状を発行させる場合には、船荷証券の荷受人欄を to order または to order of shipper など指図式に変更する。輸入者に不安がある場合には、to order of L／C issuing Bank と新信用状発行銀行とすることが必要である。

C．船荷証券（B／L）の1通を輸入者に直送させる条件での不払い

> **事故事例4**
>
> 　従来、輸入者はL／G（荷物引取保証）で貨物を引き取っていたが、L／Gによる銀行への手数と費用を嫌って、B／L1通を直送する扱いでお願いしたいと輸出者に依頼してきた。担当者は社内協議の上で応諾した。
>
> 　輸入者はその直送されたB／Lを船会社に提示、荷渡指図書（Delivery Order）を受領し貨物を引き取った。
>
> 　しかし、輸入者は市況が回復せず国内での販売が思わしくない。買取銀行から船積書類が信用状発行銀行に送付されてきたが、信用状発行銀行のArrival Notice にB／LがLate Shipmentであるとの記載を奇貨として、輸入者はディスクレで不払いにしたいと信用状発行銀行に申し出た。
>
> 　それにより信用状発行銀行より不払いにする旨の連絡が買取銀行を通じて輸出者にあった。輸出者のとるべき対応はなにか。

【対応策】

　輸入者は、ディスクレがあっても直送B／Lでの引取り後、L／G・T／R実行後は不払いにはできないことは国際的商慣習であり、輸出者は、輸入者に直ちに決済するよう連絡するとともに、買取銀行から信用状発行銀行に同様な旨の連絡を取ってもらう。

> **参考　信用状取引約定書第10条5項《要約》**
>
> 　「信用状が、（B／Lなどの）付属書類の一部または全部を、発行依頼人または同人が指定する者宛に送付するよう定められている場合（直送B／L）であって、発行銀行が、信用状条件との相違があると判断した場合には支払い等を拒絶することができる。そのとき、私（信用状発行

依頼人）は（B／L 1通などの）付属書類を回収し、送付人（輸出者）に返却します。」

信用状取引約定書第11条（償還債務）《要約》
　「私（信用状発行依頼人）が荷物引取保証（L／G）で付帯荷物を引取った場合、その他引渡方法（直送B／L、T／Rなど）のいかんを問わず、貨物の引渡を受けている場合には、到着した船積書類に信用状条件違反（信用状条件の不一致）があっても償還債務を負担します。」

D．信用状なし取引における記名式船荷証券

事故事例5
　輸出者X会社は、信用状なしD／P at sight条件での輸出を行おうとしている。当該輸出は米国向けであるが、売買契約では、船荷証券は全通（Full Set）呈示する条件で、荷受人欄には輸入者Mが記載されている記名式船荷証券である。
　そこで、取引銀行に信用状なし輸出為替D／P at sight条件の買取り依頼の相談をしたが、取引銀行に買取りが拒絶された。なぜだろうか。

【拒否理由】
　船荷証券の荷受人欄が輸入者とする記名式船荷証券となっており、取立扱いであれば、輸出地の取引銀行に与信リスクは生じないので問題はないが、買取り扱い（与信＝融資扱い）では船荷証券上での担保権（所有権）が確保されている必要があり、荷受人欄が輸入者とする記名式船荷証券では銀行は担保権が主張できないため（銀行に貨物の所有権が移転しないため）。

【対応策】
　船荷証券の荷受人欄を従来の輸入者名を記載する記名式から「指図式」（to order）または「荷送人の指図式」（to order of Shipper）に変更して、貨物の所有権が買取銀行に移転できるようにする。

参考

　船荷証券が流通性を持つには、船荷証券上の荷受人（Consignee）が、指図式（to order）または荷送人の指図式（to order of Shipper）となっていることが必要である。もし、記名式になっていると、記名された者にのみ貨物の処分権があり、流通性がなくなるので、荷為替手形の担保とはならず、銀行での買取りが行われない。

　また記名式で、貨物をA社からB社に譲渡する場合に、わが国では船荷証券上に譲渡禁止の記載がない限り、船荷証券にA社の裏書があれば譲渡は可能である。しかし欧米では記名式の船荷証券の譲渡は禁止されている。

参考

　国際海上物品運送法第10条（準用規定）の規定で、商法第584条（貨物引換証〈船荷証券〉の受戻証券性）を準用している。商法では「貨物引換証を作りたる場合に於いてはこれと引換えに非ざれば運送品の引渡しを請求することを得ず」としている。そのため、わが国では記名式船荷証券でも受戻証券性が認められ、船荷証券と引換えでなければ、船荷証券の荷受人欄（Consignee欄）に荷受人として記載されていても、船会社から貨物の引渡しを受けることができない。

　しかし、米国、英国、ドイツ、フランス等の国々では、記名式船荷証券は裏書譲渡不能（裏書譲渡禁止されている）なものとされ、さらに受戻証券性が否定されており、船会社は船荷証券と引換えでなくとも、船荷証券の荷受人欄に荷受人として記載された者に貨物を引き渡すことで免責になる。

　これらの国では、輸入者が荷受人となっている記名式船荷証券の場合には、輸入者は船荷証券の提示を要せず船会社から貨物を引取ることができる。

　したがって、輸入者を荷受人とする記名式船荷証券での信用状なし輸出手形の買取りで、決済条件がD／Pであっても、輸入者は手形の決済を行わず船荷証券を入手しなくても貨物が引取れることになる。

　この点のリスクを考慮しながら、輸出者は貿易取引をする必要がある。

(その他参考)
中国の裁判所は、船荷証券とは、運送人が中国海事法第71条に従って貨物を引き渡す証券であるから記名式船荷証券でも指図式船荷証券でも相違がないという理由で、記名式証券の場合でも貨物の引取には船荷証券の原本が必要であると述べている。(ただ中国は、裁判所の判断がその時の状況によって変わるので、こうであるとは言い切れない)

E．輸出の裁判事例

裁判事例1

信用状統一規則における買取およびディスクレの意義（回転信用状とPPネゴの有効性）

東京地裁判例平成15年9月26日（平成13年(ワ)21385号）
原告：A化学工業
被告：P銀行

【事例】
原告（A化学工業）は、自動回転式の信用状（回転信用状）を開設した被告（P銀行）が、荷為替手形等の関係書類を呈示する買取銀行（B銀行）に対し、上記信用状に基づく支払を拒絶したので、買取銀行より買戻請求を受け荷為替手形等の関係書類を再取得したA化学工業が、P銀行に対し、上記信用状に基づく金員の支払を求めたのに対し、P銀行が、回転信用状の復元の条件である買取銀行による買取り等がなく、信用状条件の充足がないなどと主張して、A化学工業と争った事例。

【事実関係】
本件信用状は、回転信用状であり、B銀行が7月出荷分について原告から荷為替手形及び船積書類を買取ることが、8月出荷分について、本件信用状が復元する要件となる。そこで、8月出荷分について、本件信用状が復元しているのか否か、すなわち、B銀行が7月出荷分の荷為替手形及び船積書類を買取っているか否かが問題となった。

【判旨】
7月出荷分については、B銀行と原告との間、B銀行が荷為替手形及び船積書

類をPPネゴ方式により買い取る旨の合意がされている上、B銀行は、上記合意に基づき、上記荷為替手形を発行銀行宛て裏書譲渡して手形上の債務を負担するので、輸出与信取引の扱いをしている。そして、PPネゴ方式による買取りは、荷為替手形及び船積書類の対価としての代り金の「支払いの義務を確約すること」に当たり、荷為替手形及び船積書類の「対価としての代り金を支払わない書類の単なる点検」には当たらないから、統一規則によっても買取りと解される。

したがって、B銀行は、7月出荷分の荷為替手形及び船積書類等を原告から買い取っており、これにより、平成13年8月の第一営業日に、日本において、8月出荷分について、本件信用状が復活したものと認められる。

> **参考**
> PPネゴ（post payment negotiation）は、本邦の裁判所（東京地裁判例平成15年9月26日　平成13年（ワ）21385号、東京高裁判決平成16年3月30日）では買取に含まれると判断しているが、UCP600の買取は、「補償（reimbursement）の弁済期である銀行営業日またはそれ以前に、受益者に資金を前払いする方法によるもの、または前払いすることを合意する方法によるもの」と規定し、必ず支払われることが必要であるとしている。したがって、補償資金が支払われたとこを条件に支払うPPネゴは、現在のUCP600では買取に該当しないという見解がある。

裁判事例2
船荷証券上の不知文言の効力

東京地裁平成10年7月13日　判例時報1665号89頁（平成8年(ワ)19818号）

原告：A銀行

被告：B汽船会社

被告補助参加人：T貿易会社

【事例】
　本件船荷証券の「梱包の種類・荷物の明細」欄には、荷送人がコンテナに積み込み、計測したものであることを示す「SHIPPER'S LOAD AND COUNT」という文言及び荷物の内容は荷送人が通告したものであることを示す「SAID TO CONTAIN」という文言（以下併せて「不知文言」とい

う。）が記載されていた。

　そこで、被告（B汽船会社）は、この不知文言の存在により、本件運送品が船荷証券上に記載されている貨物と同一であることについて責任を負わず、本件各船荷証券には貨物の種類及び数量が確定的に表示されていないことになる、と主張して、原告（A銀行）の請求を争った。

【争点】

　不知文言が記載されている船荷証券の振出人は、その所持人に対し、証券上記載されたとおりの種類及び数量の運送品を引き渡す義務を負うか。また、本件において、被告が不知文言の効力を主張するのは、権利の濫用か。

【原告の主張】

　このように不知文言は、運送人側の要請から一方的に記載されるようになったものであり、運送人が不知文言を記載したことによって、船荷証券記載の運送品の引渡義務を負わないとする解釈は、国際海上物品運送法15条（特約の禁止）に照らし、許されないというべきである。国際海上物品運送法は、船荷証券の流通性を確保すべく、品物の包み又は個品の数あるいは数量もしくは重量を記載した船荷証券を発行した以上は、その記載が不実なることをもって善意の船荷証券所持人に対抗し得ないとして（同法9条　船荷証券の不実記載）、船荷証券の文言証券性を非常に重視している。不知文言の抗弁を認めることは、国際海上物品運送法の趣旨に照らして重大な例外を認めることである。

【被告の主張】

　船荷証券は、文言証券ではないが、仮にその文言性を認めたとしても、船荷証券上に不知文言が記載されると、船荷証券上受け取った貨物の種類及び数量が確定的に船荷証券に表示されたことにならなくなるから、貨物の種類及び数量が表示されていない船荷証券としてその文言性を考えることになる。したがって、当該船荷証券は、貨物の種類及び数量の記載のない船荷証券として機能するわけである。

【裁判所の判断】

　このような不知文言が付された場合には、船荷証券の文言に応じた効力の例外として、運送人は、船荷証券の所持人に対して証券に記載されたとおりの運送品があったことについて責任を負わない、換言すれば、運送品が何であったか表示されていなかったのと同様に扱うこととされ、学説もこのような解釈を支持して

きた。

その例外として、
① 通告が正確でないと信じるべき正当な理由がある場合
② 及び通告が正確であることを確認する適当な方法がない場合

この例外に当たるときは、不知文言、留保文言などを付すことができ、これを付せば、運送人は、船荷証券の記載どおりの義務から免れるものと解されている。

以上の説示から考えれば、本件における不知文言は、一般の場合と異なるところはなく、その効力を有し、運送人である被告は、当然には本件運送品が船荷証券上に記載された運送品と同一であることについて責任を負うものではないという判示である。

(2) 輸入者として認識すべき事故事例

A．L／G（荷物引取保証状）の問題点

(a) シングルL／G要点
① 貨物の早期引取りができること
② 銀行での通常L／Gを依頼する手間が省けること
③ 銀行への保証料支払いの節約ができる

など、輸入者にとって好都合である。

(b) シングルL／Gの問題点

しかし、シングルL／Gは、信用状発行銀行に対する輸入者の背信行為だけでなく、信用状取引約定書の担保条項に抵触する行為となる。

事故事例6＆裁判事例3

運送人が船荷証券なしで運送品を保証状引換に貨物を第三者に引渡した場合に、船荷証券所持人に対する運送人の責任を認めた例

東京地裁平成8年10月29日　金融法務事情1503号（平成8年(ワ)1355号）

原告：X銀行（信用状発行銀行）
被告：D産業会社（輸入者）、運送会社Y

【事例】
　X銀行は、D産業会社からの依頼を受けて中国のB社から輸入する冷凍鶏肉のための信用状を開設した。
　鶏肉は、東京港と大阪港に到着したが、運送会社Yの代理店であるC社

は、船荷証券なしにD産業会社のX銀行の連帯保証のない保証状と引換えに貨物の鶏肉をD産業会社に引渡してしまった。保証状には、後日船荷証券原本を入手次第、これを運送人（Y）に引き渡すという内容のものであった。このような保証状は、実務ではシングルL／Gと言う。また、特に航海日数の短い中国と日本の間の海上運送の場合には銀行経由送付される船荷証券が貨物の輸入港到着に間に合わない場合が多い。運送会社Yの代理店であるC社は、このようなシングルL／Gと引換えに、船荷証券なしに貨物を荷受人に引き渡してしまった。

本件では、貨物がD産業会社によって引き取られてまもなく、D産業会社に対して破産宣告がなされた。このため、X銀行は船荷証券を保持したまま、信用状に基づき対外決済をしたもののD産業会社からは荷為替手形金額の対内決済を受けることができなくなってしまった。X銀行は、運送会社Yが船荷証券なしに貨物をD産業会社に引渡したことによる責任を追及して運送会社Yに対して損害賠償を求める訴訟を提起した。

【判旨】

国際海上物品運送法3条1項　運送品に対する注意義務により、運送人Yは、「自己又はその使用する者が運送品の引渡しにつき注意を怠ったことにより生じた、運送品の滅失等について損害賠償責任を負う」と判示された。この運送人の「使用する者」とは、運送人が自らの債務の履行のために使用する者、すなわち、履行補助者を意味し、運送人と雇用関係にある履行補助者に限られず、下請人、代理商等のいわゆる履行代行者（船会社の代理店等）も含まれるとしている。

したがって、運送人Yの代理商（船会社の代理店）であるC社が注意を怠ったため本件運送品（輸入貨物）を輸入者に引き渡したのであり、運送人Yはこれにより生じた損害の賠償責任は免れない。つまり、船会社の代理店C社が、本件船荷証券と引換えではなく、本件船荷証券を所持していないD産業会社に本件運送品を引き渡しており、船荷証券の所持人に対する本件運送品引渡義務を免れることはできないから、運送会社Yも債務の履行不能による損害賠償責任を負うべきである（国際海上物品運送法10条＝準用規定、商法584条＝貨物引換証の受戻証券性）。

【対応策】

運送人は、取引先からシングルL／Gでの貨物引き渡しを求められても認める

ことはせず、必ず銀行の連帯保証のあるバンクL／Gを取り付けることである。

事故事例7＆裁判事例4　（大判昭和5年6月24日第四民事部判決）
保証状（L／G）の適法性

商法584条では『船荷証券B／Lが発行されている場合には、これと引換えでなければ、運送品の引渡しを請求できない』と規定しているが、下記事例の場合、船会社Xは、信用状発行銀行Y銀行に損害金の支払い請求ができるか。

【事例】

貨物（運送品）の到着後、輸入業者Aは、船会社Xに対して、輸入地の信用状発行銀行Y銀行を連帯保証人とする保証状（L／G）を差入れ、船荷証券を呈示することなく運送品の引渡しを受けた。

船会社Xは、信用状発行銀行Y銀行の保証人のある保証状（L／G）を信頼して、輸入業者Aに運送品を引き渡した。その後まもなく、輸入業者Aは破産し、輸出者振出の荷為替手形の支払いも不能に陥った。

買取銀行Bは、船会社Xに対して、船荷証券を呈示し、運送品の引き渡しを請求した。

船会社Xは、すでに輸入業者Aに運送品を引き渡しており運送品を取り戻すことができなかったので、やむをえず、運送品の実価に相当する金額を買取銀行3に損害賠償として支払った。

そこで、船会社Xは、保証状に基づき信用状発行銀行Yに対して、損害金の支払いを求めた。

【争点】

商法584条「貨物引換証の受戻証券性」について

『貨物引換証を作りたる場合に於いてはこれと引換えに非ざれば運送品の引き渡を請求することを得ず』の規定があるため、上記事例（大判昭和5年6月24日第四民事部判決）では、商法584条が強行規定であり、保証渡（保証状（L／G））は船荷証券の正当な所持人に対して不法行為を構成するから、不法を目的とする保証渡の保証契約が、無効であるかどうかを争った。

【判決】

運送業者が船荷証券と引換えなしに貨物を引き渡し、万一の場合の損害の賠償

につき銀行の保証を得て、これによって証券所持人の権利を害した場合には、自己の過失の有無を問わず損害賠償をする商慣習は、公序良俗に反せず保証は有効である。（大判昭和5年6月24日第四民事部判決）

〈その他、判例（大判大正15年9月16日民集5巻688頁）〉

『商法584条は強行規定ではなく、運送人が荷受人に対し、後日貨物引換証の交付を受ける約定の下にそれと引換えでなく貨物を引渡したときは、その後貨物引換証の正当な所持人の請求による貨物引渡しの不履行による損害賠償の責任を免れることはできないが、右の約定が無効とはいえない。』

【結論】

いずれの判例も『保証渡し契約　L／G』は有効であるとの判示である。従って、船会社Xは、信用状発行銀行Yに損害金の支払い請求ができる。

事故事例8

輸入担当者として、次の事例を読んで、東京シティー銀行がB／CベースのL／G（荷物引取保証状）に応じない理由について、L／CベースのL／GとB／CベースのL／Gの違いを説明した上で述べなさい。次にB／CベースのL／G輸入を成功させるための対策を述べなさい。

【事例】

本邦の輸入者Aは、中国の繊維製造業者より「ジャケット、ジーパン等」の輸入をL／CなしD／P at sight 条件で行っていた。従来船積書類と貨物がほぼ同時期に日本に到着し、輸入決済後に船積書類（船荷証券等）を取得していた。しかし今回はちょうど中国の旧正月にあたり、中国の銀行の休日が続き船積書類の送付が遅延し、日本に到着しなかったので、荷物引取保証状（L／G）での荷物の引き取りを考え、取引銀行に相談に行ったところ、B／CベースのL／Gには応じられないとの回答であった。

【対応策】

1. L／G（荷物引取保証状）に応じない理由

＊L／CベースのL／Gの場合

L／Cベースの貨物は、信用状取引約定書により信用状発行銀行の譲渡担保となっており、東京シティー銀行に所有権がある貨物をできる限り早期に輸入者Aに貨物を引き取らせ、国内販売先に売却させ代金を回収することによって

輸入決済をさせることが、債権回収に繋がることになる。したがって、輸入者に信用力があればL／CベースのL／Gは行われることになる。

＊B／CベースのL／Gの場合

　東京シティー銀行がB／CベースのL／Gに応じない理由は、中国の銀行が輸入B／C書類を東京シティー銀行に仕向けてくるかどうか不明であり、また手形金額および手形支払条件も不明なのにもかかわらず、もし東京シティー銀行がB／CベースのL／Gで貨物を輸入者Aに渡してしまった場合に、取立銀行にとってリスクが大きすぎるからである。

　すなわち、仕向銀行（中国の銀行）の取立指図の内容が不明のまま、東京シティー銀行（取立銀行）が自分に所有権のない貨物を輸入者Aに勝手に貸渡すことになり、東京シティー銀行は仕向銀行に対して、損害賠償義務を負うことになるからである。このように、B／CベースのL／Gは、仕向銀行、輸出者に対する背信行為ともなるもので、原則B／CベースのL／G扱いはしない。

２．B／CベースのL／G輸入を成功させるための方策

　輸入者Aは、中国の繊維製造業者との間で輸入地の取立銀行を東京シティー銀行として売買契約書を作成する。次に「契約書」やインボイス、船荷証券の写し、シッピング・アドバイス等の書類や書信のやり取りの「証拠書類」を東京シティー銀行に提示して、輸入B／C書類が東京シティー銀行に仕向けられてくるかどうかを電信で照会してもらう。

　特に、国内の販売先への納期が限定されており、輸入決済後に船積書類を取得していたのでは取引ができないのであれば、L／Gを差し入れてでも特に急ぎ引取る必要があるので、事前に東京シティー銀行とよく相談して、担保の提供（預金の質権設定、不動産への担保設定等）の手続きも済ましておくとよい。

B．航空貨物での丙号T／R

事故事例9

　B／CベースのAir T／R

　本邦の輸入者Aは、台湾の活鰻業者より「うなぎの稚魚」の輸入をL／CなしD／P at sight 条件で行うことを計画している。商品の性質上、当該輸

入B／C貨物は航空貨物として空輸しようと考えている。また、船積書類よりも貨物が空港に先に到着するため、丙号T／Rで、かつ電話リリースを行うことを考えている。

そこで取引銀行に相談に行ったところ、B／Cベースの丙号T／Rには応じられないとの回答であった。

取引銀行がB／Cベースの丙号T／Rに応じない理由と、この輸入を成功させるための対策は何か。

【B／Cベースの丙号T／R】
B／Cベースの丙号T／Rとは、信用状なし輸入B／C書類が輸入地の銀行に到着前に輸入者が取引銀行に対して航空貨物の貸渡しを受けることである。

【拒否理由】
B／Cベースの丙号T／Rの拒否理由（問題点）

取引銀行がB／Cベースの丙号T／Rに応じない理由は、台湾の銀行が輸入B／C書類を取引銀行に仕向けてくるかどうか不明であり、また手形金額および手形支払条件も不明なのにもかかわらず、もし取引銀行が丙号T／Rで貨物を輸入者Aに渡してしまった場合に、取引銀行にとってリスクが大きすぎるからである。

すなわち、仕向銀行（台湾の銀行）の取立指図の内容が不明のまま、取引銀行が自分に所有権のない航空貨物を輸入者Aに貸し渡すことになり、取引銀行は仕向銀行に対して、損害賠償義務を負うことになるからである。

【対応策】
輸入を成功させるための方策

輸入者Aは、台湾の活鰻業者との間で輸入地の取立銀行を取引銀行として契約する。次に「契約書」やインボイス、航空運送状の写し、シッピング・アドバイス等の書類や書信のやり取りの「証拠書類」を取引銀行に提示して、輸入B／C書類が取引銀行に仕向けられてくるかどうかを電信で照会してもらう。

特に、活鰻や生花、生鮮野菜等の場合には、丙号T／Rでも特に急ぎ引き取る必要があるので、事前に取引銀行によく相談して、担保の提供（不動産への担保権設定、債権の質権設定等）の手続きも済ましておくとよい。

C．破産後の差押え

> **裁判事例6**
> 譲渡担保権に基づく物上代位権の行使
> 最高裁判決　平成11.5.17
> 　　E銀行は輸入者Nのために信用状を発行し、外貨建約束手形の振出しを受ける方法で輸入代金決済資金相当額を貸し付けるとともに、譲渡担保権の設定を受けた上、Nに商品の貸渡しを行って、その処分権限を与えた。Nがその商品を第三者に転売した後に、Nが破産の申立てをしたことにより、外貨建約束手形金債務につき期限の利益を失った場合には、破産宣告を受けた後であってもE銀行は輸入商品の譲渡担保権に基づく物上代位権の行使として転売された商品の売買代金債権について差押えることができる。

【対応策】

　輸入者が信用状発行銀行に外貨建約束手形、輸入担保荷物保管証を差入れ、貨物を譲渡担保として甲号T/Rにより船積書類を借り受け、銀行の代理人として国内の販売先に貨物を売却しその貨物代金を回収した後であれば、輸入者がユーザンス期日前に倒産しても、国内の販売先は善意の第三者として貨物の所有権を取得しているので、銀行は国内の販売先には譲渡担保権を主張できない。

　ただし、国内の販売先が破産した輸入者に貨物代金の未払いがある場合には、その差押さえが破産宣告後であっても、銀行が輸入商品の譲渡担保権に基づく物上代位権を行使して、販売先の売買代金債権を差し押さえた場合に、国内の販売先は銀行の差押さえに対抗できないので、銀行は売掛債権が輸入者の破産管財人に支払われる前に、外貨建約束手形（本邦ローン手形）を被担保債権として、輸入商品の譲渡担保権に基づく物上代位権の行使として商品の売買代金債権を差押えるべきである。

　いずれの場合でも、銀行は輸入者の担保見直しを行い、厳格に債権回収可能額を算出するとともに、輸入者に詐害行為取消の対象になる行為がなかったかを検討しなければならない。そのような行為がある場合には、処分禁止の仮処分の申立て、仮差押え等を行い、担保保全をした上で詐害行為取消訴訟を提起しなければならない。

1．以下の信用状事例を読み、輸入者がディスクレを理由に信用状発行銀行に支払拒絶ができるか検討しなさい。

直送B／Lによる貨物の引取、L／G、T／R実行後の輸入決済

【信用状の内容】

	L／C Opening Bank	：The Bank of Tokyo, Ltd., Tokyo.
32B	Currency Code, Amount	：USD100,000.00
41D	Available With…By…	：The Singapore Bank Ltd., Singapore. By Negotiation
42C	Drafts at…	：Drafts at 90 days after sight Full Invoice Value
42A	Drawee	：The Bank of Tokyo, Ltd., Tokyo.
45A	Description of Goods and/or Services	：Radiators Model No.102（of stainless steel）
46A	Documents Required	：2/3 set of Clean On Board Ocean Bill of Lading made out to order of shipper and blank endorsed marked Freight Prepaid notify……
49	Confirmation Instruction	：May Add.

《Invoiceの内容》

Description of Goods ：Radaitors Modle No.112（of stainless steel）

【事例】

　輸出者は、信用状条件に従って、直送B／L条件で船荷証券1通を輸入者に送付した。残りのB／L2通、その他の船積書類、荷為替手形を取引（リストリクト）銀行（The Singapore Bank Ltd.）に持込み、信用状に確認を付加する依頼をすることなく買取依頼をした。船積書類について、取引銀行ではディスクレの指摘もなく、荷為替手形の買取りが行われ、信用状発行銀行（The Bank of Tokyo, Ltd., Tokyo）に送付された。

　一方、輸入者は、先に送付されたB／L1通で貨物を引取り、日本国内で第三

者A社に売却した。しかし、業界低迷の影響を受け、厳しい状況にあった売却先A社は輸入者に貨物代金を支払う前に倒産してしまった。輸入者は貨物代金回収が不能となったが、幸い国内の売却先より貨物を取り戻すことができた。

輸入の担当者は他に売却先も見つからないことから、後日買取銀行から送付された船積書類のインボイスの商品名が信用状に合致していないことを理由にアンペイド（不渡り）しようと考えた。

参考

信用状統一規則第16条 b 項《要約》

「発行銀行が、呈示は充足していない（船積書類が信用状条件に合致していない）と決定した場合には、発行銀行は、自行のみの判断でディスクレパンシーに関する権利放棄について発行依頼人と連絡を取ることができる。（発行依頼人のディスクレ応諾に従うか否かは、信用状発行銀行の判断による。すなわち主たる債務者として、独自の判断で輸入者の意思にかかわらず、不渡りにすることもできる。）」

信用状統一規則第18条 c 項

「商業送り状における物品、サービスまたは履行の記述は、信用状中に現れている記述と合致していなければならない。」

ISBP A23（UCP600に基づく書類点検に関する国際標準銀行実務）

「語句または文章中に発生するミス・スペリングまたはミスタイプで、語句または文章に影響を及ぼさないものは、書類をディスクレとはしない。」

信用状取引約定書第10条5項《要約》

「信用状が、（B／Lなどの）付属書類の一部または全部を、発行依頼人または同人が指定する者宛に送付するよう定められている場合（直送B／L）であって、発行銀行が、信用状条件との相違があると判断した場合には支払等を拒絶することができる。そのとき、私（信用状発行依頼人）は（B／L1通などの）付属書類を回収し、送付人（輸出者）に返却します。」

信用状取引約定書第11条（償還債務）《要約》

「私（信用状発行依頼人）が荷物引取保証（L／G）で付帯荷物を引

> 取った場合、その他引渡方法（直送Ｂ／Ｌ、丙号Ｔ／Ｒなど）のいかんを問わず、貨物の引渡を受けている場合には、到着した船積書類に信用状条件違反（信用状条件の不一致）があっても償還債務を負担します。」

2．下記は、平成11年5月の最高裁判決による裁判事例である。参考の最高裁判旨をよく読み、①～⑧の（　　　）内にあてはまる適切な語句を、選択肢の中から選び、番号を解答欄に記入しなさい。

問題

輸入者が信用状発行銀行に外貨建約束手形と（　①　）を差し入れて、貨物を（　②　）として差入れ、甲号Ｔ／Ｒにより船積書類を借り受け、銀行の代理人として国内の販売先（輸入者から輸入貨物を購入する者）に貨物を売却し貨物代金を回収した後は、輸入者がユーザンス期日前に破産しても、国内の販売先は、民法第192条「動産物権の即時取得」により（　③　）として貨物の（　④　）を取得しているので、銀行の譲渡担保権に（　⑤　）。

ただし、国内の販売先が輸入者に貨物代金の未払いの場合に、銀行が譲渡担保権に基づく物上代位権を行使して、国内の販売先の売買代金債権を差し押さえた場合には、国内の販売先は銀行の譲渡担保権に基づく物上代位権の行使による差押さえに（　⑥　）。

したがって国内の販売先は（　⑦　）でなく（　⑧　）に貨物代金を支払うことになる。

選択肢

1	抵当権	9	留置権	17	対抗できない
2	根抵当権	10	善意の第三者	18	善良なる管理者
3	動産の先取特権	11	不動産質権	19	信用状発行銀行
4	輸入担保荷物保管証	12	悪意の第三者	20	買取銀行
5	仮処分をした	13	差し押さえた	21	対抗できる
6	動産質権	14	不動産の先取特権	22	権利質
7	譲渡担保	15	所有権	23	輸入者の破産管財人
8	国内の販売先の破産管財人	16	輸入担保荷物引取保証に対する差入証	24	代物弁済予約

> **参考**
>
> **最高裁判旨（H11.5.7）**
>
> 譲渡担保権は目的物の交換価値を支配する権利であり、これを認める旨の特約の有無を問わず民法304条の物上代位を認めるのが相当である。また、譲渡担保は破産手続きにおいては、破産法92条より別除権として扱われるものであり、担保権者は債務者が破産宣告を受けた場合であっても担保目的物の売掛金債権を押さえて物上代位権を行使できる。

●解答と解説●

1．解答

　インボイスがディスクレであるかどうかについて、ISBP A23で許容される範囲は、たとえば、信用状の "Radiators Model No.102（of stainless steel）" に対しインボイスが "Radaitor Modle No.102（of stainless steel）" 等のミス・スペリング、ミスタイプであれば、ディスクレとはならない。しかし、Model No.102がNo.112のように商品番号、モデル番号相違については、別の商品とみなされ、ディスクレと判断され、本来であれば、輸入引受決済を拒否できる。

　しかし、信用状取引約定書第11条（償還債務）に、「私（信用状発行依頼人）が荷物引取保証（L／G）で付帯荷物を引取った場合、その他引渡方法（直送B／L、丙号T／Rなど）のいかんを問わず、貨物の引渡を受けている場合には、到着した船積書類に信用状条件違反（信用状条件の不一致）があっても償還債務を負担します。」とあることにより、輸入者は直送B／L 1通で貨物を引取った場合には、ディスクレがあっても決済しなければならない。これが国際的商慣習である。

　したがって、輸入者はアンペイドにはできず、荷為替手形の引受を行い、期日には輸入決済を行わねばならない。

2．

①	4	②	7	③	10	④	15
⑤	21	⑥	17	⑦	23	⑧	19

第13章　貿易取引の事故事例

第14章

マーケティングの知識

第1節　輸出マーケティング
　　　　戦略　　　　　　　P358
第2節　輸入マーケティング
　　　　戦略　　　　　　　P376
第3節　電子商取引　　　　P387

第1節　輸出マーケティング戦略

　海外市場へ進出を考察する場合には、国内市場と市場環境が異なるので、ターゲット市場を調査し、進出の可能性を見極めなければならない。また、国内市場向けに行っていたマーケティング・ミックスも再構築する必要がある場合もある。ここでは、輸出マーケティングの基本的留意点についてみていく。

(1) 国際協定等

　貿易取引に際しては、世界貿易機関によるWTO協定を中心として、さまざまな規制が設けられている。原則として自由貿易を推奨しているWTO協定だが、自国産業保護や粗悪品の流通阻止等、取引規制を目的として制定されている場合

図表14-1　WTO協定概要

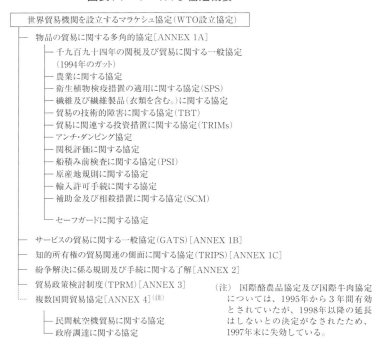

もある。

　また、シンガポール協定を皮切りに、日本と二国間の経済連携協定（EPA）が結ばれてきたが、TPP11（CPTPP：環太平洋パートナーシップ協定）が発効され、また続いて、日EU協定が結ばれ、いわゆるメガEPA時代が幕明けした。そして、日米貿易協定・日米デジタル貿易協定も締結された。続いてRCEP（東アジア地域包括的経済連携）やトルコ協定も近い将来に締結される。

　日本の貿易総額に占めるEPA発効済国との貿易割合であるEPAカバー率は、メガEPAの出現により年々上昇している。また、今後RCEPが発効されるとEPAカバー率は約80％までになる。

　このような貿易環境の中、貿易を含む国際取引においてEPAの実務的知識、EPAを実際に行う上での計画、戦略立案を効率的におこなうことが貿易人として必修となる。

> **参考　日本と各国のFTA／EPA最新情報**
> 　日本と各国とのFTA／EPAや地域統合の最新情報は、財務省ホームページ（http://www.mof.go.jp/）や外務省ホームページ（http://www.mofa.go.jp/mofaj/）、経済産業省ホームページ（http://www.meti.go.jp/）から確認することが可能である。前述したように、締結国間では、自由貿易を前提として、独自の貿易政策や、便益関税制度などを規定しているので、新たなビジネスチャンスを発見できる可能性がある。

(2) マーケティング・リミックス

　日本国内で流通している製品を海外市場へ導入しようとする場合、「日本仕様」でそのまま導入できればコストを抑えることができるので、競争力を高めることができる可能性がある。しかしながら、現実には、海外のターゲット市場では、慣習や規制の違いから、市場のニーズに合せた「手直し」が必要となる場合が多い。また、日本国内で需要が低迷し、衰退している製品で撤退を余儀なくされるものであっても、海外の新規市場へ導入することが可能なものもある。たとえば、日本メーカーの電化製品や機械製品等で、デザインや機能面から日本国内で需要が低迷しているものが、東南アジア等の市場で人気が高く、市場が確立できる例もある。

　海外市場へ参入しようとする場合は、国内市場向けに行ってきたマーケティン

グ・ミックスを**再構築（マーケティング・リミックス）**することが市場拡大へつなげるためのポイントとなってくる。

A．PRODUCT 戦略
　(a)　**標準化戦略**
　　　自国と同様の製品を国際市場に導入する戦略を標準化戦略という。
　　　生産や在庫管理の面での経済性を享受し、製品コストの削減の可能性を高めることができるというメリットがある。

　(b)　**現地適応化戦略**
　　　自国の製品に部分的な修正や変更を施し、進出国の事情に合せる戦略を**適応化戦略**という。
　　　この適応化戦略がとられるのは、進出国の法令や慣習の違い等により自国の仕様のままではターゲット市場に製品を導入できず、修正や変更を余儀なくされる場合と、市場の拡大を目標として、進出国の消費者のニーズにすばやく対応した製品を提供する場合とがある。

　(c)　**国際規格等**
　　　進出しようとする国や地域、さらに導入しようとする製品の種類によっては、製品規格や流通条件等が定められている場合がある。
　　　国際規格である ISO の認証をしっかりと把握し、市場に合せた製品の導入が重要となる。
　　　たとえば、中国では、WTO への加盟と国際ルールに従って、電気電子製品、電気通信端末設備、自動車関連製品等19種類132品目を対象として、安全性や環境保護に関わる製品の新しい統一的な強制認証制度を2002年5月1日から施行している。この認証を、「中国強制認証」（China Compulsory Certification　略称 CCC）といい、認証対象製品は認証証書を取得し、認証標識（CCC マーク）をつけないと中国への出荷・販売・輸出をすることができない。

参考　国際規格等

主要な国際規格や国や地域別の規格基準は、以下のホームページにより閲覧することが可能である。

ISO（国際標準化機構） http://www.iso.org/

IEC（国際電気標準会議） http://www.iec.ch/

EU（欧州連合） http://europa.eu./

EU域内で特定の製品を流通させるためには、CEマークの貼付が義務づけられている。EU指令（EU統合のために、EU各国の法令などを統一する目的でEU委員会が自由な流通の障害となる国別に異なる製品安全規制を一本化するため発令した指令のこと）で規定されている安全性などの要求事項に全て適合していることを示す。

UL（米国） http://www.ul.com/

アメリカの火災保険会社の協会（全国火災保険業者会議）が、1894年に設立した非営利法人をUL（Underwriter's Laboratories Inc.）という。このULは、一般家庭用電気製品、産業用機器やプラスチック材料など多様なものに対しての安全試験および製品検定証明により、規格適合認可を行っている。この規格がUL規格であり、適合品にはマークが付される。

CODEX http://www.codexalimentarius.org/

FAO（世界食糧農業機関）とWHO（世界保健機関）が合同により策定した国際的な食品規格をコーデックス・アリメンタリウス（CODEX ALIMENTARIUS）、通称CODEXという。

その他、インターネットの検索エンジンを利用して、「規格」について検索することで、国内外の規格基準を確認することが可能である。

(d) ブランドの見直し

製品仕様のほかに、国内で使用している商標や製品の名称等をそのまま海外市場へ導入するのか、導入する市場に合せて変更するのかも考察していく。

海外市場において、ブランドイメージを確立できているメーカーでは、可能な限り、商標を変更せずにブランド戦略を展開していくのが一般的である。

しかしながら、商標や名称の意味やイメージが、意図しているものと別の

意味やイメージとして解釈される場合があるし、導入しようとする製品等の商標が既に現地において登録されている可能性もあるので、そのような場合には、市場に応じて商標や名称等を変更していくことになる。

> **参考** 「標章の国際登録に関するマドリット協定議定書」
> マドリット・プロトコルとも呼ばれる、商標の国際登録制度である。日本国内で商標の出願および登録している者は、商標の保護を求める国や地域を指定して、国際登録をすることが可能となる。一括して登録することが可能となっていることで、各国ごとに登録するのと比較して、比較的安価で保護を行えることとなる。

B．PRICE 戦略

競争優位に展開するためには、価格設定が重要な要素となる。しかしながら、輸出価格に関しては、国内価格ではあまり意識する必要がなかった、運賃、保険料、梱包料、さらには通関等の貿易取引特有の諸掛や関税等が発生することに留意しなければならない。

(a) 世界統一価格と現地最適化価格

ターゲット市場ごとに個々の価格設定を行うのではなく、世界的に統一した価格を設定する**世界統一価格設定（標準化）**と、ターゲット市場ごとに消費者の価値観や市場情勢を加味して、価格に反映する**現地最適化価格設定**に大別することができる。

(b) 国際価格エスカレーション

自国から輸出された製品が海外市場で、国内市場よりも非常に高価で販売されることを**国際価格エスカレーション**という。

製品メーカーの正味価格から海外市場で販売されるまでに運送費、保険料、関税等の諸費用や輸入業者等の関連業者のマージンが製品に上乗せされることから、このように価格が上昇してしまう。

(c) 移転価格

通常、取引価格は市場原理にもとづいて価格が設定されるのに対し、親会

社と子会社間等、資本関係がある企業間で貿易取引が行われる場合、価格戦略として**トランスファー・プライス**と呼ばれる**移転価格の操作**が行われる場合がある。

　たとえば、親会社が子会社に販売するにあたり、資本関係にない第三者への販売価格よりも高価で販売したとする。子会社は高価で購入する分、販売にあたって利益が圧迫されることとなるが、親会社はその分利益を上乗せして販売するので、国外拠点を含めたグループ企業全体を一つと捉えた場合に、グループ全体の利益を最大化することが可能となるという原理にもとづくものである。

　日本の企業が自社の出資する外国の関連企業との間で取引をする場合において、移転価格を不当に操作し利益移転を図ると、移転価格税制により、資本関係のない全くの第三者の企業と取引をする際のいわゆる通常の取引価格（これを「**独立企業間価格**（または、**Arm's Length Pricing**）」という）に引き直して課税されることとなる。また、租税回避の意図がなかったとしても、独立企業間価格よりも低い価格により取引されたことが明らかになった場合も同様となる。

　わが国の独立企業間価格の算定については、OECD 移転価格ガイドラインにおいて、国際的に認められた方法に沿って行われている。

　実際に移転価格税制上問題となる取引が確認され、税額に対して更正処分を受けることとなった場合は、追徴税額や延滞税等のペナルティが課されることとなる。このような移転価格税制によるリスクを回避するために、将来年度における外国の関連企業との取引価格の算定方法について、税務当局から事前に合意を得る事前確認制度があり、日本でも導入されている。この制度を **APA（Advance Pricing Agreement）** といい、APA を取得した場合、合意された移転価格算定方法にもとづく納税を行う限り、移転価格課税は行われないこととなる。

　価格設定に関しては、国際課税に関するさまざまな規制が設けられているので、充分に留意する必要がある。

図表14-2　移転価格税制のしくみ

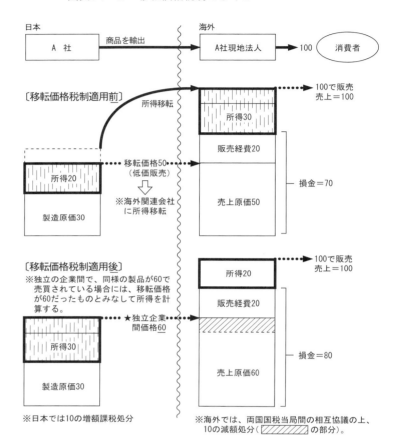

<出所：財務省ホームページ>

参考　過少資本税制

外国企業が日本に子会社（現地法人）を設定する場合、在日子会社に対する出資を少なめにし、その分貸付けを多くすれば、在日子会社の所得に対する課税上、(ア)出資に対する配当は損金として控除されないが、(イ)貸付けに対する支払利子は損金として控除されるので、日本における法人税が減少する。

過少資本税制とは、海外の関連企業との間において、出資に代えて貸付けを多くすることによる税負担の軽減を防止するために、一定割合を超える支払利子の損金算入を認めないこととする制度である。

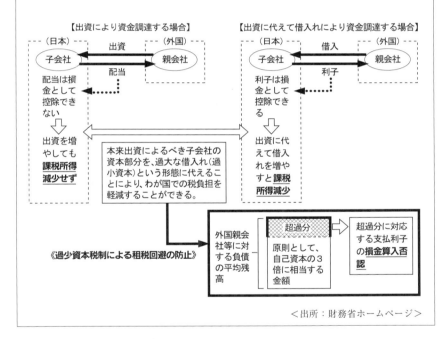

<出所：財務省ホームページ>

(d) **ダンピング（不当廉売）**

海外市場の販売価格を国内販売価格と同等またはそれ以下で販売できるよう、製品の輸出価格を不当に低く設定し、輸出国の競合企業に対して不利となる販売を行うとダンピング（不当廉売）に該当する場合がある。

このダンピングに該当し認定された場合には、世界貿易機関（WTO）上の権利として、当製品に対して、ダンピング関税が課されることとなる。

また、わが国に輸入される貨物についても、関税定率法により不当廉売関税制度が定められている。

C．PLACE 戦略

PLACE 戦略では、ターゲット市場への進出方法とルート（流通チャネル）の考察が重要となる。進出方法およびルートが確定したら、次に具体的なロジスティクス戦略を考察していく。

(a) 海外進出方法
① 直接輸出と間接輸出

商社等を利用せずに販売代理店や特約店等を通して輸出販売する方法を**直接輸出**といい、商社や海外の買付け業者等を通じて輸出販売する方法を**間接輸出**という。

直接輸出は、間接輸出により発生する商社や買付け業者のマージンを削減できるメリットがあるが、輸出製品の出荷、決済等の管理を直接行わなければならず、また、販売会社の運営資金等も負担しなければならない場合がある。一方、間接輸出により、商社等を通して輸出販売すれば、商社が独自のノウハウで製品の流通から販売まで輸出業務を行うので、海外市場に不慣れであっても、海外市場への参入が容易となる場合がある。

② 現地法人（販売会社）設立

自社の現地法人（販売会社等）を設立し、直接輸出する場合、商社や海外の買付け業者への販売に集中することなく、自社の意思と手段により拡販を行うことが可能となるので、独自のシェア拡大策を展開できる。しかしながら、現地法人を維持していくためには、人件費、運転資金等のコスト負担がかかってくるので、採算等をベースとして、現地法人を設立することのメリットを見出すことができるかをしっかりと見極める必要がある。

③ ライセンス契約

輸出により海外市場が確立され、売上げが好調になった場合等において、輸出に代えて現地製造を行い展開していくことが効果的となる場合がある。

前述したように、自社の現地法人を確立するとなると、設備投資等の多

額のコスト負担や法規制等の問題が生じる。そこで、進出する外国の企業と期間や製造方法等の一定の内容について取決めを行い、**ライセンス契約**を締結して、製造委託や販売を任せていくこととなる。**フランチャイズ契約**もこのライセンス契約の一種であるといえる。

④ **戦略的アライアンス**

　海外市場への進出を検討する際に、進出を計画している国の企業と**戦略的アライアンス**を結ぶことが効果的に機能する場合がある。この戦略的アライアンスは、メーカーと小売業者、卸業者と小売業者といった流通段階で異なるポジションの企業が互いに連携を行い、事業展開を行うほか、競合するメーカー同士が、製造協力や流通協力、さらに共同事業を展開する等、広範囲におよぶ提携である。

(b) **ロジスティクス戦略**

　製品の性質や物量等から、その製品を消費者の手もとに届けるまでにどのような運送経路をたどるのが最も適しているかを考察する。また、運送会社との契約方法も、運送ごとに個別契約を締結するのか、それとも一定期間の運送に対して期間契約を締結するのかにより、コストも異なってくる場合もある。また、運送形態ごとにその運送会社と個別に契約をしていく方法と、出荷から消費者の手もとに届くまでにかかる運送を一括して、一運送会社と契約する方法もあるので、これらのことも考慮してロジスティクスを決定していくことが重要となる。

① **インバンド**

　製品を製作するために必要な材料や部品を調達し、加工を行うまでに必要なプロセスに関連する物流を**インバンド・ロジスティクス**という。

② **アウトバンド**

　完成した製品を消費者に販売するまでのプロセスに関連する物流を**アウトバンド・ロジスティクス**という。

③ **リバース**

　販売した製品の処理やリサイクル等のための回収に関連する物流を**リバース・ロジスティクス**という。

④ **サードパーティ・ロジスティクス（3PL）**

　一連のロジスティクス業務を包括して、第三者業者に任せること、すな

わち、物流に関わる全ての業務を第三者である物流代行業者にアウトソーシングすることを**サードパーティ・ロジスティクス（3PL）**という。

一般に、製造業者をファーストパーティ（first party）、卸・小売業者をセカンドパーティ（second party）といい、サードパーティ（third party）は、第三者である物流業者となる。

このサードパーティ・ロジスティクスでは、実際の運送を行うのみならず、調達や梱包、在庫管理、棚卸、配送等の一連の物流に関する業務を包括的に管理して、委託企業にとり最適となる物流システムを提案し実行する場合が多い。

このサードパーティ・ロジスティクスは、**SCM（サプライチェーン・マネジメント）**の一種であるともいえる。

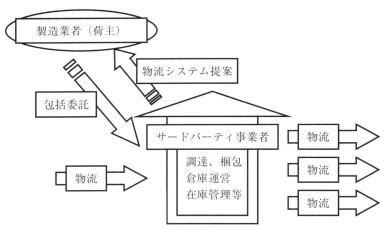

図表14－3　サードパーティ・ロジスティクス

参考　コールド・チェーン

　生鮮食品や冷凍食品を運送する場合には、生産地から消費者のところまで、一貫して適正な冷蔵または冷凍状態で輸送、保管等ができれば、商品価値を維持しながら、安定した供給が可能となる。この低温流通体系による物流システムを**コールド・チェーン**という。この物流

> システムは、航空機や高速船を利用して広く国際物流で行われており、冷凍コンテナや温度管理が可能な特殊コンテナが利用される。

D．PROMOTION戦略

　世界的にブランド力の高い企業であっても、進出国によっては、広告規制があったり、広告メッセージの解釈の相違により誤解が生じる可能性がある。
　ターゲット市場の宗教、慣習や政治的背景や、ターゲットとする消費者のニーズ等を分析して、最も効果的なPROMOTION戦略を展開する必要がある。

(a) 標準化戦略と現地適応化戦略

　世界で統一した広告テーマ、スローガン等により広告を行う手法を**世界標準化戦略**という。
　世界的にブランド力が高いスポーツメーカーやアパレルメーカーは、この標準化戦略により各国共通したブランドイメージを築こうとする。
　自国または既に市場を確立している国で展開している広告展開をそのまま行うことができれば、コスト負担も少なくて済む。
　しかしながら、進出国によっては、宗教、慣習等の違いや、消費者ニーズの違いからこの標準化戦略を展開できない場合もある。そのような場合は、ターゲット市場の環境に合せた広告展開を行わなければならない。これを**現地適応化戦略**という。

(b) プロモーション・リミックス

　国内市場向けに展開したプロモーション・ミックスをベースとして展開していく場合は、海外ターゲット市場向けにアレンジしていくこととなる。これを**プロモーション・リミックス**という。

図表14-4　マーケティング・リミックス

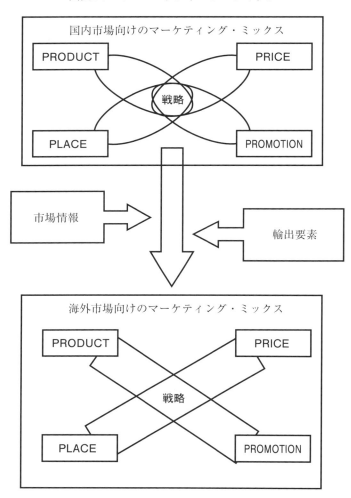

チェック問題

1．次の各文章について、正しいものには○を、誤っているものには×をつけなさい。
　① 自国の市場で販売が低迷している製品を、海外市場に導入しようとする場合には、パッケージやブランド名等を全てその製品の輸入地仕様に変更する現地適応化戦略をとることが望ましい。
　② 日本国内で需要が低迷している製品を、海外の新規市場へ導入することは、一般的には不可能である。
　③ 自国と同様の製品を国際市場に導入して製品戦略を行う標準化戦略には、一般的に生産や在庫管理の面での経済性を享受し、製品コストの削減の可能性を高めることができるというメリットがある。
　④ 世界的にブランド力の高い企業が、海外の新規市場で広告を行う場合には、世界で統一した広告テーマ、スローガン等により広告を行う世界標準化戦略が最も効果的である。
　⑤ 商社等を利用して海外市場へ進出した後、さらなる自社製品のシェアの拡大を行うためには、自社の販売会社や現地法人を設立することが効果的であることが多い。

2．次の各問いについて、答えを1つ選びなさい。
　① 次の記述は、輸出マーケティングに関するものであるが、その記述の誤っているものはどれか。
　　A　輸出マーケティング戦略において、わが国と同様の製品を国際市場へ導入して製品戦略を行うことを「標準化戦略」という。
　　B　海外市場に不慣れの場合には、商社等を通して販売する間接輸出を検討するのが一般的である。
　　C　海外市場において、自社製品のシェアの拡大を行うためには、自社の販売会社や現地法人を設立することが効果的であることが多い。
　　D　商社等を利用せずに販売代理店や特約店等を通して直接輸出を行えば、間接輸出よりもコストを大幅に削減できる場合が多い。
　② 輸出製品の価格に関する次の記述のうち、誤っているものはどれか。
　　A　海外のターゲット市場ごとに消費者の価値観や市場情勢を考慮して、価

第14章　マーケティングの知識　371

格設定を行うことを現地最適化価格という。
- B 自国から輸出された製品が海外市場で、国内市場よりも非常に高価で販売されることを国際価格エスカレーションという。
- C 海外市場での販売価格を、国内販売価格と同等またはそれ以下の価格で販売できるように、国内からの輸出価格を不当に低く設定し、輸出国の競合企業に対して不利となる販売を行うとダンピング（不当廉売）に該当する場合がある。このダンピングに該当し認定された場合には、輸出者は、5年以内の期間が指定されて、対外輸出の禁止を命じられる場合がある。
- D 日本の企業が自社の出資する外国の関連企業との間で取引する価格を移転価格という。この移転価格を不当に操作し、利益移転を図ることは、禁止されている。

③ 輸出製品の流通戦略に関する次の記述のうち、誤っているものはどれか。
- A 自社の現地法人（販売会社等）を設立し、直接輸出する場合には、商社や海外の買付け業者への販売に集中することなく、自社の意思と手段により拡販を行うことが可能となるので、独自のシェア拡大策を展開できる。
- B 輸出により海外市場が確立された後、売上が好調な場合には、これまでの輸出に代えて現地製造を行い展開していくことが効果的となる場合がある。
- C 海外市場への進出を検討する際に、進出を計画している国の企業と戦略的アライアンスを結ぶことが効果的に機能する場合がある。この戦略的アライアンスは、メーカーと小売業者、卸売業者と小売業者といった流通段階で異なるポジションの企業が互いに連携を行い、事業展開を行うほか、競合するメーカー同士が、製造協力や流通協力、さらに共同事業を展開するなど、広範囲におよぶ提携を行うことである。
- D 国際物流を考察する場合に、ロジスティクス業務を包括して、第三者業者にアウトソーシングすることをサードパーティ・ロジスティクス（3PL）という。このサードパーティ・ロジスティクスでは、実際の運送委託を受けた物流業者が、輸出者から輸入者に製品が到着するまでの運送のアレンジを担うことになる。しかしながら、在庫管理や棚卸などは従来通り、輸出者自身の責任であり、輸出者に代わって第三者である物流業者が行うことはない。

3．次の記述の（　）内に入る最も適切な語句を答えなさい。
① 　輸出マーケティング戦略には、ターゲット市場に合せて製品の仕様を変更する（ア）化戦略と、自国の製品の仕様のまま導入する（イ）化戦略がある。（ア）化戦略は、輸出国の法令、慣習、経済、地理的要因等を理由とする場合や、ターゲット市場のニーズに、よりマッチした製品を導入するために行う場合がある。（イ）化戦略は、ブランド力の高い製品やオリジナリティの高い製品の際に検討される戦略である。海外市場を多く持つ大手企業は、各国の市場を分析して、比較的同質な市場ごとにグループ化する（ウ）分析を行い、各グループに適合する製品モデルを用意して、（ア）化と（イ）化への対応を行うことが多い。
② 　日本の企業が自社の出資する外国の関連企業との間で取引する価格を（ア）という。この（ア）を不当に操作し、利益移転を図ると（ア）税制により、資本関係のない全くの第三者の企業と取引をする際のいわゆる通常の取引価格（これを「（イ）」という。）に引き直して課税されることとなる。また、租税回避の意図がなかったとしても、（イ）よりも低い価格により取引されたことが明らかになった場合も同様となる。実際に（ア）税制上問題となる取引が確認され、税額に対して更正処分を受けることとなった場合は、追徴税額や延滞税等のペナルティが課されることとなる。このような（ア）税制によるリスクを回避するために、将来年度における外国の関連企業との取引価格の算定方法について、税務当局から事前に合意を得る事前確認制度があり、日本でも導入されている。この制度を（ウ）といい、（ウ）を取得した場合、合意された（ア）算定方法にもとづく納税を行う限り、（ア）課税は行われないこととなる。

●解答と解説●
1．①－×　②－×　③－○　④－×　⑤－○
① 　自国の市場で販売が低迷している製品であっても、海外市場に導入しようとしている製品のメーカー（製造業者）や種類によっては、国際的に知名度が高く、自国のブランド名をそのまま使ったほうがプロモーションとしての効果が高い場合があり、また、製品自体の独創性が高く、その製品の国際市場におけるリーダーとして活躍するメーカーもある。

したがって必ずしも商品のパッケージやブランド名等を全て輸入地仕様に変更する現地適応化戦略をとる必要はない。
② 　日本国内で需要が低迷している製品であっても、製品のメーカーや種類によっては、国際的に競争力が高く、海外の新規市場へ導入することが可能なものもある。日本メーカーの電化製品や機械製品等で、デザインや機能面から日本国内で需要が低迷しているものが、東南アジア等の市場で人気が高く、市場が確立できる例もある。
④ 　世界的にブランド力の高い企業であっても、進出国によっては、広告規制があったり、広告メッセージの解釈の相違により誤解が生じる可能性があったりするので、世界で統一した広告テーマ、スローガン等により広告を行う世界標準化戦略が効果的であるとは限らない。

2．①－D　②－C　③－D
① 　商社等を利用せずに販売代理店や特約店等を通して輸出販売する方法を直接輸出という。直接輸出は、間接輸出により発生する商社や買付け業者のマージンを削減できるメリットもあるが、輸出製品の出荷、決済等の管理を直接行わなければならず、また、販売会社の運営資金等も負担しなければならないので、一概にコストを大幅に削減できるとは限らない。
② 　ダンピング（不当廉売）に該当し認定された場合には、製品、輸出者または輸出国および5年以内の期間が指定され、指定された期間内に輸入される該当製品について、通常税率の関税のほか、該当製品が輸出国で一般に販売される価格とダンピング価格との差額に相当する額と同額以下の関税が輸入地において課されることとなるが、輸出者の輸出行為が禁止されることはない。
③ 　一連のロジスティクス業務を包括して、第三者業者に任せること、すなわち、物流に関わる全ての業務を第三者である物流代行業者にアウトソーシングすることをサードパーティ・ロジスティクス（3PL）という。このサードパーティ・ロジスティクスでは、実際の運送を行うのみならず、調達や梱包、在庫管理、棚卸、配送等の一連の物流に関する業務を包括的に管理して、委託企業にとり最適となる物流システムを提案し実行する場合が多い。

3．①ア　適応　　イ　標準　　ウ　クラスター
　　②ア　移転価格（または、Transfer Pricing）　イ　独立企業間価格（また

は、Arm's Length Pricing)　　ウ　APA（Advance Pricing Agreement）

第2節　輸入マーケティング戦略

　輸入製品に対するマーケティングは、市場が国内となるので、通常の国内マーケティングを輸入製品用にアレンジしていくことになる。
　ここで留意すべき点は、国内法により、海外製品をそのままの仕様で国内市場に導入できない場合もあることである。ここでは、輸入製品に対する主要な国内法の規制についてみていく。

(1) 輸入規制法

輸入に関しては、外為法やその他さまざまな法律により規制を設けている。外為法以外の法律による規制には次のようなものがある。

(a) **植物防疫法**
　　検疫有害植物、土もしくは土の付着する植物、またはこれらの容器包装は輸入禁止品に該当するので、原則として輸入することができない。

(b) **食品衛生法**
　　輸入食品や食器具、台所洗浄剤、乳幼児用おもちゃ等に関しては、輸入通関時に「食品等輸入届」の提出が必要であり、使用が認められていない添加物が使用された食品等については原則として輸入が認められていない。

(c) **医薬品・医療機器等法（旧薬事法）**
　　医薬品、医薬部外品、化粧品等の製造や輸入をし、販売陳列等を行う場合には、原則として、「製造（輸入）販売業の許可」が必要である。また表示に関しても、名称（医療用具は不要）、成分、輸入業者名等の明記が義務づけられており、容器包装等に記載されなければならない。

(d) **化学物質の審査及び製造等の規制に関する法律（化審法）**
　　新規化学物質を輸入する場合には、原則として、新規化学物質の名称等の所定事項を記載した届出書を厚生労働大臣、経済産業大臣および環境大臣に

提出し、審査を受ける必要があり、規制対象物質であることが判明した場合には、輸入はできない。また、第一種特定化学物質の場合（政令で定められた難分解性、高蓄積性および人への長期毒性または高次捕食動物への毒性がある化学物質）については、原則として、輸入が禁止されている。

(2) 国内流通規制

輸入した製品を国内で流通させる場合にも、さまざまな国内法で規制や条件等を付される場合がある。輸入製品のみならず、国内生産品に関しても、同様の規制を設けている場合もある。規制や条件等を設けている法律には、次のようなものがある。

(a) **JAS法（農林物資の規格化及び品質表示の適正化に関する法律）**
輸入生鮮食品を国内で販売する場合には、原則として原産国の表示が義務づけられている。

> **参考　輸入食品の消費期限と賞味期限の表示**
> 輸入食品に関しては、国際規格であるCODEXに合せて、輸入食品の賞味期限に関しての期限表示を義務づけている。「品質保持期限が5日以内」の品質が劣化しやすい食品については、食することが可能である消費期限を年月日で表示しなければならない。また、それ以外の食品の場合は食するのにふさわしい、すなわち、「おいしく食することができる」賞味期限を年月、または年月日で表示することになっている。輸入年月日の表示については特に義務づけられていない。

(b) **消費生活用製品安全法**
乳幼児用ベッドやレーザーポインター等は、「特別特定製品」として指定されており、これらを輸入し販売する場合は、事業者自身の検査による安全確保に加えて、第三者検査機関による適合性検査を受けることが義務づけられている。

(c) **電気用品安全法**
一定の電気用品の製品の製造または輸入の事業を行う場合には、原則とし

て経済産業大臣に届出をして一定の適合基準を満たさなければならない。

(d) **独占禁止法**

「私的独占の禁止及び公正取引の確保に関する法律」のことで、市場に適切な競争関係がない場合等に**カルテル**や、**市場の独占による不当な値上げ（トラスト）**等が行われ、消費者に不利益を与えないようにするために制定された法律である。

① **カルテルの規制**

カルテルとは、二以上の同業者が市場支配を目的として行う価格、生産、販売数量等を制限する協定や合意のことである。このカルテルは、「不当な取引制限」として禁止されており、事業者団体によるカルテルおよび外国事業者との間のカルテル（**国際カルテル**）も禁止されている。

② **独占・寡占の規制**

独占の状態をもたらしたり、維持したりする行為を禁止し（私的独占の禁止）、独占に近い状態が成立するのを未然に防止し（合併等の制限）、独占状態が既に成立している場合に市場に弊害が出ないようにする（独占的状態に対する措置）等を規定している。また、市場が寡占状態にある場合における価格の同調的引上げの監視についても規定している。

③ **不公正な取引方法の規制**

不公正な取引方法とは、「公正な競争を阻害するおそれがあるもののうち、公正取引委員会が指定するものをいう」とされている。主な不公正な取引には次のようなものがあり、不当に行われることが禁止されている。

ⅰ）**取引拒絶**

単独または共同で特定の事業者と取引しないという行為。

ⅱ）**差別価格**

販売地域や取引先に応じて、不当に同一製品やサービスの価格に差をつける行為。価格等に差を設けて、競争者を市場から排除しようとする場合等がこれに該当する。

ⅲ）**不当廉売（ダンピング）**

不当値引による販売により、競争者に影響を及ぼす場合。生鮮食品、季節商品等のように処分価格を設定するような場合は、不当廉売とならない場合もある。

ⅳ）不当高価購入
　事業者が、他者の事業活動を困難とする目的で、市場価格を上回る価格で購入し、競争他者が必要とする製品等の入手を困難にするおそれがある場合。

ⅴ）不当顧客誘引
　不当な広告等によって顧客を誘引したり、過大な景品等をつけて商品を販売するような行為。「不当景品類及び不当表示防止法」により規制されている。

> **参考　不当景品類及び不当表示防止法（景品表示法）**
> 　景品類については従来、公正取引委員会の告示によって、景品類の最高額、総額、提供の方法等が定められてきた。
> 　表示については、企業が、自社の供給する製品等の取引について、品質（原材料、効能等）、規格、価格等についての不当表示（消費者に誤認されることで、公正な競争を阻害するおそれがあると認められる表示）をすることは禁止されている。
> 　この表示には、製品自体による表示だけでなく、店頭における表示、チラシや新聞等による広告、マス・メディアの広告を含んでいる。
> 　また、企業や業界団体は、内閣総理大臣および公正取引委員会の認定を受けて、景品類または表示に関する事項について自主的に協定や規約を設定できる（同法第11条第1項）が、これに参加し、その内容を遵守している場合は、不当景品や不当表示違反となることはない。
> 　なお、景品表示法は、2009年9月1日に公正取引委員会から消費者庁に移管された。

ⅵ）抱き合せ販売等
　ある商品を販売する際に、他の商品も同時に購入させる行為。この抱き合せ販売により、取引の相手方に対して不当に不利益を与えたり、競争者を市場から排除するおそれのある場合に違法となる。

ⅶ）排他条件付取引
　自己の商品のみを取り扱うという条件を付して契約する行為。

viii）再販売価格の拘束

　再販売価格（仕入れた商品を転売するときの価格）を拘束する行為。例外として、著作物等（本、新聞等）がある。

ix）拘束条件付取引

　販売地域の制限（テリトリー制）等のように、取引先の事業活動を拘束する条件をつけて取引する行為。

x）優越的地位の濫用

　取引関係において優越した地位にある大企業が、取引の相手方に対して不当な要求をする行為。「下請代金支払遅延等防止法」等により規制されている。

xi）競争者に対する取引妨害

　事業者が、競合他者と相手取引先との契約について、契約成立の阻止、契約不履行の誘引等により不当に妨害する行為。たとえば、総代理店が、価格を維持するために、海外における取引先に対し並行輸入業者への販売を中止するよう仕向けることがこれに該当する。

xii）競争会社に対する内部干渉

　事業者が競合他者の会社の株主・役員等に対して、その会社の不利益となる行為をするように不当に誘引したり、強制したりする行為。

　その他、事業者団体が事業者に働きかけて、不公正な取引方法に該当する行為をさせたり、また、事業者団体から特定事業者を不当に除名したり、特定の事業者を不当に差別扱いすることも違法となる。

　また、事業者が、不公正な取引方法に該当する事項を内容とする国際的契約を結ぶことも違法となる。

④　企業結合・集中の規制

　企業間の合併や分割等、企業間の結合により競争が実質的に制限されることになるとき等は、これらに関して一定の制限を規定している。

> **参考　独占禁止法における具体的禁止行為の例**
> ・メーカーが、流通業者の安売り広告を禁止する行為
> ・納入業者よりも取引上優越した地位にある小売業者が、店舗または売場の改装や棚替えを理由に、返品等を行い、納入業者の不利益となる場合

- 輸入総代理店が並行輸入品の修理を拒否したり、補修部品の供給を拒否したりする行為（ただし、修理に対応できない客観的な事情がある場合に、並行輸入品の修理を拒否したり、自己が取り扱う商品と並行輸入品との間で、修理等の条件に差異を設定したりする場合は違法とならない）

原則として違法行為にならない場合
- 海外の供給業者が、わが国の総代理店に対して、最低販売数量（ノルマ）を設定したり、最善販売協力義務を課したりする行為
- メーカーとの委託販売契約により、販売業者が、メーカー指導の価格で販売する行為

(e) 知的財産権に関する法律
① **特許法**

特許法は、発明の保護および利用を図ることにより、発明を奨励し、産業の発達に寄与することを目的としている。

特許法における「発明」とは、「自然法則を利用した技術的思想の創作のうち高度のもの」を意味する。

② **実用新案法**

実用新案法は、物品の実用価値を高める考案の保護と利用を図ることにより、特許法を補完しつつ産業の発達に貢献することを目的としている。

実用新案法で保護される「考案」とは、「自然法則を利用した技術的思想の創作」であり、特許と比較すると、簡易な発明ということになる。

また、「物品の形状、構造、組合せに係る考案」だけが実用新案法で保護される対象となっている。

③ **意匠法**

意匠法は、意匠の保護および利用を図ることを目的としている。

意匠法で保護される意匠とは、物品（物品の部分を含む）の形状、模様若しくは色彩またはこれらの結合であって、視覚を通じて美感を起こさせるものである。

④ **商標法**

商標法は、商標を保護することにより、商標の使用をする者の業務上の

信用の維持を図り、もって産業の発達に寄与し、あわせて需要者の利益を保護することを目的としている。

商標法において「商標」とは、文字、図形、記号若しくは立体的形状若しくはこれらの結合またはこれらと色彩との結合である。

⑤ **著作権法**

著作権法は、著作物並びに実演、レコード、放送および有線放送に関し著作者の権利およびこれに隣接する権利を定め、これらの文化的所産の公正な利用に留意しつつ、著作者等の権利の保護を図り、もって文化の発展に寄与することを目的としている。

著作権は、著作物（たとえば、音楽、美術、映画、小説、詩等）の直接的な製作者が有する権利である。これに対し、著作隣接権とは、著作権法による著作物を、公衆に伝達する役割を果たしている実演家、レコード製作者、放送事業者等に与えられている権利のことである。

(f) **製造物責任法（PL法）**

製造物責任法は、製造物の欠陥により人の生命、身体または財産に係る被害が生じた場合における製造業者等の損害賠償の責任について定めることにより、被害者の保護を図り、もって国民生活の安定向上と国民経済の健全な発展に寄与することを目的としている。

製造物責任法における製造業者とは、「(製造物) を製造、加工又は輸入した者等」であるので、輸入業者や販売業者は、製造物責任 (PL) を負う場合があり、輸入業者や販売業者も生産物賠償責任保険 (PL保険) を付保することができる。

また、製造物の製造された時期について特に限定がなく、中古製品に対しても生産物賠償責任保険 (PL保険) を付保することができる。

チェック問題

1. 次の各文章について、正しいものには○を、誤っているものには×を、つけなさい。
   ① わが国において、海外から中古の製品を輸入し販売する場合、輸入業者や販売業者がその中古の製品について、製造物責任法（PL法）にもとづく製造物責任（PL）を負うことはない。
   ② わが国において、輸入された生鮮食品を販売する場合には、JAS法（「農林物資の規格化及び品質表示の適正化に関する法律」）により、原則として原産国の表示が義務づけられている。
   ③ わが国において、商品の広告等に、その商品の原産地、製造方法、品質、数量等について誤認を生じさせる表示を行った場合には、不正競争防止法の違反行為となる。
   ④ わが国において、乳幼児用ベッドを輸入し販売する場合は、「消費生活用製品安全法」の規定により、事業者自身の検査による安全確保に加えて、第三者検査機関による適合性検査を受けることが義務づけられている。
   ⑤ わが国において、法人その他の団体が著作物の名義を有する著作物の著作権は、その著作物の公表後20年を経過するまで存続する。

2. 次に掲げる行為を行った場合において、原則としてわが国の独占禁止法の規定により、違法に該当するものにはAを、違法に該当しないものにはBをつけなさい。
   ① 供給業者が、総代理店に対して、最低販売数量を設定する行為を行った場合。
   ② メーカーが、流通業者の安売り広告を禁止する行為を行った場合。
   ③ 納入業者よりも取引上優越した地位にある小売業者が、店舗の改装を理由に、納入業者の不利益となる返品等の行為を行った場合。
   ④ 委託販売業者が、メーカーが指示した価格により販売を行っていた場合。
   ⑤ 輸入総代理店が、自己の取扱商品と並行輸入品との間で、修理等の条件に差異を設定する行為を行った場合。

3．次の各問いについて、答えを1つ選びなさい。
① 次の記述は、わが国の知的財産権に関するものであるが、誤っているものはどれか。
    A　システムキッチン全体を一つの意匠として、意匠法にもとづき意匠登録することは可能である。
    B　立体形状のものであっても商標権が認められている。
    C　ライフサイクルの短い製品の保護を考案する場合には、実用新案権と比較して付加価値の高い特許権の取得を検討するのが一般的である。
    D　IC等、半導体集積回路は、半導体回路配置利用権として、権利登録することが可能である。
② 次の記述は、わが国の輸入手続に関するものであるが、正しいものはどれか。
    A　輸出国で、輸出に対する法令の規制を受けない貨物を輸入する場合であっても、日本の国内法において輸入の規制を受ける場合があるので、国内法の規制について留意しなければならない。
    B　ISO（国際標準化機構）規格を取得したメーカーにより製造された製品を輸入する場合には、日本の国内法における許認可取得が免除される。
    C　海外から鉱工業製品を輸入する場合には、JIS（日本工業規格）の規格を満たしていなければ、輸入が認められない。
    D　海外から日本に貨物を輸入する場合には、原則として輸入しようとする貨物に係る関税を納付しなければならないが、内国消費税および地方消費税は、輸入の許可を受けた後、国内で転売する場合に支払えばよい。

●解答と解説●
1．①－×　②－○　③－○　④－○　⑤－×
① わが国の製造物責任法（PL法）では、製造物の製造された時期について特に限定がなく、また、製造業者については、製造物を「製造、加工又は輸入した者等」と定義しているので、中古の製品の輸入業者等も、製造物責任（PL）を負うことになる。
⑤ わが国において、法人その他の団体が著作物の名義を有する著作物の著作権は、その著作物の公表後70年を経過するまで存続する。（著作権法第53条）

2. ①-B ②-A ③-A ④-B ⑤-B
① 供給業者が、総代理店に対して、最低販売数量を設定したり、最善販売協力義務を課したりすることは、独占禁止法上は、原則として違法とならない。
② メーカーが、流通業者の安売り広告を禁止する行為は、原則として違法となる。（一般指定13項）
③ 納入業者よりも取引上優越した地位にある小売業者が、店舗または売場の改装や棚替えを理由に、返品等を行い、納入業者の不利益となる場合は違法となる。（一般指定14項）
④ 委託販売は、単なるメーカーの取次をしているにすぎず、実質的にはメーカーが直接販売していることと同様である。よって、メーカーが指示した価格により販売を行っていた場合でも違法とならない。
⑤ 輸入総代理店が並行輸入品の修理を拒否したり、補修部品の供給を拒否したりする行為は、原則として違法となる。しかしながら、修理に対応できない客観的な事情がある場合に、並行輸入品の修理を拒否したり、自己が取り扱う商品と並行輸入品との間で、修理等の条件に差異を設定したりしたとしても、そのこと自体は違法行為とはならない。

3. ①-C ②-A
① A　意匠法では、システムキッチンのように、同時に使用する2個以上の物品のセットであって、セット全体として統一性があるものについての意匠は、「組物」の意匠として登録することができる。
　 B　商標法第2条の規定により、立体形状のものであっても商標権が認められている。
　 C　特許権の取得には時間がかかるので、ライフサイクルの短い製品の保護を考案する場合には、特許権と比較して出願から登録までの期間が大幅に短い実用新案権の取得を検討するのが一般的である。
　 D　IC等、半導体集積回路は、半導体回路配置利用権として、「半導体集積回路の回路配置に関する法律」にもとづき、財団法人ソフトウェア情報センター（SOFTIC）に登録することで、権利が発生する。
② 海外から日本に貨物を輸入する場合には、関税法の規定により輸入申告をして、税関長の輸入の許可を受けなければならない。税関長の輸入の許可を受けるためには、輸入に関して規制している各国内法令の規制（たとえば、外為

法、輸入貿易管理令により輸入の承認を要する貨物の場合は、経済産業大臣に申請し輸入の承認を受けなければならない）をクリアしなければならない。たとえ、輸出国で、輸出に対する法令の規制を受けない貨物であっても、日本の国内法において輸入の規制を受ける場合があるので、国内法の規制について留意しなければならない（選択肢A）。また、ISO（国際標準化機構）規格を取得したメーカーにより製造された製品の輸入にあたり、日本の国内法における許認可取得が免除されるということはなく（選択肢B）、鉱工業製品の輸入について、JIS（日本工業規格）の規格を満たしていなければ、輸入が認められないということもない（選択肢C）。さらに、貨物を輸入しようとする者は、原則として輸入しようとする貨物に係る関税、内国消費税並びに地方消費税を納付しなければならず、これらを納付した後でなければ輸入の許可を受けることができない（選択肢D）。

第3節　電子商取引

> ブロードバンドの普及等の要因から、インターネット等を利用しての取引である電子商取引が頻繁に行われている。特に企業が、消費者をターゲットとして、直接販売を行う取引が急激に成長している。
> ここでは、電子商取引の基本知識や留意点についてみていく。

(1) 電子商取引とは

インターネット等の電子システムを利用して、売買契約を締結したり、代金決済等を行う取引を電子商取引（e-commerce）という。

この電子商取引は、誰と誰との取引形態なのかにより、次の3つに大別することができる。

A．B to B（Business to Business）モデル

企業間で取引する形態のことを「B to B：Business to Business」という。

このB to Bモデルには、企業がインターネットのホームページ等を利用して、不特定多数の企業からの注文を受け付けたり、調達の引合いや調達情報を開示するといった、オープンな取引を行おうとする形態や、既存の取引先との間で、企業間の取引に関する標準情報を電子的に交換するEDI（Electronic Data Interchange）により、見積りや受注、発注、出入荷、決済等の内容を電子化してインターネットや専用回線を利用して互いに交換する形態等がある。

前者の取引では、直接取引により、互いに中間業者のマージンが削減できるといったメリットがある。さらに、需要業者にとっては、スポット的に緊急に調達したい製品をすぐに確保できる可能性がある。また、供給業者にとっては、自社の過剰在庫を必要とする需要業者を発見し、在庫調整を行うことができる可能性がある。

後者の取引では、伝票等の「紙」を利用していた取引と比較して、これまでの事務費や手間を削減し、さらに情報伝達のスピードをアップさせることが可能となる。この取引における「ペーパーレス化」は、環境を配慮した取引ともいえるので、企業イメージを向上させる場合もある。

B．B to C（Business to Consumer）モデル

　企業と消費者間で取引する形態を「B to C：Business to Consumer」という。

　この B to C モデルの代表例には、企業のホームページ上で消費者が買い物ができるという電子商店や、株式等の金融商品をインターネットを通じて売買することが可能なオンライン・トレードなどがある。

C．C to C（Consumer to Consumer）モデル

　消費者間で取引する形態を「C to C：Consumer to Consumer」という。

　この C to C モデルの代表例には、オンラインオークションがある。一般にオークション出展する消費者および購入を予定する消費者は、オークションを運営する企業等にそれぞれ手数料を支払う。すなわち、オークションを運営する企業等の仲介のもと、消費者間で取引することとなる。また、企業の仲介を得ずに消費者同士が直接個人売買する場合もあるが、互いに相手の信用度を測ることができないので、トラブルの可能性が高くなってしまう。

　このインターネット等を利用した電子商取引は、かなり頻繁に行われ、一般に浸透しているとはいえ、さまざまな問題点も指摘できる。たとえば、個人情報の漏洩問題やネット詐欺等が挙げられ、これらを解決する対応が重要となっている。

(2) 法規制

わが国では、電子商取引は、通信販売の一種と位置づけられており、特定商取引法（旧・訪問販売等法）や取扱製品によりさまざまな法律によって規制が定められている。

A．特定商取引に関する法律

　電子商取引は通信販売の一種として、「特定商取引に関する法律」による規制対象となる。また、この法律にもとづき、公益社団法人日本通信販売協会が電子商取引のガイドラインを設けている。

> 参考　インターネット販売における広告表示規制
> 　特定商取引に関する法律においては、インターネット販売における広

告表示規制を設けている。
・商品の価格
・商品の送料および付帯費用（代引手数料等）
・支払方法および時期
・商品の引渡し時期
・商品の引渡し後の返品について（返品不可能な場合は、その旨を明記しなければならない）
・氏名または名称、法人の場合には、代表者氏名または通信販売業務の責任者の氏名、住所、電話番号
・申込みに有効期限がある場合は、その有効期限
・瑕疵責任の範囲（規定がある場合）
・商品の販売数量条件、権利・役務の販売・提供条件（規定がある場合）
等

B．電子契約法

「電子消費者契約及び電子承諾通知に関する民法の特例に関する法律」のことで、「B to C」取引における①消費者の操作ミスの救済と②契約成立時期について規定している。

(a) 消費者の操作ミスの救済

消費者が申込みを行う前にその申込み内容等について、その内容を確認するための措置等を事業者が行わないと、消費者の操作ミスによる申込みは無効となる。

たとえば、消費者がある商品を10個購入しようとした際に、誤って100個の注文数量を入力してしまった場合に、事業者は、その内容を確認する画面を設けて、消費者自らに注文する内容を確認させた後、注文の申込みをさせる措置をとらなければならない。もし、この消費者が注文内容を確認する作業が設けられていなかった場合には、誤って入力した100個による注文は無効となる。また、申込み自体が有料であるという場合は、申込みをする前に有料であることを明確化する措置をとらなければならないこととなっている。

(b) **契約成立時期**

消費者が申込みをして、事業者が申込みの承諾をして、その承諾の通知が消費者に到達した時点で、契約が成立したこととなる。

よって、申込みを受けた事業者は、申込みをした消費者に速やかに、申込みの承諾を、Eメールやファクス等を利用して伝えなければならない。

> **参考　電子契約法の概要および電子商取引等に関する準則**
>
> 電子契約法の概要については、経済産業省のホームページで確認可能である。
>
> また、電子商取引における民法の規制に関する解釈が「電子商取引及び情報財取引等に関する準則」として定められている。

チェック問題

次の記述の（　）内に入る最も適切な語句を下記の語群から選び、その記号をマークしなさい。

インターネットによるコミュニケーション技術の発展は、（ ① ）を生んだ。（ ① ）はインターネット上での全ての商取引を意味し、（ ② ）と（ ② ）間の取引をB to B、（ ② ）と（ ③ ）の間の取引をB to C、（ ③ ）と（ ③ ）の間の取引をC to CあるいはP to Pと呼ぶ場合がある。

わが国において、（ ① ）は（ ④ ）の一種として、「特定商取引に関する法律」により、規制が設けられている。具体的には、インターネット販売における（ ⑤ ）規制などを設けている。さらに社団法人日本通信販売協会が、この法律にもとづく、（ ① ）のガイドラインを設けている。

また、電子契約法（電子消費者契約及び電子承諾通知に関する民法の特例に関する法律）では、B to C取引における、（ ③ ）の（ ⑥ ）の救済と（ ⑦ ）成立時期について規定している。

B to B（Business to Business）取引では、企業がホームページなどを利用して、不特定多数の企業からの注文を受け付けたり、調達の引合いや調達情報を開示するといった、オープンな取引を行おうとする形態や、既存の取引先との間で、企業間の取引に関する標準情報を電子的に交換する（ ⑧ ）により、見積りや受注、発注、出入荷、決済などの内容を電子化してインターネットや専用回線を利用して互いに交換する形態などがある。

(a) 通信販売　(b) 若年層　(c) 企業　(d) 広告表示
(e) 国際貿易取引　(f) 個人（消費者）
(g) EDI（Electronic Data Interchange）　(h) 政府　(i) 操作ミス
(j) 電子商取引（e-commerce）　(k) 個人売買　(l) 年齢
(m) NACCS　(n) 代金未払い　(o) 売買契約　(p) 決済

●解答●
①-(j) 電子商取引（e-commerce）　②-(c) 企業　③-(f) 個人（消費者）
④-(a) 通信販売　⑤-(d) 広告表示　⑥-(i) 操作ミス　⑦-(o) 売買契約
⑧-(g) EDI（Electronic Data Interchange）

〈12章 参考文献一覧〉

本章の執筆にあたり、下記の文献を参考にした。
◇国際実務マーケティング協会編『マーケティング・ビジネス実務検定—オフィシャルテキスト』税務経理協会　2005年
◇城座良之・清水敏行・片山立志共著『グローバル・マーケティング』税務経理協会　2003年
◇フィリップ・コトラー著　恩蔵直人編著『コトラーのマーケティング・マネジメント』（基本編）　ピアソン・エデュケーション　2002年
◇堀出一郎・山田晃久編著『グローバル・マーケティング戦略』中央経済社　2003年
◇慶應義塾大学ビジネス・スクール編　嶋口充輝・和田充夫・池尾恭一・余田拓郎著『ビジネススクール・テキスト　マーケティング戦略』有斐閣　2004年
◇諸上茂登・藤沢武史著『グローバル・マーケティング』中央経済社　2001年
◇ジョセフ・ボイエット、ジミー・ボイエット著　恩蔵直人監訳『カリスマに学ぶマーケティング』日本経済新聞社　2004年
◇石井淳蔵・栗木契・嶋口充輝・余田拓郎著『ゼミナール　マーケティング入門』日本経済新聞社　2004年
◇産能大学マーケティンググループ編著『最新マーケティング－理論と実務－』産能大学出版部　2001年
◇野口智雄著『ビジュアルマーケティングの基本』日経文庫　2005年
◇松下芳生編　Team MaRIVE著『マーケティング戦略ハンドブック』PHP研究所　2002年
◇山本久義著『マーケティング論100の常識』白桃書房　2003年
◇棚部得博編著『マーケティングがわかる事典』日本実業出版社　2002年
◇宮澤永光・亀井昭宏監修『マーケティング辞典』同文舘出版　2002年
◇中野宏一著『最新　貿易ビジネス』白桃書房　2004年
◇淵本康方・徐燕著『国際経営学入門』創成社　2004年
◇浅川和宏著『マネジメント・テキスト　グローバル経営入門』日本経済新聞社　2003年

第2編

貿易書類

第1部
輸出書類

輸出取引の関係当事者

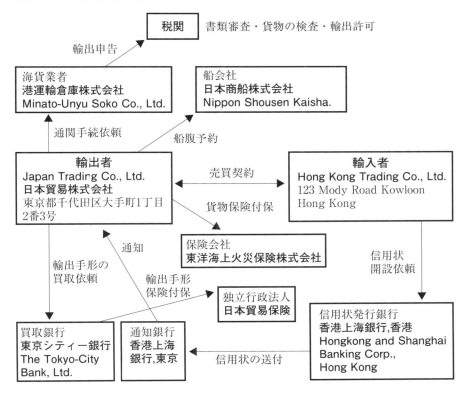

輸出 1　売買契約書

Japan Trading Co., Ltd.

2-3 Otemachi 1-chome, Chiyoda-ku, Tokyo, Japan

①*February 2, 20XX*

②<u>SALES NOTE NO. 100</u>

③　*Hong Kong Trading Co., Ltd.*

　123 Mody Road Kowloon Hong Kong

④We as Seller hereby confirm our sale to you as Buyer of the following merchandise on the terms and conditions as stated herein and on the reverse side hereof:

⑤Commodity: *Reciprocating piston-engines for motorcycle with a cylinder capacity of 51 cc*

⑥Quantity　　　: *100 sets*

⑦Price　　　　: *US$600.00 per set　CIF Hong Kong*

⑧Total Amount　: *Total US$60,000.00*

⑨Time of Shipment : *By April 25, 20XX subject to Seller's receipt of L/C by February 25, 20XX*

⑩Port of Shipment　: *Tokyo, Japan*

⑪Port of Destination: *Hong Kong*

⑫Payment　　　: *At sight draft under an irrevocable L/C*

⑬Insurance: *All Risks, War Clauses, S.R.C.C. Clauses for 110% invoice value*

⑭Packing &　　: *10 sets in a wooden case, and 10 wooden cases to be palletized*
　Marking

　　　　　　　　| JTC |

　　　　　　　Hong Kong

　　　　　　　C/No.1-10

　　　　　　　Made in Japan

⑮Please return to us the duplicate duly signed by you.

　On February　, 20XX.

　　Accepted & confirmed by

　　Hong Kong Trading Co., Ltd.　　　　　　Japan Trading Co., Ltd.

　　(Signed)　　　　　　　　　　　　　⑯　*(Signed)*

　　(Name)　　　　　　　　　　　　　　Name

　　(Title)　　　　　　　　　　　　　　Export Manager

> 輸出1　売買契約書　解説

《売買契約書の記載事項》

① 作成年月日
② 売買契約書番号
③ 輸入者の名称および住所
④ 売買契約成立の確認文言：売主として契約書の表面および裏面の記載事項で売却したことを確認したことが記載されている。
⑤ 商品名
⑥ 数量
⑦ 単価
⑧ 総額
⑨ 船積時期：通常、特定月を記入するが、信用状の入手を確実にするためにその入手時期を取り決めておいたほうがよい。
⑩ 船積港
⑪ 仕向地
⑫ 決済条件：本例では、取消不能信用状にもとづく一覧払為替手形を振り出すことで決済しようとしている。
⑬ 保険条件：本例では、輸出者はCIF価格に10％プラスし、戦争危険・ストライキ危険を追加担保して全危険担保条件としている。
⑭ 包装、荷印：輸出者と輸入者との間で取り決めるが、指示がなければ輸出者が決めればよく、一見して他の荷印と識別できるものがよい。
⑮ 返送依頼：副本に輸入者の確認署名を求めている文言で、本契約書の内容を確認した証の役目を果たす。
⑯ 署名：輸出者の責任者の氏名および役職名を記載し、署名欄にサインを行う。輸入者の署名欄は空白にしておく。

参考　包括合意条項（Entire Agreement）
　包括合意条項とは、契約交渉での口頭合意、議事録、覚書の調印等があっても、最終的に契約書が調印された場合に、その契約書と矛盾するいっさいの合意を無効とする条項である。しかし、この条項が契約書にあっても調印後に両者が合意する事項には適用されず、変更が可能である。

輸出 2　信用状（Letter of Credit）

① HONGKONG AND SHANGHAI BANKING CORP.

Level 5, HSBC Main Building
1 Queen's Road Central
Hong Kong

②IRREVOCABLE CREDIT　　　　　　　　　　　　　　　　ORIGINAL

③Date of Issue　　February 20, 20XX.	④Credit No　　HS-22/1234
⑤Advising Bank Hongkong and Shanghai Banking Corp., Tokyo Branch	⑥Applicant　　Hong Kong Trading Co., Ltd. 123 Mody Road Kowloon Hong Kong
⑦Beneficiary　Japan Trading Co., Ltd. 2-3 Otemachi 1-chome, Chiyoda-ku, Tokyo	⑧Amount　USD60,000.00 (Say U.S. Dollars Sixty Thousand Only)
⑨Bill of Lading must be dated on or before April 25, 20XX	⑩Expiry Date and Place for Presentation May 5, 20XX　　　　Tokyo, Japan

Dear Sirs:

　We hereby issue in your favor this irrevocable credit which is available by negotiation of your drafts　⑪at sight　⑫drawn on us　⑬bearing the Applicant's Name, the number and date of this credit. The draft for　⑭full invoice cost to be accompanied by the following documents:

⑮Signed Commercial Invoice in 5 copies.

⑯Packing List in 5 copies.

⑰Full set of clean on board ocean Bill of Lading made out to order of shipper and blank endorsed marked Freight Prepaid notify Hong Kong Trading Co., Ltd.　123 Mody Road Kowloon Hong Kong.

⑱Marine Insurance Policy or Certificate endorsed in blank for full CIF value plus 10% covering Institute Cargo Clauses (All Risks), Institute War Clauses and Institute Strikes, Riots and Civil Commotions Clauses.

⑲Certificate of Origin in two copies

⑳Covering: Reciprocating piston-engines for motorcycle with a cylinder capacity of 51 cc Sales Note No.100 dated February 2, 20XX

Trade Terms: CIF Hong Kong

㉑

Shipment from Tokyo to Hong Kong	Partial shipments Prohibited	Transshipment Prohibited

Special conditions:

㉒ Drafts and documents must be presented within 10 days after the date of issuance of the transport documents but within the credit validity.

㉓ Drafts under this Credit are negotiable only through Hongkong and Shanghai Banking Corp., Tokyo Branch.

㉔ We hereby engage with drawers, endorsers and/or bona fide holders that drafts drawn and negotiated in conformity with the terms of this credit will be duly honored on presentation.

　　　　　　　　　　　　　　　　　　　　　　　Yours faithfully
　　　　　　　　　　　　　　　HONGKONG AND SHANGHAI BANKING CORP.
　　　　　　　　　　　　　　　　　　　　　　　(signed)
　　　　　　　　　　　　　　　　　　　　Authorized signature

㉕ This documentary credit is subject to the Uniform Customs and Practice for Documentary Credits (2007 Revision), International Chamber of Commerce, Publication No 600.

輸出3　S.W.I.F.T. を利用した信用状

HONGKONG AND SHANGHAI BANKING CORP.

Tokyo Branch 3-10-3, Nihonbashi, Chuo-ku, Tokyo 100-0001 Japan In accordance with Terms of Article 9(a) of UCP 600, we advise having received the following teletransmission : from Hongkong and Shanghai Banking Corp., Hong Kong	Cable Address: HONGKONGBANK TOKYO Telex No: J22334455 Tel.No:03-3333-4444 Fax No:03-4444-3333 S.W.I.F.T. Adrress: HSBC.JPJT
From:HSBCHK	Message Type:700	Advice No:5656ADV05052655
To :HSBCJP	Creation Date :20xx0220	L/C No:HS-22/1234

27	:Sequence of Total	1/1
40A	:Form of Documentary	IRREVOCABLE
20	:Documentary Credit Number	HS-22/1234
31C	:Date of Issue	xx/02/20
31D	:Date and Place of Expiry	xx/ 05/05 In Japan
50	:Applicant	Hong Kong Trading Co., Ltd. 123 Mody Road Kowloon Hong Kong
59	:Beneficiary	Japan Trading Co., Ltd. 2-3 Otemachi 1-chome, Chiyoda-ku, Tokyo
32B	:Currency Code, Amount	USD60,000.00
41D	:Available With…By…	Hongkong and Shanghai Banking Corp., Tokyo Branch. By Negotiation
42C	:Drafts at…	Drafts at sight Full Invoice Value
42A	:Drawee	Hongkong and Shanghai Banking Corp., 1 Queen's Road Central Hong Kong
43P	:Partial Shipment	Not Allowed
43T	:Transshipment	Not Allowed
44A	:Loading on board/Dispatch/Taking in Charge at/From	Tokyo
44B	:For Transportation to…	Hong Kong
44C	:Latest Date of shipment	xx/04/25
45A	:Description of Goods and/or Services	Reciprocating piston-engines for motorcycle with a cylinder capacity of 51cc Sales Note No.100 dated February 2, 20XX CIF Hong Kong
46A	:Documents Required	*Signed Commercial Invoice in 5 copies. *Packing List in 5 copies. *Full set of clean on Board ocean Bill of Lading made out to order of shipper and blank endorsed marked Freight Prepaid notify Hong Kong Trading Co., Ltd. 123 Mody Road Kowloon Hong Kong. *Marine Insurance Policy or Certificate in duplicate,endorsed in blank for full CIF value plus 10% covering Institute Cargo Clauses(All Risks), Institute War Clauses and Institute Strikes Riots and Civil Commotions Clauses. *Certificate of Origin in two copies
71B	:Charges	All Banking Charges and Commissions outside issuing Bank are for account of Beneficiary
47A	:Additional Conditions	T.T.Reimbursement is Prohibited.
48	:Period for Presentation	Documents to be presented within 10 days after the date of shipment but must within the validity of this credit
49	:Confirmation Instructions	without
78	:Instructions to the Paying/Accepting/ Negotiating Bank	*The amount of each Draft must be endorsed on the reverse of this credit *All Documents must be sent to Hongkong and Shanghai Banking Corp., 1 Queen's Road Central Hong Kong
72	:Sender to Receiver Information	This documentary credit is subject to the Uniform Customs and Practice for Documentary Credits（2007 Revision, ICC Publication No 600)

HSBC Hongkong and Shanghai Banking Corp., Tokyo Branch.　　　page 1 of 1

輸出2・3　信用状　解説

　前掲の信用状のうち、「輸出2」は郵送によって通知される信用状であり、「輸出3」はS.W.I.F.T.（スイフト）を利用した信用状である。信用状の通知方法は郵送と電信の二通りであるが、電信による場合、現在ではS.W.I.F.T.によるものが大半である。

　S.W.I.F.T.はベルギーのブラッセルに本拠を置く非営利の協同組合であるが、世界約6,000の金融機関が参加し、銀行間の資金付替や信用状関係のメッセージなど広範な業務に利用している。

　以下の記載事項は、「輸出2」の信用状に沿って解説する。

《信用状の記載事項》

① 信用状発行銀行
② 信用状の種類：取消不能信用状であることを示している。
③ 信用状の発行日
④ 信用状番号
⑤ 通知銀行
⑥ 信用状の発行依頼人（輸入者）
⑦ 受益者（輸出者）
⑧ 信用状金額：輸出者の荷為替手形の振出し限度額を示している。
⑨ 船積期限
⑩ 信用状の有効期限：輸出者の荷為替手形を買取できる期限を示している。
⑪ 荷為替手形の期限：本例は一覧払い（at　sight）である。期限付手形の場合には at 90 days after sight などと記入する。
⑫ 手形の名宛人（支払人）：通常は本例のように drawn on us となり、信用状発行銀行が支払人になるが、補償銀行（drawn on ○○ Bank）、輸入者（drawn on Applicant）が入ることもある。ただし、信用状統一規則第6条cでは、手形名宛人を輸入者（発行依頼人）とする信用状を発行すべきでないとしている。
⑬ 手形面への記入事項：本例では輸入者の名前、信用状の番号と発行日を求めている。
⑭ 手形振出金額：インボイス金額と同額であることを示している。
⑮ 輸出者の署名のある商業送り状
⑯ 梱包明細書
⑰ 船荷証券：無故障（clean）船積（on board）船荷証券の全通（full set）が、荷送人の指図式（to order of shipper）で白地裏書（blank endorsed）があ

り、運賃前払い（Freight Prepaid）、着荷通知先（notify）として輸入者が記載されていること。

⑱ 海上保険証券または海上保険証明書：この証券は、CIF 価格に10%プラスして付保し（full CIF value plus 10%）、かつ全危険担保（All Risks）、戦争約款（War Clauses）、ストライキ・暴動・騒乱担保約款（Strikes, Riots and Civil Commotions Clauses）も追加付保し、輸出者の白地裏書（endorsed in blank）をしなければならない。

⑲ 原産地証明書
⑳ 貨物の明細、建値（貿易条件）を記入する。
㉑ 船積港、荷卸港、分割船積み禁止文言、積替え禁止文言
㉒ 特別指図文言：本例では、荷為替手形の買取を船積日（運送書類、この場合は船荷証券の船積日）から10日以内に行うこと、ただし、信用状の有効期限内とする、と規定しており、その後は手形の買取を行うことはできない。
㉓ 買取銀行の限定規定：荷為替手形の買取は香港上海銀行東京支店に限るとしている（リストリクト信用状）。ただし、輸出者の取引銀行を経由して香港上海銀行東京支店に再割（再買取）できる。
㉔ 発行銀行の支払確約文言：信用状に合致した船積書類の提示を条件に、発行銀行が荷為替手形の支払いを手形の振出人、裏書人、善意の所持人に確約している。
㉕ 信用状統一規則採択文言

【信用状の要旨和訳】

信用状発行日　20XX 年 2 月20日　　　信用状番号　　HS-22/1234
通知銀行　香港上海銀行東京支店　　　発行依頼人（輸入者）香港貿易有限公司
　　　　　　　　　　　　　　　　　　香港九龍ムーディー街123番
受益者（輸出者）日本貿易㈱　　　　　信用状金額　60,000米ドル
東京都千代田区大手町1丁目2－3
船積期限　20XX 年 4 月25日　　　　　有効期限　20XX 年 5 月 5 日

　当行（信用状発行銀行）は貴社（輸出者）を受益者として本取消不能信用状を発行します。本信用状は貴社が当行あてに振り出した一覧払為替手形の買取に使用できます。手形には発行依頼人名、信用状番号並びに日付を記載のこと。送り状全額の金額に対して振り出された手形には次の書類が添付されていること。

- 署名済み商業送り状　5通　　・梱包明細書　5通
- 無故障船積海上船荷証券全通が荷送人の指図式であって白地裏書がなされていること、船荷証券面に運賃支払済みの記載があり、着荷通知先として香港貿易有限公司、香港九龍ムーディー街123番になっていること。
- 白地裏書のある海上保険証券または保険証明書でCIF価格の10％増し金額で付保されていること。協会貨物約款（全危険担保）、戦争約款、ストライキ・暴動・騒乱約款による付保がされていること。
- 原産地証明書　2通
- 20XX年2月2日付契約 No.100通りの Reciprocating piston-engines for motorcycle with a cylinder capacity of 51 cc　インコタームズはCIF香港とする。東京港から香港港　分割船積みおよび途中積替えはともに禁止される。

特別条項：・船積書類は、運送書類（船荷証券）の発行日後10日以内に買取のため買取銀行に提示すること、ただし、信用状の有効期限内とする。
- 本信用状にもとづく為替手形は香港上海銀行東京支店でのみ買取可能。
- 当行は本信用状の条件に合致して振り出し買い取られた手形の振出人、裏書人および／または善意の所持人に対しかかる手形の呈示あり次第その満期日に支払うことを確約いたします。

　　　　　　　　　　　　　　　信用状発行銀行責任者

本信用状は国際商業会議所 Publication　600号「荷為替信用状に関する統一規則および慣例（2007年改訂）」に準拠します。

参考　禁反言（"Estoppel"）と "Parol Evidence Rule"

　禁反言（Estoppel）とは、過去の行動と矛盾する主張を禁ずることをいう。承諾について発信主義が採用されている場合、承諾の通知の後、拒絶の通知によって承諾を取り消そうとしても不可能であり、被申込者が契約の履行を拒否することは契約違反となる。

　Parol Evidence Rule とは、契約内容を書面（契約書）にした場合、書面化された合意内容ないし意思内容と異なることを、①契約交渉時の口頭証拠、またはそれ以前に交わされた口頭による約束・了解・合意など書面以外の証拠や、②文書証拠によって、証明することを許されないとするルールである（"parol" は口頭の意味だが、文書証拠も含まれる）。

輸出4　買為替予約票（Exchange Contract Slip）

EXCHANGE CONTRACT SLIP

① NO MARGIN ALLOWED

② NO. 04-0012

DATE ③ March 8, 20XX
month-day-year

④ BOUGHT FROM　Japan Trading Co., Ltd.
⑤ SOLD TO　THE TOKYO-CITY BANK, LTD.

AMOUNT	USANCE	RATE	DELIVERY (month-day-year)
⑥ US$60,000.00	⑦ TTB	⑧ ¥108.30	⑨ April 10 ~ May 9, 20XX

No delivery on Saturday

(Buyer)
⑪ THE TOKYO-CITY BANK, LTD.
(Signed)
Authorized Signature

お客様の記名捺印(authorized signature)
⑩
日本貿易株式会社
東京都千代田区大手町1丁目2番3号

Date	Amount Delivered	⑫ Balance

輸出4　買為替予約票　解説

　為替先物予約を行う場合、輸出者は買為替予約票を取引銀行に提出する。

　信用状によると、最終船積期限は4月25日となっている。貨物の船積準備が4月10日頃に完了するとすると、輸出荷為替手形などの船積書類の作成をして取引銀行（買取銀行）に買取依頼ができるのが、4月15日過ぎになると予想される。このような場合は通常、順月オプション渡し（各月の応答日を基準にした1ヵ月間に予約者がいつでも予約の実行を決定できる為替予約）で予約をする。

　取引銀行所定の為替予約票（Exchange Contract Slip）を用いるが、輸出の場合には買予約票に必要事項を記入して2通を取引銀行に提出する。銀行と輸出者は、それぞれ1通ずつ保管する。

《買為替予約票の記載事項》

① NO MARGIN ALLOWED：予約した金額は指定期間内（April 10～May 9）に必ず実行して残高（Balance）を残さないでくださいとの意味である。
② 予約番号（銀行が記入）
③ 予約締結日
④ 売主（輸出者）
⑤ 買主（銀行）
⑥ 予約金額：未使用残高が発生しないように一定の必要金額だけ予約する。
⑦ USANCE：輸出予約なので、TT または TTB と記入する。
⑧ RATE：予約相場を記入。
⑨ 実行期日：「確定日渡し」、「暦月渡し」、「順月渡し」、「特別期間渡し」などがあるが、一般的には輸出取引では「暦月渡し」または「順月渡し」が用いられる。
⑩ 輸出者の署名
⑪ 買主（銀行）の署名
⑫ 残高：本例では、信用状の金額は US$60,000.00であり、分割船積み（Partial shipments）が禁止（Prohibited）されていることより、1回の船積みで全ての貨物（信用状金額と同額）が輸出される。したがって、荷為替手形の買取日（仮に4月21日とする）に予約残高全てを消化（実行）することになる。

　その場合の記載例は、

Date	Amount Delivered	Balance
April 21	US$60,000.00	Nil

となり、残高は"Nil"（なし）となる。

輸出5　船腹予約書（Space Booking Note）

【NIPPON SHOUSEN KAISHA 配船表(Shipping Schedule)】
HONG KONG, SINGAPORE & PORT KELANG---Fixed Dated Weekly Service

NAME of Vessel	VOY No	Tokyo	Kobe	Moji	Hong Kong	Singapore	Port kelang	PN／JB
Fortune Ace	10-30T	3/26	3/28--29	3/30--31	4/5	4/10	4/12	JB/4/14
Neptune	15-15TB	4/5	4/7--8	4/9--10	4/15	4/22	4/23	＊＊＊＊＊＊
Minato Maru	20-20T	4/20	4/21	4/22--23	5/1	5/9	5/11	PN/5/12
Tokyo Maru	30-25J	4/30	5/1--2	5/3--4	5/11	5/18	5/20	＊＊＊＊＊＊
Ivory Bay	40-35P	5/6	5/8--9	5/10--11	5/16	5/20	5/22	＊＊＊＊＊＊

《船腹予約書》

BOOKING NOTE

①DATE: _March 5, 20XX_

To: NIPPON SHOUSEN KAISHA

Dear Sirs:

　We request you to reserve the space for the following goods intended for shipment by S.S./M.S. ②_Minato Maru_　Voy. No. ③_20-20T_　sailing out on or about ④_April 20, 20XX_

　　　　　　　　　　　　　　　　　　　　　　　Very truly yours,

　　　　　　　　　　　　　　　　　　　⑤Japan Trading Co.,Ltd.
　　　　　　　　　　　　　　　　　　　　　　(signed)
　　　　　　　　　　　　　　　　　　　　　　(Name)
　　　　　　　　　　　　　　　　　　　Export Manager

Port of Shipment	⑥ _Tokyo_
Destination	⑦ _Hong Kong_
Commodities	⑧ _Reciprocating piston-engines_
Packing	⑨ _10 sets in a wooden case, and 10 wooden cases to be palletized._
Weight	⑩ _About N/W 4,500Kgs_
Measurement	⑪ _About 36.400M3_
Forwarding Agent	⑫ _Minato-Unyu Soko Co., Ltd._
Expected Date Ready for Shipment	⑬ _April 18, 20XX_
Remarks	⑭ _L/C No. HS-22/1234_

⑮　We have reserved the space for the above-mentioned goods.

Booking No.02143-243

　　　　　　　　　　　　　　　　　　⑯ NIPPON SHOUSEN KAISHA

　　　　　　　　　　　　　　　　　　　　　　(signed)
　　　　　　　　　　　　　　　　　　　　　(Name)
　　　　　　　　　　　　　　　　　　　for General Manager

輸出5　船腹予約書　解説

　運送契約をする場合、個品運送契約にするか傭船契約にするかを決めるが、本例の場合にはCIF契約であり、また1回当たりの取引量が100トン以下の少量貨物なので、通常他の貨物とともに船積みされる個品運送契約が得策である。契約および信用状では船積期限は4月25日となっているので、配船表（Shipping Schedule）に記載の4月25日以降に出航予定の船舶Tokyo Maru（30-25J）、Ivory Bay（40-35P）は選べない。また生産（または調達）の都合で船積準備完了が4月上旬となる可能性があるので、出航日が4月5日のNeptune（15-15TB）もまた選べない。したがって、船腹予約できる船は、Minato Maru（20-20T）しかない。

《船腹予約書の記載事項》
① 船腹予約申込日
② 船名
③ 航海番号
④ 出航予定年月日
⑤ 申込者の署名
⑥ 船積港
⑦ 仕向地
⑧ 商品名
⑨ 梱包状態
⑩ 重量（検量が終了していないのでaboutの文字を入れる）
⑪ 容積（重量と同じようにaboutの文字を入れる）
⑫ 海貨業者名
⑬ 船積予定日
⑭ 摘要（L／C番号等）
⑮ 船会社の確認文言
⑯ 船会社の署名

　※この船腹予約の申込みは、輸出者自身がしても、海貨業者がしてもよいが、海貨業者が申し込む場合には、⑤の申込者欄は海貨業者が署名して、⑫の欄に輸出者名を入れる。

輸出6　商業送り状（Invoice）

INVOICE

① JAPAN TRADING CO., LTD.
2-3 Otemachi 1-chome, Chiyoda-ku, Tokyo
120-0110　JAPAN
Phone 03-1111-0001　Fax 03-1111-0002

② Date　　April 15, 20XX

③ Invoice No.　JT02-256

④ Ref No.

⑤ Buyer

Hong Kong Trading Co., Ltd.
123 Mody Road Kowloon Hong Kong

⑥ Payment Terms

Irrevocable L/C at sight in our favor

⑦ Vessel or　　　　On or about
Minato Maru　　　April 20, 20XX

⑨ From　　　　⑩ Via
Tokyo, Japan

⑪ To
Hong Kong

⑧ Issuing Bank

Hongkong and Shanghai Banking Corp.
Hong Kong

L/C No.　　　　　　　　Date
HS-22/1234　　　　　February 20, 20XX

⑫ Remarks

Marks & Nos.	Description of Goods	Quantity	Unit Price	Amount
		⑮		⑰ CIF Hong Kong
⑬	⑭	100 sets	⑯	⑱
JTC	Reciprocating piston-engines		@US$600.00/set	US$60,000.00
Hong Kong	for motorcycle with a cylinder capacity			
C/No.1-10	of 51 cc			
MADE IN JAPAN	As per Sales Note No.100			
	dated February 2, 20xx			

TOTAL　　10 Cases　　　　100 sets　　CIF Hong Kong　　US$60,000.00

⑲ JAPAN TRADING CO., LTD.

(Signed)

Authorized signature

輸出6　商業送り状　解説

《商業送り状の記載事項》

① 輸出者の名称と住所
② 作成日
③ 商業送り状番号
④ 参照番号（契約書の番号など）
⑤ 輸入者の名称と住所
⑥ 支払条件：本例は、取消不能信用状による一覧払手形による決済であることを示している。
⑦ 積載船名、出港（予定）日
⑧ 信用状発行銀行名、信用状番号、発行日
⑨ 船積港
⑩ 経由地
⑪ 荷卸港
⑫ その他特記事項
⑬ 荷印、荷番号
⑭ 商品名：「商業送り状における物品、サービスまたは履行の記述は、信用状中に現れている記述と合致していなければならない。」（信用状統一規則第18条 c項）
⑮ 数量
⑯ 単価
⑰ 建値（貿易条件）：通常インコタームズ条件を記載する。
⑱ 送り状金額
⑲ 輸出者の署名

※商業送り状は、信用状に記載された受益者（輸出者）が作成し、また　輸出者と荷為替手形の振出人は一致していなければならない。

輸出7　梱包（包装）明細書（Packing List）

PACKING LIST

① JAPAN TRADING CO., LTD. 2-3 Otemachi 1-chome, Chiyoda-ku, Tokyo, 120-0110　JAPAN Phone 03-1111-0001　Fax 03-1111-0002	② Date　　　　April 15, 20XX ③ No.　　　　JTP02-256 ④ Invoice No.　　JT02-256
⑤ Buyer 　Hong Kong Trading Co., Ltd. 　123 Mody Road Kowloon Hong Kong	⑥ Payment Terms 　Irrevocable L/C at sight in our favor
⑦ Vessel or　　　　On or about 　Minato Maru　　April 20, 20XX	⑧ Issuing Bank 　Hongkong and Shanghai Banking Corp., Hong Kong
⑨ From　　　　Via 　Tokyo, Japan	L/C No.　　　　　Date 　HS-22/1234　　February 20, 20XX
⑩ To 　Hong Kong	⑪ Remarks

Marks & Nos.	Description of Goods	Quantity	Weight		Measurement
			(Net)	(Gross)	
		⑭ 100 sets	⑮ 45Kgs/set	⑯ 50Kgs/set	⑰ 36.400M3
⑫ JTC Hong Kong C/No.1-10 MADE IN JAPAN	⑬ Reciprocating piston-engines for motorcycle with a cylinder capacity of 51 cc		4,500Kgs	5,000Kgs	
Case No. ⑱ 　1-10					
TOTAL	10 Cases	100 sets	4,500Kgs	5,000Kgs	36.400M3

⑲ JAPAN TRADING CO., LTD.

(Signed)

　　　　　　　　　　　　　(Name)
⑳　E.&O.E.　　　　　　　(Title)

輸出7　梱包（包装）明細書　解説

　梱包明細書は、商業送り状の記載を補うために包装ごとの明細を記載したもので、輸出者が輸入者あてに作成する書類であり、輸出通関用と荷為替手形買取用がある。輸出通関用の梱包明細書では、税関に商業送り状とともに提出する段階では総重量および容積が判明していないので、記載しなくてもかまわない。

《梱包（包装）明細書の記載事項》

① 　輸出者の名称と住所
② 　梱包明細書の作成日
③ 　梱包明細書番号
④ 　インボイス番号
⑤ 　輸入者の名称と住所
⑥ 　支払条件
⑦ 　積載船名、出港（予定）日
⑧ 　信用状発行銀行名、信用状番号、発行日
⑨ 　船積港、経由地
⑩ 　荷卸港
⑪ 　その他特記事項
⑫ 　荷印、荷番号
⑬ 　商品名
⑭ 　数量
⑮ 　正味の重量
⑯ 　総重量
⑰ 　容積：輸出通関のために貨物を保税上屋に搬入すると、検量人によって貨物の検量が行われて総重量および容積が判明するので、これらのデータを梱包明細書に記入し、荷為替手形買取用の梱包明細書を作成する。
⑱ 　カートンまたはケース番号：本例ではケース番号。ケースに入っている個数が異なる時は、1、2、3、と個別に記入する。本例のように1番から10番までの入数が同じ場合には、1－10と記入する。
⑲ 　輸出者の署名
⑳ 　E. & O.E.：Errors and Omissions are excepted."誤記脱漏はこの限りにあらず"の意味であるが、この文言を記載しても法律上の責任は免れない。

輸出8　船積依頼書（Shipping Instructions）

SHIPPING INSTRUCTIONS

①Date　*April 15, 20XX*

To ②*Minato-Unyu Soko Co., Ltd.* 　　*Attention: Mr. Yamada*	From ③JAPAN TRADING CO., LTD. 2-3 Otemachi 1-chome, Chiyoda-ku, Tokyo 120-0110 Japan Phone 03-1111-0001 Fax 03-1111-0002

Invoice No. *JT02-256*	Ref. No
Consignee 　*To order of shipper*	Notify Party ⑥　*Hong Kong Trading Co., Ltd.* 　　*123 Mody Road Kowloon Hong Kong*
Shipping Company 　*Nippon Shousen Kaisha*	Booking No.　　　　　Date ⑧　*02143-243*　　　*March 5, 20XX*
Carrier　*Minato Maru*	Freight ⑩ *US$1,200*　　CFS Charge
Port of Loading　　　Date 　*Tokyo*　　*April 20, 20XX*	☒ ⑫Prepaid　　　CAF
Via	☐　Collect　　　BAF
Port of Discharge　　ETA 　*Hong Kong*　*April 25, 20XX*	Others

Marks & Nos.	No. of pkgs	Description of Goods	M3	Gross Weight
	10 cases			
④ *JTC* *Hong Kong* *C/No.1-10* *MADE IN JAPAN*		*Reciprocating piston-engines for motorcycle with a cylinder capacity of 51 cc*	*36.400M3*	*5,000 Kgs*

"Prepaid as Arranged"

Vanning Place	Loose / Container	CY/CY	CY-CFS	CFS-CY	CFS-CFS
⑮ *Minato-Unyu Soko Warehouse No.3*	☐　　☒	☒	☐	☐	☐

⑯	Cargo Delivered			⑰	L/C Reference		
On	*April 15, 20XX*			L/C No.	*HS-22/1234*		
To	*Minato-Unyu Soko Warehouse No.3*			The Latest Shipping Date	*April 25, 20XX*		
By	*Sonic Industries Co., Ltd.*			Expiry Date	*May 5, 20XX*		
⑱	Documents Attached	Org	Copy	⑲ Documents Required		Org	Copy
	E/L No.			Bill of Lading		*3*	*3*
	Invoice No. *JT02-256*	*6*		Measurement and Weight List		*3*	
	Packing List	*6*		Certificate of Inspection		*2*	
	Others						

輸出8　船積依頼書　解説

　輸出者は、船積依頼書を作成し、貨物の通関および船積みを海貨業者に依頼する。船積依頼書は、船荷証券の作成に必要な情報を提供する重要な書類であり、この書類には依頼作業の内容、貨物の情報、添付書類・必要書類およびその部数が記載される。したがって、信用状取引の場合には、信用状に記載されている条件である荷受人、運賃支払方法、着荷通知先、商品名、船積港、仕向地、最終船積日などは信用状に一致していなければならない。本例での信用状条件は、"Full set of clean on board ocean Bill of Lading made out to order of shipper and blank endorsed marked Freight Prepaid notify Hong Kong Trading Co., Ltd."（瑕疵（かし）のない海上船積船荷証券全通が荷送人の指図式であり、かつ、白地裏書がなされていること、船荷証券面に運賃支払済みの記載があり、着荷通知先として香港貿易有限公司の記載があること。）となっている。

《船積依頼書の記載事項》

① 　作成年月日
② 　海貨業者名
③ 　輸出者（荷送人）
④ 　インボイス番号
⑤ 　荷受人：信用状の条件通りとする。本例では to order of shipper である。通常は、船荷証券は指図式（to order）または荷送人の指図式（to order of shipper）で発行され、輸出者が白地裏書（blank endorsement）をする。白地裏書では、次の権利者名の欄をブランクにし、引渡し文言および被裏書人については何も記載せず、荷送人が署名するだけである。そのため白地裏書をすると、以降は船荷証券の引渡しだけで所有権が移転することになる。なお、to order of shipper または to order は、全く同じ意味で to the order または to the order of shipper と記載される場合もある。
⑥ 　着荷通知先：信用状の記載条件にしたがって、Hong Kong Trading Co., Ltd. 123 Mody Road Kowloon Hong Kong と記入する。
⑦ 　船会社
⑧ 　船腹予約番号と予約日
⑨ 　積載船名
⑩ 　海上運賃と CFS 料金
⑪ 　船積港とその日付
⑫ 　運賃の支払方法：本例では、信用状の記載条件にしたがって、Prepaid（前

払い）を選んでチェックを入れる。B／L に金額を記載してもらいたくないのであれば、商品名の下に"Prepaid as Arranged"と記入する。

⑬　荷揚港と到着予定日：ETA は estimated time of arrival の略語。
⑭　荷印・荷番号、貨物の個数、商品名、容積と総重量
⑮　コンテナへの貨物の詰込み（Vanning または Stuffing）場所：Loose とはコンテナ化・パレット化されていない貨物のことであるが、今回はパレット化（契約書に to be palletized と記載）されているので、Container にチェックを入れる。CY/CY とは、船積地のコンテナ・ヤードから揚地のコンテナ・ヤードまでの運送区間をさす。
⑯　貨物の搬入日、搬入場所、搬入者
⑰　信用状の番号、船積期限、有効期限
⑱　添付書類：この船積依頼書に添付して海貨業者に渡す書類の明細。
⑲　必要書類：依頼者が海貨業者に入手を依頼する書類の明細。
※海貨業者（海貨限定）と新海貨業者（海貨無限定）

　　海貨業者は、荷主の委託を受けて、陸揚げ、船積みされる個品運送貨物の船舶との受渡しに合せて、艀運送、沿岸荷役などの作業を一貫して行う。
　　新海貨業者は、上記の海貨業のほかに船会社からの委託を受けて、CFS 作業を行うことができる。

輸出9　コンテナ内積付表（Container Load Plan）

N S K Line

Container No. ① NSK012398	Type of Container		
		Length 20 40	Height 8-0 8-6 9-6
Seal No ② CN7878	Reefer-temp. Required ˚F ˚C		

Pre-Carrier	Voy. No.	Place of Receipt ④ Tokyo CY	Port of Loading ⑤ Tokyo, Japan	Port of Discharge ⑥ Hong Kong	Place of Delivery ⑦ Hong Kong CY
Ocean Vessel Minato Maru	Voy. No. ③ 20-21T	CY-□, CFS-□, Door-□			CY-□, CFS-□, Door-□

E/D NO.	B/L NO.	Shipper/Consignee for Notify NOS	Marks & Numbers	No.& Kind of pkgs	Description of Goods	Weight KGS	Measurement M3	Remarks
				⑩	⑪	⑫	⑬	
		⑧ Shipper: Japan Trading Co., Ltd.		10 Cases	Reciprocating piston-engines for motorcycle	5,000	36.400	
		⑨ Consignee: Hong Kong Trading Co., Ltd.						
			⑭ JTC		with a cylinder capacity			
			Hong Kong		of 51 cc			
			C/No.1-10					
			Made in Japan					
								▲ In case of dangerous goods, please enter the label, classification and flash point of the goods.
				10 Cases Total Number of Packages /	Total Weight & Measurement /	5,000	36.400	

New Seal No.	Reason for Breaking Seal	Place of Vanning ⑮ Tokyo, Japan	Required to state by the Japanese Quarantine Office City　State	⑯ 3,500 KGS	Tare Weight
EXPORT Received by Drayman	Received by CY	⑱Packed by: Japan Trading Co.,Ltd. (Shipper/Carrier)		⑰ 8,500 KGS	Gross Weight
IMPORT Received by Drayman	Received by CFS	Signed _____ by or on behalf of shipper/carrier			

| 輸出9　コンテナ内積付表　解説 |

《コンテナ内積付表の記載事項》

① 　コンテナ番号
② 　コンテナシール番号
③ 　積載船名と航海番号
④ 　荷受地
⑤ 　船積港
⑥ 　荷卸港
⑦ 　荷渡地
⑧ 　荷送人（輸出者）
⑨ 　荷受人
⑩ 　梱包個数および荷姿
⑪ 　商品明細
⑫ 　重量
⑬ 　容積
⑭ 　荷印・荷番号
⑮ 　コンテナへの詰込み場所
⑯ 　コンテナ自重量
⑰ 　総重量
⑱ 　コンテナ詰めを行った者の署名：この場合は、FCL貨物で、shipperがコンテナ詰めを行うので、shipperが署名する。これをシッパーズ・パックといい、CFSで船会社の責任でコンテナ詰めが行われるLCL貨物の場合は、キャリヤーズ・パックという。

輸出10　貨物海上保険申込書

APPLICATION FOR MARINE CARGO INSURANCE
To The Toyo Marine and Fire Insurance Co., Ltd.

Assured(s), etc.(被保険者) ① *Japan Trading Co., Ltd.* 2-3 Otemachi 1-chome, Chiyoda-ku, Tokyo	Open Policy No.(特約書番号)	Provisional No.(予定申込No)
	Invoice No. ③ *JT02-256*	
C/O ②	Amount Insured ④ *US$66,000.00*	
Claim, if any, payable at/in(保険金支払地) ⑤ ☐ JAPAN　☒ DESTINATION		

Conditions:(保険条件) ⑥
☒ ALL RISKS　☐ W.A.　☐ F.P.A.　☐ I.C.C.(A)　☐ I.C.C.(B)　☐ I.C.C.(C)　(INCL. WAR & S.R.C.C. RISKS)

L/C REQUIRES: Marine Insurance Policy or Certificate endorsed in blank for full CIF value plus 10% covering Institute Cargo Clauses (All Risks), Institute War Clauses and Institute Strikes Riots and Civil Commotions Clauses.

L/C輸出の場合にはこの欄にL/Cの保険条項をご記入ください。

Local Vessel or Conveyance(接続輸送具) ⑦	From (interior port or place of loading(奥地仕出港(地)) ⑧	
Ship or Vessel(積載船(機)名) ⑨ *C/S Minato Maru*	From(積込港(地)) ⑩ *Tokyo*	Sailing on or about(出港年月日) ⑪ *April 20, 20XX*
To/Transshipped at(荷卸港(地)または積替港(地)) ⑫ *Hong Kong*	Thence to(最終仕向港(地)) ⑬	

Marks & Nos.(荷印、荷番号)	No.& Kind of Packages(梱包数および荷姿)	Description of Goods(貨物の明細)	Quantity(数量)
⑭ *JTC* *Hong Kong* *C/No.1-10* *Made in Japan*		*10 cases (100 sets) of Reciprocating piston-engines for motorcycle with a cylinder capacity of 51 cc*	

Documents Required ⑮				Amount Insured(%)(保険金額付保割合) ⑯
☒ Policy	☐ Certificate	☒ Debit Note		Cargo: *110 % of CIF Value*
Signed	Copies	Original	Copies	Duty: *記載しない*
2 通	3 通	1 通	3 通	

Invoice Amount ⑰
US$ 60,000.00

Dated　*April 14, 20XX*
　　　Japan Trading Co., Ltd.
⑱
　　　　(Signed)
　　　Signature of Applicant

輸出10　貨物海上保険申込書　解説

本取引の信用状では "Marine Insurance Policy or Certificate endorsed in blank for full CIF value plus 10% covering Institute Cargo Clauses (All Risks), Institute War Clauses and Institute Strikes Riots and Civil Commotions Clauses."（白地裏書のある海上保険証券または保険証明書でCIF価格の10％増しの金額で付保してあること。協会貨物約款（全危険担保）、戦争約款、ストライキ・暴動・騒乱約款による付保がなされていること）と規定している。

保険契約者はその内容について正確に記入し提出しなければならない。しかし実務上は簡略にして、信用状のコピーと商業送り状を添付して申込みをしている。

《貨物海上保険申込書の記載事項》

① 被保険者名：被保険者の正式英文名を記入する。
② Ｃ／Ｏ：保険契約者が①と異なる場合の保険契約者名
③ 当該貨物のインボイス番号
④ 保険金額：本例では信用状がCIF価格の10％増しの金額で付保することを条件としているので、US$66,000.00で申込みをする。
⑤ 保険金支払地：通常は輸入地を記入するが、信用状が特に指定しているときは、その指定地を記入する。
⑥ 保険条件：海上危険担保の基本条件については、信用状条件にしたがって、All Risks、War Clauses と S.R.C.C.（Strikes Riots and Civil Commotions）Clauses を付保する。（新ICCの場合には、All Risks の代わりに I.C.C.（A）とする）。信用状付輸出の場合にはこの欄にＬ／Ｃの保険条件を記入する。
⑦ 接続輸送用具：国内の奥地から船積港（地）までの輸送があり、この区間を付保する場合には、lighter（艀）、rail、truck、船名などの輸送用具を記入する。
⑧ 奥地仕出港（地）：奥地から付保する場合は奥地仕出港（地）を記入する。
⑨ 積載船名：Ｃ／Ｓとはコンテナ船（Container Ship）の意味
⑩ 積込港（地）
⑪ 出港年月日
⑫ 荷卸港（陸揚港）または積替港
⑬ 最終仕向港（地）：最終仕向地とそこまでの輸送手段（陸揚港と最終仕向地が異なり、荷卸港から最終仕向地まで付保するときに記入する。例：Pittsburgh by truck）
⑭ 荷印、荷番号：梱包数および荷姿、貨物の明細、数量（インボイス番号を③

の欄に記入した場合には、商品名と貨物の個数のみでよい。）
⑮　保険証券または保険証明書、保険請求書の発行依頼部数
⑯　保険金額付保割合：貨物の付保割合を CIF 価格等の何パーセントにするかを記入し、輸入関税を付保する場合には、その税額を"Duty"欄に記入する。（例：15% of CIF Value）
⑰　インボイス価格
⑱　申込みの日付、申込人の自署（または記名押印）

輸出11　貨物海上保険証券（Insurance Policy）

THE TOYO MARINE AND FIRE INSURANCE CO.,LTD

Assured(s)etc
① Japan Trading Co., Ltd.
(Code:)

Invoice No.
② JT02-256
Amount insured
④ US$66,000.00

Policy No.　③ 04-123456 7

Claim,if any,payable at/in ⑤ Hong Kong
⑥ Immediate claim notice must be given
　To　The Toyo Marine and Fire Insurance Co.,Ltd.
　　Hong Kong Office 401, Far Finance Center,
　　16 Harcourt Road, Kowloon
　　Fax:543-1234　　Tel:543-9876
　　And Claims will be paid by the said Agent.

Conditions
⑦ All Risks

Local Vessel or Conveyance
⑧

From(interior port or place of loading)
⑨

Ship or vessel called at
⑩ C/S Minato Maru

at and from
⑪ Tokyo

Sailing on or about
⑫ April 20, 20xx

arrived at/transshipped at
⑬ Hong Kong

thence to
⑭

Including risks of War,
Strikes, Riots and Civil Commotions
Subject to the following Clauses as per back hereof :

Goods and Merchandises

⑮ 10 cases (100 sets) of Reciprocating piston-engines
　 for motorcycle, of cylinder capacity 51 cc

(In container under &/or on Deck)

Institute Cargo Clauses
Institute War Clauses (Cargo)
Institute Strikes, Riots and Civil Commotions Clauses
Institute Dangerous Drugs Clauses
Institute Replacement Clauses
Institute Radioactive Contamination, Chemical, Biological
　　　　　and
Bio-Chemical and Electromagnetic Weapons Exclusion Clauses

Marks and Numbers as per Invoice No. specified above.　Valued at same as insured.

Signed in　　　　Dated　　　　　　　　　No.of Policies issued
⑯ Tokyo　　　　April 14, 20xx　　　　　　Two

⑰ 1. Warranted free of capture, seizure, arrest, restraint, or detainment, and the consequences thereof or of any attempt thereat; also from the consequences of hostilities or warlike operations, whether there be a declaration of war or not; but this warranty shall not exclude collision, contact with any fixed or floating object(other than a mine or torpedo), stranding, heavy weather or fire unless caused directly(and independently of the nature of the voyage or service which the vessel concerned er,in the case of a collision, any other vessel involved therein, is performing) by a hostile act by or against a belligerent power,and for the purpose of this warranty power includes any authority main aining naval, military or air forces in association with a power.
Further warranted free from yhe consequences og civil war, revolution, re bellion, insurrection, or civil strife arising therefrom or piracy.
2. Warranted free of loss or damage:
(a) caused by strikers, locked-out workmen, or persons taking part in labour disturbances, riots or civil commotions;
(b) resulting from strikes, lockouts, labour disturbances, riots or civil commotions.
⑱ Grounding or stranding in the Suez, Panama or other canals, harbours or tidal rivers not to be deemed a stranding under the terms of the policy, but to pay any damage or loss which may be proved to have directly resulted therefrom.
　This Insurance does not cover any loss or damage to the property which at the time of the happening of such loss or damage is insured by or would but for the existence of this Policy be insured by any fire or other insurance policy or policies except in respect of any excess beyond the amount which would have been payable under the fire or other insurance policy or policies had this insurance not been effected.

Be it known, that
as well in his or their own Name, as for and in the Name and Names of all and every other Person to whom the same doth, may, or shall appertain, in part or in all, do make Insurance, and hereby cause himself or themselves and them one of them, to be Insured, lost or not lost, at and from the port of　　　　　　　　　　　　　　upon Goods and Merchandises, or Treasure, of and in the good Ship or Vessel called the　　　　　　　　　　　　　　whereof is Master, for this present Voyage or whosoever else shall go for Master in the said Vessel, or by whatsoever other Name or Names the said Vessel, or the Master thereof, is or shall be named or called BEGINNING the Adventure upon the said Goods and Merchandises from the loading thereof on board the said Ship, and so to continue and endure, until the said Goods and Merchandises shall have arrived at　　　　　　　and until the same be there discharged and safely landed.
And it shall be lawful for the said Vessel, in this Voyage, to proceed and sail to, and touch and stay at any Ports or Places whatsoever, within the limits of the above Voyage)for necessary Provisions. Assistance or Repairs, without prejudice to this Insurance: the said Goods and Merchandises laden thereon for so much as concerns the Assured, are and shall be
Touching the Adventures and Perils which the said THE TOYO MARINE AND FIRE INSURANCE CO., LTD. Themselves are content to bear. And to take upon them in this Voyage: they are of the Seas, Men-of-War, Fire, Enemies, Pirates, Rovers, Thieves, Jettisons, Letters of Mart and Counter-Mart, Surprisals, Taking at Sea, Arrests, Restraints and Detainments of all Kings, Princes, and People, of which Nation Condition, or Quality soever, Barratry of the Master and Mariners, and o f all other Perils, Losses, and Misfortunes that have or shall come to the Hurt, Detriment, or Damage of the said Goods and Merchandises, or any part thereof, and in case of any Loss or Misfortune, it shall be lawful for the Assured, his or their Factors. Servants, or Assigns, to sue, labour,and travel for,in and about the Defence, safeguard and Recovery of the said Goods and Merchandises,or any part thereof, without prejudice to this Insurance: to the Charges whereof the said Company will contribute. It is expressly declard and agreed that no acts of the Insurer of Insured in recovering, saving, or preserving the property insured, shall be considered as a waiver or acceptance of abanonment. And it is agreed that this Writing or Policy of Insurance shall be of as much Force and Virtue as the surest Writing or Policy of Insurance made in London. And so the said THE TOYO MARINE AND FIRE INSURANCE CO., LTD.are contenred, and do hereby promise and bind themselves to the Assred, his or their Excutors, Administrators, or Assigns, for the true Performance of the PREMISERS+ cofessing themselves paid the Consideration due unto them for this Assurance, at and after the rate of　　　as arranged　　　　　　Per Cent
　: Corn, Fish, Salt, Fruit, Flour and Seed are warranted free from Average, unless General, or the Ship be stranded, sunk or burnt: Sugar, Tobacco, Hemp, Flax, Hides, and Skins are warranted free from Average under Five per cent., and all other Goods are warranted free from Average under Three per Cent., unless General, or the Ship be stranded, sunk or burnt.
　This insurance is understood and agreed to be subject to English law and usage as to liability for settlement of any and all claims.
　In witness whereof, I, the Undersigned of THE TOYO MARIN AND FIRE INSURANCE CO., LTD. On behalf of the said Company have subscribed my Name in　　　　to　　　Policies of the same tenor and date, one of which being accomplished, the others to be void, as of the date specified as above.

For **THE TOYO MARINE AND FIRE INSURANCE CO.,LTD.**

(Signed)
(AUTHORIZED SIGNATORY)

輸出11　貨物海上保険証券　解説

　売買契約の貿易条件がCIF、CIPのときは、輸出者が保険を付保し、FOB、CFR、FCA、CPTのときは、輸入者が保険を付保する。本例の信用状条件は、"Marine Insurance Policy or Certificate endorsed in blank for full CIF value plus 10% covering Institute Cargo Clauses (All Risks), Institute War Clauses and Institute Strikes, Riots and Civil Commotions Clauses"である。そこで本例では、輸出者が付保しなければならない。

　保険証券には、旧約款用および新約款用の2つの証券があり、書式が異なっている。ここでは、わが国で一般的に使用されている旧約款用書式を用いている。

《貨物海上保険証券の記載事項》

① 　被保険者
② 　インボイス番号
③ 　保険証券番号
④ 　保険金額：信用状の条件通りとし、本例ではfor full CIF value plus 10%である。したがって、信用状金額の10%増（輸入者の得べかりし利益）の$66,000となる。保険金額が保険価額を上回る場合には超過保険といい、超過部分は無効となる。また表示通貨は、信用状に異なる明示のない限り、信用状と同一の通貨でなければならない。
⑤ 　保険金支払地：通常は、輸入地が保険金の支払地となる。
⑥ 　損害事故の発生時の事故通知先：通知先は、保険会社の事務所またはクレーム・エージェントであり、保険金はこの通知先によって支払われる旨が記載されている。
⑦ 　保険条件：信用状の条件通りとする。本例では信用状条件として全危険担保（All Risks）のほかに特別約款として協会戦争危険担保約款と協会ストライキ・暴動・騒乱担保約款が付加されているが、これらは中央、右側の条件欄にすでに赤字でWar Clauses and S.R.C.C. Clausesと小さく刷り込み済みになっているので、タイプで打ち出さなくてもよい。
⑧ 　輸送用具
⑨ 　奥地仕出港（地）：出荷地と積込港（積込地）が異なり、出荷地から積込港（積込地）まで付保するときに記入する。また、そこまでの輸送用具は⑧に記入する。
⑩ 　積載船（機）名
⑪ 　船積港

⑫　出港年月日または出港予定年月日
⑬　荷卸港（地）
⑭　最終仕向地とそこまでの運送手段：荷卸港と最終仕向地とが異なる場合、最終仕向地とそこまでの運送手段を記入する。
⑮　貨物の名称、数量、荷姿、荷印、荷番号など："(In container under &/or on Deck)" は、甲板積みでも船内積みと同様に扱うことを意味している。本来 On Deck は特約がなければてん補されないが、コンテナ輸送の場合には、コンテナの積付け場所を船内にするか甲板上にするかについて、運送人に裁量権を与えないと実際上の積込みができないため、運送人に裁量権を与えている。
⑯　保険証券の作成地、作成年月日、発行通数
⑰　イタリック書体約款：戦争危険、捕獲だ捕不担保約款、ストライキ・暴動・騒乱不担保約款であり、これらを免責にしている。
⑱　欄外約款：他保険約款、乗上げ・座礁約款、損害通知条項
⑲　証券本文
　　200年以上前から変更なしに使用している。内容が現代の商取引に適合していないため、欄外約款（イタリック書体約款、その他の欄外約款）ならびに証券裏面の協会貨物約款（ICC）、協会戦争危険担保約款と協会ストライキ・暴動・騒乱担保約款が付加されている。この約款で戦争、ストライキ危険を復活担保している。ただし、戦争危険については、貨物が本船上にある間に限定して担保する。

輸出12　重量容積証明書（Certificate and List of Measurement and/or Weight）

Shipper
① *Japan Trading Co., Ltd*

Forwarding Agent
② *Minato - Unyu Soko Co., Ltd.*

Certificate No.
③ *2035*
Sheet

NIPPON KAIJI KENTEI KYOKAI
(JAPAN MARINE SURVEYORS & SWORN MEASURER'S ASSOCIATION)
FOUNDED 1913 & LICENSED BY THE JAPANESE GOVERNMENT

CERTIFICATE AND LIST
OF
MEASUREMENT AND/OR WEIGHT

Date & Place of Issue
④ *April 10, 20xx, Tokyo*

Date & Place of Measuring and/or Weighing
⑤ *April 10, 20xx, Tokyo*

HEAD OFFICE　　　　　BRANCHES:
Kaiji BLDG, No. 9-7, 1-Chome Hatchobori　　All principal ports in Japan
Chuo-ku, Japan

Ocean Vessel　　　　　　　Voy. No.
⑥ *Minato Maru*

Place of Receipt　　　Port of Loading
　　　　　　　　　　　⑦ *Tokyo*

Port of Discharge　　　Place of Delivery　　　Final destination
⑧ *Hong Kong*　　　⑨ *Hong Kong CY*

Marks & Numbers　No. of Pkgs　Kind of Packages　Description of Goods　Gross Weight　Measurement

⑪　　　　　　　　　　　　　　　　　　　　　　⑬　　　　⑭
10 Cases　　　　　　　　　　　　　　　　　*5,000Kg*　*36.400M3*

⑩
| JTC |　　　　⑫
Hong Kong　　　　　*Reciprocating piston-engines*
C/No.1-10　　　　　*for motorcycle with a cylinder capacity of 51 cc*
MADE IN JAPAN

	⑮	⑯	⑰	⑱	⑬	⑲	⑭
Case	L	W	H	KG	KG	CU.METER	CU.METER
1-10	1.4M	2.0M	1.3M	500	5,000	3.640	36.400

⑳ We hereby certify that the above measurerment and/or weight of the goods were taken by our measurers solely for reasonable Ocean Freight in accordance with the provisions of recognized rules concerned.

輸出12　重量容積証明書　解説

　輸出者からシッピング・インストラクションズ（船積依頼書）により輸出申告や船積みの依頼を受けた海貨業者は、貨物が保税地域に搬入されると、貨物の種類、個数、荷印などを確認する。次に、船会社が指定した公認の検定機関に貨物の検量を依頼する。

　この公認の検定機関である検量業者（Sworn Measurer）が「重量容積証明書」を発行する。

　コンテナ船のFCL貨物の場合には、船会社が検量人を指定せず、輸出者自ら公認の検量人に依頼し、輸出者がドック・レシート（Dock Receipt）に重量・容積を記載する。また、受領した重量容積証明書のデータにもとづき、原則として輸出者が梱包明細書（Packing List）を作成する。

　LCL貨物では、船会社が指定した検量業者が検量し、重量・容積をドック・レシートに記載する。

　在来船の場合には、LCL貨物と同様に、船会社が指定した検量業者が検量し、重量・容積を未署名の船積指図書（Shipping Order = S／O）および本船貨物受取書（Mate's Receipt = M／R）に記入して船会社に提出する。

　重量容積証明書に記載されている貨物の重量・容積が海上運賃の算定基礎となり、船荷証券（Bill of Lading）に記載される。

《重量容積証明書の記載事項》

① 荷送人（輸出者）
② 海貨業者
③ 重量容積証明書の番号
④ 発行日と発行場所
⑤ 検量日と検量場所
⑥ 積載船名
⑦ 船積港
⑧ 荷卸港
⑨ 荷受人への貨物引渡し場所
⑩ 荷印、荷番号
⑪ 梱包の個数
⑫ 荷姿、商品名
⑬ 総重量
⑭ 容積

⑮　梱包の「縦」
⑯　梱包の「横」
⑰　梱包の「高さ」
⑱および⑲　個々の梱包の総重量、個々の梱包の容積
⑳　商品の容積および重量がもっぱら海上運賃算出のために検量された旨の記載。

輸出13 輸出申告書 (Export Declaration)

輸　出　申　告　書

あ て 先　東 京 税 関　長殿

申告年月日　① 平成XX年4月18日

② 2-3 Otemachi 1-chome, Chiyoda-ku, Tokyo
輸出者住所氏名印　JAPAN TRADING CO., LTD.

積　込　港　④ Tokyo
積載船(機)名　⑤ Minato Maru
出港予定年月日　⑥ 平成XX年4月20日

③ 東京都港区港南1-5-6
港運輸倉庫株式会社
代理人住所氏名印　代表取締役　保坂　一郎　印

仕　向　地　⑦ HONG KONG (都市)　(国)

123 Mody Road Kowloon
Hong Kong
仕向人住所氏名　Hong Kong Trading Co., Ltd.

蔵置場所

本船扱　　ふ中扱

申告番号

積込港符号
船(機)籍符号
貿易形態別符号
仕向国(地)符号
輸出者符号
※(調査用符号)

品　　名	統計品目番号	単位	数　　量	申告価格（F.O.B）	※(調査欄)
(1) ⑧ Reciprocating piston-engines for motorcycle with a cylinder capacity of 51 cc	⑨ 8407.32-100	⑩ NO KG	⑪ 100 5,000	千　　　円 ⑫ 6,435　000	
(2)				千　　　円	
(3)				千　　　円 ⑬ CIF US$60,000.00	

個数、記号、番号、外国産品のときは生産地

⑭ Total: 10 Cases

JTC
Hong Kong
C/No.1-10
MADE IN JAPAN

「外国為替及び外国貿易法」及び「輸出貿易管理令」関係

外国為替及び外国貿易法第48条第1項に基づく輸出貿易管理令第1条第1項別表第1の　　　項　(該当)　(非該当)

輸出貿易管理令第2条第1項第　　号別表第2の

輸出貿易管理令第4条第　項第　号の別表第　の　　　項(　)

輸出貿易管理令別表第1条第1項　(許可要)　(許可不要)

輸出許可証又は輸出承認証の番号

申告書 ⑮ 1 枚　1

添付書類（輸出貿易管理令関係を除く）。

⑯ 仕　入　書　(有) ☒
輸出取引承認書
その他関税法第70条関係許可・承認書等（法令名）
関税定率法、関税暫定措置法第　条第　項第　号関係
内国消費税
輸出免税(還付金)関係

※許可印・許可年月日

※積込年月日

保税運送区分　陸路　海路　空路　※承認年月日期間　年　月　日まで

※税関記入欄
1 検査場検査
2 現場検査

※受理　※審査

通関士記名押印
⑰ 通関士
鈴木　一郎　印

輸出13　輸出申告書　解説

　輸出貨物は、保税地域から積み出されるので、輸出者は通関手続および船積みのために、原則として貨物を保税地域に搬入する。輸出申告は、保税地域等に貨物を搬入した後でなければ行うことができない。しかし本船扱い、艀中扱い、搬入前申告扱いの許可を受けたとき、また特定輸出者は、保税地域外で輸出申告ができる。

　輸出者は通関のために、商業送り状、梱包明細書、船積みに関する事項を記入した船積依頼書および必要がある場合には輸出許可書、輸出承認書、検査の完了などを証明する書類を海貨業者に手渡し、輸出申告や貨物の船積みを依頼する。海貨業者は貨物を保税地域などに搬入し、検量後に輸出申告を行う。税関では、必要に応じて貨物を検査し、問題がなければ輸出申告書の1通に承認印を押して返却する。

　現在では、NACCS（輸出入・港湾関連情報処理システム）による輸出申告が多く行われており、その場合は輸出者、価格などの輸出申告事項を端末機で入力してNACCSに登録する。ここでは、従来の輸出申告書を解説する。

《輸出申告書の記載事項》

① 申告年月日：申告書を税関に提出する日。書類不備で返還されたときは補正後改めて提出する日
② 輸出者（荷送人）：代理人が申告する場合には輸出者の押印は不要
③ 代理人住所氏名：通関業者名と押印
④ 積込港：輸出貨物の積込港を記載する。
⑤ 積載船（機）名：積み込まれる船舶の名称、航空機の場合には航空機の所属会社および航空貨物運送状の番号
⑥ 出港予定年月日：積載する船舶や航空機の出港予定年月日を記載する。
⑦ 仕向地：最終的に仕向けられる場所である、都市名、国を記載する。
⑧ 品名：「輸出統計品目表」の分類に沿って詳細に記載する。
⑨ 統計品目番号：「輸出統計品目表」に定める9桁の数字を記載する。
⑩ 単位：「輸出統計品目表」に定める単位を記載する。
⑪ 数量：「輸出統計品目表」に定める当該品目の統計上単位以上の数字を白抜き部分に、統計計上単位未満の数字を右側の色刷り部分に記載する。
⑫ 申告価格（FOB）：輸出貨物のFOB価格を円建てで記載する。申告価格のうち統計計上単位（1,000円）以上の金額は白抜き部分に、統計計上単位未満の金額は右側の色刷り部分に記載する。

⑬　申告価格が100万円以上で、FOB建て以外の建値によるものは、その契約建値（CIF、CFRなど）および決済金額（取引の基準通貨による金額とする）を申告価格欄最下部の色刷り部分にアンダーラインを付して記載する。
⑭　個数、記号、番号など：「個数」は、包装の個数およびその包装または容器の種類を記載し、貨物がばら積みで包装されていないものは、「ばら」または「in bulk」と記載する。
⑮　申告書枚数等：申告書の枚数および品名欄の使用欄数を記載する。
⑯　添付書類：輸出貿易管理令関係の書類については記載しない。
　　輸出申告に必要な添付書類がある場合には、それぞれの（有）の枠内に×印を記入する。
⑰　通関士記名押印：審査を行った通関士名を「通関士〇〇〇〇」と記載し、押印する。

輸出14　NACCS による輸出申告書

輸出申告事項登録(大額)　　入力特定番号 [　　　　]

[共通部] [繰返部]

申告番号 9999-0000-(D)

大額・小額識別 ①L　申告種別 ②E　申告先種別 [　]　貨物識別 [　]　あて先官署 [　]　あて先部門 [　]

申告予定年月日 ③ 20XX0418

- 輸出者　④ 99999　④ JAPAN TRADING CO.,LTD.
- 住所　④ TOKYO TO CHIYODA KU OTEMACHI 1CHOME 2-3
- 電話　④ 0311110001
- 申告予定者 [　]
- 蔵置場所 [　]

貨物個数 ⑤ 10　CT　貨物重量 ⑥ 5000　KGM　貨物容積 ⑦ 36.400　CM

貨物の記号等 ⑧ JTC (IN RECTANGLE), HONGKONG, C/NO. 1-10, MADE IN JAPAN

- 最終仕向地 ⑨ HKG - HONG KONG　船(機)籍符号 [　]
- 積出港 ⑩ JPTYO　貿易形態別符号 [　]
- 積載予定船舶 [　] - ⑪ MINATO MARU　出港予定年月日 ⑫ 20XX0420

インボイス番号 ⑬A - ⑬ JT02-256 - ⑬ 20XX0415
仕入書価格 ⑭CIF - ⑭ USD - ⑭ 60000.00 - ⑭A

輸出申告事項登録(大額)　　入力特定番号 [　　　　]

[共通部] [繰返部]

<1欄> 統計品目番号 ⑮ 8407321005　品名 ⑯ RECIPROCATING PISTON ENGINES FOR

数量(1) ⑰ 100　⑰ NO　数量(2) ⑱ 5000　⑱ KG

BPR按分係数 [　]　BPR通貨コード [　]　⑲ 6435000

他法令 (1) [　] (2) [　] (3) [　] (4) [　] (5) [　]

輸出貿易管理令別表コード [　]　外為法第48条コード [　]　関税減免戻税コード [　]

内国消費税免税コード [　]　内国消費税免税識別 [　]

<2欄> 統計品目番号 [　]　品名 [　]

数量(1) [　]　数量(2) [　]

BPR按分係数 [　]　BPR通貨コード [　]

他法令 (1) [　] (2) [　] (3) [　] (4) [　] (5) [　]

輸出貿易管理令別表コード [　]　外為法第48条コード [　]　関税減免戻税コード [　]

内国消費税免税コード [　]　内国消費税免税識別 [　]

<3欄> 統計品目番号 (c)　品名 [　]

数量(1) [　]　数量(2) [　]

BPR按分係数 [　]　BPR通貨コード [　]

他法令 (1) [　] (2) [　] (3) [　] (4) [　] (5) [　]

輸出貿易管理令別表コード [　]　外為法第48条コード [　]　関税減免戻税コード [　]

内国消費税免税コード [　]　内国消費税免税識別 [　]

> 輸出14　NACCSによる輸出申告書

《NACCSによる輸出申告書の記載事項》

① 申告価格識別：申告価格が20万円を超えるものを大額、20万円以下のものを少額といいます。大額の貨物が1欄（1品目）でもある場合は「L」を、すべての欄（品目）が少額である場合は「S」を記載します。
② 申告等種別：申告の種類が輸出申告の場合は「E」と入力します。
③ 申告年月日：申告書を税関に提出する日（書類不備で返却された時は補正後改めて提出する日）を「年・月・日」の順に数字で記載します。
④ 輸出者：左欄には輸出者の「輸出入者コード」が入ります。登録がない場合は「99999」と入力します。右欄には輸出者の氏名・名称を入れます。2行目には輸出者の住所・所在地、3行目には輸出者の電話番号を入力します。
⑤ 貨物の個数：左欄には貨物の外装個数、右欄には梱包種類コードを入力します。
⑥ 貨物の重量：左欄には貨物の総重量（Gross Weight）が、右欄にはその重量単位のコード（ここでは「KG」キログラム）を入力します。
⑦ 貨物の容積：左欄には貨物の総容積を、右欄にはその単位のコード（「CM」は立方メートル）を入力します。
⑧ 貨物の記号：貨物の外装に付される荷印（Shipping Mark：シッピング・マーク）を言葉で入力します。
⑨ 最終仕向地：左欄には最終仕向地の国連LOCODE（5桁または3桁）を、右欄には最終地向け地（港）名を入力します。
⑩ 積出港：積出港の国連LOCODE（5桁または3桁）を入力します。
⑪ 積載船名：貨物を積載してきた本船名を入力します。
⑫ 出港予定日：本船の出港予定年月日を「年・月・日」の順に数字で記載します。
⑬ 仕入書番号：左欄には仕入書の提出区分（提出の場合は「A」）を、中央欄には仕入書番号を、右欄には仕入書の作成年月日を「年・月・日」の順に数字で入力します。
⑭ 仕入書価格：左から順に、価格条件（インコタームズ）コード、通貨種別コード、仕入書価格の総額、価格区分コード（有償貨物の場合は「A」）を入力します。
⑮ 統計品目番号：輸出統計品目表に従って分類して決定した10桁の輸出統計番号を入力します。

⑯　品名：仕入書の貨物明細を参考にしながら、輸出統計品目表の分類表示に沿って記載します。
⑰　数量（１）：左欄には貨物の数量、右欄には輸出統計品目表に記載されている（財務大臣が指定する）貨物の単位（「NO」は個）を入力します。
⑱　数量（２）：貨物によっては、第２数量単位に従った数量も記載しなければなりません。記載の仕方は数量（１）と同じです（「KG」はキログラム）。
⑲　輸出申告価格：貨物の申告価格合計を日本円で入力します。

輸出15　ドック・レシート（Dock Receipt）

Shipper ① Japan Trading Co., Ltd. 2-3 Otemachi 1-chome, Chiyoda-ku, Tokyo	(Forwarding Agents) ② Minato-Unyu Soko Co., Ltd. D/R No. ③ NSKD-4-205

NSK
DOCK RECEIPT
ORIGINAL　NON-NEGOTIABLE

Consignee
④　To order of shipper

（1）Dock Receiptは発行するB/L単位で作成ください。
（2）作成の際は、ずれないようにセットし、所定位置にタイプして下さい。
（3）記入しきれない場合、SUPPLEMENTARY SHEET を使用下さい。
（4）作成の際は、別紙記載要項をご参照下さい。
（5）水ぬれ、損傷等のないようお取扱い下さい。

Notify Party
⑤　Hong Kong Trading Co., Ltd.
123 Mody Road Kowloon Hong Kong

Pre-carriage by	Place of Receipt ⑥　TOKYO CY		
Ocean Vessel Voy. No ⑦ Minato Maru 20-20T	Port of Loading ⑧　TOKYO, Japan		
Port of Discharge ⑨ Hong Kong	Place of Delivery ⑩ Hong Kong CY		Final Destination (for the Merchant's reference only)
Container No. Seal No :Marks & Nos.	No. of Container Kind of Packages Description of Goods	Gross Weight	Measurement
	rs or P'kgs.　⑪-5 "Shipper's Load and Count" ⑪-6　"Said to Contain" ⑪-4 10 Cases　Reciprocating piston-engines for motorcycle with a cylinder capacity of 51 cc	⑪-7 5,000 Kgs	⑪-8 36.400M3
⑪-1 NSK012398 ⑪-2 CN7878 ⑪-3 JTC Hong Kong C/No. 1-10 MADE IN JAPAN	⑪-9 "Freight Prepaid" ⑪-10 SAY: ONE (1) CONTAINER ONLY OR TEN (10) CASES ONLY		
TOTAL NUMBER OF CONTAINERS OR PACKAGES (IN WORDS)			
FREIGHT & CHARGES	Revenue Tons ⑪-11 FREIGHT AS ARRANGED	Rate Per	Prepaid (a) Collect (b)
Ex. Rate @	Prepaid at Tokyo, Japan Total Prepaid in Local Currency	Payable at Number of Original B(s)/L Three(3)	Place of B(s)/L Issue Tokyo, Japan　Dated April 20, 20xx

下記にも記入願います。
⑫ 他貨とCombineしてB/Lを　　1.B/L作成地（最終荷受地）　　2.海貨業者　　3.他貨品目
　　作成する場合

Export declaration No. ⑬	Service type on receiving ⑭ ☒ CY: ☐ CFS: ☐ DOOR	Service type on delivery ⑮ ☒ CY: ☐ CFS: ☐ DOOR	Inland carrier's name at port of discharge ⑯
Exceptions (at the time of receipt) ⑳-1 5 Cases corner crushed	⑰ TYPE ☒ Ordinary ☐ Reefer OF　　（普通）　　（冷凍） GOODS ☐ Liquid ☐ Live animal （貨物の種類）（液体）（生動物）	☐ Dangerous ☐ Auto （危険品）（自動車） ☐ Bulk （バラ物）	ReeferTemperature required（冷凍温度） ⑱ Dangerous Label classification ⑲

Received by the Carrier the total number of containers or other packages or units stated above to be transported subject to the terms and conditions of the Carrier's regular form of (Combined Transport) Bill of Lading, which shall be deemed to be incorporated herein

Date April 20, 20xx
⑳-2　For　Nippon Shousen Kaisha
　　　　　　(Signed)
　　　　　　as agent only

船主協会
統一
フォーム

|輸出15　ドック・レシート　解説|

コンテナ船の船積みには、FCL貨物とLCL貨物の場合があるが、ドック・レシートは、コンテナ貨物の貨物受渡しの書類で、実務的には海貨業者が作成し、CYオペレーターやCFSオペレーターが署名する。在来船の本船貨物受取書（Mate's Receipt）にあたる。

《ドック・レシートの記載事項》（船荷証券と同じ箇所は省略）

① 荷送人：本例では、日本貿易株式会社（Japan Trading Co., Ltd.）の社名と住所を記入する。
② 海貨業者名
③ ドック・レシートの番号
④ 荷受人：信用状の条件通りとし、本例では To order of shipper とする。
⑤ 着荷通知先：荷卸港（地）の船会社が貨物の到着を連絡する通知先（荷受人）。信用状の条件通りとする。
⑥ 船会社の荷受け場所：FCL貨物はCYで荷受けされるので、Tokyo CYと記入する。
⑦ 積載船名と航海番号
⑧ 船積港
⑨ 荷卸港
⑩ 荷受人への貨物の引渡し場所
⑪-1　コンテナ番号
⑪-2　コンテナシール番号
⑪-3　荷印、荷番号
⑪-4　梱包数
⑪-5　"Shipper's Load and Count" "Said to Contain"「コンテナー扱い」をしたFCL貨物は、船会社ではなく荷送人（Shipper）が貨物をコンテナ詰めし、シールをして（これを"Shipper's Pack"という）、CYに持ち込むので、船会社はコンテナ内の貨物の個数などについて責任が持てないという不知文言である。
⑪-6　商品名：信用状に記載されている商品名を記入する。
⑪-7　総重量
⑪-8　容積
⑪-9　運賃の支払方法：信用状の要求通りとし、本例では"Freight Prepaid"と記入する。

⑪-10　船会社が受け取ったコンテナまたは梱包単位の総数
⑪-11　"Freight as Arranged"「運賃契約通り」の意味で、大量の貨物の荷主に割引運賃を与えた場合に、運賃同盟やその他取引先との関係から運賃を船荷証券に明示したくない場合に記入する。
⑫　他の貨物と合せて、一つの船荷証券を作成する場合に記入する。
⑬　輸出申告書の番号
⑭　貨物の受渡し場所：この場合は東京 CY なので、CY に×印を記入する。
⑮　貨物の引渡し場所：この場合は、Hong Kong CY なので、CY に×印を記入する。
⑯　荷卸港における国内運送業者
⑰　貨物の種類：この場合は、Ordinary（普通）に×印を記入する。
⑱　冷凍貨物の場合に記入
⑲　危険物の場合に記入
⑳-1　免責条項（リマーク記載欄）：LCL 貨物で、貨物に瑕疵がある場合に記入する。たとえば"5（Five）Cases corner crushed"のように記入する。
⑳-2　前述のように、海貨業者が作成したドック・レシートに CY オペレーターが Nippon Shousen Kaisha の代理人として署名している。

輸出16　本船貨物受取書（メイツ・レシート、Mate's Receipt）

(Forwarding Agents)
② Minato-Unyu Soko Co., Ltd.

M/R No.
③ NSKD-4-205

N S K
MATE'S RECEIPT

Shipped on board the vessel, the undermentioned goods in apparent good order and condition unless otherwise indicated herein.

Shipper
① Japan Trading Co., Ltd.
2-3 Otemachi 1-chome, Chiyoda-ku, Tokyo

Consignee
④ To order of shipper

Notify Party
⑤ Hong Kong Trading Co., Ltd.
123 Mody Road Kowloon Hong Kong

Lighter's No. or Warehouse's name
⑪

Pre-carriage by

Place of Receipt
⑥ TOKYO

Ocean Vessel　Voy. No.
⑦ Minato Maru　20-20T

Port of Loading
⑧ TOKYO, Japan

Port of Discharge
⑨ Hong Kong

Place of Delivery
⑩ Hong Kong

Final Destination (for the Merchant's reference only)

No.;Marks & Nos. ⑫	No. of Containers or P' kgs.	Kind of Packages	Description of Goods	Gross Weight	Measurement
NSK012398 CN7878 JTC Hong Kong C/No.1-10 MADE IN JAPAN	10 Cases		Reciprocating piston-engines for motorcycle with a cylinder capacity of 51 cc "Freight Prepaid" SAY: TEN(10) CASES ONLY	5,000 KGS	36.400M3

TOTAL NUMBER OF CONTAINERS OR PACKAGES (IN WORDS)

REMARKS:
⑬ 5 Cases corner crushed

A F
F O
　R
T E

⑭ Hatch No.

Received in all

Dated　April 20, 20xx

JSA/
JASTPRO
統一
フォーム

⑮ Checker

⑯ Chief Officer

S/O NUMBER
⑰

| 輸出16　本船貨物受取書　解説 |

　在来船積みの場合、貨物を保税地域に搬入した後に通関手続をし、貨物の船積みが完了すると、本船側から貨物受領の証として本船貨物受取書が発行される。コンテナ船のドック・レシートにあたる。

《本船貨物受取書の記載事項》（船荷証券と同じ箇所は省略）
⑪　艀の番号または上屋の番号
⑬　故障摘要：貨物に瑕疵がある場合、"5（Five）Cases corner crushed"のように記入する。
⑭　船倉番号
⑮　検数人の署名
⑯　一等航海士の署名
⑰　船積指図書（Shipping Order ＝ S／O）の番号

輸出17 補償状（Letter of Indemnity）

Letter of Indemnity

① TO:*Nippon Shousen Kaisha., Tokyo*　　② *Tokyo, April 20, 20xx*

③ Re:*"Minato Maru"*,　④VOY. No. *20-20T*
⑤ Sailing on *April 20, 20xx*

B/L No.	Destination	Marks & Nos	Description	Quantity
⑥ *NS-4-205*	⑦ *Hong Kong*	⑨ *JTC* *Hong Kong* *C/No.1-10* *MADE IN JAPAN*	*Reciprocating piston-engines for motorcycle with a cylinder capacity of 51 cc*	⑩ *10 cases* *(100 sets)*

Dear Sirs:
　In consideration of your handing us clean Bills of Lading for our shipment by the above vessel as described, below, the dock receipt of which bears the following clause:
　　⑪　*N/R for 5(Five) Cases corner crushed*

　⑫　We hereby undertake and agree to pay on demand any claim that may thus arise on the said shipment and/or the cost of any consequent reconditioning and generally to indemnify yourselves and/or agents and/or the owners of the said vessel against all consequences that may arise from your action.
　Further, should any claim arise in respect of these goods, we hereby authorize you and/or agents and/or owners of the vessel to disclose this Letter of Indemnity to the underwriters concerned.

Yours faithfully,
⑬Japan Trading Co., Ltd.
(signed)

輸出17　補償状　解説

　本例では、コンテナ船の LCL 貨物の場合で、CFS オペレーターが貨物の包装を確認すると5ケースの角が崩れていた（5（Five）Cases corner crushed）と仮定している。本例の信用状条件は、"Full set of clean on board ocean Bill of Lading made cut to order of shipper …" で無故障の船荷証券を要求している。そこで、輸出者は、リマーク（故障摘要）の削除を船会社に依頼するために補償状を船会社に差し入れる。

《補償状の記載事項》
① 補償状提出先（船会社またはその代理店）
② 補償状の作成地と作成年月日
③ 船名
④ 航海番号
⑤ 出港予定日
⑥ 船荷証券番号
⑦ 仕向地
⑧ 荷印、荷番号
⑨ 貨物の明細
⑩ 貨物の数量
⑪ 不備事項（免責事項）：本例では、貨物のうち5ケースの包装の角が崩れていたので、"N/R for 5（Five）Cases corner crushed" のようにリマーク抹消項目を記載する。N/R は Not Responsible（責任なし）の意味である。
　（例）リマーク記載事例

　・10 Cartons partly band off　　　　　　10カートン部分的にはずれ
　・3 Cases damaged, contents exposed　　 3個損傷、中身露出
　・3 Cases broken, contents OK　　　　　 3個破損、中身異常なし
　・3 Cases broken and repaired　　　　　 3個破損、修理済
　・15 Pieces short（over）in dispute　　 15個不足（過剰）調査中
　・Mark indistinct　　　　　　　　　　　荷印不鮮明

⑫ 補償条項（後日のクレームに対し全ての責任を負担する旨）：「無故障船荷証券を発行してくれることに対して、後日、輸入者が貨物の数量不足や損傷についてクレームを提起してきた場合、船会社は責任を負うことなく、輸出者が全責任を負う」旨の免責約款
⑬ 輸出者の署名

輸出18　船荷証券（Bill of Lading）

Shipper	(Forwarding Agents)
① Japan Trading Co., Ltd.	② Minato-Unyu Soko Co., Ltd.
2-3 Otemachi 1-chome, Chiyoda-ku, Tokyo	B/L No. ③ NS-4-205

N S K
BILL OF LADING

Consignee
④ to order of shipper

⑤ RECEIVED by the Carrier from the Shipper in apparent good order and condition unless otherwise indicated herein, the Goods, or the container(s) or package(s) said to contain the cargo herein mentioned, to be carried subject to all the terms and conditions provided for on the face and back of this Bill of Lading by the vessel named herein or any substitute at the Carrier's opinion and / or other means of transport, from the place of receipt or the port of loading to the port of discharge or the place of delivery shown herein and there to be delivered.
If required by the Carrier, this Bill of Lading duly endorsed must be surrendered in exchange for the Goods or delivery order.
In accepting this Bill of Lading, the Merchant agrees to be bound by all the stipulations, exceptions, terms and conditions on the face and back hereof, whether written, typed, stamped or printed, as fully as if signed by the Merchant, any local custom or privilege to the contrary notwithstanding, and agrees that all agreements or freight engagements for and in connection with the carriage of the Goods are superseded by this Bill of Lading.
In witness whereof, the undersigned, on behalf of Nippon Shousen Kaisha, the Master and the owner of the Vessel, has signed the number of Bill(s) of Lading stated under, all of this tenor and date, one of which being accomplished, the others to stand void.

Notify Party
⑥ Hong Kong Trading Co., Ltd.
123 Mody Road Kowloon Hong Kong

Pre-carriage by ⑦	Place of Receipt ⑧ TOKYO CY		
Ocean Vessel ⑨ Minato Maru	Voy. No 20-20T	Port of Loading ⑩ TOKYO, Japan	(Terms of Bill of Lading continued on the back hereof)
Port of Discharge ⑪ Hong Kong	Place of Delivery ⑫ Hong Kong CY		Final Destination (for the Merchant's reference only) ⑬

Container No. Seal No. Marks & Nos. ⑭	No. of Containers or P'kgs.	Kind of Packages ⑮	Description of Goods	Gross Weight ⑭-6	Measurement ⑭-7
⑭-1 NSK012398 ⑭-2 CN7878 ⑭-3 JTC Hong Kong C/No.1-10 MADE IN JAPAN	⑭-4 40'×1	⑭-5 "Shipper's Load and Count" "Said to Contain" Reciprocating piston-engines for motorcycle with a cylinder capacity of 51 cc ⑭-8 "Freight Prepaid" ⑭-9 SAY: ONE(1) CONTAINER ONLY		5,000 KGS	36.400M3
TOTAL NUMBER OF CONTAINERS OR PACKAGES (IN WORDS)					

FREIGHT & CHARGES	Revenue Tons	Rate	Per	Prepaid ⑯(a)	Collect ⑯(b)
	⑯ FREIGHT AS ARRANGED				

	Ex. Rate	Prepaid at ⑰ Tokyo, Japan	Payable at	Place of B(s)/L Issue ⑱ Tokyo, Japan	Dated April 20, 20xx
ICS B/L	@	Total Prepaid in Local Currency	Number of Original B(s)/L ⑲ Three(3)	Nippon Shousen Kaisha	

Laden on Board the Vessel
⑳ Date April 20, 20xx   By (Signed)   (Signed)

(JSA STANDARD FORM A)
SECOND ORIGINAL

(TERMS CONTINUED ON BACK HEREOF)

輸出18　船荷証券　解説

　本例の信用状条件は、"Full set of clean on board ocean Bill of Lading made out to order of shipper and blank endorsed marked Freight Prepaid notify Hong Kong Trading Co., Ltd. 123 Mody Road Kowloon Hong Kong"（無故障船積海上船荷証券全通が荷送人の指図式であって白地裏書がなされていること、船荷証券面に運賃支払済みの記載があり、着荷通知先として香港貿易有限公司　香港九龍ムーディーロード123番地になっていること）となっている。

《船荷証券の記載事項》

① 荷送人：本例では、日本貿易株式会社（Japan Trading Co., Ltd.）の社名と住所を記入する。

② 海貨業者名

③ 船荷証券番号

④ 荷受人：信用状の条件通りとし、本例では to order of shipper とする。船荷証券は指図式（to order）または荷送人の指図式（to order of shipper）で発行され、輸出者が白地裏書（blank endorsement）をする。

⑤ 受取船荷証券：外観上良好な状態で荷送人から貨物を受け取ったことが記載されている。証券面の書き出しが "Received" から始まっているので Received B／L（受取船荷証券）であることがわかる。受取船荷証券とは、貨物がコンテナ・ヤード、艀、船会社の指定倉庫に搬入され、運送人や船会社が貨物を受け取ったことを示している船荷証券であり、コンテナ船の場合に発行される。なお、貨物が船に積み込まれた後に発行される船荷証券は、船積船荷証券（On Board B／L または Shipped B／L）という。

⑥ 着荷通知先：荷卸港（地）の船会社が貨物の到着を連絡する通知先（荷受人）。信用状の条件通りとし、本例では notify Hong Kong Trading Co., Ltd. 123 Mody Road Kowloon Hong Kong と記入する。

⑦ 荷受け場所から船積港まで貨物を運送する運送人：不明の場合には、空白にしておく。

⑧ 船会社の荷受け場所：FCL貨物で、東京のコンテナ・ヤード（CY）で荷受けされるので、Tokyo CY と記入する。

⑨ 積載船名と航海番号

⑩ 船積港

⑪ 荷卸港

⑫ 荷受人への貨物の引渡し場所

⑬　最終仕向地：本例では、荷受人への貨物の引渡し場所と最終仕向地が同じであるので、空欄にしておく。

⑭-1　コンテナ番号

⑭-2　コンテナシール番号

⑭-3　荷印、荷番号

⑭-4　コンテナ数および梱包数（FCL貨物の場合には、梱包数は記入しなくてもよい）

⑭-5　商品名：信用状に記載されている商品名を記入する。

⑭-6　総重量

⑭-7　容積

⑭-8　運賃の支払方法：信用状の要求通りとする。本例では"Freight Prepaid"と記入する。

⑭-9　船会社が受け取ったコンテナおよび梱包単位の総数を数字の書換えを防ぐため文字で表現する（FCL貨物の場合には、one container onlyだけでもよい）。

⑮　船会社の不知文言：「コンテナー扱い」をしたFCL貨物は、船会社ではなく荷送人（Shipper）が貨物をコンテナ詰めし、シールをして（これを"Shipper's Pack"という）、CYに持ち込むので、船会社はコンテナ内の貨物の個数などについて責任が持てない。そのことを示した文言を不知文言という。

⑯　運賃および諸費用：通常、この欄には海上運賃、為替変動にともなう調整金（Currency Adjustment Factor ＝ CAF）、燃料費急騰にともなう調整金（Bunker Adjustment Factor ＝ BAF）、その他コンテナ・フレート・ステーションの荷受け・混載・搬送費用などが記載される。

　本例の"Freight as Arranged"（運賃契約通り）[注]とは、大量の貨物の荷主に割引運賃を与えた場合に、運賃同盟やその他取引先との関係から運賃を船荷証券に明示したくない場合に記入する。

⑰　運賃支払地

⑱　船荷証券の発行地と発行日

⑲　船荷証券の発行枚数

⑳　船積証明：信用状統一規則では、船積船荷証券（Shipped B／L）を荷為替手形買取の原則にしているため、買取銀行はon boardの表示のない受取船荷証券の買取を拒否する。そこで、実際に貨物が積み込まれたときに、船会社によ

り船積年月日の追記、署名がなされる。これを船積証明（On Board Notation）といい、この証明を受けた船荷証券は、船積船荷証券と同一に扱われる。

（注）運賃を記載する場合には、下記のようになる。

容積建てとするFCL貨物の場合：

Freight and charges	Revenue Tons	Rate Per	Prepaid (a)	Collect (b)
Ocean Freight	36.4㎥	@ US$34.00/㎥	US$ 1,237.60	
CAF		25%	US$ 309.40	
BAF		@ US$ 2.00/㎥	US$ 72.80	
			US$ 1,619.80	

容積建てとするLCL貨物の場合：

Freight and charges	Revenue Tons	Rate Per	Prepaid (a)	Collect (b)
Ocean Freight	36.4㎥	@ US$34.00/㎥	US$ 1,237.60	
CAF		25%	US$ 309.40	
BAF		@ US$ 2.00/㎥	US$ 72.80	
			US$ 1,619.80	
CFS Receiving Charge		@¥2,500/㎥	¥91,000	
Delivery Charge		@US$ 3.50/㎥		US$ 127.40

参考

YAS（Yen Appreciation Surcharge）およびFAF（Fuel Adjustment Factor）

　東南アジア航路（日本・香港／日本・海峡地運賃協定、インドネシア・日本／日本・インドネシア運賃同盟、日本・フィリピン運賃同盟など）でCAFやBAFに代えて導入されたもので、急激な円高の通貨調整（YAS）や燃料費の急騰を調整（FAF）し、海上運賃に加えられるもの。

Freight and charges	Revenue Tons	Rate Per	Prepaid (a)	Collect (b)
Ocean Freight	36.4㎥	@ US$34.00/RT	US$1,237.60	
YAS		@ US$ 1.50/RT	US$54.60	
FAF		@ US$ 3.00/RT	US$109.20	
			US$1,401.40	

輸出19　航空貨物運送状（Air Waybill=AWB）

Shipper's Name and Address ② Japan Trading Co., Ltd. 2-3 Otemachi 1-chome, Chiyoda-ku, Tokyo	Shipper's Account Number ③　556678	Not Negotiable Air Waybill issued by	**ABC Airlines**
		Copies 1,2 and 3 of this Air Waybill are originals and have the same validity	
Consignee's Name and Address ④ Hongkong and Shanghai Banking Corp., Hong Kong	Consignee's Account Number ⑤　112254	It is agreed that the goods described herein are accepted in apparent good order and condition (except as noted) for carriage SUBJECT TO THE CONDITIONS OF CONTRACT ON THE REVERSE HEREOF. ALL GOODS MAY BE CARRIED BY ANY OTHER MEANS INCLUDING ROAD OR ANY OTHER CARRIER UNLESS SPECIFIC CONTRARY INSTRUCTIONS ARE GIVEN HEREON BY THE SHIPPER, AND SHIPPER AGREES THAT THE SHIPMENT MAY BE CARRIED VIA INTERMEDIATE STOPPING PLACES WHICH THE CARRIER DEEMS APPROPRIATE. THE SHIPPER'S ATTENTION IS DRAWN TO THE NOTICE CONCERNING CARRIER'S LIMITATION OF LIABILITY. Shipper may increase such limitation of liability by declaring a higher value for carriage and paying a supplemented charge if required.	
Issuing Carrier's Agent Name and City ⑥　Japan Air Network Co., Ltd. 2-4 Otemachi 1-chome, Chiyoda-ku, Tokyo		Accounting Information ⑩	
Agent's IATA Code　⑦　18-5-4563　Account No.　⑧　7798			

Airport of Departure(Addr.of First Carrier)and Requested Routing　⑨　Tokyo　　Reference Number　　Optional Shipping Information

To	By First Carrier	Routing and Destination	to	by	to	by	Currency ⑫ JPY	CHGS Code ⑬	WT/VA PPD COLL	⑭ Other PPD COLL ⑮	Declared Value for Carriage ⑯ NVD	Declared Value for Customs ⑰ JPY1,962,500
⑪												

⑱ Airport of Destination Hong Kong	⑲ Requested Flight/Date	Amount of Insurance ⑳	Insurance-If carrier offers insurance, and such insurance is requested in accordance with the conditions thereof, indicate amount to be insured in figures in box marked "Amount of Insurance".

Handling Information　Also Notify:　Hong Kong Trading Co., Ltd.
㉑　　　　　　　　　123 Mody Road Kowloon Hong Kong

SCI

No.of Pieces RCP	Gross Weight	Kg lb	Rate Class Commodity Item No.	Chargeable Weight	Rate	Charge	Total	Nature and Quantity of Goods (incl.Dimensions or Volume)
a	c	d	e　　　f	g	h		i	j
㉒ 1	25	K		45	500		22,500	Engines Parts 1/50cm x 60cm x 60cm = 0.180m³ ORIGIN : Japan FREIGHT PREPAID INV. NO. JT02-256-1 L/C NO. HS-22/1234
b								

Prepaid ㉓ 22,500	Weight Charge	Collect	Other Charge ㉕
㉔	Valuation Charge		
	Tax		
㉖ 500	Total Other Charge Due Agent		Shipper certifies that the particulars on the face hereof are correct and that insofar as any part of the consignment contains dangerous goods, such part is properly described by name and is in proper condition for carriage by air according to the applicable Dangerous Goods Regulations.
	Total Other Charge Due Carrier		㉙ Japan Trading Co., Ltd. (Signed) Signature of Shipper or his Agent
Total Prepaid ㉗ 23,000		Total Collect ㉘	April 20, 20xx　㉚　ABC Airlines Tokyo　(Signed)
Currency Conversion Rates		CC Charges in Dest Currency	
㉛ a		b	Executed on (date)　　at(place)　　Signature of issuing Carrier or its Agent
For Carriers Use only at Destination		Charges at Destination c	Total Collect Charges d

ORIGINAL 3 (FOR SHIPPER)

輸出19　航空貨物運送状　解説

《航空貨物運送状の記載事項》

① 出発地空港の IATA コード
② 荷送人の名称、住所
③ 荷送人の口座番号（Issuing Carrier 経理用）
④ 荷受人の名称、住所
⑤ 荷受人の口座番号（Last Carrier 経理用）
⑥ 運送状発行貨物代理店名と所在都市名
⑦ 運送状発行貨物代理店の IATA 代理店コード
⑧ 運送状発行貨物代理店の口座番号
⑨ 出発地空港名（最初の航空会社の住所）、経路の希望がある時は経路
⑩ 支払方法関連の必要事項
⑪ 最初の航空会社
⑫ 発地国通貨コード
⑬ 支払分類コード
⑭ 重量運賃や従価料金が前払い（PPD）か着払い（COLL）かにより、該当欄に×を記入
⑮ Other Charge が前払い（PPD）か着払い（COLL）かにより、該当欄に×を記入
⑯ 運送のための貨物の申告価格：ワルソー条約の運送責任限度1キログラム SDR22.00を超える場合には、超過分が従価料金の対象になる。
⑰ 税関への申告価格（FOB 価格を記載する。）
　Engines Parts の輸出金額を CIF Hong Kong US$20,000.00、貨物の保険料を￥15,000円、換算レートを@100円と仮定する．
　US$20,000.00×100円＝￥2,000,000
　CIF －「I」－「F」＝FOB
　したがって、￥2,000,000－￥15,000－￥22,500＝￥1,962,500（FOB）となる。
⑱ 到着地空港名
⑲ 希望する搭載便名／期日：予約を行う航空会社、代理店、荷送人のいずれかが記入する。
⑳ 従来、包括航空貨物荷主保険を付保する場合には、この欄に金額を記載すれば、自動的に保険が付保された。しかし、荷主保険の取扱いは、航空運送状裏面約款（IATA Resolution 600b）の改訂にともない、2008年3月17日から取扱

いが廃止された。
㉑ ケースマーク、梱包方法、貨物取扱い上の注意、危険物申告書などの書類名、荷受人以外の通知先（Also Notify Party）など
㉒ 貨物の明細および運賃
　a：貨物の個数
　b：RCPとは、Rate Construction Point（Rate Combination Point）であり、運賃を合算した場合に、合算した地点の3文字都市コードを記入する。
　c：貨物の実重量：端数処理をしない実重量を記載する。
　d：重量単位：kgはK、lbはLで記載する。
　e：適用する運賃の種別コード
　f：特定品目運賃率（SCR）を適用した場合には、4桁の数字コードによるSCR品目内容を記載する。
　g：運賃算定の基礎となる重量：実重量と容積重量を比較して高いほうを記入する。
　h：賃率または料金
　i：運賃合計額
　j：貨物の内容：貴重品および容積重量を適用した場合には、梱包の縦、横、高さの寸法を記載する。
㉓ 重量運賃が前払いであるか、着払いであるかを記入
㉔ 従価料金が前払いであるか、着払いであるかを記入
㉕ 他の費用等の明細：コードで記入する。
㉖ 他の費用等の合計額
㉗ 前払い金額の合計
㉘ 着払い金額の合計
㉙ 荷送人の署名
㉚ 航空会社の署名、AWBの発行日、発行都市名
㉛ 着払い貨物の場合に着地で記入。
　a：着払い計算に適用する通貨換算率
　b：着払い総額の現地通貨表示額
　c：着地での着払い貨物の取扱手数料
　d：徴求すべき最終の着払い金額

輸出20　原産地証明書（Certificate of Origin）

①Exporter JAPAN TRADING CO., LTD. 2-3 Otemachi 1-chome, Chiyoda-ku, Tokyo, JAPAN	**CERTIFICATE OF ORIGIN** ORIGINAL
②Consignee Hong Kong Trading Co., Ltd. 123 Mody Road Kowloon Hong Kong	③No. and date of Invoice JT02-256　　　April 15, 20XX
	④Country of Origin 　　　　Japan
⑤Transport Details From Tokyo, Japan to Hong Kong by Minato Maru on or about April 20, 20XX	⑥Remarks Sales Note No.100 L/C at sight

⑦Mark and Number	⑧Number and Kind of Packages	⑨Description of goods	⑩Quantity
JTC Hong Kong C/No.1-10 MADE IN JAPAN	10 wooden cases (10 sets in a wooden case) Container No.NSK012398 Seal No.CN7878	Reciprocating piston-engines for motorcycle with a cylinder capacity of 51 cc	100 sets

| ⑪Declaration by the Exporter
The undersigned, duly authorized by the company, swears that the above mentioned goods have been produced or manufactured in Japan.

　　Place and Date: *Tokyo April 17, 20XX*

　　　JAPAN TRADING CO., LTD.
　　　　　(Signed)
　　―――――――――――――
　　　A. Nakagawa, Director

　　　Name and Signature of the Exporter | ⑫Certification
The Tokyo Chamber of Commerce & Industry hereby certifies, on the basis of relative Invoice and other supporting documents, that the abovementioned goods are of Japanese origin to the best of its knowledge and belief.

　　　April 17, 20XX

The Tokyo Chamber of Commerce & Industry
　　　　(Signed)
　――――――――――――――
　　　　P.P.Manager

　　No., Date, Signature and
　　Stamp of Certifying Authority |

| 輸出20　原産地証明書　解説 |

《原産地証明書の記載事項》

① 輸出者の名称、住所：輸出申告する者と同一であること。申請者名は商工会議所に登録されている名称を、住所は国名Japanまで記載する。

② 海外の荷受人の名称、住所：国名まで記載する。国名は正式名称を用いる。

③ インボイスの番号と日付：インボイスの日付は、原産地証明書の「⑪Declaration by the Exporter」欄に記載された日付以前であることが必要である。「'XX/01/01」や「05/06/20XX」のような記載ではなく、必ず「January 01, 20XX」や「Jan. 01, 20XX」のように記載する。

④ 原産地：日本国の正式名称である「JAPAN」とのみ記載する。

⑤ 輸送手段詳細：From（積出地、国名）to（荷卸地、国名）via（経由地名）by（積載船（機）名）on or about（出港（予定）年月日）を記載する。原産地証明書は、船積前に申請するのが原則であるが、出港日から6ヵ月以内であれば、通常通り申請できる。

⑥ 摘要：原則として記載の必要はない。

⑦ 荷印、荷番号

⑧ 梱包数と種類：(carton)、(case)、(pallet)、(bale)、(roll)等の荷姿と数量を記載する。梱包されていないものについては、(Unpacked)、(Loose)、(In Bulk)または(Bare Cargo)と記載する。コンテナ輸送の場合には、コンテナ番号、またはシール番号を「Container No. ～」、「Seal No. ～」のように記載する。

⑨ 商品名：ブランド名や商品コードのみでは証明されない。具体的な商品名を記載する。

⑩ 数量：商品ごとに具体的数量（～pcs、～sets、～units、～kgs等）を記載し、インボイスの数量および数量単位と一致させる。

⑪ 輸出者宣誓欄：申請の日付はインボイスの日付以後にする。日付は、③インボイスの日付と同様に、西暦年、月、日が特定できるように記載する。省略した記載では証明がされない。また、代理署名（Forサイン）がされたものは証明されず、商工会議所に登録された署名者本人が、原産地証明書全部数に署名する。

⑫ 商工会議所証明欄：商工会議所の使用欄（証明欄）であり、何も記載しない。

輸出21　荷為替手形（Bill of Exchange）（L／C付）

【手形】（L／C付）第一券

Bill of Exchange

印紙 200円

②No. 04/052　　　　　　　　③Place and Date　*Tokyo, April 21, 20XX*

④For *US$60,000.00*

⑤At *X X X X X X X* sight of this F I R S T Bill of Exchange (SECOND being unpaid) ⑥Pay to ⑦*The Tokyo-City Bank Ltd.* or order the sum of *U.S. Dollars Sixty Thousand only*

⑧Value received and charge the same to account of ⑨*Hong Kong Trading Co., Ltd. 123 Mody Road Kowloon Hong Kong*

⑩Drawn under *Hongkong and Shanghai Banking Corp., Hong Kong* Irrevocable L/C No. *HS-22-1234* dated *February 20, 20XX*

⑪To *Hongkong and Shanghai Banking Corp.　　*⑫JAPAN TRADING CO., LTD.
　　Central Hong Kong　　　　　　　　　　　　*(Signed)*
　　　　　　　　　　　　　　　　　　　　　　　Manager

【信用状】　⑩ HONGKONG AND SHANGHAI BANKING CORP.

Level 5, HSBC Main Building

1 Queen's Road Central

Hong Kong

IRREVOCABLE CREDIT　　　　　　　　　　　　　　　　　ORIGINAL

⑩Date of Issue　　February 20, 20XX	⑩Credit No　　HS-22/1234
Advising Bank Hongkong and Shanghai Banking Corp., Tokyo Branch	⑨Applicant　　Hong Kong Trading Co., Ltd. 　　　　　　123 Mody Road Kowloon Hong Kong
⑫Beneficiary　Japan Trading Co., Ltd. 2-3 Otemachi 1-chome, Chiyoda-ku, Tokyo	④Amount　USD60,000.00 (Say U.S. Dollars Sixty Thousand Only)
Bill of Lading must be dated on or before 　　　　April 25, 20XX	Expiry Date 　　May 5, 20XX

Dear Sirs:

We hereby issue in your favor this irrevocable credit which is available by negotiation of your drafts ⑤at sight ⑪drawn on us bearing the Applicant's Name, the number and date of this credit. The draft for full invoice cost to be accompanied by the following documents:

輸出21　荷為替手形（L／C付）解説

荷為替手形は、信用状取引のときは信用状が要求する条件通りに作成する。（信用状に付した番号は荷為替手形の解説の番号に対応している。）

手形作成で注意すべき点は、名宛人（支払人）の記述方法である。

(a) 信用状で"Drawn on us"とあるときには、信用状発行銀行になる。
(b) "Drawn on Applicant"とある場合には、輸入者となる。（134頁参照）
(c) また、"Drawn on ○○ Bank"と特定の銀行名が入っている場合には、その特定の銀行が入る。

《荷為替手形（L／C付）の記載事項》（第1編第6章第2節「C. 荷為替手形のチェック・ポイント」参照）

手形には必ず記載しなければならない法定記載事項（必要的記載事項）と、記載しなくても効力に影響を及ぼさない任意記載事項がある。わが国の為替手形法では、法定記載事項としては、手形金額、支払期日、支払委託文言、受取人、名宛人、振出人、手形文句、振出日、振出地、支払地がある。

① 手形文句：為替手形であることが表示されている。わが国の手形法では必要的記載事項である。なお、組手形の場合には、収入印紙は第一券のみに貼付する。
② 手形番号
③ 手形の振出地および振出日
④ 手形金額：インボイスの金額と同額となる。
⑤ 支払期日：次の4種類がある。
　ⅰ）At sight（一覧払い）：手形の呈示日を支払期日とするもの。
　ⅱ）At ○○ days after sight（一覧後定期払い）：一覧のために輸入者に呈示された日から○○ daysを経過した日を支払日とするもの。
　ⅲ）At ○○ days after（B／Lなど）date（確定日後定期払）：手形に記載されているある日を経過した日を支払期日とするもの。
　ⅳ）At a fixed future time; On a stated date（確定日払い）：特定の日を支払期日とするもの。
　　通常は、At sight（一覧払い）とAt ○○ days after sightが多く利用される。
⑥ 支払委託文言："Pay to..........or order"「何某またはその指図人に支払い願いたい」の旨。
⑦ 受取人：手形の買取銀行が入る（通常、銀行から入手する荷為替手形にははじめから銀行名が印刷されている）。

〈信用状がリストリクトされている場合の取扱い〉

　貿易取引は銀行にとって与信行為となるため、信用状がリストリクトされている場合、輸出者は取引のないリストリクト銀行には買取依頼ができない。そこでまず取引銀行に買取依頼をする。次いで取引銀行がリストリクト銀行に再買取（再割引）を依頼する。したがって、輸出者とリストリクト銀行との間に取引関係がない場合には、Pay to の後にリストリクト銀行名が入ることはない。

⑧　対価文言：「対価受領済み」の文言で、「輸出者は手形金額に相当する対価を受領した」との意味。融通手形でないことを示す文言である。
⑨　最終支払人：輸入者（名宛人と異なる場合に記入する）
⑩　信用状に関する文言：信用状に"bearing the Applicant's Name, the number and date of this credit."とあるので、信用状発行銀行名、信用状の番号および発行日を記載する。
⑪　名宛人（支払人）と支払地
⑫　振出人（輸出者）

【荷為替手形の和訳】

　　　　　　　　　　為　替　手　形

手形番号04/052　　　　　　振出地・日付　東京、20XX年4月21日
手形金額 US$60,000.00

　この第一券の為替手形（第二券が未払いの場合）に対して、一覧払条件でUS$60,000.00を東京シティー銀行またはその指図人にお支払い願いたい。既に対価は受領済みにつき、同額を香港貿易有限公司に請求されたい。この手形は香港上海銀行、香港、20XX年2月20日発行、信用状番号HK-22-1234にもとづき振り出されたものである。

名宛人　香港上海銀行、香港　　　　　　振出人　日本貿易株式会社

輸出22　荷為替手形（Bill of Exchange）（L／C なし）

Bill of Exchange

印紙２００円

① *Documents against Acceptance*

②No. *125*　　　　　　　　③Place and Date　*Tokyo, April 21, 20XX*

④For *US$60,000.00*

⑤At *90 days after* sight of this Ｆ Ｉ Ｒ Ｓ Ｔ Bill of Exchange (SECOND being unpaid) Pay to⑥ *The Tokyo-City Bank Ltd.* or order the sum of ⑦ *U.S. Dollars Sixty Thousand only*

Value received

⑧To *Hong Kong Trading Co., Ltd.*　　　⑨ *JAPAN TRADING CO., LTD.*
　　123 Mody Road Kowloon, H.K.　　　　　　*(Signed)*
　　　　　　　　　　　　　　　　　　　　　　　Manager

参照　売買契約書

⑨ Japan Trading Co., Ltd.
2-3 Otemachi 1-Chome, Chiyoda-ku, Tokyo, Japan

February 2, 20XX

SALES NOTE NO. 100

⑧*Hong Kong Trading Co., Ltd.*
　123 Mody Road Kowloon Hong Kong

We, as Seller, hereby confirm our sale to you, as Buyer, of the following merchandise on the terms and conditions as stated herein and on the reverse side hereof:

Commodity: *Reciprocating piston-engines for motorcycle with a cylinder capacity of 51 cc*

Quantity　　　：*100 sets.*

Packing &

Marking　　　：*10 cartons in a wooden case, and 10 wooden cases to be palletized.*

Price　　　　：*@US$600.00　　CIF Hong Kong*

④Total Amount　：*Total US$60,000.00*

Time of shipment：*By 25th April, 20XX*

Port of shipment　：*Tokyo, Japan*

Port of Destination：*Hong Kong*

⑤Payment　　　：*Payment is to be made by a bill of exchange drawn on you at 90 days after sight without L/C.*

Insurance：*All risks including war risks and S.R.C.C. for 110% of invoice value*

①SPECIAL TERMS & CONDITIONS: *Deliver Documents against Acceptance.*

輸出22　荷為替手形（L／Cなし）解説

《荷為替手形（L／Cなし）の記載事項》

　信用状なし荷為替手形は売買契約書の条件にもとづいて作成する。（売買契約書に付した番号は、解説の番号に対応している。）

① 　D／PまたはD／A表示：信用状なし荷為替手形面には、"Documents against Payment" または "Documents against Acceptance" が必ず記載される。

② 　手形番号

③ 　手形の振出地および振出日

④および⑦　手形金額

⑤ 　支払期日

⑥ 　受取人：通常は仕向銀行名を記入するが、手形が買い取られた場合は、買取銀行名を記入する。

⑧ 　名宛人（支払人）と支払地：輸入者名を記載する。信用状のないD／P手形またはD／A手形の場合には、名宛人は常に輸入者となる。

⑨ 　振出人：輸出者が署名する。

輸出23　保証状（Letter of Guarantee= L／G）

《保証状（念書）》

LETTER OF GUARANTEE

① Tokyo, April 27, 20XX

② The Tokyo-City Bank, Ltd.

③ Draft No.　　　　 *04/052*
④ Amount　　　　 *US$60,000.00*
⑤ Drawer　　　　 *Japan Trading Co., Ltd.*
⑥ Drawn under L/C No. *HK-22-1234*
　　　issued by　*Hongkong and Shanghai Banking Corp.*
　　　dated　　　*February 20, 20XX*

Dear Sirs:

⑦　In consideration of your negotiating the above-mentioned documentary draft, we agree to take the full responsibility in respect of the following irregularity;

⑧ *Late Shipment*

　　We further agree to refund to you on demand the value of the said Bill(s) in the event of non-acceptance or non-payment thereof together with the relative charges and expenses incurred by the parties concerned, if any.

　　　　　　　　　　　　　　　　　　Very truly yours,
　　　　　　　　　　　　　　　　⑨ *Japan Trading Co., Ltd.*
　　　　　　　　　　　　　　　　　　 (Signed)
　　　　　　　　　　　　　　　　Authorized Signature

（信用状）　　HONGKONG AND SHANGHAI BANKING CORP.
　　　　　　　　　Level 5, HSBC Main Building 1
　　　　　　　　　　　　Queen's Road
　　　　　　　　　　　Central, Hong Kong

IRREVOCABLE　CREDIT　　　　　　　　　　　　　　　ORIGINAL

Date of Issue　February 20, 20XX	Credit No.　HS-22/1234
Advising Bank　Hong kong and Shanghai Banking Corp., Tokyo Branch	Applicant　Hong Kong Trading Co., Ltd.
Beneficiary　Japan Trading Co., Ltd. 2-3 Otemachi 1-chome, Chiyoda-ku, Tokyo	Amount US$60,000.00 (Say U.S. Dollars Sixty Thousand Only)
Bill of Lading must be dated on or before April 25, 20XX	Expiry Date May 5, 20XX

（船荷証券）

ICS B/L	Ex. Rate	Prepaid at Tokyo, Japan	Payable at	Place of B(s)/L Issue　Dated Tokyo, Japan　April 26, 20xx
	@	Total Prepaid in Local Currency	Number of Original B(s)/L Three(3)	Nippon Shousen Kaisha
		Laden on Board the Vessel		
	Date　April 26, 20xx		By	

(JSA STANDARD FORM A)
SECOND ORIGINAL

(TERMS CONTINUED ON BACK HEREOF)

輸出23　保証状　解説

《保証状（念書）の記載事項》

① 保証状（念書）作成日
② 買取銀行（念書差入先銀行）名
③ 手形番号
④ 手形金額
⑤ 手形振出人
⑥ 信用状の内容：信用状の番号、発行銀行名、発行日
⑦ 保証条項（信用状と船積書類との不一致を残したまま銀行が荷為替手形を買い取り、万一後日手形が不渡りになった場合には、輸出者が買取銀行から不渡手形の買戻しをすることを約した文言）
⑧ ディスクレの内容：本例では"Late Shipment"
⑨ 輸出者（念書差入者）の署名

輸出24　荷為替手形の買取依頼書

To THE TOKYO CITY BANK., LTD. (WITH L/C)

Application for Negotiation / Process / Collection of Export Bill(s) under L/C

① 信用状付輸出為替　[x] 買取　[ ] 取次　[ ] 取立依頼書

② Drawer: *Japan Trading Co., Ltd.*

③ Drawee: *Hongkong and Shanghai Banking Corp.*

④ Draft Amount: *US$60,000.00*

⑤ Draft No. & Date: *04/052　April 21, 20XX*

⑥ Tenor: *at sight*　Due on:

We herewith hand you Drafts and Documents for Negotiation/Process/Collection as below. Any expenses incurred by you at present or in the future will be fully paid or reimbursed by us on demand and we undertake to hold ourselves liable to you in accordance with our Agreement on Purchase or Negotiation of Bills.

(Applicant)　Date

⑦ L/C
- Issued by: *Hongkong and Shanghai Banking Corp.*
- No: *HS-22/1234*　Dated: *February 20, 20xx*

⑧ *April 21, 20XX*

⑨ *Japan Trading Co., Ltd.*

⑩ Commodity: *Reciprocating piston-engines for motorcycle with a cylinder capacity of 51 cc*

⑪ Date of Shipment: *April 20, 20XX*　Destination: *Hong Kong*　Vessel: *Minato Maru*

(signed)

(Authorized Signature)

⑫ L/C原本　[X] 添付　[ ] 貴行保管　[ ] 他行銀行支店名（　　　）

⑬

Draft	Comm Invoice	Cus/Cons Invoice	B/L	Air Way Bill	B/L, AWB Copy	Ins Pol/Cert	Pkg List	Origin Cert	W & M List	Inspect Cert	Cert	L/G
2	5		3			2	5	2				1

⑭ 代り金　[x]　円預金入金　当座口座 No. *9876*　　⑮ 直物(Spot)　予約(Cont) No *04-0012*　予約TTB@ *108.30* 円

[ ]　外貨預金入金　口座 No.　　予約(Cont) No　　予約TTB@

本輸出為替買取代り金は、次の輸出関連借入金の返済（内入）に充当願います。

⑯ 借入日　　　借入金額　¥
　期日　　　　返済金額　¥

⑰ *Received on

輸出24　荷為替手形の買取依頼書　解説

《荷為替手形の買取依頼書の記載事項》

① 　買取（Negotiation）、取次（Process）、取立（Collection）の選択をする。
② 　手形振出人
③ 　名宛人（支払人）
④ 　手形金額
⑤ 　手形の番号および振出日
⑥ 　支払期日：at sight や at 90 days after sight などと記載する。
　　Due on は「満期日（支払期日）」であり、確定日後定期払（at 90 days after B／L date）など輸出者が前もって支払期日がわかる場合は記載する。
⑦ 　信用状の内容：信用状の発行銀行、番号、発行日
⑧ 　買取依頼日
⑨ 　買取依頼者（輸出者）
⑩ 　商品名
⑪ 　船積日・仕向地・船名
⑫ 　信用状原本を買取時に添付しているかどうか、または信用状が分割船積み可（Partial Shipment Allowed）の場合に、既に前回の買取時点で買取銀行に信用状原本を預けているか、他銀行で買取が行われ他銀行に預けているかの別を選択
⑬ 　添付書類の通数：Draft（為替手形）、Comm Invoice（商業送り状）、Cus/Cons Invoice（通関／領事送り状）、B／L（船荷証券）、Air Waybill（航空貨物運送状）、B／L, AWB Copy（船荷証券・航空貨物運送状の控え）、Ins Pol/Cert（保険証券／保険証明書）、Pkg List（梱包明細書）、Origin Cert（原産地証明書）、W&M List（重量容積証明書）、Inspect Cert（検査証明書）、Cert（その他証明書）、L／G（船積書類と信用状条件とが不一致の場合、銀行に差し入れる念書）など
⑭ 　買取代金を円で当座預金に入金するか、外国通貨で外貨預金に入金するか、を選択
⑮ 　直物（Spot）または予約（Cont）レート：いずれかを選択して記入。本例は予約済みなので、予約（Cont）を選択
⑯ 　輸出前貸（船積前に貨物の生産や調達のための必要資金の借入れ）の返済に充当するかどうか、返済の場合には、弁済充当する借入れ先の明細
⑰ 　銀行の船積書類受領印、受領時間などを押印

チェック問題

1．次頁の信用状から下記荷為替手形の下線部分を埋め、手形を完成させなさい。

　輸出者の取引銀行は The Tokyo-City Bank, Ltd. で、Overseas Union Bank, Tokyo Branch とは取引がない。手形作成日、買取依頼日は７月４日、手形番号は 05/060 とする。

Bill of Exchange

①No. _____　　　　　　　②Place _____ Date _____
③For U.S.
④At _____ sight of this　Ｆ Ｉ Ｒ Ｓ Ｔ　Bill of Exchange
(SECOND being unpaid) Pay to ⑤ _____ or order
the sum of U.S.Dollars ⑥ _____
_____
Value received and charge the same to account of ⑦ _____
_____
⑧Drawn under _____
⑨Irrevocable L/C No. _____ dated _____

⑩To _____　　　JAPAN TRADING CO., LTD.
　　_____　　　　　　　　*(Signed)*
　　　　　　　　　　　　　　　　　　　　　　　　Manager

456

●資料　信用状

Overseas Union Bank

Tokyo Branch	Cable Address: OVERBANK TOKYO
Shin Kokusai Bldg., 5-4-3, Marunouchi, Chiyoda-ku,	Telex No: J22334455
Tokyo 100-0005 Japan	Tel.No:03-3333-4444
In accordance with Terms of Article 9(a) of UCP 600, we advise	Fax No:03-4444-3333
having received the following teletransmission :	S.W.I.F.T. Adrress: SIGO.JPJT
from Overseas Union Bank., Singapore	

From:OVERSESG	Message Type:700	Advice No:5656ADV05052655
To　:OVERSEJP	Creation Date :20xx0525	L/C No: OU-05/12345

27	:Sequence of Total	1/1
40A	:Form of Documentary	IRREVOCABLE
20	:Documentary Credit Number	OU-05/12345
31C	:Date of Issue	20xx/05/25
31D	:Date and Place of Expiry	20xx/ 07/10 In Japan
50	:Applicant	Singapore Trading Co., Ltd.123 Orchard Road Singapore
59	:Beneficiary	Japan Trading Co., Ltd.　1-2-3 Otemachi, Chiyoda-ku, Tokyo
32B	:Currency Code, Amount	USD130,500.00
41D	:Available With…By…	Overseas Union Bank., Tokyo Branch.
		By Negotiation
42C	:Drafts at…	Drafts at sight
		Full Invoice Value
42A	:Drawee	Overseas Union Bank., Head Office
		18 Orchard Road Singapore
43P	:Partial Shipment	Not Allowed
43T	:Transshipment	Not Allowed
44A	:Loading on board/Dispatch/Taking in Charge at/From	Tokyo
44B	:For Transportation to…	Singapore
44C	:Latest Date of shipment	20xx/06/30
45A	:Description of Goods and/or Services	DVD RECORDER (DVR-920H-S) 150 sets, CIP Singapore
46A	:Documents Required	*Signed Commercial Invoice in 6 copies.
		*Packing List in 6 copies.
		*2/3 set of clean on Board ocean Bill of Lading made out to the order of shipper and blank endorsed marked Freight Prepaid notify Singapore Trading Co., Ltd.123 Orchard Road Singapore.
		*Marine Insurance Policy or Certificate in duplicate,endorsed in blank for full CIP value plus 10% covering Institute Cargo Clauses(A),Institute War Clauses and Institute Strikes Riots and Civil Commotions Clauses.
71B	:Charges	All Banking Charges and Commissions outside issuing Bank are for account of Beneficiary
47A	:Additional Conditions	T.T.Reimbursement is Prohibited.
48	:Period for Presentation	Documents to be presented within 10 days after the date of shipment but must within the validity of this credit
49	:Confirmation Instructions	without
78	:Instructions to the Paying/Accepting Negotiating Bank	*The amount of each Draft must be endorsed on the reverse of this credit
		*All Documents must be sent to Overseas Union Bank., Head Office 18 Orchard Road Singapore
72	:Sender to Receiver Information	This documentary credit is subject to the Uniform Customs and Practice for　Documentary Credits　(2007 Revision, I CC　Publication　No 600)

OVS　Overseas　Union　Bank, Tokyo	page 1 of 1

2．買取銀行にL／Gを差し入れ、荷為替手形の買取依頼をしようと考えている。前出の信用状と次頁の船荷証券からディスクレを判断して、下記のL／Gを完成させなさい。差入年月日は、買取依頼日と同一日とする。

Letter of Guarantee

Tokyo, ①_____

The Manager
②_____

③Draft No. _____
④Amount _____
⑤Drawer _____
⑥Drawn under _____
_____
_____

Dear Sir:

In consideration of your negotiation the documentary draft of ours in caption, we accept we take the full responsibility in respect of the following irregularity

⑦ _____
_____
_____

Should it be dishonored on presentation, we undertake to refund you on demand the full Yen equivalent of the draft amount at the T.T. Selling rate of the day together with relative changes and expenses incurred by the parties concerned, if any.

Yours faithfully,

⑧ _____
(Signed)
Export Manager

● 資料　船荷証券

Shipper *Japan Trading Co., Ltd.* *Tokyo, Japan*	(Forwarding Agents) *Tatsumi-Unyu Soko Co., Ltd.* B/L No.　*WQ-5577*
Consignee *to the order of Shipper*	# N Y K **BILL OF LADING**

RECEIVED by the Carrier from the Shipper in apparent good order and condition unless otherwise indicated herein, the Goods, or the container(s) or package(s) said to contain the cargo herein mentioned, to be carried subject to all the terms and conditions provided for on the face and back of this Bill of Lading by the vessel named herein or any substitute at the Carrier's opinion and / or other means of transport, from the place of receipt or the port of loading to the port of discharge or the place of delivery shown herein and there to be delivered unto order or assigns.
If required by the Carrier, this Bill of Lading duly endorsed must be surrendered in exchange for the Goods or delivery order.
In accepting this Bill of Lading, the Merchant agrees to be bound by all the stipulations, exceptions, terms and conditions on the face and back hereof, whether written, typed, stamped or printed, as fully as if signed by the Merchant, any local custom or privilege to the contrary notwithstanding, and agrees that all agreements or freight engagements for and in connection with the carriage of the Goods are superseded by this Bill of Lading.
In witness whereof, the undersigned, on behalf of Nippon Yusen Kaisha, the Master and the owner of the Vessel, has signed the number of Bill(s) of Lading stated under, all of this tenor and date, one of which being accomplished, the others to stand void.

Notify Party
Singapore Trading Co., Ltd.
123 Orchard Road Singapore

Pre-carriage by	Place of Receipt *Tokyo*　CFS		
Ocean Vessel　*AXIA Maru*	Voy. No　*20M*	Port of Loading　*Tokyo, Japan*	(Terms of Bill of Lading continued on the back hereof)
Port of Discharge　*Singapore*	Place of Delivery　*Singapore*　CFS		Final Destination (for the Merchant's reference only)

Container No.　Seal No.　Marks & Nos.	No. of Containers or P'kgs.	Kind of Packages	Description of Goods	Gross Weight	Measurement
ABC0001/40 *XWZ12345* 　　　JTC 　　*Singapore* 　　*C/No.1-15* 　*MADE IN JAPAN*	*150sets*		*DVD RECORDER*　*(DVR-920H-S)* *"Freight Prepaid"* SAY: *FIFTEEN(15) CARTONS ONLY*	*960 KGS*	*8.00M3*
TOTAL NUMBER OF CONTAINERS OR PACKAGES (IN WORDS)					

FREIGHT & CHARGES	Revenue Tons *FREIGHT AS ARRANGED*	Rate	Per	Prepaid (a)	Collect (b)

TCS
B/L

Ex. Rate @	Prepaid at *Tokyo, Japan* Total Prepaid in Local Currency	Payable at Number of Original B(s)/L *Three(3)*	Place of B(s)/L Issue *Tokyo, Japan* Nippon　Yusen　Kaisha	Dated *July 1, 20xx*
	Laden on Board the Vessel		(Signed)	
Date　*July 1, 20xx*	By　(Signed)			

(JSA STANDARD FORM A)
SECOND ORIGINAL　　　　　　　(TERMS CONTINUED ON BACK HEREOF)

3．取引銀行にて7月4日付で買取依頼をすることになった。下記の買取銀行あての輸出荷為替手形買取依頼書を作成しなさい。

なお、輸出荷為替手形買取依頼書に添付する信用状は原本であり、添付書類の通数は信用状条件通りとする。輸出手形の代り金は、6月15日締結の予約番号 20-120TTB @104.00円を使用し、6月10日付輸出前貸金￥13,000,000（満期日20XX年7月31日）に弁済充当後、残金を当座預金・口座番号9876に入金するものとする。

To THE TOKYO-CITY BANK, LTD. (WITH L/C)

Application for Negotiation / Process / Collection of Export Bill(s) under L/C
信用状付輸出為替 ☐ 買取 ☐ 取次 ☐ 取立依頼書

Drawer			
Drawee			
Draft Amount		Draft No. & Date	
Tenor		Due on	
L/C Issued by			
No.		Dated	
Commodity			
Date of Shipment	Destination		Vessel

We herewith hand you Drafts and Documents for Negotiation/Process/Collection as below. Any expense present or future incurred by you will be fully paid or reimbursed by us on Demand and we undertake to hold ourselves liable to you in accordance with our Agreement on Purchase or Negotiation of Bills.

(Applicant) _____ Date _____

L/C原本　☐ 添付　☐ 貴行保管　☐

(Authorized Signature)

Draft	Comm Invoice	Cus/Cons Invoice	B/L	Air Way Bill	B/L.AWB Copy	Ins Pol/Cert	Pkg List	Origin Cert	W & M List	Inspect Cert	Cert

代り金　　　　　　　　　　　　　直物
☐ 円預金入金
　口座 No. _____　　予約 No _____　　予約TTB@ _____

☐ 外貨預金入金
　口座 No. _____　　予約 No _____　　予約TTB@ _____

本輸出為替買取代り金は、次の輸出関連借入金の返済（内入）に充当願います。

借入日 _____　　借入金額 ￥ _____

期日 _____　　返済金額 ￥ _____

＊Received on

●解答●
1.

```
                        Bill of Exchange

    No. 05/060                  Place Tokyo. Date July 4, 20xx

     For U.S.$130,500.00
    At XXXXXXXXX          sight of this  F I R S T  Bill of Exchange
    (SECOND being unpaid) Pay to The Tokyo-City Bank, Ltd.       or order
    the sum of U.S.Dollars One Hundred Thirty Thousand and Five Hundred only

    Value received and charge the same to account of Singapore Trading Co., Ltd.
       123 Orchard Road Singapore.
    Drawn under  Overseas Union Bank, Singapore.
    Irrevocable L/C No. OU-05/12345      dated  May 25, 20xx.

    To  Overseas Union Bank,           JAPAN TRADING CO.,LTD.
        Head Office, Singapore.              (Signed)
                                            Manager
```

※信用状では Overseas Union Bank, Tokyo Branch にリストリクトがかかっているが、輸出者はこの Overseas Union Bank と取引がないため、⑤は取引銀行である The Tokyo-City Bank となる。

2.

Letter of Guarantee

Tokyo, July 4, 20xx

The Manager
The Tokyo-City Bank, Ltd., Tokyo

Draft No. *05/060*
Amount *US$130,500.00*
Drawer *Japan Trading Co., Ltd.*
Drawn under *L/C No. OU-05/12345*
issued by Overseas Union Bank, Singapore.
dated *May 25, 20xx*

Dear Sir,

In consideration of your negotiation the documentary draft of ours in caption, we accept we take the full responsibility in respect of the following irregularity

Late Shipment

Should it be dishonored on presentation, we undertake to refund you on demand the full Yen equivalent of the draft amount at the T.T. Selling rate of the day together with relative charges and expenses incurred by the parties concerned, if any.

Yours faithfully,
Japan Trading Co., Ltd.
(Signed)
Export Manager

3.

To THE TOKYO-CITY BANK, LTD. (WITH L/C)

Application for Negotiation / Process / Collection of Export Bill(s) under L/C
信用状付輸出為替　[X] 買取　[ ] 取次　[ ] 取立依頼書

Drawer	*Japan Trading Co., Ltd.*		
Drawee	*Overseas Union Bank., Head Office.*		
Draft Amount	*US$130,500.00*	Draft No. & Date	*05/060　July 4, 20xx*
Tenor	*at sight*	Due on	*Nil*

We herewith hand you Drafts and Documents for Negotiation/Process/Collection as below. Any expense present or future incurred by you will be fully paid or reimbursed by us on Demand and we undertake to hold ourselves liable to you in accordance with our Agreement on Purchase or Negotiation of Bills.

(Applicant)　　Date　*July 4, 20xx*

JAPAN TRADING CO., LTD.

(Signed)

(Authorized Signature)

L/C	Issued by	*Overseas Union Bank., Singapore.*	
	No *OU-05/12345*	Dated	*May 25, 20xx*

Commodity	*DVD RECORDER（DVR-920H-S）*		
Date of Shipment *July 1, 20xx*	Destination *Singapore*	Vessel *AXIA Maru*	

L/C原本　[X] 添付　[ ] 貴行保管　[ ]

Draft	Comm Invoice	Cus/Cons Invoice	B/L	Air Way Bill	B/L.AWB Copy	Ins Pol/Cert	Pkg List	Origin Cert	W & M List	Inspect Cert	Cert	L/G
2	6		2			2	6					1

代り金　　　　　　　　　　　　　　　直物
[X]　円預金入金　当座
　　　口座 No. *9876*　　　予約 No *20-120*　　予約TTB@¥ *104.00*

[ ]　外貨預金入金
　　　口座 No.　　　予約 No　　　予約TTB@¥

本輸出為替買取代り金は、次の輸出関連借入金の返済(内入)に充当願います。

借入日 *June 10, 20xx*　　　借入金額 ¥ *13,000,000.*

期日 *July 31, 20xx*　　　返済金額 ¥ *13,000,000.*

＊Received on

第2部
輸入書類

輸入取引の関係当事者

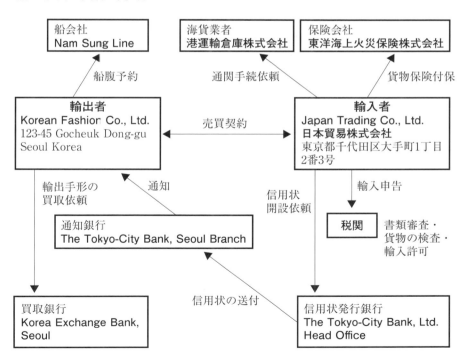

輸入1　買付契約書（Purchase Note）

JAPAN TRADING CO., LTD.
2-3 Otemachi 1-chome, Chiyoda-ku, Tokyo, Japan

①Tokyo, January 25, 20XX

②Purchase Order　　No.220

③ Korean Fashion Co., Ltd.
　123-45 Gocheuk Dong-gu
　Seoul, Korea

④ We as Buyer confirm having bought from you as Seller the following goods on the terms and conditions as stated below and on the back hereof.

Marks and Nos.	Description	Quantity	Unit Price	Amount
⑤	⑥ LEATHER JACKET	⑦	⑧	⑨FOB Busan ⑩
KFC Tokyo C/T No.1-39	(1) Model : M-12 (with Furskin)	500pcs	@US$40.00	US$20,000.00
Made in Korea	(2) Model : M-H15 (with Furskin)	280pcs	@US$50.00	US$14,000.00
			⑪ Total Amount	US$34,000.00

⑫ Payment:　　Draft at sight under Irrevocable L/C
⑬ Insurance:　 To be covered by buyer
⑭ Packing:　　About 20pcs in a carton
⑮ Destination: Tokyo, Japan
⑯ Shipment:　 By April 15, 20XX
⑰ Partial Shipments and Transshipment: To be prohibited
⑱ Others:　　Shipment to be effected exclusively by Nam Sung Line container ship

　Reference: Your fax of January 10
　　　　　　 Our fax of January 15

　　⑲ Please sign and return the duplicate

　　　⑳ (Seller)　　　　　　　　　　　　　⑳-1 Japan Trading Co., Ltd.
　　　　 Korean Fashion Co., Ltd.
　　　　　　(signed)　　　　　　　　　　　　　　(signed)
　　　　 Export　Manager　　　　　　　　　(Name)
　　　　　　　　　　　　　　　　　　　　　　Import Manager

| 輸入1　買付契約書　解説 |

《買付契約書の記載事項》

① 作成年月日
② 注文書番号
③ 輸出者の名称、住所
④ 売買契約成立の確認文言：買主として契約書の表面および裏面の記載事項で購入したことを確認する旨が記載されている。
⑤ 荷印：輸出者と輸入者との間で取り決める。指示がなければ輸出者が決めるが、一見して他の荷印と識別できるものがよい。
⑥ 商品名
⑦ 数量
⑧ 単価
⑨ 貿易条件
⑩ 商品ごとの価格
⑪ 総額
⑫ 支払条件：本例では、取消不能信用状にもとづく一覧払いの為替手形を振り出して貨物代金を請求することを要求している。
⑬ 保険：本例では、保険は輸入者が付保する条件としている。
⑭ 包装：「1箱当たり約20個入り」としている。
⑮ 仕向地
⑯ 船積時期：通常、特定月日を記入する。
⑰ 分割船積みと貨物の積替えを禁止するかどうかを記入する。
⑱ その他の特記事項：貨物の船積みは Nam Sung Line という船会社のコンテナ船にのみ行う、という指示である。
⑲ 副本返送依頼
⑳ 輸出者の署名欄：副本に輸出者の確認署名をする。署名は本契約書の内容を確認した証の役目を果たす。
⑳-1　輸入者の署名欄

輸入2　信用状開設依頼書

I	開設予定日	January 30, 20XX		商品処分方法	
II	輸入金融方法	☒ 本邦ローン　□ その他 □ アクセプタンス　□	IV	主要予定売却先	横浜市西区緑町　ミナト・ミライ株式会社
			V	販売条件	納入日起算後3ケ月の約束手形振出
III	跳ね返り	商手　30日　単名　日	売却先の資本金：１００百万円　設立：H2.9　取引銀行：横浜、本店		

APPLICATION FOR IRREVOCABLE CREDIT TO The Tokyo-City Bank, Ltd. In Accordance with agreement on Letter of Credit Transactions submitted to you, I/we herby request you to issue an Irrevocable Documentary Credit on the following terms and conditions:	Date of Application ① *January 30, 20XX*	Applicant's Ref. No.
	Expiry Date ② *April 25, 20XX*	Place for presentation *Seoul, Korea*
Applicant ③　*Japan Trading Co., Ltd.* *2-3 Otemachi 1-chome, Chiyoda-ku, Tokyo, Japan.* *-Signed-* Authorized Signature (お届けの署名または記名押印)	Beneficiary ④　*Korean Fashion Co., Ltd* *123-45 Gocheuk Dong-gu Seoul, Korea*	
通知方法　□ Teletransmission ⑤　　　　□ Airmail with brief advice by teletransmission 　　　　　☒ Airmail	Amount ⑥　　USD34,000.00 (Say U.S.Dollars Thirty-four Thousand only)	
□ Advising Bank ⑦　*The Tokyo-City Bank, Seoul Branch*	確認　　　□ Confirmed 譲渡可能　□ Transferable	
⑧ Partial Shipments　　　　Transshipment □ Allowed ☒ Prohibited　　□ Allowed　　☒ Prohibited		
⑩ Shipment /Dispatch/Taking in charge From/At　*Busan*　　To　*Tokyo* ⑪ Latest Date for Shipment *April 15, 20XX* Evidencing Shipment of ⑫-1 *LEATHER JACKET*　*780pcs* 　　*As per Purchase Order No. 220 of January 25, 20XX* ⑫-2 Trade Terms　☒ FOB　□ CFR　□ CIF　□　　　Place　*Busan*	⑨Credit available by Beneficiary's Draft(s) ☒At sight/　_____ ☒For full/　_____ % Invoice cost Drawn on you or your correspondent at your option.	

⑬ Required documents as follows:
⑭ ☒ Signed Commercial Invoice in　5 copies indicating   *credit No.*
⑮ ☒ Full set of clean on board ocean Bill of Lading made out　*to order of shipper*
　　and blank endorsed, marked □ Freight Prepaid　　☒ Freight Collect, Notify applicant
　□ Air waybill consigned to The Tokyo-City Bank, Seoul Branch
　　Marked　□ Freight Prepaid　□ Freight Collect Notify applicant, indicating credit No.
⑯ □ Insurance policy or certificate in duplicate, endorsed in blank for 110% of the invoice value including
　　□ Institute cargo clauses　　(　□ All Risks　　□ W.A.　　□ F.P.A.　□ICC(A)　□ICC(B)　□ICC(C)
　　□ Institute War Clauses　□ Institute Strikes, Riots & Civil Commotions Clauses　□_____
　　Insurance claims to be payable in Japan in currency of Drafts.
⑰ ☒ Packing List in　*5 copies*_____　□ Certificate of Origin in _____
　　□ Certificate of Measurement/Weight in _____　□ Certificate of Analysis in _____
　　□ Inspection Certificate in _____　□ G.S.P.Certificate of Origin Form A in _____
　　□ Beneficiary's Certificate stating that _____

⑱ ☒ Documents to be presented within　*10*　days after the date of shipment but within the validity of this credit.		
⑲　Reimbursement by teletransmission is　□ Acceptable　☒ Prohibited		
⑳　All Banking charges outside Japan are for account of □ Applicant　☒ Beneficiary 　　Acceptance commission and discount charges for account of　□ Applicant　□ Beneficiary 　　　　　　　　　(ユーザンス手形振出を条件とする場合のみご記入ください)		
Special instructions:		

| 輸入2　信用状開設依頼書　解説 |

《信用状開設にともなう与信申込書の記載事項（信用状上部)》

Ⅰ　開設予定日を記入、Ⅱ　輸入金融の方法（本邦ローンを使うのかどうか)、Ⅲ　跳ね返り金融を使うのかどうか、Ⅳ　予定売却先の名称と住所を記入、Ⅴ　販売条件（売上げの回収をどうするのか、現金、または約束手形での回収か)、その他資本金の額、設立年月日、取引銀行を記入。

　信用状の開設依頼の時点で、将来の貿易金融（ユーザンス、跳ね返り）についての申込みをする。銀行はそれら全ての与信合計金額をもって信用状の発行の可否を判断する。

《信用状開設依頼書の記載事項》

① 開設依頼日
② 信用状の有効期限：通常、船積期限の10日または15日後にする。
③ 信用状開設依頼人（輸入者）の名称、住所、署名
④ 受益者（輸出者）の名称、住所
⑤ 信用状の通知方法：コストと時間的余裕を考慮して、全文をケーブルで打電するか、プレアドにするか、書留航空郵便にするかの選択をする。

　・Teletransmission（または Full Cable without Mail Confirmation）（電信)：船積みを急ぐ場合には、コストがかかっても全文をケーブルで打電する。

　・Airmail with brief advice by teletransmission（プレアド)：メール・コンファメーション（Mail Confirmation）が原本となる。輸出者が船積みの準備を早急にする必要がある場合に、とりあえずプレアドにする（信用状の要点のみをケーブルで打電し、後日メール・コンファメーションを信用状原本として送付する)。

　・Airmail（書留航空郵便)：船積みまでに充分時間があれば書留航空郵便にする。

⑥ 信用状の金額：USD34,000.00とアラビア数字で記載し、原則として確認のために英文で複記する。Say U.S.Dollars Thirty-four Thousand only と複記する。現在は電信での開設が多くなり、開設依頼書に英文複記を求めない場合もある。通貨は、ISOの通貨コードで表示すべきである（アメリカドルはUSD、イギリスポンドはGBP、日本円はJPY、ユーロはEUR、オーストラリアドルはAUD、カナダドルはCAD、スイスフランはCHF、など)。

⑦ 通知銀行：発行銀行の本支店または発行銀行のコルレス先銀行を選定する。通常、記入の必要はない。信用状発行銀行が自行の本支店、コルレス先を選定

する。

⑧　Partial Shipments：分割船積みを許すか、禁止するかの選択
　　Transshipment：積替えを許すか、禁止するかの選択

⑨　為替手形の期限：たとえば下記のように記載する。
　ⅰ）一覧払いの場合：☐ At sight の☐に×を記入（☒とする）。
　ⅱ）期限付の場合の記載例：60日の期限付の場合は、"at 60 days after" sight と記載。
　　For full/ の欄：通常取引では、full または100％ となる。揚地ファイナル条件の場合には、たとえば、For initially 90% of provisional Invoice cost 等と記入し、最下部の Special instructions 欄に、final payment clause を記載する。

⑩　船積港、荷卸港
⑪　船積期限
⑫-1　商品の明細：商品名等を簡潔に記入する。
⑫-2　貿易条件：FOB、CFR（C＆F）、CIF などを選択。FCA、CPT、CIP などの場合には、☐に×を記入し☒ CIP などと記入する。
⑬　必要書類の明細
⑭　Signed Commercial Invoice in_____（必要通数を記入）copies indicating_____：Credit No.（信用状番号）や Sales Contract No.（契約書番号）など必要な事項を記入
⑮　Full set：全通（通常3通）の場合には、Full set のままでよいが、直送B／L 扱いの場合には、2/3 set 等と銀行に呈示する通数を記入する。
　　荷受人：売買契約の条件通りとし、通常は、船荷証券は指図式（to order）または荷送人の指図式（to order of shipper）で発行される。時として、記名指図式（to order of 信用状発行銀行）で発行されるときもある。
　　運賃の支払方法：売買契約の貿易条件通りとし、本例ではFOB条件であり "Freight Collect" を選択する。
　　着荷通知先：荷揚港（地）の船会社が貨物の到着したことを通知する先（荷受人）で、売買契約の条件通りとし、特に取決めがない場合には、発行依頼人（輸入者 applicant）を記入する。

航空運送状を要求する場合には、"Air waybill consigned to the Tokyo-City Bank, Ltd." を選択し、荷受人は信用状発行銀行となる。

⑯　保険証券：今回の売買契約の貿易条件は、FOB条件であり輸入者が付保することになっており、記入の必要はない。CIF条件で輸出者が付保する場合には、通常 All risks、War Clauses、S.R.C.C. Clauses のいずれかで保険を付保する。しかし、何の取決めもない場合には、インコタームズでは、ICC保険約款の最小限の保険条件でよいと規定されているので、旧ICCの場合にはFPA、新ICCの場合には（C）でよいことになっている。

⑰　入手予定の書類の□に×を記入し、それぞれ必要通数を書く。なお、右列第3項目の"G.S.P."とは"Generalized System of Preferences"の略であり、"G.S.P. Certificate of Origin"は「特恵原産地証明書」をさす。

⑱　買取銀行への船積書類の提出期限：船積日から銀行への荷為替手形の買取依頼をする日までの日数を記入する。通常は、船積みの10日または15日後にする。もしこの指定日数がなく空欄の場合には、船積日から21日を過ぎた船荷証券を添付した荷為替手形を銀行は買い取らない。

⑲　資金決済方法の選択：売買契約の中に、銀行間の資金決済をTT Reimburse-mentとする条件があった場合には、Acceptable を選択する。その場合には、輸出地の買取銀行は買取代金の回収を補償（決済）銀行より電信により請求（回収）することになり、立替期間金利（Mail Days Interest）は発生せず、輸出地の買取はTTB相場で行われる。

⑳　日本以外における銀行手数料の支払勘定：売買契約に従うが、特に取決めがない場合にはBeneficiaryを選択する。

輸入 3　輸入信用状

① THE TOKYO-CITY BANK, LTD.

Tokyo, Japan

②IRREVOCABLE CREDIT　　　　　　　　　　　　　　　　　　ORIGINAL

③ Date of Issue　January 30, 20XX	④ Credit No.　TC-02/5678
⑤ Advising Bank The Tokyo-City Bank, Ltd., Seoul Branch	⑥ Applicant　Japan Trading Co., Ltd. 2-3 Otemachi 1-chome, Chiyoda-ku, Tokyo
⑦ Beneficiary　Korean Fashion Co., Ltd. 123-45 Gocheuk Dong-gu Seoul Korea	⑧ Amount USD34,000.00(Say U.S. Dollars Thirty-four Thousand only)
⑨ Latest Date for Shipment April 15, 20XX	⑩ Expiry Date for negotiation　April 25, 20XX Place　　　　　　　　　　　Seoul, Korea

We hereby issue in your favor this irrevocable credit which is available by negotiation against your draft(s) ⑪at sight ⑫drawn on us for full invoice value, accompanied by the following documents:

⑬ ☒Signed Commercial Invoice in 5 copies indicating credit No. TC-02/5678
⑭ ☒Packing List in 5 copies.
⑮ ☒Full set of clean on board ocean Bill of Lading made out to order of shipper and blank endorsed, and marked Freight Collect notify Japan Trading Co., Ltd. 2-3 Otemachi 1-chome, Chiyoda-ku, Tokyo
⑯ ☐ Insurance Policy or Certificate in duplicate endorsed in blank for full invoice value plus 10% covering Institute Cargo Clauses
⑰ Covering:　LEATHER JAKET　780pcs
　　　　　As per Purchase Order No. 220 of　January 25, 20XX
⑱ Trade Terms: FOB Busan

⑲	Shipment from Busan to Tokyo	Partial shipments Prohibited	Transshipment Prohibited

Special conditions:

⑳ Drafts and documents must be presented within 10 days after the date of issuance of the transport documents but within the credit validity.

㉑ We hereby engage with drawers, endorsers and/or bona fide holders that drafts drawn and negotiated in conformity with the terms of this credit will be duly honored on presentation. The amount of each draft must be endorsed on the reverse of this credit by negotiation bank.

(signed)
Authorized signature

This documentary credit is subject to the Uniform Customs and Practice for Documentary Credits (2007 Revision), International Chamber of Commerce, Publication No. 600.

輸入3　輸入信用状　解説

《輸入信用状の記載事項》

① 信用状発行銀行名
② 信用状の種類：取消不能信用状であることを示している。
③ 信用状の発行日
④ 信用状番号
⑤ 通知銀行
⑥ 信用状の発行依頼人（輸入者）
⑦ 受益者（輸出者）
⑧ 信用状金額：輸出者の荷為替手形の振出し限度額を示している。
⑨ 船積期限
⑩ 信用状の有効期限
⑪ 荷為替手形の期限：本例は一覧払い（at sight）。期限付手形の場合には"at 90 days after sight"などと記入される。
⑫ 手形の名宛人（支払人）：通常は本例のように信用状発行銀行が名宛人になるが、補償（決済）銀行または輸入者が名宛人になることもある。
⑬ 荷送人（輸出者）の署名と信用状番号の記載のある商業送り状
⑭ 梱包明細書
⑮ 船荷証券：無故障（clean）の船積（on board）船荷証券の全通（full set）が、荷送人の指図式（to order of shipper）で、白地裏書（blank endorsed）があり、運賃着払い（Freight Collect）、着荷通知先（notify）として輸入者が記載されていること。
⑯ 海上保険証券または海上保険証明書：貿易条件がFOBであり輸入者が輸入地で付保するので、信用状の条件になっていない。
⑰ 貨物の明細：原則としてできるだけ簡潔に書く。ただし信用状開設依頼書に記載があれば指示通り。
⑱ 貿易条件・船積港：今回はFOB条件である。
⑲ 船積条件：船積港・荷卸港が記載され、分割船積み禁止、積替え禁止と規定。
⑳ 特別指図文言：荷為替手形の買取を船積後10日以内に行うこと、ただし、信用状の有効期限内とすると規定している。
㉑ 信用状発行銀行の支払確約文言：信用状に合致した船積書類の提示を条件に、発行銀行が荷為替手形の支払いを、手形の振出人、裏書人、善意の所持人に確約している。

輸入4　売予約のコントラクト・スリップ（売為替予約票）

EXCHANGE CONTRACT SLIP

①NO MARGIN ALLOWED　　　　　② NO. 04-0025

③ DATE　　February 5, 20XX　(year-month-day)

④ SOLD TO　　Japan Trading Co., Ltd.

⑤ BOUGHT FROM　THE TOKYO-CITY BANK, LTD.

AMOUNT	TERM	RATE	DELIVERY (year-month-day)
⑥　US$34,000.00	⑦TTS	⑧ ¥107.80	⑨ July, 20XX

No delivery on Saturday

お客様の記名捺印（authorized signature）
⑩
日本貿易株式会社
東京都千代田区大手町1丁目2番3号

⑪　(Seller)
THE TOKYO-CITY BANK, LTD.
(Signed)
Authorized Signature

Date	Amount Delivered	⑫	Balance

参照　対顧客米ドル先物相場（円）

	売り	買い		売り	買い
5月渡	108.5	108.2	7月渡	107.8	107.2
6月渡	108.3	107.7	8月渡	107.3	106.7

輸入4　売予約のコントラクト・スリップ　解説

　売買契約にもとづき発行された信用状では、船積期限が4月15日、有効期限が4月25日となっており、船積書類が買取銀行から信用状発行銀行に到着するのは4月中と考えられる。

　輸入ユーザンスを利用しない一覧払決済であれば、4月中の1ヵ月間の受渡しで予約すればよいことになる。しかし本例の場合には、信用状開設の時に本邦ローンを利用することを申し込んでいる。3ヵ月のユーザンス期間を利用したとすれば、船積書類の本邦到着後の3ヵ月先である7月の受渡し（決済）となる。このように将来の特定月を決めて、その月を引渡し期間とする方法を暦月オプション渡しという。輸入の場合には、取引銀行所定の売予約のコントラクト・スリップに必要事項を記入して、2通を取引銀行に提出する。銀行、輸入者それぞれ1通ずつ保管する。

《売予約のコントラクト・スリップの記載事項》

① 　NO MARGIN ALLOWED：予約した金額は指定期間内（7月中）に必ず実行して残高（Balance）を残さないでくださいとの意味である。
② 　予約番号（銀行が記入）
③ 　予約締結日
④ 　輸入者
⑤ 　銀行
⑥ 　予約金額：未使用残高が発生しないように一定の必要金額だけ予約する。
⑦ 　TERM：輸入予約なので、TTまたはTTSと記入する。なお、"TERM"は銀行により"USANCE"とされている場合もある。
⑧ 　RATE：予約相場を記入。本件の例では、3ヵ月の本邦ローンを利用するので7月の受渡し（決済）となる。
⑨ 　実行期日：確定日渡し、暦月オプション渡し、順月オプション渡し、特別期間渡し等があるが、一般的には貿易取引では暦月渡し、順月渡しが用いられる。（本例では、暦月オプション渡し）
⑩ 　輸入者の署名
⑪ 　売主（銀行）の署名
⑫ 　残高：本例では、信用状の金額はUS$34,000.00であり、分割船積みが禁止されているので、1回の船積みで全ての貨物（信用状金額と同額）が輸入される。したがって、本邦ローンの決済日には予約残高全てを消化することになる。

輸入5　商業送り状（Invoice）

INVOICE

① Korean Fashion Co., Ltd.

123-45 Gocheuk Dong-gu
Seoul, Korea

② Date　　　*April 1, 20XX*

③ Invoice No.　*KF04-123*

④ Ref. No.　*Purchase Order No. 220*

⑤ For account of

JAPAN TRADING CO.,LTD
2-3 Otemachi 1-chome, Chiyoda-ku, Tokyo,

⑥ Payment Terms

Irrevocable L/C at sight in our favor

⑦ Vessel or　　　On or about
　Neptune　　　*April 5, 20XX*

⑧ Issuing Bank

　　The Tokyo-City Bank, Ltd.
　　Tokyo Office

⑨ From　　　⑩ Via
　Busan, Korea

L/C No.　　　　　　　　Date
　TC-02/5678　　　*January 30, 20XX*

⑪ To
　Tokyo

⑫ Remarks

Marks & Nos.	Description of Goods	Quantity	Unit Price	Amount
			⑰ *FOB Busan*	
⑬	⑭	⑮	⑯	⑱
KFC	*LEATHER JACKET*			
Tokyo	*(1) Model : M-12*	*500pcs*	*@US$40.00*	*US$20,000.00*
C/T No.1-39	*(with Furskin)*	*(20pcs/carton)*		
Made in Korea				
	(2) Model : M-H15	*280pcs*	*@US$50.00*	*US$14,000.00*
	(with Furskin)	*(20pcs/carton)*		
	As per Purchase Order No. 220			
	of January 25, 20XX			
TOTAL	*39 Cartons*	*780pcs*	*FOB Busan*	*US$34,000.00*

⑲ **Korean Fashion Co., Ltd.**

(Signed)

―――――――――――――
Authorized signature(s)

| 輸入5　商業送り状　解説 |

《商業送り状の記載事項》

① 　輸出者の名称と住所
② 　インボイスの作成日
③ 　インボイス番号
④ 　参照番号：契約書の番号など
⑤ 　輸入者の名称と住所
⑥ 　支払条件：本例は、取消不能信用状による一覧払い
⑦ 　積載船名、出港（予定）日
⑧ 　信用状発行銀行名、信用状番号、発行日
⑨ 　船積港
⑩ 　経由地
⑪ 　荷卸港
⑫ 　その他特記事項
⑬ 　荷印、荷番号
⑭ 　商品名：「商業送り状における物品、サービスまたは履行の記述は、信用状に現れている記述と合致していなければならない。」（信用状統一規則第18条c項）
⑮ 　数量
⑯ 　単価
⑰ 　建値（貿易条件）：通常インコタームズ条件を記載する。
⑱ 　送り状金額
⑲ 　輸出者の署名：この商業送り状は、信用状に記載された受益者（輸出者）が作成し、また輸出者と荷為替手形の振出人は一致していなければならない。

輸入6　予定保険申込書

APPLICATION FOR MARINE CARGO INSURANCE
To The Toyo Marine and Fire Insurance Co.,Ltd.

① （確定）　☐　（予定）　☒

Assured(s), ect.(被保険者)② *Japan Trading Co., Ltd.* C/O	Under Open Policy No.(特約書番号)　Provisional No.(予定申込No) Amount Insured(保険金額)③ Cargo(貨物):　about ¥ 4,154,000
Claim, if any, payable at/in(保険金支払地) ☒ JAPAN　☐ DESTINATION	Duty(輸入税)　about ¥ 567,000

Conditions:(保険条件) ④

☒ ALL RISKS ☐ W.A. ☐ F.P.A. ☐ I.C.C.(A) ☐ I.C.C.(B) ☐ I.C.C.(C)　(INCL. WAR & S.R.C.C. RISKS)

Special Transit Clause
Duty Clause

Local Vessel or Conveyance(接続輸送用具)	From(interior port or place of loading)	
Ship or Vessel(積載船(機)名) ⑤ *Approved Vessel*	From(積込港(地)) ⑥ *Busan*	Sailing on or about(出港年月日) ⑦ *March thru April., 20xx*
To/Transshipped at(荷卸港(地)または積替港(地)) ⑧ *Tokyo*	Thence to(最終仕向港(地)) ⑨	

Marks & Nos.(記号、番号)　No.& Kind(梱包の数量、荷姿) Description of Goods(貨物の明細) Quantity(数量)
　　　　　　　　　　　　　of Packages

⑩　　*about 780 pcs of LEATHER JACKET*

Documents Required

☐ Policy	☐ Certificate	☐ Debit Note	
Signed 通	Copies 通	Original 通	Copies 通

Amount Insured(%)(保険金額付保割合)⑪

Cargo:　　10 % up

Duty:　　15%

Invoice Amount

Dated　*February 7, 20xx*

⑫　*Japan Trading Co., Ltd.*

Signature of Applicant

| 輸入6　予定保険申込書　解説 |

《予定保険申込書の記載事項》
① 　確定、予定の選択：本例では予定保険であり、(予定) を選択する。
② 　被保険者：Japan Trading Co., Ltd. のように輸入者を記入。
③ 　保険金額：この欄は貨物の保険金額と輸入税の付保金額を別々に記入する。貨物の保険金額は、予想される CIF、CIP 金額の10％増しにした金額で付保し、通常、円価建てにする。保険金額は、$(C+F) \times 1.1 \div (1-1.1R)$ の数式で算出される。この場合、C＝FOB 価格、F＝運賃、R＝保険料率で、保険料率は保険会社に問い合せる。実務上は、CIF 以外の場合は、申込み時に CFR (C&F) の金額を保険会社に通知すると、保険金額と保険料を計算してくれる。

　　輸入税 (Duty) の付保金額は予想 CIF 価格（輸入申告価格）を算出して、その輸入貨物の税率（実行関税率表から輸入する貨物の該当関税率を調べる。本例では、15％とする）を乗じた金額（関税額）を円貨で付保する。

　　輸入税は、貨物が損傷して輸入港に到着しても、従量税では関税（輸入税）は軽減されず、従価税のときでも損傷に見合うほどには減税が行われない場合がある。そこで関税が高額の貨物については、関税に対する付保が必要となる。保険金額は日本円の場合には1,000円未満は切上げる。

④ 　Conditions（保険条件）：FPA（分損不担保）、WA（分損担保）、ALL RISKS（全危険担保）のうち希望する条件、通常は ALL RISKS（全危険担保）を選択する。特約として FOB Attachment Clause[注1] と輸入税約款 (Duty Clause)[注2] を付ける。

⑤ 　積載船名：船名が不明のため Approved Vessel、航空機の場合には Approved Aircraft と記載する。
⑥ 　積込港
⑦ 　出港年月日
⑧ 　荷卸港
⑨ 　最終仕向地：この項に記載することにより、保険期間は貨物の陸揚げ後輸入者の最終倉庫までに延長される。　　例：Saitama by Truck
⑩ 　商品名等：商品名と数量
⑪ 　保険金額付保割合：保険金額を算出する比率である。貨物は概算 CIF の10％増し、輸入税は関税率を書く。
⑫ 　申込日の記入、申込者の署名

（注1）FOB Attachment Clause

　　旧協会貨物約款第1条（新協会貨物約款第8条）の運送約款（Transit Clause）では保険期間を「貨物が保険証券記載の仕出地の倉庫又は保管場所を出てから、仕向地の荷受人の最終倉庫又は保管場所に引渡されるまで」と規定している。しかし、輸入者がリスクを負担するのは、輸出地における貨物の本船への積込時点以降であるから、それ以前については、関係ない。したがって、FOB Attachment Clauseの特別約款を付けて保険会社の責任開始時期を明確にしておく必要がある。

　　なお、上記の運送約款には下記のような制限があるので、注意する必要がある。
- 仕向地の最終倉庫に搬入されていなくても、一時保管でない保管のため、仕分けのため、もしくは仕向地以外に配送のために、その他の倉庫または保管場所に引き渡される時は、保険期間は終了する。
- 仕向地の最終倉庫に搬入されていなくても、仕向港で本船から荷卸しを完了してから60日を経過すると、保険期間は終了する。

（注2）輸入税約款（Duty Clause）

　　解説のとおり、関税（輸入税）が高額の貨物については、関税に付保が必要となる。この場合の関税支払いによる損害を保険者がてん補する約款である。

輸入7　輸入船荷証券（Bill of Lading）

(Forwarding Agents)

B/L No.
②　FB-58141

Nam Sung Line
BILL OF LADING

Shipper
①　Korean Fashion Co., Ltd.
　　123-45 Gocheuk Dong-gu Seoul Korea

Consignee
③　to order of Shipper

④ **RECEIVED** by the Carrier from the Shipper in apparent good order and condition unless otherwise indicated herein, the Goods, or the container(s) or package(s) said to contain the cargo herein mentioned, to be carried subject to all the terms and conditions provided for on the face and back of this Bill of Lading by the vessel named herein or any substitute at the Carrier's opinion and / or other means of transport, from the place of receipt or the port of loading to the port of discharge or the place of delivery shown herein and there to be delivered unto order or assigns.
If required by the Carrier, this Bill of Lading duly endorsed must be surrendered in exchange .
In accepting this Bill of Lading, the Merchant agrees to be bound by all the stipulations, exceptions, terms and conditions on the face and back hereof, whether written, typed, stamped or printed, as fully as if signed by the Merchant, any local custom or privilege to the contrary notwithstanding, and agrees that all agreements or freight engagements for and in connection with the carriage of the Goods are superseded by this Bill of Lading.
In witness whereof, the undersigned, on behalf of Nam Sung Line, the Master and the owner of the Vessel, has signed the number of Bill(s) of Lading stated under, all of this tenor and date, one of which being accomplished, the others to stand void.

Notify Party
⑤　Japan Trading Co., Ltd.
　　2-3 Otemachi 1-chome, Chiyoda-ku,
　　Tokyo Japan.

Pre-carriage by	Place of Receipt ⑥　Busan　CFS	
Ocean Vessel ⑦ Neptune	Voy.No IF-998	Port of Loading ⑧　Busan , Korea

(Terms of Bill of Lading continued on the back hereof)

| Port of Discharge ⑨ Tokyo , Japan | Place of Delivery ⑩　Tokyo　CFS | Final Destination (for the Merchant's reference only) |

Container No. Seal No. Marks & Nos.	No. of Container or P' kgs.	Kind of Packages	Description of Goods	Gross Weight	Measurement
⑪-1　AKNA012398 ⑪-2　CNC7878 ⑪-4　39 cartons ⑪-3　KFC Tokyo C/T No.1-39 Made in Korea		⑪-5　39 cartons	39 cartons(780 pcs) of LEATHER JACKET ⑪-8 "Freight Collect" ⑪-9 SAY : Thirty Nine(39) Cartons Only	⑪-6 652 KGS	⑪-7 6.430M3

TOTAL NUMBER OF CONTAINERS OR PACKAGES (IN WORDS)

⑫ FREIGHT & CHARGES	Revenue Tons	Rate	Per	Prepaid ⑫(a)	Collect ⑫(b)
Base Freight C.A.F.	6.430 CBM 8.5%	@US$74.00	CBM		US$475.82 US$ 40.45 US$516.27

Ex. Rate	Prepaid at	Payable at ⑬ Destination	Place of B(s)/L Issue ⑭ Seoul, Korea	Dated April 5, 20xx
@	Total Prepaid in Local Currency	Number of Original B(s)/L ⑮ Three(3)	**Nam Sung Line**	

Laden on Board the Vessel

⑯ Date　April 5, 20xx　　By　(Signed)

(Signed)

(TERMS CONTINUED ON BACK HEREOF)

輸入7　輸入船荷証券　解説

《輸入船荷証券の記載事項》

① 荷送人：本例では、Korean Fashion Co., Ltd. 123-45 Gocheuk Dong-gu Seoul Korea と社名、住所を記入する。
② 船荷証券番号
③ 荷受人：通常、船荷証券は指図式（to order）または荷送人の指図式（to order of Shipper）で発行される。本例では信用状の条件通りとし、荷送人の指図式（to order of Shipper）で発行される。この場合にはＢ／Ｌに輸出者の白地裏書（blank endorsement）が必要である。銀行の担保権保全のためなど、時として信用状発行銀行への記名指図式（to order of ○○ Bank）で発行される場合もある。その場合は輸出者の白地裏書は必要なく、信用状発行銀行により裏書がなされる。また、信用状取引の航空貨物運送状も、銀行の担保権保全のため銀行を荷受人として発行される。これは、航空貨物運送状が船荷証券と異なり譲渡性、流通性がなく（Non-negotiable）、有価証券ではないためである。
④ 受取船荷証券：船積前であっても、貨物がコンテナ・ヤード（CY）や船会社の指定倉庫に搬入され、運送人や船会社などの占有下に置かれた時に発行されるのが受取船荷証券（Received Ｂ／Ｌ）である。

　証券面の書出しは"Received"から始まる。

　この船荷証券はあくまで、受け取ったことを証明するものであり、船積みされたことを表すものではないので、船積証明（On Board Notation）が必要となる。
⑤ 着荷通知先：荷卸港（地）の船会社が貨物の到着したことを連絡する先
⑥ 船会社の荷受け場所：LCL 貨物であって、Busan のコンテナ・フレート・ステーション（CFS）で荷受けされたので、Busan CFS と記入される。
⑦ 積載船名と航海番号
⑧ 船積港
⑨ 荷卸港
⑩ 荷受人への貨物の引渡し場所：東京の CFS で荷渡しされるので、Tokyo CFS と記入されている。
⑪-1　コンテナ番号
⑪-2　コンテナシール番号
⑪-3　荷印、荷番号

⑪-4　梱包の数
⑪-5　商品名：信用状に記載されている商品名を記入する。
⑪-6　総重量
⑪-7　容積
⑪-8　運賃の支払方法：信用状の要求通り、本例では"Freight Collect"と記入される。
⑪-9　船社が受け取った梱包単位の総数：LCL貨物の場合、船会社の不知文言はない。FCL貨物のコンテナー扱いの場合には、輸出者が自分でコンテナに貨物を積付けし、シールをして、直接CYに持ち込むので、船会社にはコンテナ内の貨物の個数などについて責任が持てないという船会社の不知文言がある。
⑫　運賃および諸費用：この欄には海上運賃、為替変動にともなう調整金（Currency Adjustment Factor = CAF）、燃料費急騰にともなう調整金（Bunker Adjustment Factor = BAF）、その他コンテナ・フレート・ステーションの荷受け・混載・搬送費用などが記載される。なお、"Freight as arranged"が記入されることも多いが、これは大量貨物の荷主に対して船会社が一般よりも安い運賃率を与えた場合、運賃同盟との関係、その他取引先との関係から運賃を船荷証券に明示できない場合に用いられる。
⑬　運賃支払地：本例の場合には、"Freight Collect"となっており、Destination（目的地・輸入地）での支払いとなっている。
⑭　船荷証券の発行地と発行日
⑮　船荷証券の発行枚数
⑯　船積証明：信用状統一規則第20条ⅱでは、船積船荷証券（Shipped B／L, on board B／L）を原則にしているため、買取銀行はon boardの表示のない受取船荷証券の買取を拒否する。そこで、実際に貨物が積み込まれた時に船会社により船積年月日の追記、署名がなされる。これを船積証明（On Board Notation）といい、この証明を受けた船荷証券は船積船荷証券と同一に扱われる。

輸入8　船積通知（Shipping Advice）

①Date: April 4, 20xx
②To: Japan Trading Co., Ltd. ⟨jtc@fine.com.jp⟩
③From: Korean Fashion Co., Ltd. ⟨kfc@Korean.com.kr⟩

Gentlemen:

We are pleased to inform you that we have shipped the following goods as shown in the shipping documents by ④ M/S Neptune leaving ⑤ Busan ⑥ on April 5, 20xx scheduled to reach ⑦ Tokyo around ⑧ April 7, 20xx

⑨　LEATHER JACKET
Model : M-12　　500PCS
Model : M-H15　280PCS

⑩ For the invoice amount, we have drawn on your Bank a sight draft through Korea Exchange Bank Seoul Office and ask you to honor it on presentation. We have also surrendered all the shipping documents to the said bank, and airmailed you copies of these documents separately.

We trust that the goods will reach you in perfect condition and give you complete satisfaction.

Truly yours,

⑪ Kim Yunja
Director-Outside Sales
Korean Fashion Co., Ltd

輸入8　船積通知　解説

　輸出地で船積みが完了したら、輸出者は輸入者が貨物の受入れ準備にかかれるよう、Eメール、ファクス等で、船名、船積日、商品、数量、金額等を通知する。

　輸入者は、輸出者から船積通知（Shipping Advice）が来たら、その船がどこの船会社の船か、輸入港の船会社代理店はどこかを調べ、配船表により、または電話で直接に本船の入港予定日を確認して、荷受けの準備にとりかかる。

　FOB、CFR（C&F）、FCA、CPT条件などの輸入の場合は、輸入者は予定保険の手続をしているが、先に付けた予定保険で未確定であった項目（貨物の数量、金額、船名など）が輸出者からの船積通知で判明するので、保険会社に明細を通知して保険料を支払い、確定保険に切り替える。

　郵送の場合はインボイスなどの船積書類が同封されるが、Eメール、ファクス等のときは別途郵送される。

《船積通知の記載事項》
① 　メール発信日
② 　輸入者のEメール・アドレス
③ 　輸出者 Korean Fashion Co., Ltd. のEメール・アドレス
④ 　積載船名
⑤ 　船積港
⑥ 　出港年月日
⑦ 　仕向港
⑧ 　到着予定日
⑨ 　商品名
⑩ 　「送り状金額に対して、当社は貴社取引先銀行（The Tokyo-City Bank, Ltd.）を名宛人として韓国外換銀行（Korea Exchange Bank＝買取銀行）を通じて為替手形を振り出しましたので、呈示あり次第お支払いくださるようお願いいたします。全船積書類も同銀行に引き渡し、写しは別途航空郵便で送付しました。」の意味。
⑪ 　発信者：輸出者名、担当者名

輸入9　海上運賃請求書

Freight Bill

① No. 178

②JAPAN TRADING CO., LTD.
Chiyoda-ku,Tokyo

③ Tokyo,　April 8, 20xx

④ In Account With　　Cosmo Japan Co., Ltd.
　　　　　　　　　　Agents for Nam Sung Line, Ltd.
　　　　　　　　　　1-1-2 Kaigan Minato-ku, Tokyo

⑤ "Neptune", Voy. No. IF-998

⑥ Ocean Freight for Busan/Tokyo

⑦ 39 cartons (780 pcs) Leather Jacket

⑧ 6.430M3

⑨ Freight @ US$74.00/M3　　　　US$475.82
⑩ C.A.F.　　　8.50%　　　　　　US$40.45
　　　　　　　　　　　　　　　　US$516.27

⑪ Exchange Rate @ ¥120　　　　　　　　　　¥61,952
⑫ C.F.S. Charge @ ¥3,000/M3　　　　　　　　¥19,290
　　　　　　　　　　　　　　　　Total　　　¥81,242

⑬ Cosmo Japan Co., Ltd.
　Agents for Nam Sung Line, Ltd.

　　　　(Signed)

輸入9　海上運賃請求書　解説

本例の売買契約での貿易条件がFOBであるため、運賃は着払い（Freight Collect）となり、輸入者は輸入地で運賃の支払いを行わなければ貨物を受け取ることができない。定期船の運賃は、貨物の重量（1,000kgを1トンとする）と容積（1立方メートルを1トンとする）を測定して、それぞれトンに換算し、そのうちいずれか大きいほうを運賃トン（Freight Ton または Revenue Ton）として米ドル建てで適用される。本例では貨物の容積が重量より運賃が高いので、容積建ての運賃が適用されている。

《海上運賃請求書の記載事項》
① 海上運賃請求書の番号
② 海上運賃請求書の請求先
③ 請求書の作成地、作成年月日
④ 船会社名とその代理店名
⑤ 積載船名と航海番号
⑥ 海上運賃の区間（船積港から荷卸港まで）：運賃によりカバーされる船会社の責任は、在来船では"Tackle to Tackle"、コンテナ船ではCY to CY、またはCFS to CFSまでである。
⑦ 商品名、梱包の数
⑧ 容積
⑨ 基本運賃：本例では、容積建てで、1M3当たりUS$74.00で、
US$74.00×6.430M 3 ＝US$475.82
⑩ C.A.F.（Currency Adjustment Factor）：海上運賃として基本運賃が決められており、米ドル払いが原則である。したがって、運賃は、外国為替の相場変動による為替差損（益）により調整される。基本運賃の何％として表示されるが、円高のときは増加し、円安のときは減少する。その他、B.A.F.（Bunker Adjustment Factor）とは、船舶燃料の急激な変動により船会社の採算が悪化するので、燃料費の割増しを荷主に課している。基本運賃の何％または1フレート・トン当たり何ドルのように表示される。
⑪ 円貨換算レート：通常は、本船入港前日のTTS相場が適用される。
⑫ CFS Charge：1コンテナに満たないLCL貨物を船会社がCFSでコンテナに詰めたり（Vanning）、または取り出したり（Devanning）するための費用やコンテナ・ターミナル内のCYからCFS間の移送費をいう。
⑬ 船会社の日本での代理店名と署名

輸入10　確定保険申込書

APPLICATION FOR MARINE CARGO INSURANCE
To The Toyo Marine and Fire Insurance Co., Ltd.

① [確定]　（予定）

Assured(s), ect. (被保険者)	Under Open Policy No. (特約書番号)　Provisional No. (予定申込No)
Japan Trading Co., Ltd.	②　*04-243*
	Amount Insured　③
C/O	Cargo: .　　¥ *4,154,000*
Claim, if any, payable at/in (保険金支払地)	
☒ JAPAN　　☐ DESTINATION	Duty:　　¥ *567,000*

Conditions: (保険条件)　④

☒ ALL RISKS　☐ W.A.　☐ F.P.A.　☐ I.C.C.(A)　☐ I.C.C.(B)　☐ I.C.C.(C)　(INCL. WAR & S.R.C.C. RISKS)

Local Vessel or Conveyance (接続輸送用具)	From (interior port or place of loading)	
Ship or Vessel (積載船(機)名)　⑤　*Neptune*	From (積込港(地))　⑥　*Busan*	Sailing on or about (出港年月日)　⑦　*April 5, 20xx*
To/Transshipped at (荷卸港(地)または積替港(地))　⑧　*Tokyo*	Thence to (最終仕向港(地))　⑨	

Marks & Nos. (記号、番号)	No. & Kind of Packages	Description of Goods (貨物の明細)	Quantity (数量)
⑩		*780 pcs of LEATHER JACKET*	

Documents Required

☐ Policy　☐ Certificate　　☐ Debit Note

| Signed 通 | Copies 通 | Original 通 | Copies 通 |

Amount Insured(%) (保険金額付保割合)

Cargo:　　*10 % up*

Duty:　　*15%*

Invoice Amount
⑪　*US$34,000.00*

⑫ Dated　*April 6., 20xx*

Japan Trading Co., Ltd.

Signature of Applicant

| 輸入10　確定保険申込書　解説 |

《確定保険申込書の記載事項》
① 確定か予定の選択：本事例では予定保険から確定保険に切替えをするので、（確定）を丸印で囲む。
② 予定申込 No.：カバー・ノートの番号を転記する。
③ 保険金額：予定保険申込時に記載のとおり記入する。
④ 保険条件：予定保険申込時と同様に記入する。
⑤ 積載船（機）名：輸出者からの船積通知で確定した船名として、"Neptune" と記入する。
⑥ 積込港（地）：確定した積込港 "Busan" を記入する。
⑦ 出港年月日：確定した出港年月日として、"April 5, 20xx" と記入する。
⑧ 荷卸港（地）：確定した荷卸港 "Tokyo" を記入する。
⑨ 最終仕向港（地）：予定保険申込時と同様に記入する。
⑩ 商品名等：数量が確定しているので、about を削除して予定保険申込時と同様に記入する。
⑪ 送り状金額：送り状に記載された金額を記入。信用状は分割船積みを禁止しているので1回の船積みとなり、送り状金額全額となる。
⑫ 確定通知日および署名

輸入11　着船通知書（Arrival Notice）

ARRIVAL　NOTICE

①Date: April 5, 20xx

②Pleased be advised that the vessel named below is due to arrive at Tokyo on/about April 7, 20xx and the Cargo Manifest in our possession lists the following Cargo consigned to

---
③ Notify Party:
Japan Trading Co., Ltd, Tokyo

---

④ M/S. "Neptune"　　⑤ Voy. No. IF-998　　⑥ from Busan, Korea

B/L No.　　Marks & Nos.　　Quantity　　Description of Cargo　　Weight　　Measurement

⑦ FB-58141　　　　⑨ 39 cartons
　　　　　　　　　　　780 pcs　　　　　　　　　　　　　⑪ 652 KGS
　　　⑧ KFC　　　　　　　　　　　　　　　　　　　　　　　　　　⑫ 6.430M3
　　　　Tokyo　　　　　　　　　⑩ Leather Jacket
　　　C/T No. 1-39
　　　Made in Korea

⑬ "Freight Collect"

---

⑭ Delivery order can be obtained by　　⑮ **Cosmo Japan Co., Ltd.**
　 presenting to this office original　　　　Agents for Nam Sung Line, Ltd.
　 Bills of Lading duly endorsed by you.　　1-1-2 Kaigan Minato-ku Tokyo

|輸入11　着船通知書　解説|

　貨物が輸入港に到着する際には、本船入港に先立って輸入港の船会社から船荷証券に記載されている通知先（Notify Party）あてに着船通知書（Arrival Notice）が送付される。このとき Freight Collect であれば運賃請求書（Freight Bill）もあわせて送付される。それによって輸入者は荷受けや通関の準備をする。

《着船通知書の記載事項》

① 　着船通知日
② 　着荷港、着船予定日
③ 　着荷通知先
④ 　積載船名
⑤ 　航海番号
⑥ 　船積港
⑦ 　船荷証券番号
⑧ 　荷印、荷番号
⑨ 　数量
⑩ 　商品名
⑪ 　重量
⑫ 　容積
⑬ 　運賃支払方法：運賃着払いの場合、運賃などの諸費用を支払う。
⑭ 　荷受人の裏書のある船荷証券を呈示してD／O（Delivery Order　荷渡指図書）が入手できる旨が記載されている。
⑮ 　船会社（または代理人）名：本例では、船会社 Nam Sung Line, Ltd. の日本の代理店である Cosmo Japan Co., Ltd. が、輸入者である Japan Trading Co., Ltd. に通知している。

輸入12　保証状（Letter of Guarantee=L／G）

Letter of Guarantee
Delivery without Bill of Lading

L/G No. TCL-04-77

① Cosmo Japan Co., Ltd.　　　　　　② Date: *April 8, 20XX*

③　*M.S. "Neptune"*　　　　　　　④ Voy. No. *IF-998*

⑤　at　*Tokyo*　　　　on　*April 7, 20XX*

⑥B/L No	*FB-58141*	⑦Shipper	*Korean Fashion Co., Ltd.*
⑧Marks & Container Nos.	KFC / *Tokyo* / *C/T No. 1-39* / *Made in Korea*	⑨Port of Shipment	*Busan*
		⑩Port of Delivery	*Tokyo*
⑪Description of Goods	*Leather Jacket*	⑫Contact	*Minato-Unyu Soko Co., Ltd.*
⑬Number of Packages	*39 cartons* *(780 pcs)*	⑭Person Tel	*03-1234-5678* *Hisako Naka*
⑮Remarks	*Nil*		

⑯ In consideration of your granting us delivery of the above-mentioned goods and consigned to the undersigned, without presentation of Bill of Lading which has not yet been received by us, we hereby agree and undertake to surrender the said Bill of Lading duly endorsed by us immediately on obtaining, or at latest within one month after this date, and further guarantee to indemnify you against all consequences that may arise from your so granting us delivery, and to pay you on demand any freight and/or charges that may be due on the cargo.

We hereby certify that the Bill of Lading covering the above consignment is not hypothecated to any other bank or person. In the event of the said Bill of Lading being hypothecated to any other bank or person, we further guarantee to hold you harmless from all consequences whatever arising thereafter.

　　　　　　　　　　　　　　　　　　　　　　　Very truly yours,
　　　　　　　　　　　　　　　　　　　　⑰ *JAPAN TRADING CO., LTD.*
　　　　　　　　　　　　　　　　　　　　　　Consignee　*(Signed)*

We, the undersigned, hereby join in the above indemnity and jointly and severally guarantee due performance of the above contract and accept all the liabilities expressed therein.　　　　　　　　　　⑱ *The Tokyo-City Bank, Ltd.*
　　　　　　　　　　　　　　　　　　　　　　Banker　*(Signed)*

輸入12　保証状　解説

保証状は、輸入者が船荷証券なしで貨物を引き取る際に利用される。まず輸入者は船会社から保証状（L／G）の用紙を取得して作成、署名し、さらにその保証状に銀行の連帯保証（署名）を受ける。これを船会社に差し入れ、引換えに荷渡指図書（Delivery Order=D／O）を受け取る。コンテナ船の場合には、この荷渡指図書と輸入許可書（Import Permit＝I／P）により貨物の引取りを行う。FCL貨物の場合にはCYオペレーターに提示し、LCL貨物の場合にはCFSオペレーターに提示する。

《保証状の記載事項》

① 船会社またはその代理店：この場合は代理店であるCosmo Japan Co., Ltd.に提出
② 保証状作成年月日
③ 積載船名
④ 航海番号
⑤ 到着港と到着日
⑥ 船荷証券番号
⑦ 輸出者
⑧ 荷印
⑨ 船積港
⑩ 荷渡港
⑪ 商品名
⑫ 海貨業者名
⑬ 貨物の個数
⑭ 担当者の連絡先、担当者名
⑮ リマーク（参照事項）
⑯ 輸入者が船会社に差し入れる保証状の主な内容：「貨物が到着しているが、船荷証券が未着のため、提出できない。したがって、船荷証券なしに貨物の引渡しを受けたい」という旨が記載されている。続いて、船会社によって若干の違いはあるが、一般的には下記の保証をする旨が記載してある。
　ⅰ）保証状で貨物を引き取るについて、正当な権利者であること。
　ⅱ）船荷証券を入手した場合は、遅滞なく船荷証券を船会社に提出すること。
　ⅲ）いっさいの損害に対して、船会社に荷受人・銀行が単独または連帯して責任を負うこと。

ⅳ）揚地払い運賃、その他の費用、積出地の未納運賃、その他の費用を支払うこと。
⑰　輸入者の署名
⑱　銀行の連帯保証の署名

輸入13　輸入担保荷物引取保証に対する差入証

輸入担保荷物引取保証に対する差入証
（兼　貸渡依頼書）

①令和xx年4月8日

②株式会社　東京シティー銀行　殿　　　　　　③　L／G　No. TCL-04-77

④本人　住所　東京都千代田区大手町1丁目2番3号
　　　　氏名　日本貿易株式会社　代表取締役　鈴木　一郎

本人と連帯して本契約上の債務の責に任じ貴行に対しいささかもご迷惑ご損失をお掛けいたしません。

連帯保証人　住所　東京都港区南麻布1丁目15番14号
　　　　　　氏名　鈴木　一郎

⑤

信用状	金額	US$34,000.00
	発行年月日	January 30, 20XX
	番号	T C-02/5678

⑥

保　証　先	Cosmo Japan Co., Ltd.
船荷証券番号日付等	FB-58141　　April 5, 20XX　　　船名 "Neptune"　　航海番号 IF-998
荷印荷番号	KFC　　Tokyo　　C／T No.1-39　　Made in Korea
品　　名	LEATHER JACKET
個　　数	780PCS
単　　価	Model：M-12　500PCS　@US$40.00：　Model：M-H15　280PCS　@US$50.00
価　　格	US$34,000.00　　FOB Busan
積　出　地	Busan
陸　揚　港	Tokyo

⑦
上記荷物は、関係信用状にもとづいて発送され、既に当地に到着しておりますが、これに関わる輸入為替手形および付属書類が未着の状況にあります。この荷物は外国為替取引約定書（または、商業信用状約定書もしくは信用状取引約定書）にもとづき、私が貴行に対して現に負担しまたは将来負担すべきいっさいの債務の担保として貴行の所有に属するものですが、債務の履行前にもかかわらず、私が貴行に代わり保管し処分するため、私名義の上記保証先宛荷物引取保証状に貴行の保証をお願いして、本日荷物の引取りに必要な書類の交付を受けました。

ついては、以下の条項を確約いたします。

1. 貴行の本保証債務は本書日付から向こう　21　日以内に必ず消滅するよう取り計らい、万一同期間内に保証の解除ができない場合には、貴行ご要求の保証金を請求あり次第差し入れます。
2. 上記保証によって、万一貴行が船会社その他に対して損害賠償その他債務を負担された場合には、荷物の価格いかんにかかわらず、私が直ちにこれを支払います。もし貴行が上記債務を履行されたときは、私が直ちに補償するものとし、この場合補償額は貴行の実際お支払した額、付帯費用のほか、これに対する貴行ご所定の率による利息を含むものといたします。
3. 同荷物に関して後日いかなる事故が生じても、私においてその責に任じます。
4. 輸入荷為替到着のときは、当該輸入為替債務を私が負担することについて一切異議のないことはもちろん、直ちに同付属書類・付帯荷物の貸渡依頼に準ずる手続きをとると共に、遅滞なく貴行の本保証債務解除に必要な措置をとることといたします。

輸入13　輸入担保荷物引取保証に対する差入証　解説

　銀行によって名称がさまざまであり、「輸入荷為替付帯荷物引取保証依頼書」と呼ばれることも多い。信用状なしの場合には、銀行は本邦ローンを供与するもの以外は、L／Gに応じないのが通例である。貨物は船荷証券と引換えでなければ引き渡されないので、輸入者（または代理人である海貨業者）は、船会社やその代理店に、銀行が連帯保証（署名）した**保証状（Letter of Guarantee＝L／G）**を差し入れ、船会社からその保証状と引換えに荷渡指図書を受領する。この荷渡指図書と引換えに貨物を引き取った後に、輸入貨物の真の所有者が現れ、船会社がその者に賠償金の支払いをしたときには、船会社は保証状にもとづき貨物を引き取った輸入者、並びに保証した銀行に対して求償することになる。

　したがって、銀行にとっては保証状に連帯保証をすることは、輸入者に対する与信行為となり、「**輸入担保荷物引取保証に対する差入証**」と債権証書である外貨建ての「**約束手形（Promissory Note）**」を、依頼者から徴求する。また、銀行は保証状の発行日からその保証状回収までの日数に応じて、依頼者から保証料を徴求する。

《輸入担保荷物引取保証に対する差入証の記載事項》
① 　差入証の差入年月日
② 　差入証の差入先となる銀行名：印刷されている。
③ 　保証状の番号：記入の必要はない。銀行が記入する。
④ 　輸入者と連帯保証人
⑤ 　当該信用状の金額、発行年月日、信用状番号を発行済みの信用状の写しから記入する。
⑥ 　保証先：船会社またはその代理店を記入する。その他、船荷証券番号・日付、荷印・荷番号、品名、個数、単価、価格、積出地、陸揚港を船積通知や入手済みのインボイスおよび船荷証券の写しから記入する。
⑦ 　確約条項：主要な点は以下のようである。
　ⅰ）一定の期間内に保証債務が消滅するよう努力し、もし期間内に保証の解除ができない場合には、保証金を差し入れること
　ⅱ）銀行が船会社またはその代理店に損害賠償金を支払った場合には、輸入者は銀行に直ちに補償額のほか付帯費用も支払うこと

輸入14　外貨建約束手形（L／G差入証用）

① PROMISSORY NOTE

　　　　　　　　　　　　　　　　　　Revenue Stamp

② No. 1234　　　　③ Drawn at Tokyo, Japan　on　April 8, 20xx

④ For US$34,000.00

⑤ We, the undersigned, promise to pay against this promissory note
⑥ To Tokyo-City Bank, Ltd.
At　Head Office
The　Sum of U. S. Dollars Thirty- Four Thousand　only　on

⑦ Japan Trading Co., Ltd.
　　　(Signed)
2-3 Otemachi 1-chome, Chiyoda-ku,
Tokyo, Japan

輸入14　外貨建約束手形　解説

輸入者が船会社から保証状（L／G）を利用して貨物の引取りを行った後に、輸入貨物の真の所有者が現れて船荷証券（B／L）を船会社に呈示し、船会社がその者に賠償金の支払いをしたときには、船会社は保証状にもとづき、貨物を引き取った輸入者並びに連帯保証した銀行に対して求償する。

したがって銀行は、求償権を確保するため「輸入担保荷物引取保証に対する差入証」と債権証書である「外貨建約束手形（Promissory Note）」を輸入者から徴求する。

船会社からの請求に対して、銀行が保証債務を履行した場合には、「輸入担保荷物引取保証に対する差入証」にもとづいて輸入者に求償権を行使し、外貨建約束手形を債権証書として債権回収手段をとることになる。

《外貨建約束手形の記載事項》

① 　約束手形の表示
② 　手形番号
③ 　振出地、手形の振出日
④ 　L／G金額
⑤ 　支払確約文言
⑥ 　支払銀行、支払場所、手形金額の英文複記

　　なお、L／G金額の英文での表記は改ざんや変造を防ぐためである。この手形を輸入ユーザンス手形として使用する場合には、onの後に満期日が記入されるが、輸入担保荷物引取保証用約束手形では満期日の記入は必要ない。

⑦ 　手形振出人（輸入者）

輸入15　外貨建約束手形（輸入ユーザンス手形）

●外貨建約束手形（輸入ユーザンス用の約束手形）

①PROMISSORY NOTE

②No. 04-78
③Amount　US$34,000.00
④Due on　July 14, 20XX
⑤Payable at The Tokyo-City Bank, Ltd.
　　　　　　　　　　　　Head Office
　Place of Payment　Head Office

⑥We promise to pay to yourselves or order against this promissory note the sum of U.S. Dollars Thirty-Four Thousand only
⑦Drawn on April 15, 20XX
⑧Drawn at Tokyo

To: The Tokyo-City Bank, Ltd.

Revenue Stamp

⑨ Japan Trading Co., Ltd.
　　(Signed)
2-3 Otemachi 1-chome, Chiyoda-ku, Tokyo, Japan

●輸入担保荷物保管に関する約定書

輸入担保荷物保管に関する約定書

令和xx年 4 月 15 日

株式会社　東京シティー銀行　殿

本人　住所　東京都千代田区大手町1丁目2番3号
　　　氏名　日本貿易株式会社　代表取締役鈴木　一郎
連帯保証人　住所　東京都港区南麻布1丁目15番14号
　　　氏名　鈴木　一郎

　私は貴行を通じて行うすべての輸入荷為替取引における付属書類および(または)付帯荷物(以下単に付属書類・付帯荷物と総称する)に関し、以下の条項を確約します。

第1条　輸入荷為替にかかわる諸債務と付帯荷物

（1）私が貴行に発行を依頼した荷為替信用状（貴行が貴行為替取引先に発行を依頼した荷為替信用状を含む）に基づき貴行に仕向けられた輸入荷為替の付属書類・付帯荷物は、信用状発行依頼契約に基づき私が貴行に対して負担する当該信用状に関連する諸債務の担保として、貴行の所有に属することを確認します。

――――以下省略――――

●輸入担保荷物保管証（Trust Receipt=T／R）

輸入担保荷物保管証

株式会社　東京シティー銀行　御中

信用状番号　TC-02/5678

債　務　者	Japan Trading Co., Ltd.							
輸入手形金額	US＄34,000.00							
買取銀行	Korea Exchange Bank, Seoul							
船　積　人	Korean Fashion Co., Ltd.				買取日		April 7, 20xx	
品名および個数	LEATHER JACKET　　780　PCS				建　値		FOB	
船　　名	Neptune				船積港		Busan	
船荷証券番号	FB-58141				陸揚港		Tokyo	
発　行　者	Nam Sung Line							
船積書類	Invoice	B/L	Air B/L	Ins Pol	Pkg List	W&M List	Ins Cert	Origin Cert
	5	3			5			

　上記荷物は、私がさきに差入れた信用状約定書その他の諸約定書に基づき貴行の所有に属するものに相違ありませんが、今般、貴行は私がさきに差入れた輸入担保荷物に関する約定書に基づく当該荷物を私に貸渡し、私はこれを確かに受け取りました。ついては上記約定書その他の諸約定書に基づき、当該荷物を保管処分することを確約します。

　　　　　　　　　　　　　　　　　　　　本件に関し、本人が貴行に対して負担す
　　　　　　　　　　　　　　　　　　　　るいっさいの債務につき本人と連帯して保
　　日付　　　令和xx年 4 月 15 日　　　　証の責に任じます。
本人　住所　東京都千代田区大手町 1-2-3　　　保証人住所　東京都港区南麻布 1-5-14
　　氏名　日本貿易株式会社　代表取締役　鈴木　一郎　　　氏名　鈴木　一郎

輸入15　外貨建約束手形　解説

　L／Cベースの場合に、信用状発行銀行は、輸出者が振り出し輸出地で買い取られた一覧払手形に対して、輸入者が輸入決済をする以前に輸出地の買取銀行に、輸入者に代わって荷為替手形の立替払いを行う。これを「対外決済」という。一方、輸入地の銀行（信用状発行銀行、またはL／Cなしの場合には取立銀行）は、支払猶予した支払期日（満期日）のある「**外貨建約束手形（輸入ユーザンス手形）**」と、貨物を銀行から借り受けるための契約書である「**輸入担保荷物保管証（Trust Receipt=T／R）**」を「**輸入担保荷物保管に関する約定書**」とともに輸入者に差し入れさせ、輸入決済を輸入ユーザンス手形の支払期日まで猶予して、荷物の貸渡し（船荷証券の引渡し）を行う。これを「本邦ローン」という。

《外貨建約束手形（輸入ユーザンス手形）の記載事項》
① 　約束手形の表示
② 　手形番号
③ 　輸入ユーザンスの金額
④ 　ユーザンス期日（満期日）
⑤ 　支払銀行、支払場所
⑥ 　支払確約文言
⑦ 　手形の振出日
⑧ 　振出地
⑨ 　手形振出人（輸入者＝支払人）

　なお、外貨建約束手形の場合は、手形金額にかかわらず一律200円の印紙を貼付する。（ただし、10万円相当額未満は貼付不要）

輸入16　シッパーズ・ユーザンス手形（信用状なし荷為替手形）

Bill of Exchange

① *Documents against Acceptance*

② No. *521*　　　　　　　　③ Place and Date　*Seoul, April 10, 20XX*

④ For *US$34,000.00*

⑤ At *90 days after* sight of this F I R S T Bill of Exchange (SECOND being unpaid) Pay to ⑥ *Korea Exchange Bank, Ltd.* or order the sum of ⑦ *U.S.Dollars Thirty Four Thousand only*

Value received

⑧ To *JAPAN TRADING CO., LTD.*　　　　⑨ *Korean Fashion Co., Ltd.*

　　2-3 Otemachi 1-chome, Chiyoda-ku, Tokyo,　　*(Signed)*

　　　Japan　　　　　　　　　　　　　　　　　Manager

手形裏面の引受け記載例

⑩　Accepted on *May 30, 20xx*

⑪　　Due on *August 29, 20xx*

⑫　　　*Japan Trading Co., Ltd.*

　　　　　(signature)

輸入16　シッパーズ・ユーザンス手形　解説

シッパーズ・ユーザンスによる決済では、まず輸出者が、信用状にもとづかない一覧後定期払（たとえば at 90 days after sight）とか確定日後定期払（たとえば at 60 days after B/L date）などの期限付荷為替手形（D／A手形）を振り出し、輸出地の銀行に代金取立依頼をする。輸入者は輸出者の振り出した手形を一覧した時には決済せず、その手形に引受けをすることで、船積書類の引渡しを受けることができ、手形の支払期日に輸入代金の支払いをする。

すなわち、輸入代金の決済について、輸入地の銀行の与信（借入＝本邦ローン）を利用せず、直接、輸出者が、輸入者に支払いの猶予（ユーザンス）を与える方式であり、輸出者の輸入者に対する代金支払いの猶予である。

このシッパーズ・ユーザンスは、輸出者に資金力があり、かつ輸出者が輸入者を信用している場合に利用される。また、輸出者にとっても銀行に対する金利負担や手数料が節約できる。

《シッパーズ・ユーザンス手形の記載事項》

① D／P、D／A表示：信用状なし荷為替手形面には必ず Documents against Payment または Documents against Acceptance が記載される。期限付荷為替手形でD／P、D／A表示のないものは、D／Pの期限付荷為替手形とみなされる。
② 手形番号
③ 手形の振出地および振出日
④ 手形金額
⑤ 支払期日
⑥ 受取人（通常は取立銀行または買取銀行）
⑦ 手形金額の英文複記：改ざんや変造を防止するため、アラビア数字の手形金額のほかに英文を記載する。
⑧ 名宛人（支払人）と支払地：輸入者（信用状のないD／P、D／A手形の場合には、名宛人は常に輸入者となる。）
⑨ 振出人（輸出者）

《手形裏面の引受け記載事項》

⑩ 輸入者の引受けの年月日
⑪ 満期日：輸出者から取り立てられた手形は at 90 days after sight であり、一覧後（May 30, 20xx）90日の8月29日となる。
⑫ 手形の支払人名と署名

輸入17　荷渡指図書（Delivery Order=D／O）

Cosmo Japan Co., Ltd.
Agents for Nam Sung Line, Ltd.

DELIVERY　ORDER

①D/O. No. CJ-7887
②Date : April 8, 20xx

③TO :　Tokyo Warehouse, Ltd.

④Please deliver the under-mentioned cargo to Japan Trading Co., Ltd.(Minato-Unyu Soko Co., Ltd.).
　⑤M/S "Neptune"　　⑥Voy. No. IF-998　　⑦　from Busan, Korea

B/L No.	Marks & Nos.	Quantity	Description of Cargo	Weight	Measurement
⑧FB-58141	⑨ KFC Tokyo C/T No. 1-39 Made in Korea	⑩39 cartons 780 pcs	⑪Leather Jacket	⑫652 KGS	⑬6.430M3

⑭　**Cosmo Japan Co., Ltd.**
　　Agents for Nam Sung Line, Ltd.
　　　　　　　(Signed)

⑮「CY から引取られたコンテナが、5日以内に返却されない場合は、DETENTION　CHARGE 1 日目-5 日目 ¥1,200/20'/DAY、　¥2,400/40'/DAY、6日目以降¥2,400/20'/DAY、　¥4,800/40'/DAY が発生しますので、デバン後は、速やかに返却して頂ける様、御協力の程お願い申し上げます。」

輸入17　荷渡指図書　解説

　本例では、保証状（L／G）や船荷証券（B／L）が船会社代理人のCosmo Japan Co., Ltd. に提出されると、貨物はLCL貨物であるので貨物の引渡しはCFSで行われ、CFSオペレーターであるTokyo Warehouse, Ltd. あてに荷渡指図書が発行される。また、本例での荷受人は輸入者Japan Trading Co., Ltd.（海貨業者Minato-Unyu Soko Co., Ltd.）となっている。

《荷渡指図書の記載事項》

① 荷渡指図書の番号
② 荷渡指図書の作成年月日
③ CFSオペレーターであるTokyo Warehouse, Ltd.
④ 荷渡指図文言：荷受人である輸入者Japan Trading Co., Ltd. とその海貨業者Minato-Unyu Soko Co., Ltd. に貨物を引き渡すように指図したもの。
⑤ 積載船名
⑥ 航海番号
⑦ 船積港
⑧ 船荷証券番号
⑨ 荷印、荷番号
⑩ 梱包の数
⑪ 商品名
⑫ 重量
⑬ 容積
⑭ 船会社（または代理人）名
⑮ 返還遅延料の記載：CYから引き取られた実入りFCLコンテナの場合は、荷受人の指定する倉庫や販売先（需要者）の倉庫・工場などに移送され、そこで貨物がデバン（バン出し）され、コンテナはCYに返却されるが、一定の許容期間を超えた場合は、日数に応じて遅延料が課される。本例では、LCL貨物なのでこの規定は関係がない。

輸入18　リリース・オーダー（貨物引渡指図書）

RELEASE ORDER

①Date: *April 10, 20XX*

To: ②*JAPAN AIR LINES COMPANY, LTD.*

RELEASE OF SHIPMENT UNDER AIR WAYBILL NO. ③ *J A N － 1 2 3 4 5 6 7*

Gentlemen:

You are kindly requested to Deliver the above‑mentioned shipment consigned to us to Messrs. ④ *Japan Trading Co., Ltd.*
or their designated customhouse broker who are authorized to sign delivery receipt of the air waybill on our behalf.

Yours very truly,

_____(Signed)_____
Signature

⑤ *The Tokyo-City Bank, Ltd.*
Name of Bank

PROMISSORY NOTE

⑥No.　*1234*

⑦Amount　*US$34,000.00*

⑧Due on　_____

⑨Payable at *The Tokyo-City Bank, Ltd.*
　　　　　　Head Office

Place of Payment　*Tokyo*

⑬To *The Tokyo-City Bank, Ltd.*

We promise to pay to yourselves or order against this promissory note the sum of

⑩U.S. Dollars Thirty-Four Thousand only

⑪ Drawn on　*April 10, 20XX*

⑫ Drawn at　*Tokyo, Japan*

⑭*Japan Trading Co., Ltd.*
　(Signed)
2-3 Otemachi, 1-chome, Chiyoda-ku, Tokyo

輸入18　リリース・オーダー　解説

　航空貨物の荷受けは、海上貨物の場合に船会社に船荷証券（B／L）を提出したように、航空会社（またはその代理人）にリリース・オーダー（Release Order ＝ R／O）を提出し、荷渡指図書（Delivery Order ＝ D／O）を受け取る。

　航空貨物運送状（Air Waybill ＝ AWB）は船荷証券と異なり、有価証券ではないため、信用状発行銀行は担保権確保のため荷受人（Consignee）を自行として開設する。航空貨物が到着すると、航空会社は荷受人である銀行と"Also Notify Party"である輸入業者に、貨物の到着通知書を送付する。銀行への到着通知書には航空貨物運送状のコピーとリリース・オーダーの用紙が添付されている。

　輸入者への船積書類は銀行経由で送付されるため、航空貨物の場合には輸出者の荷為替手形よりも貨物が先に到着し、輸入者は貨物代金を決済したくても手形の決済や引受けができない。しかし、輸入者は貨物を早く引き取りたいので、銀行から貨物を借り受ける形でリリース・オーダーを発行してもらい、通関業者に渡して通関や荷受けの作業を依頼し、貨物を引き取る。

　輸入者は信用状発行銀行から貨物を借り受けるために、「輸入担保荷物保管証（航空貨物用：丙号T／R）」（Air Trust Receipt ＝ AIR T/R）と外貨建約束手形（Promissory Note）を銀行に差し入れる。

《リリース・オーダーの記載事項》
① 　リリース・オーダーの発行日
② 　航空会社名
③ 　AWB番号
④ 　輸入者
⑤ 　信用状発行銀行

《外貨建約束手形の記載事項》
⑥ 　手形番号
⑦ 　手形金額
⑧ 　満期日：記載する必要はない。
⑨ 　支払場所
⑩ 　手形金額の英文複記
⑪ 　振出日
⑫ 　振出地
⑬ 　支払先
⑭ 　輸入者

輸入19　デバンニング・レポート（Devanning Report）

① NIPPON CHECKERS CORPORATION
TOKYO

DEVANNING REPORT

Date: *April 9, 20xx*

②Applicant *Tokyo Warehouse, Ltd.*
③Consignee/Forwarder *Minato Unyu Soko Co., Ltd.*
④Name of Vessel *" Neptune "*
⑤VOY. No. *IF-998*
⑥Arrived at *Tokyo on April 8, 20xx*
⑦Place of devanning *S-5 D.H.A. (Designated Hozei Area)*
　Date of devanning *April 9, 20xx*

Container No.	Seal No.	Port of Shipment	B/L No	Marks	Commodity	P'kgs	Result P'kgs	Remarks
⑧ *AKNA012398* ⑨ *CNC7878*		⑩ *Busan Korea*	⑪ *FB-58141*	⑫ [KFC] *Tokyo* *C/T No.1/39* *Made in Korea*	*LEATHER JACKET* (1) Model : M-12 500PCS (Weight:800g/pc) (2) Model : M-H15 280PCS (Weight:900g/pc)	25 Cartons 14 Cartons 39 Cartons	⑬ 25 Cartons 14 Cartons 39 Cartons	⑭ *Nil* *1 Carton Heavy Wet (20 pcs)*

Total: *39 Cartons (in 20f　1 container(s))　652kgs　6.430M3*

NIPPON CHECKERS CORPORATION
_____
　　　　(Signed)

| 輸入19　デバンニング・レポート　解説 |

　LCL 貨物の場合、荷受人がコンテナ貨物の受取り時に、船会社と荷受人が貨物の状態を点検確認し、その状態を記録したものをデバンニング・レポートという。デバンニング・レポートに故障摘要の記載がなければ、後日故障が発見されても本船側に責任はなく、荷受人は責任を追及できない。在来船のカーゴ・ボート・ノートにあたり、船会社の責任の終了を示すものである。

　本例では、LCL 貨物の CFS オペレーターである Tokyo Warehouse, Ltd. の依頼により検数業者 Nippon Checkers Corporation が保税倉庫 S-5 D.H.A. でデバンニングしたことがわかる。検数人（Tallyman、Checker）は、コンテナ番号、シール番号、貨物の明細、荷印、個数、貨物の故障の種類、程度を調べ、デバンニング・レポートに記載する。

《デバンニング・レポートの記載事項》

① 　検数業者の名前
② 　検数依頼人：Tokyo Warehouse, Ltd.
③ 　荷受人、その代理人（海貨業者）
④ 　積載船名
⑤ 　航海番号
⑥ 　本船の到着港と到着日
⑦ 　デバンニング場所と日付
⑧ 　コンテナ番号
⑨ 　シール番号
⑩ 　船積港
⑪ 　船荷証券番号
⑫ 　商品名
⑬ 　検数の結果：商品番号(1)(2)とも個数に異常はない。
⑭ 　摘要（リマーク）：検数の結果、商品番号(1) Model：M-12、25 Cartons は異常がないので、検数の結果は"Nil"となっている。
　(2) Model：M-H15は14 Cartons のうち、検数の結果1 Carton（20 pcs）がHeavy Wet "ひどい海水濡れ"であることがわかる。

輸入20 カーゴ・ボート・ノート (Cargo Boat Note)

J.C.T.C.
THE JAPAN CARGO TALLY CORPORATION

Cargo Boat Note

Date *April 9, 20xx*

① Received from M/S "*Neptune*" ② VOY. NO. *IF-998*
③ Vessel Arrived at *Tokyo* on *April 8, 20xx*
④ Landing Place *Tokyo*   Berth _____
Lighter No. _____   Hatch No. _____

B/L No.	Marks and No.	Style	Description of Goods	No. of P'kgs	Remarks
⑤ *FB-58141*	⑥ KFC *Tokyo* C/T No.1/39 *Made in Korea*		⑦ *LEATHER JACKET* (1) Model : *M-12* 500PCS (Weight:800g/pc)	⑧ 25 *Cartons*	⑨ *Nil*
			(2) Model : *M-H15* 280PCS (Weight:900g/pc)	14 *Cartons*	*1 Carton* *Heavy Wet* *(20 pcs)*
				39 *Cartons*	

Signature (Chief Officer)   ⑪(Receiver) ___(Signed)___
⑩ ___(Signed)___   (Checker No.   )

  (Chief Checker)   Sheet No. _____
⑫ ___(Signed)___
  J.C.T. CORP

輸入20　カーゴ・ボート・ノート　解説

　在来船の荷受けに使用されるカーゴ・ボート・ノートは、貨物の受取書として輸入者が本船側に提出する書面であり、本船側と荷受人側の責任の限界を示している。また貨物に関する明細が記載され、船卸しされた貨物の状態を示した書類でもある。船卸ししたときは荷受人の検数人（Tallyman、Checker）によりカーゴ・ボート・ノートがつくられ、個数不足や、貨物に損傷がある場合、摘要（リマーク）が記入され、Chief Officer、Chief Checker、Receiver の三者が署名する。

　貨物に故障摘要があれば、カーゴ・ボート・ノートに記入して責任の所在を明確にしておく。もしカーゴ・ボート・ノートに故障摘要がなければ後日故障が発見されても本船側に責任はなく、荷受人は責任を追及できない。

《カーゴ・ボート・ノートの記載事項》

① 荷卸し船名（積載船名）
② 航海番号
③ 到着港と本船の到着日
④ 荷卸港、船舶の停泊場所、艀（はしけ）番号、ハッチ番号：Lighter とは、機関を備えており自航できる艀をいう。また、Hatch とは船倉のことで、荷積場所となる船腹をいう。
⑤ 船荷証券番号
⑥ 荷印、荷番号
⑦ 商品名
⑧ 検数後の貨物の個数
⑨ 摘要（リマーク）：検数の結果、商品番号⑴ Model：M-12　25 Cartons で、異常がないことは、検数結果の"Nil"でわかる。一方、⑵ Model：M-H15は、検数の結果14 Cartons はあるが、1 Carton（20 pcs）が Heavy Wet "ひどい海水濡れ"であることがわかる。
⑩ 本船側の検数人のサイン
⑪ 荷受人側のサイン
⑫ 検数人のサイン

輸入21　輸入申告書（Import Declaration）

輸入（納税）申告書
(内国消費税等課税標準数量等申告書兼用)

税関様式C第5020号

	IC	X	IS		IM		IA		BP	
	RE-IMP		ISW		IMW		IAC		IBP	

① 申告年月日　令和XX年4月8日

あて先　**東京税関**　長殿

2-3 Otemachi 1-chome, Chiyoda-ku, Tokyo, JAPAN

輸入者　JAPAN TRADING CO., LTD.
住所氏名印
電話番号

東京都港区港南1-5-6
代理人　港運輸倉庫株式会社
住所氏名印　代表取締役　保坂 一郎
電話番号

船（取）卸港　Tokyo
積載船（機）名　Neptune
入港年月日　令和XX年4月8日
原産地　Korea
積出地　Busan　Korea
船荷証券番号　FB-58141
蔵置場所

②
仕出人　123-45 Gocheuk Dong-gu Seoul Korea
住所氏名　Korean Fashion Co., Ltd.

品名番号 統計細分	単位	正味数量	申告価格（CIF） 内国消費税等課税標準額	種別等・税率	関税額 内国消費税等税額	減免税条項 適用区分
④ 6204.31　100	NO	780	3,776,000	16%	604,160	
税表細分　-1				基 協 特 暫　X	減免税額	
③ Leather Jacket with Furskin			4,342,400	6.3%	⑧ 275,900	
			273,546	17/63	⑨ 74,400	

⑩ 39 Cartons　KFC　Tokyo　C/T No. 1-39　Made in Korea

評価申告 I / II　個別 / 包括
包括申告受理番号

関税　604,160 円
税額合計　275,900
　　　　　74,400

⑪ 仕入書　X　※税関確認
輸入貿易管理令別表第1・2号
関税法第70条関係許可・承認等
法令名

通関士記名押印
通関士　山田 一郎

輸入21　輸入申告書　解説

　外国貨物を輸入しようとする者は、原則として貨物を保税地域や税関長の許可を得た他所蔵置場に搬入した後に、輸入申告を行う。ただし本船扱い、艀中扱い、搬入前申告扱い、到着即時輸入許可扱いの場合には、保税地域に搬入せずに輸入申告ができる。また、特例輸入申告についても、平成19（2007）年10月から同様の輸入申告ができるようになった。

　輸入者は、課税価格20万円以下の郵便物を輸入する場合等を除いて、税関長に対して輸入申告をし、輸入の許可を受けなければならない。通常は輸入される貨物の仕入書に記載された輸入者が輸入関税の納税義務者となる。現在では、NACCS（輸出入・港湾関連情報処理システム）による輸入申告が多く行われている。これは、課税価格、関税分類、適用税率、関税額などの輸入申告事項を端末機で入力して、NACCSに登録して行うものであるが、ここでは従来の輸入（納税）申告書について解説する。

《輸入（納税）申告書の記載事項》

① 申告年月日：申告書を税関に提出する日、書類不備で返還されたときは、補正後改めて提出する日
② 仕出人の住所および氏名：仕入書に記載された輸出者の住所および氏名を記載
③ 品名：仕入書に記載されている品名をもとに実行関税率表の分類上の品名を考慮して記入
④ 番号・統計細分・税表細分：実行関税率表により分類された6桁の数字を「番号欄」に、さらに細分した3桁の統計細分番号を「統計細分欄」に、品名に番号がある場合には「税表細分欄」にハイフン（―）でつないでその番号を記載
⑤ 申告価格：輸入する貨物のCIF価格を邦貨で記載
⑥ 税率：実行関税率表で分類した貨物の番号に対応する税率を記入
⑦ 関税額：従価税の場合は、申告価格に税率（％）を、従量税の場合には、正味数量に税率（¥／数量単位）を乗じる。
⑧ 内国消費税額
⑨ 地方消費税額
⑩ 個数、記号、番号など：仕入書の"Marks & Nos."に記載されている事項を転記する。
⑪ 添付書類：仕入書その他の添付書類がある場合には、□欄に×印を記入する。

輸入22　NACCSによる輸入申告書

輸入申告事項登録（輸入申告）

[共通部]　[繰返部]

申告番号　9999-0101-(D)

大額／小額　①L　申告種別　②C　申告先種別　□　貨物識別　□　識別符号　□
あて先官署　□　あて先部門　□　申告予定年月日　③ 20XX0408
輸入者　④ 99999　④ JAPAN TRADING CO.,LTD.
住所　④ TOKYO TO CHIYODA KU OTEMACH 1CHOME, 2-3
電話　④ 311110001
申告等予定者　□
蔵置場所　□　一括申告　□　申告等予定者　□

B/L番号　1 ⑤ FB58141　2 □
3 □　4 □
5 □

貨物個数　⑥ 39　⑥ CT　貨物重量（グロス）　⑦ 652　⑦ KG
貨物の記号等　⑧ KFC (IN RECTANGLE), TOKYO, C/T NO. 1-39, MADE IN KOREA

積載船（機）　□ - ⑨ NEPTUNE　入港年月日　⑩ 20XX0408
船（取）卸港　⑪ JPTYO　積出地　⑫ KRPUS - BUSAN　貿易形態別符号　□　コンテナ本数　□

仕入書識別　⑬A　電子仕入書受付番号　□　仕入書番号　⑭ KF04-123
仕入書価格　⑮A - ⑮FOB - ⑮USD - ⑮ 34000.00

輸入申告事項登録（輸入申告）

[共通部]　[繰返部]

<01欄>　品目番号　⑯ 4203101000　品名　⑰ LEATHER JACKET WITH FURSKIN　原産地　⑱KR - ⑱R
数量1　⑲ 65 - ⑲DOZ　数量2　⑳ 652 - ⑳KG　輸入令別表　□　蔵置種別等　□
BPR係数　□　運賃按分　□　課税価格　□ - ㉑ 3776000
関税減免税コード　□　関税減免税額　□

内消税等種別　減免税コード　内消税減税額　内消税等種別　減免税コード　内消税減税額
1 ㉒ F2　□　□　2 □　□　□
3 □　□　□　4 □　□　□
5 □　□　□　6 □　□　□

輸入申告事項登録（輸入申告）

[共通部]　[繰返部]

<02欄>　品目番号　□　品名　□　原産地　□ - □
数量1　□ - □　数量2　□ - □　輸入令別表　□　蔵置種別等　□
BPR係数　□　運賃按分　□　課税価格　□ - □
関税減免税コード　□　関税減免税額　□

内消税等種別　減免税コード　内消税減税額　内消税等種別　減免税コード　内消税減税額
1 □　□　□　2 □　□　□
3 □　□　□　4 □　□　□
5 □　□　□　6 □　□　□

輸入22　NACCS による輸入申告書

《NACCS による輸入申告書の記載事項》

① 申告価格識別：申告価格が20万円を超えるものを大額、20万円以下のものを少額といいます。大額の貨物が1欄（1品目）でもある場合は「L」を、すべての欄（品目）が少額である場合は「S」を記載します。
② 申告等種別：申告の種類が輸入申告の場合は「C」と入力します。
③ 申告年月日：申告書を税関に提出する日（書類不備で返却された時は補正後改めて提出する日）を「年・月・日」の順に数字で記載します。
④ 輸入者：左欄には輸入者の「輸出入者コード」が入ります。登録がない場合は「99999」と入力します。右欄には輸入者の氏名・名称を入れます。2行目には輸入者の住所・所在地、3行目には輸入者の電話番号を入力します。
⑤ 船荷証券番号：貨物が積載されてきた本船の船荷証券（Bill of Lading: B/L）の番号を入力します。
⑥ 貨物の個数：左欄には貨物の外装個数、右欄には梱包種類コードを入力します。
⑦ 貨物の重量：左欄には貨物の総重量（Gross Weight）が、右欄にはその重量単位のコード（ここでは「KG」キログラム）を入力します。
⑧ 貨物の記号：貨物の外装に付される荷印（Shipping Mark：シッピング・マーク）を言葉で入力します。
⑨ 積載船名：貨物を積載してきた本船名を入力します。
⑩ 入港年月日：本船の入港年月日を「年・月・日」の順に数字で記載します。
⑪ 船卸港：船卸港（陸揚港）の国連 LOCODE（5桁または3桁）を入力します。
⑫ 積出地：左欄には貨物の積出地の国連 LOCODE（5桁または3桁）を、右欄には最終地向け地（港）名を入力します。
⑬ 仕入書識別：仕入書の提出区分（提出の場合は「A」）を入力します。
⑭ 仕入書番号：仕入書の番号を入力します。
⑮ 仕入書価格：左から順に、仕入書区分コード（有償貨物の場合は「A」）、価格条件（インコタームズ）コード、通貨種別コード、仕入書価格の総額を入力します。
⑯ 品目番号：実行関税率表に従って分類して決定した10桁の輸入品目番号を入力します。
⑰ 品名：仕入書の貨物明細を参考にしながら、実行関税率表の分類表示に沿っ

て記載します。
⑱　原産地：左欄には輸入貨物の原産地の国連LOCODE（2桁）を、右欄には原産地証明区分（本例では、貨物又はインボイス等により原産地が確認できる貨物である場合の「R」）を入力します。
⑲　数量（1）：左欄には貨物の数量、右欄には実行関税率表に記載されている（財務大臣が指定する）貨物の単位（「DOZ」はダース）を入力します。
⑳　数量（2）：貨物によっては、第2数量単位に従った数量も記載しなければなりません。記載の仕方は数量（1）と同じです（「KG」はキログラム）。
㉑　課税価格：貨物の課税価格合計を日本円で入力します。
㉒　内国消費税種別：通常は消費税用の「F2」と入力します。

輸入23　船会社への事故通知（Notice of Damage）

① Messrs. *Cosmo Japan Co., Ltd.*

② *Tokyo, April 11, 20XX.*

Notice of Damage

③ Please be advised that damage has been found in connection with the following goods, for which we reserve the right to file a claim with you when the details are ascertained.

④ Condition of Damage　*1 Carton Heavy Wet (20 pcs)*

⑤ Ship's Name: M/S "*Neptune*"　　　⑨ B/L No. *FB-58141*
⑥ Arrived at: *Tokyo*　　　　　　　　⑩ VOY. No. *IT-998*
⑦ on　　　: *April 8, 20xx*　　　　　⑪ INV. No. *IF04-123*
⑧ Shipped from: *Busan, Korea*　　　⑫ I/P No. *04-243*

Marks & Nos.	Description of Goods	No.of P'kgs	Quantity
⑬ KFC　　　⑭	*LEATHER JACKET*		
Tokyo	(1) Model : *M-12*	⑮	
C/T No.1/39		25 Cartons	500pcs
Made in Korea			
	(2) Model : *M-H15*		
Container No. AKNA 012398		14 Cartons	280pcs
Seal No. CNC 7878			
		39 Cartons	780pcs

You are kindly requested to acknowledge this notice and to inform us in writing of your candid opinion on this matter as soon as possible.

Yours truly,
Japan Trading Co., Ltd.
(signed)

輸入23　船会社への事故通知　解説

《事故通知（Notice of Damage）の記載事項》

① 事故通知をする船会社またはその代理店
② 事故通知日
③ 損害賠償請求権留保文言：この通知は、事故の通知と保険会社の損害賠償請求権（代位請求権）を確保するもの。
④ 損害の状況：1 Carton Heavy Wet（20 pcs）であり、1カートンが"ひどい海水濡れ"であることを示している。
⑤ 積載船名
⑥ 荷卸港
⑦ 到着日
⑧ 船積港
⑨ 船荷証券番号
⑩ 航海番号
⑪ インボイス番号
⑫ 保険証券番号
⑬ 荷印、荷番号
⑭ 商品名
⑮ 着荷貨物の数量など

輸入24 本クレーム (Final Claim)

①Messers. *Cosmo Japan Co., Ltd.*　　　②*Tokyo, June 10, 20XX*

Claim Letter

(Claim for Damage of LEATHER JACKET)

Dear Sirs:

③We submit to you herewith our claim note for the under-mentioned, your early settlement of which will be greatly appreciated.

Yours truly,
Japan Trading Co., Ltd.
<u>　　(signed)　　</u>

④Ship's Name	*Neptune*	⑮ Calculation :	
⑤B/L No.	*FB-58141*		
⑥I/P No.	*04-243*	*1 Carton Heavy Wet (20 pcs)*	
⑦Invoice No.	*IF04-123*	*(@US$50.00　20 pcs)*	
⑧Arrived at	*Tokyo*	*US$50.00×20 pcs=US$1,000.00*	
on	*April 8, 20xx*		
⑨Shipped from	*Busan Korea*		
on	*April 5, 20xx*	*Survey fee*	*0*
⑩Marks & Nos.	*KFC* *Tokyo* *C/T No.1/39* *Made in Korea*		
⑪Description	*LEATHER JACKET*	*Claim Amount :*	
⑫Quantity	*780 pcs*		
⑬Invoice Amount	*US$34,000.00*	*US$1,000.00*	
⑭INS. Amount	*¥4,153,600*		

⑯　Attached:　☐ Ins. Policy　　　☐ Survey Report
　　　　　　　☒ Invoice　　　　　☒ Notice of Claim
　　　　　　　☐ Boat Note　　　　☒ B/L Copy
　　　　　　　☐ Tally Sheet　　　 ☐ E/R, out
　　　　　　　☒ Devanning Report

輸入24　本クレーム　解説

　本クレーム（Final Claim）は船会社に責任があることが確定し、求償を承諾する旨が通知されてから行われる確定損害賠償の請求である。船会社所定の用紙または適宜自社の用紙を用いるが、下記のような必要書類を立証書類として添付することが多い。

〈添付書類〉
　・事故通知（Notice of Damage、Notice of Claim）
　・インボイス（シッパーの署名のあるコピー）
　・カーゴ・ボート・ノート（Cargo Boat Note）、タリー・シート（Tally Sheet）。ただし自家取りの場合のみ（総揚げはなし）
　・LCL貨物ではデバンニング・レポート、FCL貨物では機器受渡証（搬出）
　・鑑定報告書（Survey Report）（サーベイにかけた場合）
　・Debit Note

《損害賠償請求書（Claim Letter、Claim Note）の記載事項》
① 　本クレームをする船会社またはその代理店
② 　本クレームの請求地と請求日
③ 　損害賠償請求権文言
④ 　積載船名
⑤ 　船荷証券番号
⑥ 　保険証券番号
⑦ 　インボイス番号
⑧ 　荷卸港と到着日
⑨ 　船積港と船積日
⑩ 　荷印、荷番号
⑪ 　商品名
⑫ 　着荷貨物の数量
⑬ 　インボイス金額
⑭ 　付保金額
⑮ 　確定損害賠償金の計算根拠
⑯ 　添付書類

輸入25　保険会社への損害求償状

Messrs. The Toyo Marine & Fire Insurance Co., Ltd.

①Tokyo, June 10, 20xx

Dear Sirs:

Debit Note for Claim

We submit a claim to you as described below. Your earliest settlement will be highly appreciated.

②Vessel		Neptune Voy. No. IF-998	⑦Policy No.	TM-13426
Arrived	③at	Tokyo	⑧B/L No.	FB-58141
	④on	April 8, 20xx	⑨Invoice No.	KF04-123
Shipped	⑤from	Busan, Korea	⑩Invoice Amount	FOB Busan US$34,000.00
	⑥on	April 5, 20xx		
⑪Description of Goods		Leather Jackets	⑫Quantity	780 pcs.
⑬Casualty		20 pcs. of Model: M-H15 (1 Carton) Heavy Wet		

Amount of Claim	140,096 円	Calculations: see attached

⑭ **Documents Attached:**

 ☒Insurance Policy (Original endorsed)　　☒Bill of Lading Copy
 ☒Signed Commercial Invoice　　　　　　　☐Survey Report
 ☐Master's Protest　　　　　　　　　　　　☒Devanning Report
 ☒Notice of Claim to Carrier　　　　　　　☐Cargo Boat Note/Tally Sheet
 ☒Letter from Carrier on Rejection of Claim　☐Landing Report
 ☐Others

⑮Bank Account:

銀行名	東京シティ銀行　丸の内支店	当座預金	0818251
口座名義人	日本貿易 株式会社		

             Yours faithfully,

             Japan Trading Co., Ltd.

             _____
              (signed)

-Attached-

⑯Calculations:

1. Cargo
   Amount Insured　:　¥4,154,000
   Invoice Amount　:　US$34,000.00 (FOB)
   Amount of Damage:　@US$50.00　×　20 pcs. = US$1,000.00 (FOB)

   支払保険金額(貨物) ＝ ¥4,154,000 × $\dfrac{US\$1,000.00}{US\$34,000.00}$ ＝ ¥122,176　　－①

2. Duty
   FOB Value　　　　:　US$34,000.00
   Ocean Freight　　:　<u>US$516.26</u>
   　　　　Total　:　US$34,516.26　×　@¥110.00 ＝ ¥3,796,788
   Insurance Premium:　　　　　　　　　　　　　　¥11,400
   　　　CIF Value:　¥3,808,188

   支払保険金額(関税) ＝ ¥3,808,188 × 16% × $\dfrac{US\$1,000.00}{US\$34,000.00}$ ＝ ¥17,920 (小数点以下切捨)－②

   支払保険金合計額(① ＋ ②) ＝ ¥122,176 ＋ ¥17,920 ＝ <u>¥140,096</u>

輸入25　保険会社への損害求償状　解説

《損害求償状の記載事項》

① 保険金求償日
② 積載船名
③ 荷卸港
④ 到着日
⑤ 船積港
⑥ 出港日
⑦ 保険証券番号
⑧ 船荷証券番号
⑨ インボイス番号
⑩ インボイス金額
⑪ 貨物明細
⑫ 数量
⑬ 損害の状況：革製ジャケット20着が"ひどい海水濡れ"であることを示しています。
⑭ 添付書類の明細：Master's Protest とは海難報告書のこと。また、本例の場合は質的損害のため、本来鑑定をかけるべきですが、金額が少ないため省略してあります。
⑮ 保険金振込先：取引銀行名、預金口座の種類、口座名義人
⑯ 保険金請求額の計算根拠

チェック問題

1. 下記信用状開設の条件並びに次頁の注文書（Purchase Order）から、信用状の開設依頼書（APPLICATION FOR IRREVOCABLE DOCUMENTARY CREDIT）を作成しなさい。（解答用紙は514頁）

《信用状開設の条件》
1. 信用状の開設依頼日は20XX年7月10日、同日にフル・ケーブルにて開設する。
2. 開設銀行を東京シティー銀行（The Tokyo-City Bank, Ltd.）とする。
3. 譲渡可能信用状とする。
4. 信用状の有効期限は20XX年9月10日、船積期限を20XX年8月31日とする。書類提示のための期限は、航空機に搭載後10日、ただし信用状の有効期限内とする。
5. 必要船積書類は：
   ・商業送り状　5通　ただし、信用状番号を記載すること。
   ・貨物は、航空輸送するものとし、航空貨物運送状の荷受人は、信用状発行銀行が担保権を確保できるものとし、信用状番号を記載すること。
   ・梱包明細書　5通
   ・特恵原産地証明書　3通
6. TT Reimbursement は不可とする。
7. 日本で発生するもの以外の銀行諸掛費用は、全て受益者負担とする。
8. 通知銀行を PT Bank Negara Indonesia, Jakarta とする。

（注）該当の個所の□には×を記入しなさい。　例　☒

●資料　注文書

JAPAN TRADING CO., LTD.
2-3 Otemachi 1-chome, Chiyoda-ku, Tokyo, Japan

Tokyo, July 5, 20xx

Purchase Order　No. 205

Messrs. Sayang Trading Ltd.
　100 Kelapa Gading Jakarta
　　Indonesia

We as Buyer confirm having bought from you as Seller the following goods on the terms and conditions as stated below and on the back hereof.

Quantity	Description	Unit Price
20 Cartons (1,000pcs.)	Bamboo Handbags (Weight:450g/pc) (20 Cartons) 1,000pcs.	FOB Jakarta @US$42.50

Total Amount US$42,500.00

Terms:　　　Draft at sight under Irrevocable L/C
Packing:　　In Carton Box
Destination:　Tokyo, Japan
Insurance:　　To be covered by Buyer
Shipment:　　By Air by August 31, 20xx
Partial Shipments and Transshipment: To be prohibited
Reference:　Your E-Mail of June 28
　　　　　　Our E-Mail of June 30

Shipping Mark:
```
 S   T
```
Tokyo
C/T No.1/20
Made in Indonesia

Please sign and return the duplicate.

(seller)

Japan Trading Co., Ltd.
　　(signed)
Import Manager

信用状開設依頼書　解答用紙

I	開設予定日	-----			商品処方方法					
II	輸入金融	☒本邦ローン		☐その他	IV 主要予定売却先	アジアン雑貨㈱				
	方法	☐アクセプタンス		☐	V 販売条件	納入日起算後3ケ月の約束手形振出				
III	跳ね返り	商手　　90日		単名　　　　日	売却先の資本金：１００百万円 設立：H2.9　取引銀行：UFJ 麻布					

APPLICATION FOR IRREVOCABLE CREDIT
TO The Tokyo-City Bank., Ltd.

In Accordance with agreement on Letter of Credit Transactions submitted to you. I/We herby request you to issue you an Irrevocable Documentary Credit upon the following terms and conditions.

Date of Application	Applicant's Ref. No.
Expiry Date	Place for presentation

Applicant

Beneficiary

Authorized Signature　（お届けの署名または記名押印）

通知方法　☐ Teletransmission
　　　　　☐ Airmail with brief advice by teletransmission
　　　　　☐ Airmail

Amount

☐ Advising Bank

確認　　　　☐ Confirmed
譲渡可能　　☐ Transferable

Partial Shipments　　　　　Transshipment
☐ Allowed ☐ Prohibited　　☐ Allowed ☐ Prohibited

Shipment /Dispatch/Taking in charge
From/At　　　　　　　　To
Latest Date for Shipment

Credit available by Beneficiary's Draft(s)
☐At sight/ ☐ _____
☐For full/ ☐ _____ % Invoice cost
Drawn on you or your correspondent at your option.

Evidencing Shipment of

Trade Terms ☐ FOB ☐ CFR ☐ CIF ☐ _____　Place _____

Required documents as follows;
☐ Signed Commercial Invoice in ___ copies indicating _____
☐ Full set of clean on Board ocean Bill of Lading made out _____
　and blank endorsed, marked ☐ Freight Prepaid ☐ Freight Collect , Notify applicant
☐ Air waybill consigned to _____
　Marked ☐ Freight Prepaid ☐ Freight Collect Notify applicant, indicating _____
☐ Insurance policy or certificate in duplicate, endorsed in blank for 110% of the invoice value including
　☐ Institute cargo clauses (☐ All Risks ☐ W.A. ☐ F.P.A.) ☐ Institute War Clauses
　☐ Institute Strikes Riots & Civil Commotions clauses ☐ _____
　insurance claims to be payable in Japan in currency of Drafts.
☐ Packing List in ___ copies _____　☐ Certificate of Origin in _____
☐ Certificate of Weight in _____　　☐ Certificate of Analysis in _____
☐ Inspection Certificate in _____　　☐ G.S.P.Certificate of Origin in _____
☐ Beneficiary's certificate stating that _____

☐ Documents must be presented within ___ days after the date of shipment but within the validity of this credit.
　Reimbursement by teletransmission is ☐ Acceptable ☐ Prohibited
　All Banking charges outside Japan are for account of ☐ Applicant ☐ Beneficiary
　Acceptance commission and discount charges for account of ☐ Applicant ☐ Beneficiary
　　　　　　　　　　　　　　　　　　　　　　　　　（ユーザンス手形振出を条件とする場合のみご記入ください）

Special instructions:

2．航空貨物の荷受けに関する次の文章について、（ ① ）～（ ⑩ ）の（　　）内にあてはまる適当な語句を記入しなさい。

　航空貨物の荷受けは、海上貨物の場合に船会社に船荷証券を提出したように、航空会社（またはその代理人）に（ ① ）を提出し、（ ② ）の交付を受ける。

　航空貨物運送状（Air Waybill）は船荷証券と異なり、（ ③ ）ではないため、信用状発行銀行は担保権確保のため（ ④ ）を自行として開設する。航空貨物が到着すると、航空会社は荷受人である（ ⑤ ）と Also Notify Party である（ ⑥ ）に到着通知書を送付してくる。銀行への案内には航空運送状のコピーと貨物引渡指図書（リリース・オーダー）の用紙が添付されている。

　輸出者への船積書類は銀行経由で送付されるため、航空貨物の場合には、船積書類とともに送られてくる輸出者の荷為替手形よりも（ ⑦ ）が先に到着することになり、輸入者が貨物代金を決済したくても手形の決済、引受けができない。しかし、輸入者は届いた貨物を早く引き取りたいので、銀行のものである貨物を（ ⑧ ）形で貨物引渡指図書を発行してもらい、貨物を引き取ることになる。貨物を借り受けるために、輸入者は「（ ⑨ ）（航空貨物用：丙号Ｔ／Ｒ）」（Air Trust Receipt ＝ AIR Ｔ／Ｒ）と債権証書である（ ⑩ ）を信用状発行銀行に差し入れる。銀行から発行された貨物引渡指図書を通関業者に渡して通関・荷受けの引取り作業を依頼することになる。

3．航空貨物が到着したので、JAPAN AIR LINES COMPANY, LTD. より貨物の到着通知書が航空運送状（No.JAN－1234567）のコピーとともに送付された。国内販売先への納期も迫っており早急に貨物を引き取りたいので、取引銀行である The Tokyo-City Bank, Ltd. Head Office で 8 月15日に丙号Ｔ／Ｒを取り組むことになった。第１問で用いた「注文書」と次頁の信用状（依頼人用コピー）から Release Order と Promissory Note を作成しなさい。記載の不要な箇所は空欄でよい。手形番号は1234とする。（解答用紙は530頁）

●資料　信用状

COPY（依頼人用）

THE TOKYO-CITY BANK, LTD.
Tokyo, Japan

IRREVOCABLE CREDIT

Date of Issue　July 10, 20xx	Credit No.　TC-05/5678
Advising Bank PT Bank Negara Indonesia, Jakarta	Applicant　Japan Trading Co., Ltd. 2-3 Otemachi 1-chome, Chiyoda-ku, Tokyo
Beneficiary　Sayang Trading Ltd. 100 Kelapa Gading Jakarta Indonesia	Amount　USD42,500.00　(Say U.S. Dollars Forty-Two thousand Five Hundred only)
Latest Date for Shipment August 31, 20xx	Expiry Date for negotiation　September 10, 20xx Place　　　　　　　　　　　Jakarta Indonesia

Dear Sir :

We hereby issue in your favor this irrevocable credit which is available by negotiation against your draft(s) at sight drawn on us for full invoice value, accompanied by the following documents:

　Signed Commercial Invoice in 5 copies indicating credit No. TC-05/5678
　Packing List in 5 copies
　G.S.P Certificate of origin in 3 copies
　Air Waybill consigned to The Tokyo-City Bank, Ltd. and marked Freight Collect notify Japan Trading Co., Ltd. 2-3 Otemachi 1-chome, Chiyoda-ku, Tokyo, indicating credit No. TC-05/5678

Covering　Bamboo Handbags 1,000 pcs

Trade Terms: FOB Jakarta

Shipment from Jakarta to Tokyo	Partial shipments Prohibited	Transshipment Prohibited

Special conditions:
Drafts and documents must be presented within 10 days after the date of issuance of the transport documents but within the credit validity.

We hereby engage with drawers, endorsers and/or bona fide holders that drafts drawn and negotiated in conformity with the terms of this credit will be duly honored on presentation.

(signed)
Authorized signature

　This documentary credit is subject to the Uniform Customs and Practice for Documentary Credits (2007 Revision), International Chamber of Commerce, Publication No. 600.

RELEASE ORDER

Date : ①_____

To: ②_____

RELEASE OF SHIPMENT UNDER AIR WAYBILL NO. ③_____

Gentlemen:

You are kindly requested to Deliver the above-mentioned shipment consigned to us to Messrs. ④_____ or their designated customhouse broker who are authorized to sign delivery receipt of the air waybill on our behalf.

Yours very truly,

_____(Signed)_____
Signature

⑤_____
Name of Bank

PROMISSORY NOTE

⑥No. _____   We promise to pay to yourselves or order
⑦Amount _____   against this promissory note the sum of
⑧Due on _____   ⑩_____
⑨Payable at _____   _____
_____   ⑪ Drawn on _____
Place of Payment _____   ⑫ Drawn at _____
⑭_____
⑬To _____   (Signed)

_____
_____

●解答●

1.

I	開設予定日	‐ ‐ ‐ ‐		商品処分方法	
II	輸入金融方法	☒ 本邦ローン ☐ アクセプタンス	☐ その他 ☐	IV 主要予定売却先 V 販売条件	アジアン雑貨㈱ 納入日起算後3ヶ月の約束手形振出
III	跳ね返り	商手　90日	単名　　　　日	売却先の資本金：１００万円　設立：H2.9　取引銀行：UFJ　麻布	

APPLICATION FOR IRREVOCABLE CREDIT TO The Tokyo-City Bank, Ltd. In Accordance with agreement on Letter of Credit Transactions submitted to you. I/We herby request you to issue you an Irrevocable Documentary Credit upon the following terms and conditions.	Date of Application *July 10, 20xx*	Applicant's Ref. No. *No.205*
	Expiry Date *September 10, 20xx*	Place for presentation *Jakarta Indonesia*
Applicant *Japan Trading Co., Ltd.* *2-3 Otemachi 1-chome, Chiyoda-ku, Tokyo, Japan* *-Signed-* Authorized Signature　（お届けの署名または記名押印）	Beneficiary *Sayang Trading Ltd.* *100 Kelapa Gading Jakarta* *Indonesia*	
通知方法　☒ Teletransmission 　　　　　☐ Airmail with brief advice by teletransmission 　　　　　☐ Airmail	Amount *USD42,500.00* *(Say U.S.Dollars Forty-two Thousand Five Hundred only)*	
☒ Advising Bank *PT Bank Negara Indonesia, Jakarta*	確認　　　☐ Confirmed 譲渡可能　☒ Transferable	
Partial Shipments　　　　Transshipment ☐ Allowed ☒ Prohibited　☐ Allowed　☒ Prohibited		
Shipment /Dispatch/Taking in charge From/At　*Jakarta*　　　　To　*Tokyo* Latest Date for Shipment *August 31, 20xx*	Credit available by Beneficiary's Draft(s) ☒ At sight/　　☐ ☒ For full/　　☐　　　　　% Invoice cost Drawn on you or your correspondent at your option.	
Evidencing Shipment of *Bamboo Handbags 1,000 pcs* Trade Terms ☒ FOB ☐ CFR ☐ CIF ☐	Place *Jakarta*	

Required documents as follows:
☒ Signed Commercial Invoice in 5 copies indicating *credit No.*
☐ Full set of clean on Board ocean Bill of Lading made out
　and blank endorsed, marked ☐ Freight Prepaid ☐ Freight Collect, Notify applicant
☒ Air Waybill consigned to *The Tokyo-City Bank, Ltd.*
　Marked ☐ Freight Prepaid ☒ Freight Collect Notify applicant, indicating *credit No.*
☐ Insurance policy or certificate in duplicate, endorsed in blank for 110% of the invoice value including
　☐ Institute cargo clauses (☐ All Risks ☐ W.A. ☐ F.P.A.) ☐ Institute War Clauses
　☐ Institute Strikes Riots & Civil Commotions clauses ☐
　insurance claims to be payable in Japan in currency of Drafts.
☒ Packing List in *5 copies*　　　　　　　　☐ Certificate of Origin in
☐ Certificate of Weight in　　　　　　　　　☐ Certificate of Analysis in
☐ Inspection Certificate in　　　　　　　　　☒ G.S.P.Certificate of origin in *3 copies*
☐ Beneficiary's certificate stating that

☒ Documents must be presented within *10* days after the date of shipment but within the validity of this credit.
Reimbursement by teletransmission is　☐ Acceptable　　　☒ Prohibited
All Banking charges outside Japan are for account of ☐ Applicant　☒ Beneficiary
Acceptance commission and discount charges for account of　☐ Applicant　☐ Beneficiary
　　　　　　　　　　　　　（ユーザンス手形振出を条件とする場合のみご記入ください）

Special instructions:

2．

① 貨物引渡指図書（Release Order、R／O、リリース・オーダー）
② 荷渡指図書（Delivery Order、D／O）
③ 有価証券
④ 荷受人（Consignee）
⑤ 銀行または信用状発行銀行
⑥ 輸入者または着荷通知先
⑦ 貨物
⑧ 借り受ける
⑨ 輸入担保荷物保管証
⑩ 外貨建約束手形（Promissory Note）

3．

RELEASE ORDER

Date：① *August 15, 20XX*

To： ② *JAPAN AIR LINES COMPANY, LTD.*

RELEASE OF SHIPMENT UNDER AIR WAYBILL NO. ③ *J A N－1 2 3 4 5 6 7*

Gentlemen:

You are kindly requested to Deliver the above-mentioned shipment consigned to us to Messrs. ④ *Japan Trading Co., Ltd.* or their designated customhouse broker who are authorized to sign delivery receipt of the air waybill on our behalf.

Yours very truly,

(Signed)
Signature

⑤ *The Tokyo-City Bank, Ltd.*
Name of Bank

PROMISSORY NOTE

⑥No. _1234_   We promise to pay to yourselves or order
⑦Amount _US$42,500.00_   against this promissory note the sum of
⑧Due on _____   ⑩_U.S. Dollars Forty-Two Thousand Five_
⑨Payable at _The Tokyo-City Bank, Ltd._   _Hundred Only_
 Head Office   ⑪ Drawn on August _15, 20xx_
 Place of Payment _Tokyo_   ⑫ Drawn at _Tokyo, Japan_
                ⑭_Japan Trading Co., Ltd._
⑬To _The Tokyo-City Bank, Ltd._   _(Signed)_
                2-3 Otemachi, 1-chome, Chiyoda-ku,
                _____Tokyo_____

和索引

【あ】

"As" 取り ……………………………… 65
アウトソーシング ……………………… 58
アクセプタンス・レート ……………… 283
アクセプタンス方式 …………………… 183
斡旋 ……………………………………… 260
アプルーバル扱い ……………………… 147
アメリカン・ランドブリッジ ………… 48
IATA 航空貨物代理店 ………………… 56
異種責任組合せ型 ……………………… 32
イタリック書体約款 ……………… 78,421
一覧払輸出手形買相場 ………………… 280
一覧払輸入手形決済相場 ……………… 283
一般貨物賃率 …………………………… 62
移転価格 ………………………………… 362
委付 ……………………………………… 250
委付証 …………………………………… 251
インターバンク ………………………… 271
　　──相場 …………………………… 272
インタクト輸送 ………………………… 63

インテリア・ポイント・インターモーダル …… 49
インバンド ……………………………… 367
インボイス ……………………… 136,137,407,476
受取船荷証券 …………………………… 34
売為替予約票 …………………………… 474
上屋通関 ………………………………… 111
運賃後払い ……………………………… 37
運賃適用の原則 ………………………… 64
運賃延戻し制 …………………………… 39
運賃前払い ……………………………… 37
運賃割戻し制 …………………………… 39
AEO 制度 ………………………… 196,200
FCL 貨物の船積み ……………………… 111
FCL 貨物の引取り ……………………… 232
HS 品目表 ……………………………… 209
L/G ネゴ ………………………………… 147
LCL 貨物の引取り ……………………… 234
LCL 貨物の船積み ……………………… 116
M.A.R フォーム ………………………… 74
S.G. フォーム …………………………… 74
エクセス方式 …………………………… 87

エプロン ……………………………… 113
欧州向け Sea & Air ……………………… 49
オールリスク（全危険）担保 ……… 66,79,80,88
乙号 T / R ……………………………… 176
オプション ……………………………… 291
　　　—の売手 ……………………………… 291
　　　—の買手 ……………………………… 291
　　　—の行使 ……………………………… 291
　　　—の放棄 ……………………………… 291

【か】

カーゴ・ボート・ノート ……………… 237,246,510
海貨業者 ……………………………………… 110
外貨建相場 …………………………………… 270
外貨建約束手形（L/G 差入証用）……… 166,497
外貨建約束手形（輸入ユーザンス手形）
　　　………………………………… 166,175,183,499
買為替予約票 ………………………………… 403
回金方式 ………………………………… 163,183
外銀ユーザンス ……………………………… 183
外国為替市場 ………………………………… 271
海上運送状 …………………………………… 42
海上運賃請求書 ……………………………… 486
海上保険証券 ……………………………… 76,419
買付契約書 …………………………………… 466

海難報告書 …………………………………… 247
買戻請求権 …………………………………… 301
価格（Price）戦略 …………………………… 362
確定損害賠償の請求 ………………………… 248
確定保険申込書 ……………………………… 488
確認信用状 …………………………………… 129
過少資本税制 ………………………………… 365
過少申告加算税 ……………………………… 223
カナダ・ランドブリッジ ……………………… 49
カバー・ノート ……………………………… 143
貨物海上保険申込書 ………………………… 416
貨物引渡指図書 …………………………… 238,506
カレンシー・サーチャージ …………………… 38
為替先物予約 ………………………………… 288
為替マリー …………………………………… 293
関税評価協定 ………………………………… 213
鑑定書 …………………………………… 244,247
鑑定人 …………………………………… 244,247
機器受渡証（搬出）………………… 111,114,232,246
期限付手形買相場 …………………………… 282
希望利益 ……………………………………… 75
基本税率 ……………………………………… 209
記名指図式 …………………………………… 41
記名式船荷証券 ……………………………… 41
協会航空貨物約款 …………………………… 66

和索引　533

協定税率	209		甲号T／R	176
共同海損	85		更正処分	223
—供託金	254		港頭保税地域通関	111,116
—精算書	254		公表相場適用停止	272
—分担保証状	254,255		国際海上物品運送法	26
—盟約書	254,255,256		—第1条	29
禁反言	402		—第7条	26,35
空港から空港への原則	62		—第12条	247
クレーム・エージェント	246		—第14条	248
経済連携協定	359		—第20条	26,29
契約運賃制	39		国際価格エスカレーション	362
契約締結地準拠主義	72		国際貨物優先搭載制度	64
ケーブル・ネゴ	146		国際電気標準会議	360
検査証明書	24		国際標準化機構	360
原産地証明書	211,212,445		国際ファクタリング	152
現実支払価格	217		国際複合運送一貫事業者	48
現実全損	85		国際連合海上物品運送条約	31
検数人	119		国定税率	209
検数表	119		国連国際物品複合運送条約	31
現地最適化価格	362		故障付船荷証券	35
厳密一致の原則	128		故障摘要	35
権利移転領収書	250		個品運送契約	406
航海過失	29		個別的仲裁	262
航空貨物運送状（航空運送状）	58,140,238,442		混載運賃	65
航空貨物保険	66		コンテナ貨物搬入票	112,114

コンテナ内積付表	112,114,414	
コンテナ利用賃率	63	
コントラクト・スリップ	288	
梱包（包装）明細書	409	

【さ】

サードパーティ・ロジスティクス	58,367
最小限の保険条件	84
先物取引	274
指図式	40
—裏書	41
サスペンド	272
サプライチェーン・マネジメント	58,368
サレンダード B/L	42,45
暫定税率	209
C&I 条件	84,88
CE マーク	361
CFS チャージ	38
自家取り	237
直先スプレッド	275
直（じき）ハネ	188
直物取引	274
時効延長願	248
事故通知	245,517
市場連動制	272

シッパーズ・ユーザンス	170,185
支払確約文言	129
支払指図	270
支払渡し	168
シベリア・ランドブリッジ	48
重加算税	223
自由貿易協定	359
従価料金	64
重量逓減制	62
重量容積証明書	422
受益者	165
ジュネーブ議定書	263
ジュネーブ条約	263
順月オプション渡し	475
償還授権書	163,165
償還（求償）手形	163,165
商業送り状	136,137,317,407
商業過失	29,30
譲渡担保	175
白地裏書	40
新海貨業者	110
シンガポール協定税率	210,211
シングル L/G	345
信用状	129,398,527
信用状付輸出手形買取依頼書	127,166

信用状統一規則	25		—第29条	324
—第2条	300		—第30条	325
—第3条	302		—第31条	139,303,326
—第4条	305		—第32条	327
—第5条	128,305		—第33条	327
—第6条	134,306		—第34条	327
—第7条	129,307		—第35条	327
—第8条	307		—第36条	328
—第9条	308		—第37条	328
—第10条	308		—第38条	328
—第11条	129,309		—第39条	329
—第12条	310		信用状統一規則の採択文言	129
—第13条	310		信用状なし一覧払輸出手形買相場	282
—第14条	139,145,310		信用状なし期限付荷為替手形	185,502
—第15条	313		信用状なし輸出手形買取依頼書	127
—第16条	313		信用状の開設（発行）依頼書	165,468
—第17条	316		信用状の条件変更	128,146
—第18条	136,316		推定全損	85
—第20条	35,138,318		ステベドア	116,119,231
—第21条	320		ストライキ・暴動・騒乱不担保約款	78,88,421
—第22条	320		スポット	274
—第23条	320		スワップ・コスト	277
—第26条	321		スワップ・マージン	277
—第27条	36,322		スワップ取引	276
—第28条	142,323		製造物責任法（PL法）	382

制度的仲裁	262
製品（Product）戦略	360
世界食糧農業機関	361
世界税関機構	196, 209
世界統一価格	362
世界保健機関	361
ゼロコスト・オプション	292
全損	85
船内荷役業者	116
船腹予約書	19, 405
全裏面約款印刷船荷証券	36
戦略的アライアンス	367
総揚げ	237
艙口検査	245
損害賠償請求書	249, 520
損傷検査	245
損率協定	253

【た】

WA条件	86
WTO協定	358
ターゲット市場	358
ターミナル通関	117
対外決済	166, 167
対顧客相場	272, 279
対顧客仲値（TTM）	278
滞船料	234
対内決済	166, 167
ダイレクト・コレクション	187
ダブル・アプルーブ制	61
堪航能力	29, 30
単純指図式	40
単独海損	85
ダンピング	365, 378
着船通知書	236, 491
中国強制認証	360
仲裁	261
―合意の独立性	262
―条項	261
―の利点	262
忠実割戻し制	39
直送B/L扱い	46
直送B/Lの問題点	339
賃率の適用順位	65
通貨オプション	291
通知銀行	165
積荷価格告知書	254, 257
D/Pユーザンスの手形	169
TTリンバース	163, 280, 471
ディスカウント	275

ディスクレパンシー ……………………… 128,145
ディスパッチ・マネー ……………………… 235
デバンニング・レポート ……………… 233,234,246,508
デビット方式 ……………………… 164,182
デポ・コルレス先 ……………………… 165
デマレージ ……………………… 234
電子契約法 ……………………… 389
電子商取引 ……………………… 387
電子船荷証券 ……………………… 47
電信売相場（TTS） ……………………… 279,283
電信買相場（TTB） ……………………… 278,279
ドア渡し ……………………… 234
到着即時輸入許可扱い ……………………… 199
通し船荷証券 ……………………… 36
特甲号T／R ……………………… 177
独占禁止法 ……………………… 378
特定委託輸出申告 ……………………… 195
特定商取引法 ……………………… 388
特定品目賃率 ……………………… 63
特定分損 ……………………… 86
特定輸出者 ……………………… 195
特別な事情 ……………………… 213
独立抽象性の原則 ……………………… 305
特例委託輸入申告制度 ……………………… 201
特例輸入申告制度 ……………………… 200

特許法 ……………………… 381
ドック・レシート ……………………… 112,113,431
特恵税率 ……………………… 209
取消不能信用状 ……………………… 129
取立 ……………………… 147,168
取立統一規則 ……………………… 147,170
取引信用保険 ……………………… 104
ドル・コール・オプション ……………………… 292
ドル・プット・オプション ……………………… 291

【な】

内陸倉庫通関 ……………………… 117
荷送人の指図式 ……………………… 40
荷為替手形L/C付 ……………………… 127,135,447
荷為替手形L/Cなし ……………………… 127,450
荷為替手形の買取依頼書 ……………………… 454
二重運賃制 ……………………… 39
荷物引取保証 ……………………… 173
ニュートラル・エア・ウェイビル ……………………… 61
ニューヨーク条約 ……………………… 263,264
荷渡指図書 ……………………… 167,231,504
ネットワーク・ライアビリティ・システム …… 32

【は】

売買契約書 ……………………… 396

配船表	19,406		複合運送人	48
バイラテラル・ネッティング	294		複合輸送	48
ハウス・エア・ウェイビル	60		不正競争差止請求権者	197
発生区間不明の損害	32		不知文言の効力	343
跳ね返り金融	188		艀中扱い	195
バンカー・サーチャージ	38		船積依頼書	118,411
搬入前申告扱い	199		船積確認済輸出許可書	119
ハンブルグ・ルール	31		船積指図書	119
B/C ディスカウント	187		船積証明	34
B/C ベースのL/G	349		船積通知	20,236,484
B/C ベースの丙号 T/R	181,350		船積船荷証券	33
B/C ユーザンス	177,181		船積申込書	118
PP ネゴ	148,343		船荷証券	25,138,141,438,481
引受渡し	169		――統一条約	28
被仕向送金	278		――の危機	42
被保険利益	75		――の紛失	336
評価申告書	214		フランチャイズ契約	367
品目分類賃率	63		フランチャイズ方式	87
品目別運賃	38		ブランドイメージ	361,369
品目無差別運賃	38		プリテンド・ネゴ	147
フォーフェイティング	149		フレート・フォワーダー	37
フォワード	274		――運送書類	37
賦課課税方式	223		フレート・ユーザンス	183
付加危険	80		プレミアム	275
複合運送証券	48		プロモーション・ミックス	369

プロモーション・リミックス	369
プロモーション（Promotion）戦略	369
分損	85
―担保	86
―不担保	86
丙号T／R	177,507
ヘーグ・ルール	28
―第5条	29
ヘーグ・ヴィスビー・ルール	30
ヘーグ議定書	59
返還遅延料	235
弁償拒否状	247,248
貿易一般保険	93
邦貨建（自国通貨建）相場	270
包括合意条項	397
保険会社への損害求償状	259,521
保険期間	81
保険証券	72,74,75,142,419
―の裏書	80
保険料ユーザンス	183
補償状	35,118,436
保証状（念書）（輸出）	147,452
保証状（輸入）	173,494
保証状（L/G）の適法性	347
ボックスレート	38

ボレロ	47
本クレーム	247,519
本船扱い	195
本船貨物受取書	119,120,438
本邦ローン	181

【ま】

マーケティング・ミックス	359
マーケティング・リミックス	359
マスター・エア・ウェイビル	60
マドリット協定議定書	362
マルチ・ネッティング	294
ミニ・ランドブリッジ	49
未必利益保険	84
無故障船荷証券	36
無申告加算税	223
盟外船	39
盟外船積の特認	39
メイツ・レシート	120,434
メール期間立替金利	280
メキシコ協定税率	210
メモランダム条項	79,87
免責歩合	87
モントリオール第四議定書	32,59

【や】

- ヤード通関 …………………………………… 114, 117
- 輸出FOB保険 ………………………………………… 83
- 輸出してはならない貨物 ……………………… 197
- 輸出申告書 ……………………………………………… 425
- 輸出手形保険 …………………………………………… 100
- ユニフォーム・ライアビリティ・システム …… 32
- 輸入許可前貨物の引取承認制度 ……………… 201
- 輸入差止情報提供制度 …………………………… 207
- 輸入差止申立制度 ……………………………… 203, 207
- 輸入してはならない貨物 ……………………… 202
- 輸入申告書 ……………………………………………… 512
- 輸入信用状 ……………………………………………… 472
- 輸入税（関税） ………………………………………… 77
- 輸入担保荷物貸渡 …………………………………… 175
- 輸入担保荷物引取保証に対する差入証 …… 175, 495
- 輸入担保荷物保管証 ……………………… 166, 174, 175, 500
- 輸入ユーザンス ……………………………………… 180
- 傭船契約船荷証券 ……………………………………… 36
- ヨーク・アントワープ規則 ……………………… 248
- 予告通知書 ……………………………………………… 129
- 予定保険 ……………………………………………… 22, 73
- 予定保険申込書 ……………………………………… 478
- 予備クレーム ………………………………………… 240

【ら】

- ライセンス契約 ……………………………………… 366
- ランディング・レポート ………………………… 237
- リーズ・アンド・ラグズ ………………………… 293
- リバースド・インテリア・ポイント・インターモーダル …………………………………………… 49
- リマーク ……………………………………………… 33, 35
- 略式船荷証券 …………………………………………… 36
- 留置料 …………………………………………………… 235
- 流通（Place）戦略 ………………………………… 366
- 流通チャネル ………………………………………… 366
- 利用運送事業者 ………………………………………… 48
- 利用航空運送事業者 …………………………………… 57
- 領事送り状 …………………………………………… 127
- リリース・オーダー ……………………… 238, 506
- リンバース方式 ……………………………… 163, 182
- 暦月オプション渡し ……………………………… 475
- ロジスティクス戦略 ……………………………… 366

【わ】

- ワルソー条約 ………………………………………… 32, 58

英索引

【A】

Acceptance Rate ……… 283
Ad hoc Arbitration ……… 263
Air Trust Receipt:AIR T/R ……… 239,507
Air Waybill:AWB ……… 57,238,442
All Risks ……… 88,479
allowance ……… 253
Amendment ……… 128,146
American Land Bridge:ALB ……… 48
APA（Advance Pricing Agreement）……… 363
Application for Irrevocable Credit ……… 468
Application for Time Extension ……… 248
Approval Basis ……… 147
Arbitration Clause ……… 261
Arm's Length Pricing ……… 363
At Sight Buying Rate:A/S Rate ……… 280
Authorized Economic Operator:AEO ……… 196,200
Average Bond ……… 254,255,265

【B】

B to B（Business to Business）……… 387
B to C（Business to Consumer）……… 388
BAF（Bunker Adjustment Factor）……… 38
Before Permit ……… 201
Beneficiary ……… 132,165
Bilateral Netting ……… 294
Bill for Collection:B/C ……… 168
Bill of Exchange ……… 135,166,304,447,450
Bill of Lading:B/L ……… 138,141,438,481
blank endorsement ……… 402,439,482
Bolero ……… 47
Box Rate ……… 38
Bunker Surcharge ……… 38

【C】

C to C（Consumer to Consumer）……… 388
Cable Negotiation ……… 146
CAF（Currency Adjustment Factor）……… 37
Canadian Land Bridge: CLB ……… 49

Captain's Protest 248

Cargo Boat Note 237,510

CCC 360

Certificate of Inspection 24

Certificate of Origin 24,445

Certificate and List of Measurement and/or
　Weight 24,422

CFS Receiving Charge 38

Charges for Unitized Consignments 63

Charter Party B/L 36

Checker 119

Claim Note 249,258,519

Clean B/L 36

CODEX 361,377

Collection 147

Combined Transport Bill of Lading:CT B/L
　.. 48

Combined Transport Operator:CTO 48

Commodity Box Rate:CBR 38

Commodity Classification Rate:CCR 63

Consular Invoice 127

Container Load Plan:CLP 112,414

Contract Rate System 39

Contract Slip 127,298

Currency Surcharge 38

【D】

D/A (Documents against Acceptance)
　....................................... 169,451,503

D/P (Documents against Payment)
　....................................... 168,451,503

Damage Survey 245

Deferred Rebate System 40

Delivery Charge 38

Delivery Order:D/O 22,167,169,231,238,509

Demurrage 234

Detention Charge 235

Devanning Report 234,258,508

Direct Collection 187

discount 275

Dock Receipt 35,112,431

【E】

E. & O.E. 410

e-commerce 387

EDI (Electronic Data Interchange) 387

EPA 210,212,359

Equipment Receipt (out) 111,232,258

Estoppel 402

ETA 236,414

EU	361
Exchange Contract Slip	289,403
Exchange Marry	293
Export Declaration	425

【F】

Factoring	152
FAF (Fuel Adjustment Factor)	38,441
FAK (Freight All Kinds) Box Rate	38,39
FAO	361
FAS Attachment Clause	83,92
Fidelity Rebate System	39
Final Claim	248,519
first party	368
FOB (or Free Carrier) Attachment Clause	82
Forfeiting	149
Forward	274
Forwarder's B/L	37
Foul B/L	35
Free From Particular Average:FPA	86
Freight as Arranged	433
Freight Bill	486,491
Freight Collect	37
Freight Prepaid	37

Freight Ton	487
from Port to Port	31
from tackle to tackle	30,31
FTA	359

【G】

General Average	85
General Cargo Rates:GCR	62
G.S.P.Certificate of Origin	471

【H】

Hatch Survey	245
House Air Waybill:HAWB	24,60

【I】

IEC	361
Imaginary Profit	75,76
In container under &/or on Deck	421
Institutional Arbitration	262
Insurance Policy	20,72,419
Interior Point Intermodal:IPI	49
International Priority Service	64
Invoice	24,137,407
ISO	360

【L】

L/C expired ……………………………………… 146
L/G（Letter of Guarantee, Delivery without
　Bill of Lading）……………………… 42,46,173,492
L/G（Letter of Guarantee）………………… 147,452
Late Presentation ……………………………… 146
Late Shipment ………………………………… 146
Leads and Lags ………………………………… 293
Letter of Indemnity ……………………… 35,118,436
Long Form B/L ………………………………… 36

【M】

Mail Days Interest …………………………… 280
Master Air Waybill:MAWB ……………………… 60
Mate's Receipt:M/R ……………………… 35,120,434
Mini-Land Bridge:MLB …………………………… 49
Multilateral Netting …………………………… 294

【N】

Network Liability System ……………………… 32
No margin allowed ……………………………… 404
Notice of Damage …………………………… 246,517
NVOCC …………………………………………… 48

【O】

On Board Notation ………………………… 27,34,441
Outsider …………………………………………… 39
Over Drawing …………………………………… 146

【P】

Packing List ………………………………… 24,409
Parol Evidence Rule …………………………… 402
Partial Shipment ……………………………… 146
PL ……………………………………………… 382
Preliminary Advice …………………………… 129
Preliminary Claim ……………………………… 246
premium ………………………………………… 275
Prepaid as Arranged …………………………… 413
Pretend Nego …………………………………… 147
Promissory Note ………………………… 166,496,497
Purchase Note ………………………………… 466

【R】

Ready for Carriage ……………………………… 56
Received B/L ………………………………… 34,439
Reimbursement Authorization ………………… 165
Rejecting Letter ……………………………… 248
Release Order ……………………………… 238,507

Revenue Ton	487
Reversed Interior Point Intermodal:RIPI	49

【S】

SCM（Supply Chain Management）	58,368
Sea Protest	248,259
Sea Waybill	43
second party	368
Shipped B/L	33,439
Shipper's Pack	111,114
Shipping Application:S/A	118
Shipping Instructions:S/I	118
Shipping Order:S/O	119
Shipping Schedule	19,406
Short Form B/L	36
Short Shipment	146
Siberian Land Bridge:SLB	48
Specific Commodity Rate:SCR	63
Spot	274
Stale Bill of Lading	145
Stevedore	231
Straight B/L	41
Stuffing	112,413
Subrogation Receipt	250

Surrendered B/L	42,45
Survey Report	244,247,249
Surveyor	244,247
Swap Cost	277
Swap Margin	277
Swap Transaction	276

【T】

Tally Sheet	119
Tallyman	119
TEDI（Trade Electronic Data Interchange）	47
Telegraphic Transfer Buying Rate	278
Telegraphic Transfer Selling Rate	283
third party	368
3PL	58,368
Through B/L	36
to order	40,412
to order of Shipper	40,412
Traffic Conference:TC	61
Trust Receipt	166,174,500
TT Middle Rate	272,278
TT Reimbursement	471

【U】

UL（Underwriter's Laboratories Inc.） 361
ULD（Unit Load Device） 63
Uniform Liability System 32
Usance Buying Rate 282

【V】

Valuation Charge 64
Valuation Form 254,257
Vanning 112,413,487

【W】

WHO 361
With Average:WA 86
Without L/C At Sight Buying Rate 282

【Y】

YAS（Yen Appreciation Surcharge） 38,441

「貿易実務検定®」の概要

1．試験内容

「貿易実務」「貿易実務英語」「貿易マーケティング」の3つの分野について出題され、A級、B級、C級の3つのレベルがあります。

2．各級の試験内容の目安とレベル

級	試験科目と配点				試験時間	レベル
A級	①貿易実務　　　　　　（200点） ②貿易マーケティング　（100点） ③貿易実務英語　　　　（150点）			450点	3時間10分	おおむね3〜4年以上の実務経験レベル。 貿易実務において判断業務を行うことができるレベル。
B級	貿易実務	正誤（○×）式 選択式 語群選択式 四答択一式	10題（30点） 15題（45点） 15題（45点） 10題（30点）	150点	2時間45分	おおむね1〜3年以上の実務経験レベル。 貿易実務における中堅層を対象としている。
	貿易マーケティング	正誤（○×）式 選択式 四答択一式 語群選択式	10題（20点） 5題（10点） 5題（10点） 5題（10点）	50点		
	貿易実務英語	英文解釈 和文英訳 主要用語 英文ビジネス文書	10題（30点） 3題（09点） 8題（16点） 15題（45点）	100点		
C級	貿易実務	正誤（○×）式 選択式 語群選択式 三答択一式 ※貿易マーケティングは貿易実務の中で出題。	10題（30点） 15題（45点） 10題（30点） 15題（45点）	150点	2時間15分	おおむね1〜3年以上の実務経験レベル。 定型業務をこなすための必要知識があるレベル。
	貿易実務英語	英単語 英文和訳 英文ビジネス文書	10題（20点） 10題（20点） 2題（10点）	50点		

※　B級およびC級は、すべて選択式により行われます。A級は、選択式と記述式の2つの方法により行われます。

※　2015年よりA級と準A級を統合し、C級・B級・A級の3区分で実施しています。

3．試験科目の範囲

「貿易実務検定®」には、A級・B級・C級の3つのレベルがありますが、級別の試験科目の範囲は以下のようになっています。
（△印は、きわめて基礎的な事項が出題されます。）

科　目	内　容	A級	B級	C級
貿易実務	貿易と環境	△	△	△
	貿易経済知識	○	○	△
	貿易の流れ	○	○	△
	貿易金融	○	○	△
	貿易書類	○	○	△
	貿易法務	○	○	△
	貿易税務	○	—	—
	通関知識	○	○	△
	貿易保険	○	○	△
	外国為替	○	△	△
	航空貨物	○	△	—
	クレーム	○	△	—
	マーケティング知識	—	—	△
貿易実務英語	商業英単語	○	○	△
	英文解釈	○	○	△
	英作文	○	—	—
貿易マーケティング		○	△	—

＜受験要領＞

1．受験資格
どなたでも受験できます。

2．試験日程
毎年、次の月に試験が行われます。スケジュールの変更や追加の可能性がありますので、具体的な日時については、日本貿易実務検定協会®までお問合せいただくか、当協会ホームページ（後記5．参照）またはモバイルサイトでご確認ください。

　3月　貿易実務検定®B級、C級
　5月　貿易実務検定®C級（受験地：東京、横浜、名古屋、大阪）
　7月　貿易実務検定®A級、B級、C級

10月　貿易実務検定®C級（受験地：東京、横浜、名古屋、大阪、神戸）
12月　貿易実務検定®A級、B級、C級

3．受験料（税込み）

貿易実務検定®　A級：12,343円／B級：7,150円／C級：5,980円

4．試験会場

東京・横浜・埼玉・千葉・名古屋・大阪・神戸・福岡・沖縄など

5．受験要項の配布

返信用封筒（長3型封筒に92円切手を貼付し、宛名を明記）を同封のうえ、日本貿易実務検定協会®事務局までご請求ください。また、インターネットやモバイルサイトでもお申込みができます。

（貿易実務検定®に有益なメールマガジンを定期的に配信しています。）

日本貿易実務検定協会®ホームページ
URL：https://www.boujitsu.com/

6．問合せ先

日本貿易実務検定協会®事務局
〒163-0825　東京都新宿区西新宿2-4-1
　　　　　　新宿NSビル25階
　　　　　　㈱マウンハーフジャパン内
ＴＥＬ：03-6279-4180

著者紹介

片山　立志（かたやま・たつし）
（日本貿易実務検定協会®理事長）

　1952年生まれ。東京都民銀行等を経て、現在、日本貿易実務検定協会®理事長。株式会社マウンハーフジャパン代表取締役社長。嘉悦大学経営経済学部非常勤講師。金融法学会会員。
　主な著書・監修書は『通関士試験合格ハンドブック』（日本能率協会マネジメントセンター）、『グローバルマーケティング』（共著、税務経理協会）など多数。
▶本書の執筆担当　第1編第8章

中川　章（なかがわ・あきら）
（日本貿易実務検定協会®参与）

　1946年生まれ。銀行国際部業務役、香港駐在員事務所長、香港現地法人副社長を経て現在、日本貿易実務検定協会®参与。早稲田大学エクステンションセンター講師などを務める。専門は、貿易実務、外国為替、銀行法務。
　主な著書は『貿易実務用語がわかる本』（日本能率協会マネジメントセンター）など多数。
▶本書の執筆担当　第1編第1章～第7章、第9章～第13章および第2編

宍戸　雅明（ししど・まさあき）
（日本貿易実務検定協会®参与）

　1969年生まれ。外国自動車の輸入商社にて貿易関連業務などを担当した後、現在は、日本貿易実務検定協会®参与。専門は、貿易マーケティング、関税・通関。
▶本書の執筆担当　第1編第14章

貿易実務ハンドブック　アドバンスト版　第6版
「貿易実務検定®」A級・B級オフィシャルテキスト

2020年6月30日　初版第1刷発行
2025年2月15日　第4刷発行

編　者──日本貿易実務検定協会®
Ⓒ 2020 Japan Trading Business Association
発行者──張　士洛
発行所──日本能率協会マネジメントセンター
〒103-6009　東京都中央区日本橋2-7-1　東京日本橋タワー
TEL 03（6362）4339（編集）／ 03（6362）4558（販売）
FAX 03（3272）8127（編集・販売）
https://www.jmam.co.jp/

装　丁──冨澤　崇（EBranch）
本文DTP──広研印刷株式会社
印刷所──広研印刷株式会社
製本所──株式会社三森製本所

本書の内容の一部または全部を無断で複写複製（コピー）することは、法律で認められた場合を除き、著作者および出版者の権利の侵害となりますので、あらかじめ小社あて許諾を求めてください。

ISBN 978-4-8207-2812-2　C2034
落丁・乱丁はおとりかえします。
PRINTED IN JAPAN

JMAM の本

通関士試験合格ハンドブック

片山立志［編］

A5判832ページ

国家試験を徹底分析し、最新の出題傾向に対応した「通関士試験」合格のための必要な知識が身につく対策テキスト。3科目のポイントをチャート図解でわかりやすく解説します。頻出条件をチェックできる赤シートや実力確認・学習総仕上げのための模擬問題付き。

どこでもできる通関士 選択式徹底対策

片山立志［著］

新書判384ページ

通関士試験合格のため、いつでもどこでも学習できるツールとして本書が開発されました。図解と空欄穴埋め問題で、出題範囲のテーマへの理解が深まります。とくに他の出題形式よりも配点が高い「語群選択式問題」の過去問題付きです。

図解 貿易実務ハンドブック
ベーシック版
「貿易実務検定®」C級オフィシャルテキスト

日本貿易実務検定協会®［編］

A5判552ページ

輸入貨物の引取り、代金決済にいたるまでの多岐にわたる貿易取引を、実際の流れに沿って解説し、輸出入の全体像がつかめます。貿易英語や英文ビジネスレターの作成要領も収録。この一冊で貿易実務の基礎知識を幅広く学ぶことができます。

「通関士」合格の基礎知識

片山立志［著］

A5判248ページ

イラストや図表をふんだんに使用し、ケーススタディを交えながら、「貿易」と「通関」の基本をわかりやすく解説した入門書。「輸入通関」や「関税」など、貿易実務についての理解を深めることができます。

日本能率協会マネジメントセンター